Les Mémoires d'Elizabeth Frankenstein

DU MÊME AUTEUR

AU CHERCHE MIDI

La Conspiration des ténèbres, roman, coll. « Ailleurs », 2004.

La Menace américaine, essai, coll. « Documents », 2004.

Le Diable et Daniel Silverman, roman, coll. « NéO », 2005.

Theodore Roszak

Les Mémoires d'Elizabeth Frankenstein

Traduit de l'anglais (États-Unis)
par Édith Ochs

Collection
NÉO
dirigée par Hélène Oswald

le cherche midi

Ouvrage publié avec le concours
du Centre national du livre

Vous pouvez consulter le catalogue général du cherche midi et
l'annonce de ses prochaines parutions sur son site internet :
cherche-midi.com

Incapable de supporter la vue de l'être que j'avais créé, je me précipitai hors de la pièce, et longtemps je marchai de long en large dans ma chambre à coucher, sans pouvoir goûter le sommeil. Enfin, la lassitude eut raison de mon trouble, et je me jetai tout habillé sur mon lit, tentant de trouver quelques moments d'oubli. Mais ce fut en vain ! Je dormis, sans doute, mais mon sommeil fut troublé par les rêves les plus extravagants. Je croyais voir Elizabeth, dans la fleur de sa santé, se promener dans les rues d'Ingolstadt. Joyeux et surpris, je l'embrassais, mais à peine avais-je posé mon premier baiser sur ses lèvres qu'elle devenait livide comme la mort : ses traits paraissaient changés, et je croyais tenir dans mes bras le corps de ma mère morte ; un linceul l'enveloppait, et je voyais les vers de la tombe se glisser dans les replis du suaire. Je tressaillis et m'éveillai plein d'horreur ; une sueur glacée couvrait mon front ; mes dents claquaient ; tous mes membres étaient convulsés. À ce moment, la lumière incertaine et jaunâtre de la lune se glissa à travers la fenêtre fermée. J'aperçus alors le malheureux, le misérable monstre que j'avais créé.

Mary Shelley
Frankenstein ou le moderne Prométhée[1]

---

1. Pocket, 1994, traduction d'Eugène Rocartel et Georges Cuvelier, préface et commentaires de Claude Aziza. *(N.d.T.)*

NOTE DE L'AUTEUR

Dans la version originale de *Frankenstein,* Mary Shelley s'est prise pour modèle afin de camper le personnage d'Elizabeth, la fiancée tragique de Victor Frankenstein. Cependant, ce n'est pas à Elizabeth qu'elle a confié le soin de raconter l'histoire : c'est Robert Walton, l'explorateur de l'Arctique, qu'elle a choisi pour narrateur. Les voix masculines – celles de Walton, de Victor et du monstre – dominent le récit. Elizabeth n'est autorisée à s'exprimer qu'au travers de quelques lettres éparses. Même lors de la publication du livre, Mary s'est effacée. Bien qu'elle fût une femme aussi libérée que sa mère, Mary Wollstonecraft, la première féministe du monde occidental, Mary consentit à retirer son nom de la page de titre. Son éditeur considérait le roman trop scandaleux pour être signé par une femme. Publié sous forme anonyme en 1818, *Frankenstein* était, dans l'esprit de nombreux lecteurs, l'œuvre non de Mary, mais de Percy Shelley[2], son mari.

J'ai eu longtemps l'impression que le *Frankenstein* que Mary désirait le plus offrir au monde était à lire entre les lignes d'un texte que seule Elizabeth aurait pu écrire. Cette autre façon de raconter l'histoire suit en parallèle le récit original, mais voit les événements comme seule Elizabeth aurait pu les connaître. En plaçant une idylle

---

2. Chantre de la révolte, ami de Keats et de Byron, le poète anglais Percy Shelley, que Mary épousa en 1816, publia *Prométhée délivré* en 1818. *Frankenstein ou le Prométhée moderne* avait paru l'année précédente. *(N.d.T.)*

alchimique au centre de son roman, Mary Shelley creusait plus profondément dans les fondations psychologiques de la science occidentale qu'elle n'en avait peut-être conscience. En son temps, elle ne pouvait connaître les origines plus lointaines de l'alchimie ; mais sa perception intuitive de ce que l'alchimie révèle de la politique sexiste de la science s'est trouvée confirmée de façon étonnante. J'espère que, s'exprimant ici en tant que fiancée de Frankenstein, elle trouvera enfin la liberté de ton dont son époque l'a privée.

Theodore Roszak
Berkeley, Californie, 1994

PRÉFACE AUX *MÉMOIRES D'ELIZABETH FRANKENSTEIN*, par sir Robert Walton, F.R.S., O.B.E.[3]

Londres, 1843

Nombre de lecteurs ne me connaîtront que comme celui qui a présenté au monde le docteur Victor Frankenstein. Au cours de l'automne 1799, alors que j'officiais en tant que naturaliste de vaisseau lors d'un voyage d'exploration vers les régions arctiques, je participai au sauvetage d'un voyageur échoué, qui avait perdu sa route dans les mers polaires. Ayant dérivé des jours durant sur les glaces flottantes, le pauvre hère était presque mort de faim et d'épuisement quand nous le hissâmes à bord de notre bateau. C'était Victor Frankenstein – qui, ayant recouvré ses forces après son état comateux, se mit en devoir de narrer le macabre enchaînement de circonstances qui l'avait réduit à cette tragique extrémité. Voulant à tout prix que l'on conservât le récit de ses mésaventures, il me pressa de prendre des notes pendant qu'il parlait, une demande que je pouvais difficilement refuser à quelqu'un qui se trouvait au seuil de la mort.

Ainsi, par un tour de fortune inexplicable, il m'incomba de recueillir l'histoire de Frankenstein de sa propre bouche. Je suis seul au monde à tenir de l'homme lui-même ses crimes contre nature ; moi seul connus les souffrances dont ceux-ci l'accablèrent ; moi

3. Membre de l'Académie des sciences. Order of the British Empire. *(N.d.T.)*

seul fus témoin du remords gravé sur ses traits. Il avait en effet l'aspect d'une âme damnée aspirant à une rédemption qui ne serait jamais sienne. Ce fut par charité que je fis ce que Frankenstein me supplia de faire dans ses derniers instants. Cependant, tout le temps que je restai assis à son chevet, mon esprit de savant se débattit avec une unique question. *Où était la preuve tangible de ce qu'il m'exposait ?* Comment pouvais-je être assuré qu'il ne s'agissait pas des égarements d'un esprit dérangé ?

Et puis, quand enfin Frankenstein rendit l'âme, je me trouvai moi-même confronté à l'être contre nature qu'il avait façonné de ses mains ; je lui parlai face à face ; j'entendis le râle sourd, bestial de sa voix ; je sentis la menace effroyable de sa présence ; et, enfin, je le regardai avec stupéfaction quand il souleva le corps de son créateur et l'emporta à travers les vastes étendues glacées pour le confier au bûcher.

Alors seulement, je le crus.

Je dois reconnaître en toute franchise que je regrette amèrement le jour où le destin m'encombra de la réputation que je dois désormais assumer. Car je crois pouvoir dire sans risque d'être présomptueux que mes propres recherches sur l'histoire naturelle des régions polaires représentent une contribution substantielle à la science moderne. Aussi ne me suis-je pas résigné de gaieté de cœur au fait que mon identité au regard du monde ne tient qu'à cette unique circonstance fortuite dans laquelle mon rôle consista à faire fonction de secrétaire pour celui qui restera à jamais dans les mémoires comme un fou et un criminel, voire un ennemi de Dieu.

Je pouvais espérer qu'en publiant mes conversations avec Frankenstein, je serais débarrassé de l'homme et libre de poursuivre ma propre carrière. Mais il ne devait pas en être ainsi. Au contraire, après m'être donné tant de mal pour préserver sa mémoire, je me retrouvai malgré moi le dépositaire d'un fardeau terrible mais inéluctable. Je me sentis obligé de faire tout ce qui était en mon pouvoir pour que la morale de son histoire fût d'une clarté incontestable. Car il y a dans cette affaire des leçons que je ne voudrais pas voir échapper à mes collègues de la communauté scientifique. J'avais l'impression que chaque détail du travail de Frankenstein devait être préservé – et l'histoire de l'homme lui-même au moins autant que le reste. Je me trouvai à me demander comment un esprit aussi talentueux avait pu s'égarer ainsi et avilir son génie. Par quels chemins et sous quelles influences avait-il été conduit vers sa tragique vocation ? Si je pouvais répondre à ces questions, la crédibilité du récit de Frankenstein et l'horreur morale de ses actes pourraient être grandement amplifiées.

Mais y *avait*-il davantage à dire que ce que l'homme m'avait lui-même révélé ?

Ce n'est qu'à la fin de l'été 1806 que la situation politique sur le continent européen redevint suffisamment apaisée pour permettre une enquête approfondie sur les circonstances du récit de Frankenstein. Cette année-là, durant le bref intervalle de paix que connut le sud de l'Europe à la suite de la victoire de Napoléon à Austerlitz, je fus libre de me transporter assez loin dans la région de Genève, fief de la famille Frankenstein. Au cours de ces années instables, Genève et tout le Vaud avaient été nouvellement annexés à l'empire de Napoléon. Hélas ! Les forces révolutionnaires, déchaînées par l'invasion de la Grande Armée, eurent tôt fait de se débarrasser des archives municipales de la ville, de même que de ses familles aristocratiques. Des dynasties de marchands suisses furent poussées à l'exil et leurs biens brutalement saisis sans grande attention pour des documents historiques. Les quelques membres lointains de la famille Frankenstein que je retrouvai dans la région se révélèrent extrêmement réticents à discuter de leur parent ; celui-ci était considéré par tous sans exception comme une tache sur l'honneur familial qu'il valait mieux effacer de sa mémoire. De même, à l'université d'Ingolstadt, où Frankenstein avait fait ses études – non loin du champ de bataille d'Iéna où les forces de Napoléon se rassemblaient déjà pour leur confrontation épique avec les armées du roi Frédéric-Guillaume –, je découvris que ses principaux mentors étaient morts ou partis. Même l'université avait fermé ses portes, conséquence de ces temps troublés. J'étais sur le point de renoncer à tout espoir quand je découvris où demeurait Ernest Frankenstein. Celui-ci, le dernier membre survivant de la famille, habitait alors dans un village reculé au fin fond du Jura ; à contrecœur, il reconnut posséder certains papiers en rapport avec l'histoire de son frère. L'esprit lent, profondément aigri par la perte de la propriété familiale, Ernest ne consentirait à se séparer de ses documents que contre une somme d'argent. D'un naturel soupçonneux, il ne me permit pas même de les toucher avant que j'eusse déposé l'argent entre ses mains ; et même alors, il ne dévoila que les premières pages, retenant étroitement le reste dans son poing comme un avare s'accrochant à sa dernière pièce de monnaie. Mais ce qu'il me montra me suffit ; je n'eus besoin que d'en traduire les premières lignes, et je fus impatient de payer ce que demandait cet homme, ce qui n'était qu'une petite fraction de ce que ces documents valaient à mes yeux.

Après la vente, Ernest afficha un mépris amusé devant ce qu'il prenait pour de la crédulité de ma part. « Ce ne sont que les sornettes de cette bâtarde de bohémienne, voilà ce que vous a payé votre argent. Que cela vous fasse grand bien, monsieur le curieux. » Je permis à l'homme sa satisfaction ignorante et partis promptement, le sentiment de triomphe que j'éprouvais me faisant presque tourner la tête. Car ce que ce pauvre simplet m'avait remis n'était autre que les écrits et des lettres d'Elizabeth Lavenza, la sœur adoptive de Frankenstein qui deviendra sa fiancée. Je n'aurais pu espérer faire une plus précieuse découverte.

Les lecteurs de mon récit initial se souviendront que celle qui fut la plus infortunée des femmes, l'amour de Victor Frankenstein durant toute sa vie et sa tendre compagne, trouva la mort la nuit de ses noces, assassinée par le démon que son mari avait créé. Visiblement, Ernest Frankenstein n'avait aucune idée de la valeur de ces documents. Je me rendis compte, dès que j'eus posé les yeux dessus, que là résidait peut-être la clé de la tragédie de Frankenstein. Car il y a *trois* voix qu'il faut entendre si nous voulons comprendre correctement cette extraordinaire aventure. La première est celle de Frankenstein lui-même ; nous avons celle-là dans les paroles de l'homme telles que je les ai consignées mot à mot. La deuxième est celle de sa monstrueuse créature, les paroles du monstre telles qu'elles furent rapportées par Frankenstein et telles qu'elles me furent adressées par la créature en personne quand elle me défia pour s'emparer du corps de son créateur. Mais ici enfin se trouvait la voix de quelqu'un qui connaissait Frankenstein plus intimement que quiconque : Elizabeth, le troisième et (croyais-je à l'époque) seul membre innocent de cette trinité sacrilège.

Ainsi, dans l'exubérance d'une authentique découverte, je rentrai en Angleterre pour compléter l'histoire de cet homme remarquable, au moment même où la fragile paix de l'Europe volait à nouveau en éclats sous le choc des grandes armées.

J'appris bientôt que ma tâche serait loin d'être aisée. Après plusieurs lectures, je réalisai que les mémoires d'Elizabeth Frankenstein ouvraient plus de perspectives que je ne l'avais espéré. Car ce n'était pas un simple additif aux récits de Frankenstein ; son témoignage était de la même nature que l'essence du récit. En fait, j'eus bientôt lieu de craindre que ces pages ne recèlent de plus grandes profondeurs de sens que je n'avais la capacité d'en élucider.

Je dois admettre à présent pour la première fois que Victor Frankenstein me confia davantage que je ne l'ai révélé au monde. Dans sa narration originale, il avait abordé certains sujets que je n'avais pas jugés dignes d'être inclus dans mes publications antérieures. Il avait parlé, par exemple, assez longuement – souvent d'une manière presque hallucinatoire – de ses études d'alchimie et du rôle que sa fiancée avait joué dans ces expériences ; mais ses remarques étaient obscures et fréquemment trop offensantes à mon goût. J'attribuai à l'époque une bonne partie de ces propos à son esprit enfiévré. Même si je consignais dûment ses paroles, j'avais déjà décidé, alors même que j'étais assis au chevet de Frankenstein, que ces épanchements, remplis d'aveux sans queue ni tête de dégoût de soi et de remords, ne devaient jamais être rendus publics. Après tout, ils pouvaient n'être que les errements coupables d'un esprit moribond. Je choisis donc avec miséricorde de supprimer ce qu'il m'avait dit de certaines pratiques avilissantes auxquelles il avait soumis celle qu'il prétendait aimer. Je le fis par considération pour la réputation de cette malheureuse. Car même si ce que Frankenstein m'avait confié était vrai, je ne souhaitais pas narrer les actes aberrants qu'elle, dans sa faiblesse morale, avait pu être contrainte d'accomplir en tant que partenaire d'un prétendu « mariage chimique » avec celui-ci. Je pris Frankenstein au mot quand il déclara que lui et lui seul était responsable de la perversion d'Elizabeth. Il soutint non pas une fois mais à maintes reprises et avec les plus grands transports, qu'elle n'était que le réceptacle passif des indécences qu'il lui avait infligées.

À ce jour, je me suis toujours efforcé de considérer Elizabeth Frankenstein comme la victime de l'ambition pervertie de son fiancé. Mais peu à peu, alors que mes recherches sur le savoir étrange qui entoure la vie d'Elizabeth se sont approfondies, je suis devenu de moins en moins assuré de sa nature morale. Je n'aurais pu imaginer que je découvrirais que cette jeune femme apparemment candide trempait dans des rites que nos ancêtres chrétiens croyaient depuis longtemps effacés de la mémoire. Je n'aurais pu l'imaginer explorant les pratiques érotiques qui constituent la face sombre de la philosophie alchimique. Au bout de quelque temps, je ne pouvais plus dire lequel des deux – de Victor ou d'Elizabeth – avait débauché l'autre. Était-il possible, comme certains passages de ce texte le donnent à penser, qu'Elizabeth, loin de prendre part malgré elle aux recherches contre nature de son amant, en ait été dans une certaine mesure l'initiatrice ? Étant donné ce que je tiens de son propre récit, je dois conclure que ce que j'aurais trouvé jadis impensable est certainement véridique. Frankenstein ne fut pas seul à perpétrer les obscénités qu'il m'a confessées : il avait une complice consentante, dont la culpabilité est à peine inférieure à la sienne.

Plus troublant que tout, la preuve que l'on trouve dans ces pages du rôle de la baronne Caroline Frankenstein dans la vie de son fils et de sa fille adoptive. S'il faut ajouter foi auxdits mémoires, cette femme de l'ombre, que Victor Frankenstein préfère laisser quasiment anonyme dans son récit original, compterait sans doute parmi les phénomènes humains les plus grotesques qu'il me fût donné de rencontrer au cours d'une existence de voyages et d'aventures hors du commun. *Si*, dis-je, les mots sur ces pages méritent créance. Mais la méritent-ils ? Car tant qu'un doute raisonnable obscurcissait les faits, j'hésitais à accepter la véracité des propos qu'Elizabeth Frankenstein tenait sur sa mère adoptive ; il était plus facile pour moi, et de loin, de considérer Elizabeth comme une menteuse éhontée ou d'attribuer ce qu'elle disait au dérangement de ses facultés que de croire à la possibilité qu'il y eût jamais créature aussi dépravée que celle qui donna le jour à Victor Frankenstein. Toutefois, là aussi, mes recherches produisirent la preuve irréfutable que Caroline Frankenstein était en fait coupable de tout ce qui figure dans ces mémoires.

Ainsi, après quarante ans de savant labeur, j'en suis finalement réduit à me demander : le rôle d'égarer l'esprit de mes semblables avec une histoire de chute sans rémission doit-il à nouveau m'incomber ? Car, tandis que je médite sur ces documents, je m'aperçois que les crimes de Frankenstein – commis peut-être avec la complicité de sa fiancée – étaient plus odieux que je ne l'avais présumé. La monstruosité qu'il fabriqua dans sa poursuite profane du pouvoir divin n'était que le dernier acte d'une succession de transgressions morales. Bien que j'aie cru, pendant un bref intervalle, que Frankenstein était une âme tragique digne de compassion, j'en suis venu à réaliser que son souvenir méritait d'être enseveli dans l'obscurité – et plus encore, le nom de sa promise. J'avoue que je fus cruellement tenté à maintes reprises de dissimuler son rôle dans ces affaires, de peur d'être tenu pour responsable de léguer un pareil exemple de dépravation féminine à la postérité.

À quoi dois-je finalement d'avoir échappé à cet état d'incertitude ? À une chose seulement : mon allégeance indéfectible à l'objectivité scientifique. Cela seul, l'habitude que je chéris d'une vie passée au service de la vérité, me fortifia dans une voie que la révulsion morale m'aurait peut-être persuadé d'abandonner. C'est dans cet esprit que je présente ce récit devant le monde, confiant qu'un public candide ne se méprendra pas sur mon véritable but, qui est la défense de la Raison et la justification de la rectitude morale.

Première partie

Belrive, 30 août 1797

Mon très cher Victor,

Je prends ma plume à une heure ténébreuse.

Le bonheur que j'ai si longtemps attendu va être enfin le mien ; dans une heure, je vais devenir autant la femme de votre chair que je fus celle de votre esprit durant toutes ces années. Mais cette certitude jubilatoire me vient voilée par l'ombre de la mort. Je ne puis dire quand ni comment je dois mourir ; mais l'assurance que ce doit être pour bientôt pèse sur moi comme une main qui m'étouffe. La route qui nous conduira à notre nuit de noces longtemps retardée a été si tortueuse que je ne puis que prier qu'il nous soit enfin accordé une unique heure de joie.

Je n'ai nul besoin de vous dire pourquoi je suis si persuadée de cet effroyable destin ; vous fûtes le premier à entendre prononcer ma sentence de mort et vous savez, mieux encore que moi, pourquoi je suis condamnée. Un esprit de vengeance qui a atteint un degré d'invincibilité diabolique plane sur notre mariage. Je sais que vous donneriez volontiers votre vie pour sauver la mienne ; mais (mon bien-aimé, pardonnez mes paroles !) je sais que votre amour n'est ni assez fort ni assez profond pour résister au Mal. Ne voyez pas en cela – je vous en conjure ! – un manque de foi de ma part dans la sincérité de votre dévouement. Lisez plutôt ces mots comme une expression de ma foi plus grande en la justice de Dieu dont vous avez profané la Loi. Car ce mal est, après tout, une chose que vous avez fabriquée vous-même. Pleurez-moi si vous le devez ; mais pensez ensuite à moi comme au sang du sacrifice que votre péché exigeait.

Sachez que je ne blâme que moi-même pour le courroux qui nous frappe aujourd'hui. Un jour – vous vous souvenez de ce moment, et savez qu'il ne dura qu'un moment –, je me détournai de vous avec horreur ; en cet instant, vous avez pu éprouver mon dégoût et ma répulsion. Si bref fût-il, je vois à présent qu'il vous a poussé sur le sentier conduisant à ces arts profanes qui formèrent votre vocation. Si mon dévouement n'avait pas faibli en cette heure, si j'avais été capable de pardonner et de corriger la faiblesse momentanée de la chair à laquelle vous avez succombé – bref, si j'avais été la véritable compagne dans notre union mystique dont vous aviez si profondément besoin –, nous serions restés indubitablement les amants, les compagnons de travail et les compagnons spirituels que la divine providence, j'en suis assurée, voyait en nous. Ma faiblesse en cet instant fut-elle moindre que la vôtre ?

Ainsi, dans ces derniers mois, j'ai consigné ce qui est autant l'histoire de votre vie que de la mienne. J'en ai fait le récit comme s'il était destiné à un public d'étrangers, bien qu'il ne fût destiné qu'à un seul lecteur. Tout ce que j'ai inconsidérément gardé secret, toute parole non dite de colère et de reproche, toute blessure de l'esprit que j'ai cachée à la vue, je la couche ici par écrit pour vous en instruire. Il n'y a rien de plus à faire que d'y joindre cette ultime missive. Les paroles que j'écris en toute hâte sont-elles cohérentes ?... Je le crois. C'est difficile... mon esprit s'est trouvé si distrait ces derniers temps. La voix de fer a de nouveau retenti la nuit dernière. Elle ne me laisse pas en repos.

Je vais finir maintenant, car je dois aller me marier. Mon très cher amour, mon très cher ennemi, quand ce pli parviendra entre vos mains, acceptez-le comme la moitié de votre âme que vous ne connaissiez ni ne pouviez connaître, la moitié qui fut...

Votre fiancée qui vous aime,
Elizabeth

Je suis née en exil

Il est des nuits qui m'apportent les mêmes rêves funestes encore et toujours ; il en a été ainsi du plus loin qu'il m'en souvienne.

Je suis comme coupée en deux. Deux paires d'yeux, deux sensibilités. Comme si, d'une grande hauteur, je voyais la couche sur laquelle la femme suppliciée est étendue, en proie aux douleurs de l'enfantement. Je la regarde se tordre dans les affres de la mort, tel un soldat blessé vautré dans son sang sur le champ de bataille. C'est horrible de la voir souffrir ; mais plus horrible encore de voir la créature penchée sur elle. À peine humain en apparence, le personnage est, autant que la souffrance qu'elle éprouve, à l'origine de sa terreur. Des mains monstrueuses s'avancent, et je comprends la cause de son tourment. En effet, ce ne sont pas des mains ; ce sont les griffes d'un oiseau de proie : aigle ou faucon. Les serres de l'homme-oiseau labourent la chair impuissante de la femme sans défense, laissant derrière elles un lacis écarlate. Elles plongent dans le creux de ses cuisses, lacérant la béance torturée de son sexe. Pendant ce temps, derrière la fenêtre, des éclairs embrasent le ciel, tel le courroux de Dieu, et font hideusement ressortir son corps, la clarté d'une blancheur fantomatique rendant son visage blême terrifiant à contempler. Je veux aller à elle, la prendre dans mes bras et partager son malheur.

Mais il y a un *autre* moi. Je suis le nouveau-né informe, impuissant, qui loge à l'intérieur de son corps tourmenté. Je vois une lueur lointaine ; je lutte pour l'atteindre et rampe péniblement dans un tunnel dont les parois sont chaudes et moites. Tout autour de moi, j'entends des vibrations comme si j'avais été engloutie par une grosse bête qui aurait commencé à me digérer. Je m'approche de la lumière, la panique s'empare de moi... je ne puis respirer, mes poumons sont douloureux. Je dois m'échapper !

Et puis, je sens la douleur sur mes tempes ! On me saisit et on me tire ; la pression paraît me broyer le cerveau. Mais à la fin, je suis libre. Mon visage, mon corps sont baignés de sang. Du sang partout. Sur mes tempes, du sang. L'homme-oiseau a plongé sa serre au cœur même de la matrice ; il s'est emparé de moi ! Je me vois suspendue entre ses griffes serrées comme un étau, tel un morceau de viande dont il va se repaître. Je regarde alentour et vois le gouffre écarlate et béant dont j'ai été expulsée : le sexe de ma mère, tremblant telle une bouche muette qui veut hurler de frayeur. Je vois son visage déformé, ses yeux qui me fixent, l'air accusateur. Mais les yeux ne me voient pas ; ils ne voient rien. Ils sont morts : des yeux morts dans le visage d'une morte.

Et là, je comprends : ma vie a pris une vie. C'est en meurtrière que je suis venue au monde.

La scène effroyable redevient immobile pour me rendre le repos, même si je sais depuis longtemps qu'elle n'est que le fruit de mon imagination enfantine. Cependant, dans un autre sens, elle détient une vérité que seuls les rêves peuvent exprimer. Elle me rappelle le châtiment qui me guette depuis l'instant où j'ai vu le jour.

Car j'appris au moins cela, par la suite, sur les circonstances de mes origines. Je suis l'enfant d'une étrange et tragique naissance. La marée de sang qui me transporta dans le monde fut le dernier élan vital de ma mère. Elle mourut pour donner vie à son enfant. Mon père fut laissé si éperdu par la disparition de la femme qu'il aimait tendrement qu'il réagit presque en châtiant le nouveau-né pour la mort de la mère. Il m'envoya, pour ainsi dire, en exil. Sur son ordre, alors que le corps de ma mère était encore étendu sur le lit, toujours maculé de sang, je fus brusquement confiée aux soins de la matrone qui avait aidé à me mettre au monde. « Elle aura pour nom Elizabeth, d'après sa mère », ordonna-t-il. Ces paroles furent les dernières dont se souvenait la bohémienne à propos de cette nuit terrible où elle prit la place de ma mère disparue.

Bien qu'elle eût déjà par elle-même quatre bouches à nourrir, cette âme simple, qui s'appelait Rosina Lavenza, fit de son mieux pour remplir la place qui lui était échue ; mais à vrai dire, cela ne valait guère mieux que d'être orpheline. Bien que cette bonne et brave femme me donnât le sein en même temps qu'à son propre nourrisson, elle n'était ni de mon rang ni de ma race, comme elle s'empressa elle-même de me le faire savoir. Le sang que j'avais hérité de mon père était celui de la noblesse milanaise ; ma mère descendait vaguement de la maison royale d'Angleterre. D'elle, j'ai hérité mon teint clair et mes cheveux dorés qui me distinguaient de façon saisissante des Lavenza au teint mat. Les enfants de Rosina, surtout, en vinrent à me traiter avec méfiance et mépris ; à leurs yeux, j'étais vouée à demeurer une intruse, qui se distinguait d'eux par la délicatesse de ses traits. Même si je partageais leur roulotte surpeuplée et portais les mêmes guenilles – et si ma première langue fut le dialecte romanichel de la famille –, leur mère m'apprit à considérer que j'étais au-dessus de leur condition. « Souvenez-vous, rappelait-elle à ses enfants en ma présence, Elizabeth est une princesse. Son père gouverne tous les royaumes du Sud. » Quoique la brave femme fût bien intentionnée, mes nouveaux frères et sœurs ne devaient pas se laisser désarmer par les déclarations exaltées qu'elle faisait à mon sujet ; en fait, ces galopins n'en étaient que plus portés à me traiter avec hargne, allant jusqu'à remettre en cause ma haute naissance. D'une manière blessante, ils me révélèrent le honteux secret que leur mère leur avait confié : j'étais une enfant illégitime et avais été abandonnée. Cela me faisait apparaître, à leurs yeux envieux par nature, non plus comme une personne privilégiée, mais comme leur inférieure, et ils ne perdaient aucune occasion de me blesser en me traitant de bâtarde. Cependant, ils écoutaient fascinés quand Rosina narrait des histoires fabuleuses sur le père que je n'avais pas connu, le conte de ses aventures dans les contrées de l'Orient et par-delà les mers, le récit fantastique de son audacieuse et grande fortune.

Peut-être racontait-elle ces histoires dans l'espoir que mon père continuerait à grossir la bourse qu'il lui avait octroyée en me confiant à ses soins. Ou peut-être y avait-il une autre raison, plus obscure, à ces récits embellis sur mon illustre lignée. Si Rosina était une brave femme, le chef de famille du clan Lavenza était fort différent. Toma était un homme sombre et maussade qui s'adonnait à la boisson et était doté d'un méchant caractère ; déjà dans mon enfance, je voyais Rosina trembler de terreur en présence de cet homme renfrogné. Et fréquemment, je remarquais sur elle des traces de brutalités qu'elle ne pouvait dissimuler. Toma ne traitait pas moins durement ses enfants, y compris moi-même. Pis, il considérait mes sœurs avec lesquelles je grandis comme sa propriété charnelle, à sa disposition pour satisfaire ses besoins les plus abjects. La plus âgée des filles, d'environ cinq ans mon aînée, qui s'appelait Tamara, une brune et charmante enfant, était une séductrice née. Son charme était loin de laisser Toma insensible et il ne cessait de la couvrir de caresses et de lui prodiguer des marques d'affection inconvenantes. Il l'appelait sa « petite femme » et souvent, elle partageait sa couche quand il en avait chassé Rosina. Et la valeur de sa beauté n'échappait pas à cet homme cupide. Dans mon innocence, je ne pouvais m'en douter à l'époque, mais avec l'amère sagesse des années, je compris que cet homme faisait de sa propre enfant une prostituée, bientôt prête à faire le trottoir pour grossir la misérable pitance qu'il gagnait par son travail de sculpteur sur bois. Je ne puis que supposer qu'il avait des projets similaires pour moi, sa « fille aux boucles d'or » qui, ne cessait-il de répéter, devenait chaque jour plus belle que sa propre enfant. En une occasion, alors que je n'avais guère plus de cinq ans, cet homme malfaisant réussit à m'entraîner dans son lit à force de cajoleries. Seule l'intervention courageuse de Rosina l'empêcha de parvenir à ses fins. Elle fonça sur lui avec un couteau, le pressa contre sa gorge jusqu'au sang et se déclara prête à sacrifier sa propre vie en prenant la sienne s'il portait une main profanatrice sur ma personne.

Aussi redevable que je sois envers Rosina pour ses soins affectueux et sa protection, elle fut plus que quiconque à l'origine de mes cauchemars. Avant que je pusse clairement saisir le sens de ses propos, elle commença à me raconter les souvenirs qu'elle gardait de ma naissance. Quand elle me baignait et faisait ma toilette, elle effleurait du bout des doigts une cicatrice que je portais sur la tempe gauche. Avant même que je pusse craindre que cette marque ne me défigure, Rosina en déplorait les effets, qu'elle considérait comme l'unique défaut d'une beauté sans faille. C'était la cicatrice en dents de scie d'une blessure dont je ne pouvais me rappeler la douleur. « Tu vois, tu vois ! disait-elle. C'est par là qu'*il* t'a attrapée. Voilà où sa griffe t'a prise, ma pauvre petite. Il faut veiller à ce qu'on ne s'en aperçoive pas. » Et puis elle disposait mes cheveux en bouclettes autour du front pour dissimuler la marque, ce qui me rendait encore plus consciente de cette imperfection. Malgré les années, aujourd'hui encore, je porte mes cheveux de la même façon qu'elle me l'a montré, bien que la blessure ait depuis longtemps disparu. Dans ma petite enfance, j'ai pu la prendre pour un jeu, cette façon de cacher l'horrible stigmate ; mais bientôt, j'en vins à saisir davantage le sens de ses paroles. L'idée s'enracina en moi que cette marque avait été laissée par une force malfaisante : une créature armée de griffes m'avait attaquée à un moment donné. Je ne comprenais guère que cela, mais l'image était suffisamment horrible pour s'ancrer définitivement dans mon esprit rêveur, où, avec le temps, elle se réfugia dans mes songes pour hanter mon sommeil nocturne. Je me réveillais en hurlant – croyant entendre de grandes ailes de prédateur battre au-dessus de mon lit.

Je ne tardai pas à découvrir l'effroyable réalité que cette idée fantasque dissimulait.

Comme je l'ai déjà dit, Rosina était une matrone et gagnait davantage par l'exercice de son métier que Toma par le sien. Comptant voir ses filles suivre ses pas, elle avait coutume de m'emmener avec mes deux sœurs quand on l'appelait pour un accouchement. Elle avait la conviction, comme elle l'exprima clairement, que les filles devaient être accoutumées aux dures réalités de l'enfantement dès leurs plus tendres années. Avant que je pusse comprendre totalement ce que je voyais, je me tenais avec mes sœurs dans le dos de Rosina pendant qu'elle était agenouillée devant le tabouret d'accouchement pour accueillir une nouvelle vie. Elle nous montrait comment préparer le bain de vapeur à base de plantes qu'elle appliquait avec diligence sur les cuisses et l'abdomen de la parturiente. Bien que je ne fusse qu'une enfant, on m'indiqua comment préparer la potion qui hâterait le travail : plusieurs brins d'ergot de seigle âcre macérés dans une casserole d'eau. Après la naissance, j'étais autorisée à tenir le nouveau-né encore humide et se tortillant, à peine sorti de la matrice. Je m'en souviens comme d'une expérience troublante, car cela semblait souvent s'accompagner de grandes souffrances ; et je craignais que la vie de la mère gémissante ne fût en péril.

Un épisode particulier me revient, car j'appris par lui le peu que je sais de ma propre naissance. À cette occasion,

Rosina avait été appelée dans la maison d'une dame distinguée dont les douleurs se prolongeaient interminablement. Comme je l'avais vue faire en de semblables occasions dans le passé, Rosina pétrit et massa patiemment le ventre de la dame, lui appliquant un baume qui calmait la future mère anxieuse. Les autres femmes présentes avaient entrepris de fredonner la chanson qui servait à apaiser les parturientes dont l'esprit était égaré par les douleurs. Mais comme le travail commençait, un homme étrange surgit dans la chambre et il chassa brutalement les femmes qui entouraient le tabouret. Il déclara d'une voix stridente qu'il était un médecin requis par le père agité. Il refusa de laisser Rosina poursuivre l'accouchement et la renvoya impérieusement en la traitant de « vieille mégère ». Se mettant à l'œuvre, il ordonna qu'on retirât la mère du tabouret pour la remettre sur le lit. Puis, se tournant impérieusement vers Rosina, il lui intima de se rendre utile de la seule façon qu'elle pouvait le faire « Tiens-lui les mains, souillon ! Tiens-la immobile ! » commanda-t-il.

À contrecœur, Rosina se posta à l'arrière du lit et prit les mains de la femme dans les siennes pendant que le docteur se mettait à l'ouvrage. De sa sacoche noire, il sortit un attirail d'instruments métalliques cliquetants : ils étaient aussi crochus et affûtés que des outils de menuisier ; parmi eux, il trouva deux tiges en forme de cuillère et les associa. À la vue de cet instrument, qu'on appelait un forceps comme je l'apprendrais plus tard, Rosina se signa et lui cria d'arrêter. Sur quoi, le médecin lui ordonna avec colère de quitter la pièce en la traitant de toutes sortes de noms insultants. Rosina se mordit le pouce en le regardant et poussant un juron, elle refusa de quitter sa place. Elle se plaça entre le médecin et la femme, qui, à présent, hurlait, prise d'une terreur animale.

Le regard étincelant, le docteur lança un seul mot à Rosina : « *Strega*[4] *!* » cria-t-il. Ce fut assez pour réduire la

4. En italien, « sorcière ».

résistance de Rosina. Comme elle reculait, il répéta le même mot encore et encore comme s'il la faisait sortir de la chambre à coups de fouet. « *Strega ! Strega ! Strega !* Va-t'en ! » Puis, tournant le dos au lit sur lequel était étendue la mère bouleversée, il sortit de sa valise une sangle de cuir roulée. « Ligotez-la ! » aboya-t-il au reste de l'assistance.

Derrière la porte, Rosina me prit à part, le visage rouge sous l'effet de la rage et de l'insulte. « Tu vois ce qu'il fait ? Il l'attache et la rend impuissante. Il la prive de la force de la terre. Et alors... il va se servir de sa griffe parce que le bébé n'arrivera pas à se frayer son chemin. Il va la tuer, pauvre femme ! C'est la mort qu'il lui donne, pas la vie. » Ses doigts effleurèrent ma tempe pour suivre la cicatrice au ras des cheveux. « Oui, là, mon enfant, dit-elle. Voilà ce que la griffe t'a fait. C'est la marque du démon sur toi. Bientôt, tous les enfants qui viendront au monde la porteront. C'est un crime contre Dieu de retirer aux femmes l'enfantement. Que sait-il, ce... cet *homme* ? »

Cette nuit-là, je rêvai pour la première fois de ma mère morte et de l'homme-oiseau dont la griffe lui avait retiré la vie et avait marqué ma chair.

Durant mes neuf premières années, Rosina se battit vaillamment pour me donner le sentiment que j'étais un bien précieux, et peut-être surtout pour convaincre Toma que ma sauvegarde pouvait rapporter davantage à la famille que faire de moi une catin. Je ne saurais dire à quel rythme mon père lointain contribua à ma subsistance – ou s'il le fit seulement. Je me souviens de lui en une seule circonstance et celle-ci fut poignante.

Il advint, un jour de ma sixième année, qu'une compagnie de *condottieri*, armés de pied en cap et la bannière déployée, traversa le camp de bohémiens aux abords du village de Treviglio où le clan Lavenza s'était établi. C'était une troupe arrogante, qui traversait les potagers sans vergogne en faisant courir les enfants et les bêtes au-devant de la cavalcade. À sa tête galopait un homme d'une incroyable beauté, vêtu d'un manteau de brocart d'écarlate et d'argent. Il portait un haut casque à plumet et sur la poitrine de nombreuses médailles étincelantes. À la surprise du campement, il dirigea l'escadron vers notre roulotte, devant laquelle il arrêta son cheval et appela ma nourrice par son nom. Quand elle sortit, les yeux écarquillés et tremblante, il lui ordonna de me conduire à lui. « Viens ! Viens ! me cria-t-elle à l'endroit où je jouais. C'est ton père ! » Je fus aussitôt soulevée dans ses bras jusque sur son cheval près de l'escalier. Il me tint dans une étreinte solide pendant un long moment, scrutant mon visage avec la plus grande attention. Le regardant aussi, je gravai ses traits dans mon esprit d'enfant. C'était le grand seigneur du Sud dont j'avais maintes fois entendu parler. Et à mes yeux, il ressemblait en tous points aux rois des contes de fées – un homme martial à la splendide armure, les yeux profondément enchâssés, le regard sombre. Je peux encore voir ses traits aussi vivement que s'il se tenait devant moi. « Innocente Parque, souviens-toi de moi dans tes prières, me dit-il. Et pardonne-moi. J'aimais grandement ta mère. » Puis déposant un baiser sur mes cheveux, il passa un collier autour de ma tête ; le pendentif qui y était attaché tomba sous ma poitrine, de sorte que je ne pus le voir avant qu'il ne m'ait rendue entre les bras de ma nourrice. Il lui lança une bourse bien garnie et l'engagea à m'accorder les meilleurs soins jusqu'à son retour.

« Il part à la guerre », me chuchota-t-elle à l'oreille tandis que nous le regardions s'éloigner.

Ce fut la seule et unique fois que je le vis ; je ne sus jamais ce qu'il advint de lui. Je ne puis même dire dans quelle guerre il était parti se battre. Quant au colifichet qu'il m'avait laissé, il n'était pas destiné à rester longtemps en ma possession. Bien que Rosina fît de son mieux pour le mettre en sûreté, il suffit de quelques jours pour que Toma s'en emparât ; je n'eus l'occasion que d'en graver les traits les plus marquants dans ma mémoire. À l'époque où il me fut donné, je ne pouvais savoir que c'était des armoiries. Je me souvenais seulement de l'image : l'écu en quartiers, décoré en haut d'un grand axe double et d'un aigle à deux têtes, et en bas, de lions ailés et dansants. Cette image vague qui s'effaçait de ma mémoire, et n'était pas même suffisamment consistante pour que je retrouvasse son origine parmi les familles nobles d'Italie, j'en chérissais néanmoins le petit croquis que j'en avais esquissé après que l'objet m'avait été retiré, car il était le seul vestige de ma véritable parenté.

Bien que je l'eusse enfin vu face à face et que j'eusse senti ses mains sur moi, cette unique rencontre avec mon père ne servit qu'à épaissir encore le mystère qui l'enveloppait. En raison même de ces ténèbres, j'inventais des histoires fantasques sur ma naissance et ma filiation. Je revenais le plus souvent sur les événements tels qu'ils auraient pu tourner si ma mère avait vécu, si j'avais pu devenir une princesse comme j'y étais destinée. Mais parfois, je voyais le commencement de ma vie comme une déconcertante chute de la grâce, et mon père tel Jéhovah offensé exilant dans un désert impitoyable au fin fond du jardin d'Éden la vie qu'il avait engendrée. Pourquoi m'avait-il condamnée à une aussi humble condition ? Était-ce mon châtiment pour le rôle que j'avais joué malgré moi en prenant la vie de ma mère, la femme qu'il aimait grandement ? N'ayant personne pour répondre à ces questions, je vivais dans un sentiment d'abandon inexplicable, qui ne me permettait pas d'éprouver la désinvolture et la gaieté propres à l'enfance. Je vivais dans une sorte de purgatoire, attendant le Rédempteur qui viendrait ratisser ce lieu de ténèbres et me sortir de mon exil. Dans mon cas, le sauveur fut une femme.

NOTE DE L'ÉDITEUR

Du savoir de la matrone, de la sorcellerie et du rôle contesté du forceps

La tragédie fut l'alpha et l'oméga de la vie d'Elizabeth Frankenstein ; elle marqua et sa naissance et sa mort. En effet, si nous pouvons croire son histoire telle qu'elle la conte, sa vie fut marquée au début et à la fin par le meurtre. Mais quelle foi peut-on accorder au récit de la naissance d'Elizabeth par sa mère nourricière, Rosina ? La gitane était convaincue que le médecin qui avait mis au monde Elizabeth avait fait périr la mère, et cela par l'usage de l'instrument qui a peut-être permis de sauver la vie de l'enfant.

Il nous faut retenir que le témoignage de Rosina est une preuve peu digne de confiance, provenant d'une femme illettrée dont le niveau intellectuel est manifestement très faible. En outre, nous devons garder à l'esprit que tout ce qu'elle dit fait écho à ce que nous pourrions appeler un parti pris professionnel, celui d'une matrone pour laquelle le médecin accoucheur est un rival qui menace son gagne-pain. Il fut un temps où chaque ville et chaque hameau d'Europe avait sa Rosina, une femme illettrée qui vivait d'un seul talent, si on peut parler ici de talent. Le bruit courait que beaucoup de ces femmes étaient des adeptes des pratiques diaboliques. Ainsi, dans la chasse aux sorcières des temps anciens, de nombreuses matrones trépassèrent, laissant dans l'exercice de l'obstétrique un vide que pouvaient désormais remplir leurs concurrents masculins. L'hostilité croissante entre la « femme sage » du village et le médecin qui la supplantait était assez compréhensible. Dans les annales de l'Inquisition, on trouve même des femmes qui déploraient que l'accusation de sorcellerie fût utilisée intentionnellement dans le but de les discréditer.

Pour acquérir un point de vue plus objectif, nous ne pouvons faire mieux que nous tourner vers un des pionniers de l'obstétrique scientifique dans notre pays. À ma demande, le distingué docteur Thomas Cosgrove a généreusement consenti à collaborer à cette étude par la communication suivante.

Mon cher Walton,

Les questions que vous soulevez concernant les dangers des procédures de l'obstétrique moderne, comme je suis heureux de vous l'apprendre, ne permettent de fonder aucune inquiétude sérieuse. Jamais, jusqu'à notre époque, la parturition, depuis toujours la malédiction des femmes, ne s'est passée sous des auspices plus favorables et plus humains. Il y a un peu plus d'une génération, la femme enceinte était laissée à la merci de matrones incultes, qui dans la plupart des cas n'étaient guère que de vieilles mégères empotées, opérant sous l'influence des plus criantes superstitions. Leurs « méthodes », si on peut leur accorder ce titre, se fondaient sur un fatras d'ignorances consternantes pour un esprit éclairé.

Il suffit de décrire leurs pratiques pour les condamner. Il était courant en ce temps-là de laisser la future mère assumer le rôle principal dans la délivrance, la pauvre créature étant physiquement épuisée et non compos mentis *comme il est normal dans ce moment critique. La parturiente était assise droite sur un instrument de torture appelé « tabouret d'accouchement » et exhortée à expulser le fœtus par* ses seuls efforts ! *La matrone ne faisait guère que recevoir le nouveau-né quand il sortait de l'utérus. Vous pouvez imaginer à quelle épreuve intolérable était soumise la délicate constitution de la femme en couches. Surtout, j'ai entendu dire qu'il était pratique courante parmi les matrones de soumettre l'accouchée à une série d'exercices vigoureux, à la suite desquels on la renvoyait travailler dans les champs, le tout dans la même journée ! Si les paysannes pouvaient posséder véritablement l'endurance d'une bête de somme leur permettant de supporter des exigences aussi extravagantes imposées à leur corps déjà affaibli, les femmes d'un certain raffinement affrontaient assurément un risque quasi mortel si elles étaient soumises à un régime aussi rude. Comme tout médecin peut l'affirmer, les femmes, pour la plupart, abordent leurs premières couches pratiquement sans aucune compréhension rationnelle de leur état. Elles sont d'une ignorance flagrante et de ce fait, éprouvent une peur compréhensible : j'ai assisté nombre de jeunes mères qui ignoraient absolument par où le bébé allait sortir de même que la nature du placenta et de ce que les contractions qu'elles ressentaient laissaient présager. La terreur seule place un poids effroyable sur la constitution de la primipare et accélère son pouls, augmente la pression sanguine et obscurcit sa conscience. Il peut même se produire de la fièvre et des nausées : beaucoup ne sont pas loin de se pâmer et font courir à l'enfant qu'elles portent le très grand danger de la strangulation. Dans certains cas, le placenta n'était que partiellement retiré par la matrone, augmentant le nombre de fièvres convulsives et de morts dans les jours suivant la délivrance.*

Quand, enfin, des techniques d'accouchement éclairées furent introduites, elles apparurent comme une bénédiction pour le beau sexe. Allonger la mère sur la table lui permet miséricordieusement de se dégager de toute responsabilité concernant la naissance. La contrainte physique sur laquelle vous m'interrogez est bien sûr nécessaire pour permettre au médecin de concentrer toute son attention sur les exigences de sa tâche. Permettre à la femme dont l'esprit est égaré de battre l'air compromettrait bien entendu la vie de la mère et de l'enfant. La première considération du médecin expérimenté est donc de prendre bien en main la situation de manière à ce que l'accouchement soit dirigé de manière efficace.

Du rôle du forceps : cet instrument est devenu, bien entendu, essentiel à l'accouchement moderne pour les raisons les plus évidentes. La femme couchée à plat ne peut expulser l'enfant par ses seules forces ; elle a besoin d'une assistance, en particulier quand il y a une présentation par l'épaule ou par le siège. Dans les cas où la « version du fœtus » s'impose, le forceps est d'une nécessité impérative. Utilisé avec dextérité, il ne présente aucun risque pour la mère ou l'enfant. Bien qu'il puisse en certains cas contusionner un peu le crâne, ces écorchures disparaissent vite sans laisser de traces ; la lacé-

*ration du tissu vaginal est, bien sûr, une question plus sérieuse compte tenu de l'infection quasi assurée qui s'ensuivra. Néanmoins, je crois que nous pouvons dire sans craindre de contradiction que l'invention du forceps par notre docteur Chamberlen est le plus grand bienfait que le sexe mâle, dans son rôle d'*homo faber, *ait octroyé à la gent féminine à ce jour.*

Il est vrai que le nombre de femmes qui meurent en couches de nos jours reste préoccupant. La raison à cela n'est pas difficile à trouver. L'accouchement apporte avec lui les dangers de la fièvre puerpérale qui est inévitable. Outre ces risques inhérents, le médecin gynécologiste n'a aucun pouvoir. Le prêtre et le médecin peuvent s'accorder à reconnaître que les souffrances et les périls qui accompagnent la délivrance relèvent tout simplement des lois de la nature qui sont aussi vieilles et inéluctables que la loi biblique.

Je ne puis dire dans quel esprit vous soulevez la question de la sorcellerie, accusation maintes fois proférée contre les matrones. Ce serait faire preuve d'une superstition aussi flagrante que la leur que d'accorder quelque vérité à cette croyance. De vieilles mégères et de vieilles toupies, les matrones l'étaient bien souvent, et peut-être fréquemment aussi des esprits faibles ou encombrés de toutes sortes de pratiques occultes ; mais ce que nous pouvons leur reprocher de pire, c'est qu'elles n'ont pas su atteindre un niveau civilisé de jugement rationnel. Il est suffisant que la science ait libéré les femmes de cette ancienne tyrannie qui pesait sur la naissance ; nulle autre sanction n'a besoin d'être prise contre ces femmes ignorantes que de les laisser entrer tranquillement dans l'histoire.

Bien à vous,

T. Cosgrove, médecin, membre de l'Académie des sciences,
St. Giles Hospital, Londres

Je trouve une nouvelle mère

La baronne Caroline Frankenstein, qui devait devenir ma bienfaitrice matérielle et spirituelle, était une personne aux qualités morales exceptionnelles. Elle partageait avec moi l'expérience d'une enfance tragique. Sa mère aussi était morte prématurément, lui laissant le soin, alors qu'elle n'était qu'une enfant, de s'occuper de son père veuf, Henry Beaufort, durant les années déclinantes de sa carrière. Marchand genevois jadis prospère, Beaufort avait perdu sa fortune dans des spéculations hasardeuses et, avec elle, tout désir de reconstruire sa vie. Morose et s'apitoyant sur lui-même, il en vint à dépendre de plus en plus de sa fille dévouée, qui faisait de son mieux pour gagner de quoi subvenir aux besoins du ménage par des travaux domestiques. Cependant, ses talents n'allaient pas au-delà du tressage de la paille, tâche qui lui rapportait tout juste assez pour assurer le vivre et le couvert. Elle et son père auraient sûrement succombé sous les assauts du dénuement si le baron Alphonse Frankenstein n'était entré en scène, pareil à un ange gardien.

Le baron et Beaufort étaient amis depuis l'époque de l'université. Apprenant les infortunes de Beaufort, le baron, descendant d'une des plus grandes dynasties commerciales de Genève, avait engagé des recherches pour le retrouver. Découvrant finalement qu'il habitait près de Lucerne, le baron s'était transporté sur place. Là, il trouva son ami agonisant dans un minuscule chalet délabré, et sa fille Caroline accablée qui le veillait. Quelques jours après l'arrivée du baron, Beaufort était mort. Par amitié pour le défunt, le baron recueillit la malheureuse orpheline dans sa maison. Elle devint rapidement sa joie de vivre. Le baron, qui ne s'était jamais marié, trouva brusquement son existence solitaire illuminée par la bonne humeur d'une jeune fille vive et pleine de talent. Bien qu'elle eût grandi dans la pauvreté, le baron distinguait dans ses manières, son maintien et les gracieuses dispositions de son esprit une noblesse naturelle que les hasards de la naissance ne pouvaient longtemps dissimuler. Caroline, de son côté, en vint à aimer le baron, plus par gratitude pour sa bonté, certes, que du fait d'un sentiment plus exalté. Quelques années plus tard, malgré la grande différence d'âge – car le baron avait exactement l'âge du père qu'elle avait perdu –, ils se marièrent.

Bien qu'elle fût devenue baronne, Caroline n'oublia jamais les conditions difficiles de son enfance ; durant le reste de sa vie, elle continua à consacrer la première heure de sa matinée, avant que quiconque dans la maison ne fût réveillé, à tresser la paille près de l'âtre dans la cuisine comme elle l'avait fait dans son enfance quand elle partageait l'infortune de son père. Ayant à présent la fortune du baron à sa disposition, elle était résolue à l'utiliser à des fins charitables. Elle voulait être l'ange consolateur des affligés. Les petits orphelins surtout suscitaient sa générosité ; car elle les voyait frappés par le malheur qui aurait pu être le sien.

Dans la douzième année de leur mariage, Caroline, le baron et leurs enfants – car à l'époque elle était mère de deux fils – partirent en excursion dans le nord de l'Italie. Pendant le printemps et l'été de cette année-là, la famille établit sa résidence dans une belle villa située près du lac de Côme. À partir de là, elle explora avec le baron la campagne environnante, visitant les villages pittoresques de la région. Au cours d'une de ces promenades, tandis que le baron s'était rendu à Milan pour ses affaires, Caroline se trouva par hasard à visiter le marché de Treviglio où j'accompagnais souvent ma famille pour vendre les misérables colifichets que mon père sculptait, une collection de sifflets, de poupées et de bricoles qui rapportaient rarement assez d'argent pour nous nourrir. Pour nous, enfants, c'était moins l'occasion d'exercer un honnête commerce que celle de mendier, un art que ma nourrice nous avait dûment inculqué. À cette fin, j'étais vêtue pour avoir une apparence aussi pauvre que possible ; mon visage était noirci à la suie et j'étais habillée d'une robe réduite à l'état de guenilles. La Fortune voulut que le cabriolet de la baronne Caroline passât ce jour-là par la foire et que, me voyant, elle ordonnât au cocher de s'arrêter. Aucun mot ne saurait décrire ce que je ressentis au moment où nos regards se croisèrent. J'éprouvai comme un transport physique, comme si j'avais été soulevée du sol par des ailes que je possédais sans le savoir. Cette femme, qui m'était totalement étrangère, me dévisageait avec une chaleur et une tendresse que je n'avais jamais rencontrées. Et quelle femme saisissante ! Si on se tournait vers elle en espérant trouver de la beauté, elle pouvait assurément décevoir, car ses traits n'étaient pas ce que l'on a coutume de trouver plaisants. Cependant, ils retenaient instantanément l'attention. Elle avait le front haut et majestueux, un nez aquilin imposant, la chair du visage tendue tel un masque sur des pommettes hautes et proéminentes qui lui prêtaient l'élégance d'une reine égyptienne. L'expression de son visage possédait une hauteur qui pouvait vous intimider d'un regard. Dans une main gantée, elle tenait un brin de verdure (une edelweiss, je crois) qu'elle promenait négligemment sur sa joue et sa gorge. Mais c'était par-dessus tout ses yeux qui étaient les plus saisissants : des yeux de chat, étroits, d'un bleu-gris aussi froid que des pièces d'argent au fond d'un bassin gelé. Quand je les vis pour la première fois, mon imagination enfantine me dit : voilà comment sont les yeux des anges, ils peuvent voir jusqu'au fond du cœur. Et j'éprouvai un frisson à l'idée que cette femme me connaissait telle que j'étais. Aussi, quand elle me fit signe d'approcher, je bondis pour lui obéir comme si j'étais sa propre enfant.

« De qui es-tu la fille ? » me demanda-t-elle en se penchant hors de la voiture et en se servant de la fleur qu'elle tenait pour écarter de mon front mes cheveux emmêlés.

Son italien était presque distingué dans sa perfection, mais je devinai à son accent qu'elle était française. Elle fut contente quand je répondis dans sa langue, ou tentai tant bien que mal de le faire. Des voyageurs français passaient souvent par notre village pour visiter l'église et voir la fête foraine. Toma et Rosina, qui pouvaient mendier et marchander dans plusieurs langues, m'avaient appris une espèce de sabir qui devait me servir à harceler les riches touristes. À vrai dire, mon langage de tous les jours était un pot-pourri de tout et n'importe quoi qui pouvait se révéler utile pour arracher une piécette au voyageur de passage. Les gens de qualité trouvaient charmant de tomber sur une petite bohémienne baragouinant leur langue.

« Mon père est à la guerre, répondis-je avec vivacité. C'est un grand prince.

– Ah vraiment ? Je le crois. Tu as l'air d'une fille de roi. »

Je rougis, transportée par le compliment.

Toma, ayant surpris cet échange, sauta sur l'occasion.

« La gosse s'en va dormir toutes les nuits le ventre creux, madame. Elle a froid l'hiver.

– Ah oui ? Êtes-vous son tuteur ?

– Son père, madame.

– Elle dit que son père est à la guerre.

– Cette enfant raconte des boniments. C'est ma propre gosse. »

Comme la baronne Caroline me l'expliqua par la suite, à chaque parole prononcée par Toma, elle se sentait de plus en plus intéressée par mon sort. Je n'étais manifestement pas de la même espèce que cet homme ; elle voyait que je me distinguais des autres membres de cette famille comme l'or au milieu des scories. Mais ce n'était pas, disait-elle, mon joli visage et mes boucles claires qui me mettaient en valeur ; c'était l'aura qu'elle pouvait distinguer autour de moi, une sorte de halo brillant comme le soleil à travers la brume. Il y avait, dans son souvenir, un sceau céleste sur moi qui me différenciait non seulement des membres de cette famille au teint sombre, mais de tous les autres. Mon « esprit radieux », disait-elle, signifiant par ces mots quelque chose que je ne comprendrais tout à fait que lorsque je l'entendrais à nouveau les prononcer des années plus tard, pour la dernière fois, quelques instants seulement avant que la mort scelle ses lèvres à jamais.

La baronne craignait que je n'aie été kidnappée par cet homme fourbe, capable de tout. Les bohémiens avaient la réputation d'enlever les enfants. Étais-je une de leurs victimes ? se demanda-t-elle.

« Vous devez en prendre un plus grand soin, le tança la baronne Caroline. De même de vos autres enfants.

– C'est vrai, c'est bien vrai ! » reconnut-il en reculant sous son regard. Nombre de fois auparavant, je l'avais entendu geindre ainsi avec un air théâtral consommé. « C'est le châtiment pour mes péchés, pour mes péchés, noble dame ! La pauvre innocente a froid et faim parce que je ne peux prendre soin d'elle, ni de mes autres enfants bien-aimés, comme vous le voyez. La maladie et l'infortune m'ont réduit à néant. Pourriez-vous me donner quelque chose pour améliorer notre ordinaire ? Quelques menues pièces de monnaie conviendraient. »

En fixant Toma d'un regard froid, impassible, la baronne Caroline répondit par une question : « Que demanderiez-vous pour l'enfant ? »

Toma prit un air offusqué peu convaincant, pour aussitôt se mettre à marchander. À la fin, pour un seul ducat vénitien, il se déclara prêt à se séparer de moi. À cet instant, la baronne Caroline le toisa avec un mépris si dur qu'il tressaillit comme sous l'effet d'un coup de fouet. « Il m'en coûterait davantage pour un cheval sans pedigree », lança-t-elle. Elle tira de sa bourse un florin d'or, qu'elle jeta à ses pieds. « Je te donne ceci pour ne pas faire insulte à cette enfant. »

Pas une fois, Toma ne songea à solliciter le consentement de sa femme avant de conclure cet accord. Apprenant que je partais avec la baronne, Rosina accourut vers moi pour protester, mais elle fut aussitôt coupée dans son élan par son mari.

« Elle m'a donné de l'or ! De *l'or* !

– Est-ce ta femme ? » s'enquit la baronne. Toma ne put que confirmer. « Je veux parler avec elle, insista-t-elle.

– Ma femme dit que des menteries, protesta Toma. Elle ment comme elle respire. Il ne faut rien croire de ce qu'elle dit.

– Néanmoins, je veux lui parler. Seule à seule. » Et elle ne céda pas. Écrasant l'homme sous son regard glacial, elle attendit qu'il se fût retiré.

Toma, cramponné à l'argent que la baronne lui avait donné, recula avec un grognement renfrogné. « La femme a des secrets, marmonna-t-il. Même pour son mari. Peut-être que l'enfant n'est pas de moi. Comment un homme le saurait-il ? » Enfin, en grommelant tout bas de sombres malédictions, il se traîna en direction du marché et laissa les deux femmes converser.

Madame la baronne prit Rosina à l'écart. Pendant plusieurs minutes, elles discutèrent à mi-voix. Je ne pouvais rien entendre de ce qu'elles se disaient, mais je vis les larmes couler des yeux de Rosina. Et je vis la baronne Caroline tendre la main pour la réconforter. Ce que Rosina confia à Caroline dans ce tête-à-tête, je ne devais l'apprendre que des années plus tard. Mais je savais qu'elles parlaient de moi. Les observant de loin, je remarquai pour la première fois l'allure inhabituelle de Caroline. Elle était plus grande que la moyenne des femmes, et avait une raideur militaire dans son maintien. Quant à son costume, c'était l'élément le plus curieux de tous. Les Françaises à la mode que j'avais vues auparavant étaient toujours vêtues avec faste de robes bouffantes et coiffées de perruques poudrées qui oscillaient comme des tours au-dessus de leur tête. Cette dame ne portait rien de tel. Bien qu'elle se déplaçât dans une belle voiture et qu'elle fût manifestement une personne de haut rang, sa mise était d'une simplicité austère. Elle ne portait pas de perruque, elle ne poudrait pas même ses cheveux, mais les tenaient simplement noués sur la nuque en un chignon serré. Encore plus frappant, ses habits auraient pu avoir été empruntés à la garde-robe d'un homme : une redingote et une lavallière. Même sa jupe avait une coupe hardiment masculine, car elle la portait relevée assez haut pour laisser voir ses bottines. Venait-elle d'un pays où les hommes et les femmes s'habillaient pareillement ? Je ne m'en rendrais compte que plus tard, la façon de se vêtir de la baronne Caroline reflétait les vues sociales avancées de son temps, une croyance en une simplicité naturelle dont M. Rousseau, le plus célèbre philosophe de sa patrie, était l'ardent défenseur.

Au bout de quelque temps, la baronne mit fin à son entretien avec Rosina et, retirant le collier qu'elle portait au cou, elle le déposa dans la main de la bohémienne.

« Viens, Elizabeth, me dit-elle en me conduisant vers la voiture. Aimerais-tu voir ma maison ? »

Je considérais, stupéfaite, Rosina qui rassemblait à la hâte quelques hardes pour que je les emporte. Quand elle se retourna, ses yeux brillaient de larmes. Avais-je l'autorisation de partir ? demandai-je. Elle hocha la tête gravement : « Oui, va, petite », dit-elle. Et elle se pencha pour me donner un baiser d'adieu. « Aie confiance en cette bonne dame », me chuchota-t-elle à l'oreille.

Je montai dans la voiture de la baronne en me frottant le visage pour essayer d'en retirer le maximum de crasse. Je me retournai pour agiter encore une fois la main vers ma mère nourricière que je ne devais jamais revoir. J'ai souvent remercié les anges qui veillaient sur moi que, ayant été – de fait – vendue, je l'eusse été à quelqu'un qui ne voulait que mon bien. Car j'aurais pu facilement avoir été cédée comme esclave et tomber dans une vie de déchéance.

Nous avions à peine quitté le marché de Treviglio que la baronne retira son gant et se pencha par-dessus l'espace qui nous séparait pour passer ses longs doigts fins sur mon front. Je compris qu'elle repoussait mes cheveux afin de tâter la cicatrice de naissance que je portais à la tempe. Quand elle l'eut trouvée, ses yeux devinrent encore plus tristes qu'à l'ordinaire. « Pauvre petite ! » soupira-t-elle d'un ton qui me fit aussitôt monter les larmes aux yeux. Puis elle me prit dans ses bras et je fus aussitôt consolée.

Je ne puis me rappeler avoir hésité un instant à suivre la baronne Caroline. Je n'avais guère que mon instinct d'enfant pour me guider, mais il ne m'abusa pas. Ma confiance en cette dame étrangère fut instantanée. Pour la première fois de ma vie, je sentis que j'étais parmi des gens de mon espèce et de ma condition. En outre, je savais dans mon cœur que cette femme était, en un sens que je ne puis expliciter encore à ce jour, ma mère spirituelle – quelqu'un qui se souciait de mon âme autant que de mon corps.

Comment Victor entra dans ma vie

Pendant le trajet du retour, la baronne Caroline me dit quelques mots de ses autres enfants, deux garçons qui, m'assura-t-elle, seraient enchantés de m'avoir pour sœur. Ernest, le plus jeune, était presque exactement de mon âge ; elle dit que je le trouverais timide et réclamant beaucoup de patience. Ce dont je fis preuve ; c'était un enfant silencieux et maussade dont l'esprit borné faisait l'inquiétude de ses parents. Timoré autant que retardé, il n'était jamais loin des jupes de sa mère quand elle était dans la maison. Dès l'instant où elle franchissait le seuil, il se précipitait pour se lover contre elle comme un chiot effrayé se réfugiant contre la mamelle maternelle. Dès le début, Ernest, dans son besoin excessif de l'attention maternelle, me contesta ma place dans le foyer, une jalousie puérile qui allait se transformer en une hostilité irréversible. À ses yeux, je devais toujours rester l'enfant trouvée qui lui avait volé l'amour de sa mère. Son frère, plus âgé de deux ans, était assez différent pour appartenir à une autre famille. Bien que je fusse trop assoupie pour l'apercevoir le soir de notre arrivée, il fut auprès de moi dès que je m'éveillai le lendemain. Le choc de cette rencontre reste vivace dans mon esprit.

Quand nous arrivâmes à la villa de la baronne près du lac, la nuit était tombée et le sommeil m'avait terrassée. Je n'ai pas le moindre souvenir d'avoir été prise dans la voiture et transportée dans la maison par les serviteurs. La première nuit dans ma nouvelle maison, on me laissa dormir sans me laver et dans mes guenilles de mendiante sur un divan dans la chambre à coucher de Caroline. Je dormis bien et longtemps, sans me réveiller, jusqu'au début de l'après-midi suivant. Quand j'ouvris les yeux, devant moi se trouvait la vision la plus effroyable qu'il m'eût été donné de voir : un visage livide sillonné de sang et strié de cicatrices. Deux yeux exorbités étaient rivés sur moi, menaçants. La tête de la chose était entourée de plumes. La créature leva les bras, les rendant visibles : à la place des mains se trouvaient des griffes en forme de pinces. Je pensai aussitôt : *c'est l'homme-oiseau.* Celui-ci n'avait commencé que récemment à troubler mon sommeil. Prise de panique, je quittai mon lit en hurlant.

À ma grande stupéfaction, le monstre se dressa devant moi et éclata de rire. Un rire de garçon !

« *Non aver paura, piccola ragazza !* » ordonna-t-il dans un italien hésitant. « *Non ti farò male.*

– Vous êtes réel ? demandai-je.

– Et comment ! Tiens, regarde ! »

Il tendit une pince pour me toucher le visage. Je reculai d'un bond et criai à nouveau. À présent, la baronne était dans la chambre.

« Cessez ! » cria-t-elle en éloignant le monstre de moi. « Ne voyez-vous pas que vous l'effrayez ? » Elle s'assit pour me serrer sur son sein. « Ne crains rien. C'est Victor. Tu te souviens, je t'ai parlé de lui sur le trajet, la nuit dernière.

– Il ressemble à *ça* ? demandai-je.

– Bien sûr que non, répondit le garçon. Ne vois-tu pas que c'est juste... »

Il chercha le mot exact, puis poursuivit finalement en français.

« Oui, dit la baronne. Victor fait seulement "semblant". Tu n'as rien à craindre. Approchez, dit-elle à son fils, et retirez cet affreux déguisement. » Le garçon se mit aussitôt à frotter le grimage qu'il portait et se débarrassa des gants en forme de griffes qui recouvraient ses mains. « À présent prête-moi ton attention, Victor », poursuivit la baronne en l'attirant à son côté. Je me souviens comme il prit un air concentré quand sa mère lui parla, traduisant en italien chacune des phrases qu'elle disait en français afin que je comprenne. Bien que Victor fût à demi barbouillé par les fards hideux du monstre qu'il avait paru être, son respect intense pour sa mère était bien visible. « Elizabeth sera pour toi une sœur... et, je l'espère, davantage qu'une sœur. Elle est mon plus grand cadeau pour toi, un trésor qui n'a pas de prix. Tu peux ne pas comprendre pour l'instant ce que je veux dire par là, mais en temps voulu, j'espère que tu le comprendras. À toi de l'aimer et la chérir comme ton âme sœur. »

Le regard de Victor passa de sa mère à moi et il resta longtemps à nous scruter avec la plus grande attention. Sous son regard, je me sentis rougir avec embarras, car je comprenais encore moins que lui ce que Caroline entendait par ses remarques. Finalement, elle mit ma main dans celle de Victor.

« Je suis ici pour te protéger, dit le garçon sur l'ordre de sa mère aussi solennellement que s'il avait prêté serment. Je te protégerai toujours, petite Elizabeth.

– Tu ne m'as pas protégée, tu m'as fait peur », protestai-je en me serrant contre la baronne.

Un moment, il rougit de confusion. Mais il chassa promptement son émotion.

« Oh, ça, c'était seulement pour jouer. Je voulais te faire rire.

– Je crois qu'il a tué ma mère, chuchotai-je à Caroline en m'enfonçant plus profondément dans son giron.

– Qu'est-ce qu'elle dit ? cria Victor, sincèrement choqué. Tuer sa mère ? Que veut-elle dire ?

– L'homme-oiseau, fut tout ce que je pus articuler. L'homme-oiseau, l'homme-oiseau ! »

Ce n'est que plus tard, le même jour, que je vis Victor pour la première fois débarrassé de son affreux déguisement et tel que Dieu l'avait fait. Il n'aurait pu y avoir plus grand contraste que celui qui opposait la créature monstrueuse en laquelle il avait cherché à se transformer et son apparence véritable. Car il était, selon moi, la personne la plus charmante qu'il m'eût été donné de voir, avec un visage de forme si exquise et angélique qu'il aurait pu passer pour une fille. Ses cheveux, quoique moins clairs que les miens, étaient d'une blondeur éclatante et tout bouclés, ayant pu pousser abondamment jusqu'à former un halo éclatant autour de ses traits. Ses yeux étaient ceux de sa mère, d'un bleu métallique argenté, larges, et le regard pénétrant. C'est le premier garçon dont il me fut donné de remarquer la beauté. Après cette première rencontre éprouvante, il se montra humble et plein de sollicitude envers moi, comme pour me convaincre qu'il n'avait rien d'un monstre. En effet, il avait pris Caroline au mot quand elle avait dit que j'étais un cadeau pour lui, un cadeau qu'il devait traiter avec les plus extrêmes égards. Lors du dernier jour que la famille passa au bord du lac, comme nous préparions notre départ, il s'approcha de moi en arborant un grand sourire fier, les mains derrière le dos.

« C'est pour toi, annonça-t-il en me tendant un petit paquet. J'espère que cela te plaira. C'est pour te souhaiter la bienvenue dans notre famille. »

Le paquet qu'il mit dans ma main contenait un écrin de la taille d'un mince livre. Quand je l'eus déballé, je vis qu'il contenait un sous-verre plat et qu'à l'intérieur se trouvait un grand papillon aux couleurs vives.

« Tu comprends le mot “spécimen” ? *Una cosa morta... da studiare ?* Je l'ai attrapé l'été dernier et je l'ai monté comme tu le vois.

– Je n'ai jamais vu un aussi gros papillon.

– En fait, c'est un papillon de nuit. C'est un *Acher-ontia a-tro-pox.* » Il prononça le nom avec soin, en espérant manifestement m'impressionner. « C'est ainsi que les savants l'appellent. Les gens ignorants l'appellent têtede-mort, à cause du motif, tu vois ? J'ai une collection de plus de cent spécimens, mais celui-ci est le plus beau. Parfois les ailes tombent en morceaux quand tu mets de la laque. Mais celui-ci est parfaitement préservé. C'est pourquoi je t'en fais cadeau.

– Comment trouves-tu des spécimens ?

– Il faut observer attentivement tout le temps. Chacun doit être pris d'une façon différente. Tu attrapes les papillons de nuit comme ça, tu vois ? Avec un filet.

– Ils ne sont pas morts quand tu les prends ?

– Non. Tu les prends vivants et après tu les tues. C'est le but.

– De les tuer ?

– Oui. *Uccidili.*

– Tu as tué tous tes spécimens ?

– Bien sûr. C'est ce que font les naturalistes.

– Comment tu les tues ?

– En gros, on les étouffe pour ne pas laisser de marque. *Asfissiare.* Tu les mets dans un pot et tu fermes hermétiquement le couvercle. *Tu capisci ? No aria.* Puis tu n'ouvres plus tant qu'ils ne sont pas morts, c'est tout. Tu peux tuer n'importe quoi de cette façon, tant que tu gardes le pot bien fermé.

– Qu'est-ce que tu as tué d'autre ?

– Seulement des souris et des insectes. Et, une fois, un serpent. Les serpents mettent plus de temps à mourir.

– Pourquoi tu les tues ? »

Il haussa les épaules, perplexe.

« Pour pouvoir mieux les étudier. Quand une chose est morte, tu peux la découper et regarder à l'intérieur pour voir comment ça fonctionne.

– Mais pourquoi tu dois étudier les choses ? Ne peux-tu simplement les regarder et les admirer ? Les papillons – les papillons de nuit – sont si jolis à voir quand ils sont vivants. »

Victor plissa le visage dans une parfaite incompréhension.

« À quoi ça sert ? Tout le monde peut regarder simplement de jolies choses. Qu'est-ce que ça t'apporte ? » Percevant mon incertitude au sujet du papillon de nuit qu'il m'avait donné, il demanda : « Tu n'en veux pas ? »

Je pouvais sentir à sa voix qu'il était blessé.

« Oh, si. C'est très joli. Merci, Victor. »

Et je vis qu'il était content.

Quand, le jour suivant, nous fûmes prêts à partir, la valise que la baronne m'avait prêtée était à peine assez grande pour contenir les vêtements et colifichets qu'elle m'avait achetés à la hâte dans les villages environnants. Moi qui étais accoutumée à courir pieds nus dans les rues, je possédais brusquement bottines et mules pour tous les jours de la semaine. Malgré cela, m'assura-t-elle, cette garde-robe bien fournie n'était que provisoire ; elle allait s'étoffer dès que nous serions rentrés à Genève. Et puis il y avait le présent de Victor, une pauvre créature morte obligée d'exhiber à jamais la beauté qui lui avait coûté la vie. Je savais que j'aurais dû y tenir par-dessus tout, mais j'avais déjà résolu que j'essaierais de ne plus jamais la regarder.

Notre voyage chez les Frankenstein fut l'odyssée de ma vie. Je n'avais aucune idée de l'endroit où se situait Genève. Cependant, je savais que la Suisse se trouvait par-delà les montagnes qui enserraient l'horizon lointain à l'ouest de mon village. Mais je me rendais compte à présent que les sommets que j'apercevais depuis Treviglio n'étaient que les contreforts de la montagne qui se dressait derrière. Ce ne fut que lorsque nous eûmes parcouru une journée de route au-delà des lacs que les grandes cimes des Alpes s'élevèrent devant nous tels les créneaux d'un château fort géant. Pendant les jours qui suivirent, les six solides chevaux qui peinaient, attelés à notre voiture, nous tirèrent toujours plus haut dans le froid et l'air coupant comme une lame des passages bloqués par la neige ; bien au chaud et en sécurité entre les panneaux pelucheux de la voiture, j'observais, effarée, par les vitres les perspectives glacées, et des précipices si profonds que mon esprit se mit à tournoyer. L'immensité démesurée de tout ce que je regardais faisait chanceler mon imagination ; cela dépassait tellement l'entendement qu'il me fallait faire un effort suprême de l'esprit pour croire que ces hauteurs faisaient partie intégrante de la terre que nous foulions chaque jour. Comme nous nous enfoncions plus loin dans les vastes étendues alpines, la terre disparut à la vue. Pendant des heures, je ne pus rien voir du monde au-dessous ou autour de nous à travers les amoncellements tourbillonnants de nuages qui remplissaient les ravins, et les brouillards fantomatiques qui bouchaient toutes les vitres de notre voiture. Dans certains virages en épingle à cheveux, la route même sur laquelle nous roulions disparaissait ; et à sa place, le soleil traversant les gouttelettes voltigeantes des cascades faisait naître des arcs-en-ciel par-dessus les abîmes. Ainsi assiégée par les éléments vaporeux, j'en vins à m'imaginer que nous nous frayions un chemin vers un royaume céleste par-delà les cieux.

Nous voyagions comme seule peut le faire une famille patricienne, escortés à travers les montagnes par un convoi de chariots chargés de bagages et par une douzaine de postillons solidement charpentés montés à dos de mulet. La route en lacets devant nous serpentait sans fin et était terriblement abrupte, surplombant d'un côté des précipices qu'on ne distinguait qu'à demi, tandis que de l'autre se trouvait un gouffre envahi par l'obscurité de nuages tumultueux et le tonnerre de torrents impétueux très loin en contrebas. Par moments, tandis que nous gravissions lentement la côte, nous étions cernés par de violentes tempêtes qui se déchaînaient contre notre voiture et faisaient se dissoudre la route étroite sous nos roues. Ensuite, nous devions trouver notre chemin sur une lieue ou plus à dos de mulet et à pied, nous abritant tant bien que mal du temps inclément pendant que l'équipage s'acharnait à guider et soulever notre véhicule sur le sol qui se dérobait. Parfois aussi, tandis que les cochers négociaient délicatement leur chemin dans les tournants serrés et le long de corniches étroites qui bordaient à peine les parois du col, je cachais mes yeux sous ma couverture de peur que nous ne versions par-dessus le rebord friable de la route et disparaissions à jamais.

À d'autres moments, les hauteurs vertigineuses et les cahots incessants de la voiture me soulevaient l'estomac et me rendaient furieusement malade. Mais la baronne Caroline avait emporté une potion calmante et des eaux de Chalybeate qui me firent dormir. De l'autre côté de la voiture bringuebalante, le baron m'observait d'un air interrogateur comme s'il se demandait quelle sorte de petite sauvageonne sa femme avait introduite dans la famille. C'était un homme jovial, plus petit d'une tête que son épouse et assez corpulent. Son haut front était barré par d'épais sourcils broussailleux qui s'agitaient de façon comique quand il commençait à s'enflammer. Son nez en saillie était aussi rougeaud que si on l'avait frotté pour le faire étinceler. Au-dessous jaillissait une moustache flamboyante qui était raidie à la cire et retroussée au bout. Dans la voiture, il ne portait pas de perruque, préférant envelopper son crâne chauve dans un turban aux extrémités flottant librement. « N'aie pas peur, petite, m'exhortait-il quand il me voyait saisie de terreur. Mes cochers sont les meilleurs d'Europe. Ils ont le pied plus sûr dans ces montagnes que le bouquetin. » Puis il me prit sur ses genoux et me montra les grands pics de chaque côté, les appelant chacun par leur nom comme s'ils étaient de vieux amis ; car il semblait avoir vagabondé parmi eux. À ma seule intention, il fit faire un détour à la voiture avant que nous entrions dans la solitude rocailleuse du défilé qui a reçu le nom de Saint-Gothard afin que j'eusse le loisir de jeter un dernier regard dans la vallée où j'avais passé mon enfance. « De ce côté du défilé, annonça-t-il en indiquant le magnifique panorama, tu étais une mendiante. De ce côté-ci, tu seras une princesse. Ces montagnes ne forment-elles pas la barrière qu'il convient pour marquer un changement aussi considérable dans une vie ? »

Je fus bientôt débarrassée de toute ma timidité enfantine devant cet homme chaleureux et jovial qui paraissait avoir d'inépuisables réserves de jeux et d'histoires pour passer le temps. Mais le plus captivant de tout, c'était les contes qu'il avait à raconter sur les innombrables châteaux et monastères en ruine qui croisaient notre route. Ces vestiges d'un passé vénérable qu'on apercevait, accrochés à flanc de montage et sur les cimes à chaque tournant, avaient chacun une histoire connue du baron. Pour l'enfant que j'étais, il était impossible de dire si ses récits étaient fidèles, mais ils étaient captivants : des histoires de désastres et de vengeances entre familles nobles, de conspirations et de complots, de duels et d'infamies... et d'événements surnaturels. Il semblait qu'il n'y eût pas une ruine qui ne possédât sa terrible malédiction, son démon et son apparition.

Le baron s'y prit si adroitement pour raconter ses charmantes légendes que c'est à peine si je me rendis compte de leur but éducatif. Il se servait de ma fantaisie enfantine pour m'enseigner ma nouvelle langue. Car il racontait tout ce qu'il voulait dire en traduisant de l'italien que je connaissais au français raffiné que j'étais censée apprendre. « Cette enfant connaît l'italien de la Renaissance, déclara-t-il. À présent, elle va apprendre le français des Lumières. Ainsi son voyage sera un récapitulatif des progrès de l'humanité. » La baronne participa également à cette entreprise en s'efforçant de renforcer l'italien de ses fils en même temps que mon français. Mais aucun ne trouvait autant de plaisir à ce jeu que Victor, qui s'empressait d'enjoliver les histoires de fantômes. Il se servait de son ardoise et de la craie pour écrire et dessiner tout ce que son père racontait.

Lorsque le baron, indiquant un monastère en ruine dans le lointain, parlait des vampires qui avaient hanté le cimetière, Victor dessinait rapidement sur son ardoise la tombe, la lune déclinante, le cercueil et le démon rampant sur le sol.

« Tu vois ? Il s'empare du corps. Ah ! Le corps n'est pas mort. Il est vivant ! Il tend une main osseuse. Là, tiens ! La main attrape le démon par la gorge. » Et Victor représentait la scène sous mes yeux effarés. Caroline, pour sa part, trouvait les excès de Victor tout à fait inacceptables et exprimait sa forte réprobation, craignant qu'Ernest ou moi ne fussions terrifiés.

« Voyons, mon amie ! la grondait le baron. Cette fillette est en train d'apprendre. Elle n'oubliera pas un mot de cet étonnant récit. Continue, Victor ! Dramatise ! Sois lyrique ! Étonne cette enfant ! » Et il partit d'un éclat de rire tonitruant. « Par Dieu, elle saura davantage de français que le roi Louis en personne quand nous arriverons chez nous, car à en juger par la conversation de ce grand bouffon, il ne peut avoir dans la tête plus de quarante mots. »

Tel était donc mon nouveau père, qui fut le plus attentif des pères. Pas une fois, je ne décelai chez lui la moindre réserve concernant mon appartenance à sa famille : il semblait suffisant pour lui que la baronne Caroline eût décidé, en fait, de lui acheter une fille sans même le consulter sur la question. Le bonheur de sa femme était son unique souci ; et si cela voulait dire prendre sous son toit une enfant trouvée couverte de crasse, soit. J'appris aussi la joie infinie que mes nouveaux parents trouvaient dans la conversation, car leurs discussions durant tout le trajet portèrent sur des sujets érudits. Mon français n'était pas encore assez solide pour suivre tout ce qu'ils échangeaient ; mais j'aurais été tout aussi en peine s'ils avaient parlé une langue que je connaissais. Car ils semblaient porter le monde entier dans leur tête, débattant librement de pays et de peuples lointains dont l'existence même m'était inconnue. Ma nouvelle famille vivait à un niveau plus élevé, respirait un air qui était aussi frais et vivifiant que l'air de ces montagnes. Ils débattaient de guerres, de commerce et de questions religieuses, de littérature, de philosophie et d'inventions. Par-dessus tout, ils parlaient de la Nature, et pas seulement des vues imposantes qui nous entouraient, mais des étoiles et des planètes qui allaient jusqu'au fin fond de l'espace. Je m'aperçus bientôt que celles-ci aussi faisaient partie du monde dans lequel je pénétrais, car elles étaient l'objet de l'étude constante du baron. Il me fut donné de comprendre que le convoi de mules qui nous suivait comptait, outre des chariots chargés de livres que le baron avait achetés dans les villes d'Italie, un instrument appelé télescope qui me permettrait de voir les étoiles les plus distantes comme si elles se trouvaient juste sous ma fenêtre. Tout cela m'attendait à la fin de notre voyage : une nouvelle maison, un nouveau pays, un nouvel univers.

Je pris l'habitude, quand je m'assoupissais dans la voiture, de poser ma tête sur les genoux de Victor, qui adorait me caresser les cheveux et me réconforter pendant que je m'enfonçais dans le sommeil, et me chanter de petites comptines qui reliaient les mots de ma nouvelle langue à des images enfantines que je n'ai pas oubliées. De toutes ces petites chansons, je me souviens surtout de celle qui resta pour devenir un divertissement souvent répété entre nous. Tirant la courtepointe par-dessus nos têtes, Victor chuchotait à mon oreille en se penchant vers moi :

Pique ta joue l'abeille
La puce te suce l'oreille.
Te pince au cou le vilain moucheron
Mais moi je te fais un gros suçon... *ici !*

Et à la fin de chaque vers, il posait un baiser sur la partie qu'il nommait, finissant, après une longue pause pour me taquiner, par un gros bécot sur les lèvres, qui me faisait gigoter contre lui. Quand le voyage fut terminé, notre amitié était telle que nous aurions pu avoir été frère et sœur depuis toujours.

Belrive

« Ce soir, ma chère enfant, tu dormiras sur les ossements des rois barbares. » Telles furent les paroles du baron quand, après des jours de voyage bringuebalant, la berline s'engagea enfin sur la route tortueuse qui conduisait aux grilles de la résidence Frankenstein.

« Ah bon ? demandai-je, attendant que Victor et la baronne m'expliquent cette remarque extraordinaire.

– Absolument. Car Belrive est aussi vieux que cela et plus vieux encore. Ses fondations auraient pu avoir été posées par Charlemagne en personne. Mais encore plus profondément que ces fondations, nous avons trouvé les crânes de chefs de clan helvétiques nous souriant dans la poussière. L'âge des ténèbres, mon enfant, l'âge des ténèbres ! Les annales de la folie, de l'ignorance et de la barbarie gisant sous la terre qui tombe en poussière. Et bon débarras ! »

Notre voyage nous avait conduits à portée de vue de nombreux châteaux dans les vallées alpines, dont certains châteaux forts très anciens et grandioses, quelques-uns n'étant plus désormais que des carcasses en ruine. Auquel de ceux-ci allait ressembler mon nouveau foyer ? Je m'interrogeais avec une impatience grandissante, tandis que nous progressions au milieu des cahots et des grincements entre les derniers cols de montagne pour voir enfin le lac Léman, aux eaux cristallines et sereines s'ouvrir devant nous. Mais comme s'il se cachait à ma vue, jusqu'au dernier moment Belrive resta invisible de la route. Tout le temps où nous gravissions la côte abrupte partant du lac, je ne pus apercevoir le château ; une sombre forêt d'antiques chênes et de mélèzes de taille imposante faisait écran. Même quand nous nous engageâmes dans l'allée qui menait au portail, les arbres s'inclinaient de chaque côté du chemin comme pour empêcher ma vision. Puis, tout à coup, nous entrâmes dans un jardin ensoleillé où les buissons bien taillés se dressaient sur une pelouse de velours brillant pareils à des soldats au garde-à-vous. Et là, je pus contempler Belrive pour la première fois.

Bien qu'il ne fût pas aussi grand que certains châteaux que j'avais aperçus sur la route, il offrait un spectacle impressionnant. Sa large façade de granit poli treillissée de roses luisait au soleil, se déployant sur quatre étages entre deux tours seigneuriales dont les étroites cheminées et le faîte coiffé d'un drapeau s'élançaient sur un étage de plus. Il émanait de l'édifice un air tellement majestueux que je n'aurais pas été surprise de devoir faire une révérence avant d'approcher.

Comme nous avancions, le baron m'informa fièrement que l'aile du manoir que je voyais se déployer à présent sous mes yeux avec tant de grâce avait été ajoutée à Belrive par sa famille ; lui et son père avaient apporté de l'« élégance » à cette ancienne architecture militaire sur les créneaux de laquelle un canon rouillé veillait encore. En effet, la partie la plus récente de l'édifice ne ressemblait pas du tout à un château mais à une demeure ancestrale, confortable bien que tout à fait démesurée de mon humble point de vue. Je n'avais rien vu d'aussi grand de ma vie, hormis les églises destinées à recevoir une foule de fidèles. Ce fut seulement quand notre voiture nous eut déposés dans la cour centrale que je me rendis compte des véritables dimensions de Belrive et de son caractère complexe. Car la partie la plus récente du bâtiment reliait deux ailes beaucoup plus anciennes d'apparences fort différentes. « Nous laissons tout cela à l'histoire, expliqua le baron avec un geste de la main. Et en attendant, cela nous sert de débarras. »

L'ancienne partie de Belrive ayant survécu conservait l'aspect plus sévère de la véritable forteresse qu'elle avait été naguère. Ici les tours n'avaient que d'étroites meurtrières pour fenêtres ; des remparts effondrés bordaient les toits intermédiaires. Au fil des siècles, les pierres érodées s'étaient recouvertes d'un épais manteau de vigne vierge de sorte que l'ensemble semblait à présent plongé dans une torpeur végétale, comme s'il eût été une plante géante surgie de terre.

« Et c'est inhabité ? demandai-je en descendant de voiture car je fus instantanément fascinée par cette ruine mélancolique.

– Seuls les rats et les souris s'y ébattent, mon enfant. Et aussi les chauves-souris dans les combles.

– Et les fantômes ! ajouta Victor avec malice, bien que je susse à présent qu'il me taquinait.

– Non, mon ami, rétorqua le baron. Nous avons laissé les fantômes derrière nous sur la route. Je n'ai loué ma maison à aucun d'entre eux. Ils sont bannis de ce siècle. Des choses du passé, des choses du passé. »

Je ne pouvais m'imaginer que je considérerais un jour être « chez moi » à Belrive, tant le contraste était saisissant avec le taudis où j'avais passé ma prime enfance. Bien que ce ne fût pas la seule demeure de la famille (il y avait une maison de *campagne** de l'autre côté du lac et un chalet dans les montagnes environnantes), Belrive me semblait être un palais digne d'un empereur. À chaque étage supérieur se trouvaient des appartements spacieux qui, bien que richement aménagés et parfaitement entretenus, n'étaient qu'occasionnellement occupés par des invités. L'un d'eux allait me revenir ; la « chambre d'Elizabeth », comme on allait l'appeler. Et, cela m'avait été promis, elle serait décorée du sol au plafond exactement selon mes vœux, en dépit

---

* Les termes et expressions en italique suivis d'un astérisque sont en français dans le texte original.

du peu de choses que je connaissais. En effet, que savais-je des meubles, tentures et courtepointes ? La totalité de la roulotte dans laquelle habitait la famille de Rosina était plus petite que cette pièce ; et ce qui garnissait notre foyer de bohémiens n'était guère que des vieilleries. J'avais couché si longtemps sur la paille et une grossière toile de sac que je me sentais presque honteuse de poser ma peau sur un lin aussi doux, fraîchement repassé. Même si la pièce n'avait pas été meublée, j'aurais trouvé dans cette chambre de quoi me ravir pendant des semaines, car sa vue était d'un agrément sans fin. Elle me permettait de balayer d'un coup d'œil les hauteurs nuageuses du Jura au-delà du lac, et les cimes enneigées à l'est. Avec l'aide d'une lunette d'approche que m'avait donnée Victor, je distinguais les voiliers qui voguaient sur le lac et poursuivaient leur route jusqu'au lointain port de Genève, qui se dressait telle une minuscule ville de poupée au sommet de la montagne par-dessus les remparts qui la ceignaient. Quand le vent soufflait dans la bonne direction, je pouvais percevoir le son des cloches de sa grande cathédrale ; et la nuit, quand ses habitants allumaient leurs chandelles, Genève scintillait dans le noir telle une mince galaxie dorée.

Cette demeure et la famille qui la possédait avaient une longue, une orgueilleuse histoire. Les Frankenstein remontaient très loin aux origines barbares de l'histoire germanique. Leurs anciennes armoiries commémoraient des tueurs de dragons et des guerriers des croisades ; leur nom figurait parmi ceux des chevaliers teutoniques qui avaient chassé les hordes de païens envahisseurs venues d'Orient. Durant les guerres de Religion, la famille avait connu une période troublée. Quand les landgraves de Hesse, leurs suzerains de longue date, devinrent les défenseurs de la cause luthérienne, les Frankenstein catholiques furent contraints de fuir leur fief ancestral. Se réclamant de leurs alliances par mariage avec la maison de Savoie, ils trouvèrent un toit à Collonge en tant que protégés du duc dont ils reçurent leur nouveau titre de baron. Belrive, le domaine qui venait avec le titre, était loin d'être prometteur. Enchevêtrement typiquement médiéval de terres stériles et négligées, il partait du port abandonné sur le lac Léman pour s'enfoncer dans les hauteurs désolées des Voirons. Son château n'était guère qu'un amas de pierres tombant en poussière, abandonné aux chouettes et aux renards ; alors qu'il était jadis une importante place forte de la Savoie, il n'aurait pu défendre désormais la route qu'il surplombait contre une légère brise de printemps. Cultivé pendant des générations par des paysans arriérés rétifs à toute évolution, le domaine aurait pu ne produire que des dettes et des querelles entre les mains de *seigneurs** moins énergiques.

Mais le premier des barons de Belrive était un propriétaire farouchement partisan du progrès. À force de creuser des fossés et de planter des haies, d'assécher les marais et de fumer les champs, il reconquit les riches vignobles de Belrive et mit au pré un troupeau de vaches bien grasses. Surtout, il était prêt à user du fouet pour forcer ses métayers indolents à utiliser des méthodes nouvelles et meilleures. Il leur imposa strictement l'usage de la houe à cheval et du rutabaga jusqu'à détenir le registre censier le plus florissant de la région. Même alors, la famille aurait pu ne pas dépasser le niveau du hobereau moyen si le baron ne s'était affranchi des préjugés de sa classe en envoyant son fils aîné en ville pour y chercher fortune dans les affaires. Placé en apprentissage dans l'une des plus importantes maisons de banque genevoises, François Frankenstein maîtrisa vite l'art du prêt à intérêt. Tirant profit de ses relations familiales, il devint lui-même le principal banquier de la maison de Savoie et fut bientôt un patricien prospère.

« Comme tous les membres de cette espèce en voie d'extinction, se plaisait à expliquer le baron, les Savoyards n'aiment rien tant que la guerre. Et pourquoi un honnête banquier leur refuserait-il les moyens d'assurer leur propre destruction ? Autrement dit, non pas un pistolet, mais de l'argent. De l'argent à brûler sur le champ de bataille. Oh, elles savent se couvrir de dettes, ces fripouilles féodales ! Mon père les nettoya jusqu'à l'os, absolument – mais avec les meilleures manières du monde. Il leur consentit des prêts usuraires autour d'un dîner d'ortolans et de champagne à leurs frais. Car il était, après tout, fils de baron et pas un vulgaire prêteur sur gages genevois. »

Finalement, François devint baron à son tour – bien qu'à contrecœur. Car, comme il me fut donné de le comprendre, rien n'écorche tant la conscience d'un vrai républicain genevois que d'endosser un titre, surtout quand ce titre vous est échu de coquins de papistes tels que les Savoyards. Il y en eut parmi ses collègues dans la finance pour le railler cruellement. « Mais s'il faut dire ici la vérité, se glorifia le baron, l'argent de notre famille a fait davantage pour défendre l'indépendance de Genève que toutes les murailles que les édiles ont jamais édifiées. Car avec un seul petit coup sur le cordon de la bourse, un banquier habile peut mener le plus puissant des seigneurs de la guerre par le licou tel un cheval de trait.

« Le temps d'endosser le titre, mon père était un aussi bon bourgeois que les autres Genevois, et français dans la tête : il fut parmi les premiers, je tiens à te le dire, à souscrire à la grande *Encyclopédie* de M. Diderot. Ce fut lui qui, s'inspirant de M. Voltaire, ajouta avec audace le flambeau de la liberté aux armoiries familiales. Et ce fut moi qui ajoutai l'éclair. Peux-tu en deviner le sens, mon enfant ? »

Je fis signe que non. Même si je n'osais le dire, j'en trouvais l'image effrayante, car mon rêve funeste était toujours sillonné d'éclairs.

« C'est le symbole des Lumières, plus encore que le flambeau, car l'éclair est une force de la nature plus grande que le feu vivant, et qui attend seulement d'être exploitée par le génie de l'homme, dessein dans lequel j'espère bien jouer un rôle avant la fin de ma vie. »

Le baron ne voulait surtout pas que je me méprisse : en dépit de son allure aristocratique, il était, comme son père, un défenseur de la cause démocratique. Rien ne le remplissait d'un plus grand orgueil que d'énumérer les bienfaits de la civilisation auxquels il avait apporté sa contribution. Il se glorifiait d'avoir été la force majeure derrière la grande station de pompage genevoise qui acheminait l'eau propre jusqu'aux plus hauts sommets du canton. « *Noblesse oblige**, m'apprit-il à dire avant même que je sache le sens de cette expression. Mais regarde où cela nous mène. Ajoute à cela une bonne hygiène et tu as le plus court chemin vers l'égalité. Sinon, c'est l'anarchie. »

À l'époque, ces grandes leçons politiques signifiaient peu pour moi. Qu'importe l'histoire à un enfant à moins qu'elle ne forme la trame des contes et des légendes ? Je jugeai d'après ce que je voyais ; et ce que je voyais chaque jour de tous côtés était un mobilier digne d'un roi. Manifestement, le baron était un des marchands les plus fortunés de la ville et il bâtissait inlassablement pour satisfaire son goût. Sa demeure comprenait de vastes salles de réception et des salons somptueux dans lesquels on pouvait recevoir une foule d'invités. Dans chaque pièce, il y avait une cheminée de pierre assez profonde pour qu'un enfant pût y jouer ; et dans la fraîcheur du matin, comme par magie, un feu y flambait avant que la famille se réveillât. Les bonnes fées n'étaient autres que le personnel du baron, prêt à servir les résidents de Belrive à toute heure du jour. Cette cohorte affairée de servantes et de valets, qui formaient comme une seconde famille partageant notre toit, étaient sans cesse occupés à leurs tâches. De même qu'ils nous procuraient la chaleur du matin, nous leur devions la lumière du soir dans les grands lustres qui pendaient aux plafonds tels des glaciers éblouissants, chacun portant plus de bougies que je n'en pouvais compter ; avant même la venue de l'obscurité, ils étaient ponctuellement allumés par les mêmes lutins qui s'affairaient en silence et avec célérité à travers les salles. Je me remémorai la misérable chandelle qui éclairait notre roulotte familiale la nuit à Treviglio, et le feu de camp dehors qui était notre seule source de chaleur.

Partout où portait le regard, dans toutes les pièces, il y avait assez d'œuvres d'art pour transformer la maison en un véritable musée. Il n'y avait pas un couloir sans statues, sans étagères garnies d'antiquités, une batterie d'armes anciennes et d'armures, des tapisseries richement tissées. Les tapisseries exerçaient une fascination particulière ; le baron aimait à se servir des scènes historiques qu'elles illustraient comme de vastes livres souples dans lesquels ses enfants pouvaient découvrir la sagesse des siècles. En suivant ses pas, tandis qu'il nous conduisait à travers la maison, j'appris les guerres de César et de Charlemagne et les grandes croisades qui avaient chassé l'envahisseur infidèle hors de la Terre sainte. Une tapisserie, la plus grande du château, racontait l'histoire d'Hannibal, qui avait conduit un escadron d'éléphants à travers les défilés des Alpes. Le baron, qui était un citoyen singulièrement patriote, se délectait à détailler la scène issue de l'histoire helvétique. Par elles, j'appris les grandes batailles de Morgarten et de Naefels, et les victoires héroïques sur Charles le Téméraire, duc de Bourgogne, qui avaient sauvegardé la liberté des fiers cantons suisses durant des siècles, et je sus tout du légendaire Guillaume Tell qui, parce qu'il refusait d'ôter son chapeau devant un tyran, donna à une nation l'idée de la révolte. Mais à maintes reprises, le baron me rappela que, bien qu'il fût un Suisse loyal, il était d'abord et avant tout genevois ; et avant cela, il était un Frankenstein ; et avant toute autre chose, il était membre du « parti de l'Humanité ».

Il y avait d'autres tapisseries qui campaient des scènes bibliques, montrant comment Moïse avait séparé les flots, et comment le roi David avait dansé après la défaite des Philistins, et comment notre première mère et notre premier père avaient été tentés par le serpent. Mais de ceux-là, le baron ne dit rien, pas même quand je l'interrogeai sans détour. Au contraire, il opposa un désaveu énergique : « Je ne parle ici que de *l'histoire*, comprends-tu ? Laquelle, comme les sages anciens nous l'apprennent, est "la morale enseignée par l'exemple". Tu n'entendras pas parler sous ce toit d'absurdités obscurantistes sur des miracles et des mystères ! Tu me suis, mon enfant ? Ou crois-tu que les eaux se sont réellement divisées à gauche et à droite comme un vieux charlatan barbu les invitait à le faire ? » Et fléchissant ses sourcils proéminents, il me toisa d'un œil courroucé qui me persuada qu'il valait mieux changer de sujet – bien qu'il fît suivre cette prétendue ire d'un clin d'œil et d'un éclat de rire tonitruant. « Vous apprendrez, mademoiselle. Vous apprendrez. Je peux vous le dire : à l'instar de votre mère, le ciel vous a accordé une intelligence masculine qui peut séparer la logique de l'illogique comme la lame tranchante du couteau sépare le fromage du moule. Et s'il vous faut des miracles, faites que ce soit les miracles des Lumières ! » Puis, se penchant vers moi, il me demanda : « Connais-tu le nom des étoiles, mon enfant ? » Et quand il sut que je les ignorais, il demanda à Victor de me les enseigner. Victor prit cette mission à cœur, car il se délectait à faire étalage de ce qu'il tenait de son père.

« Père appelle les étoiles l'alphabet du Grand Créateur, m'annonça-t-il.

– Parfaitement ! approuva le baron. Le livre de la Nature est le seul livre saint qui nous ait été donné et il ne nous en faut pas davantage. Souviens-t'en ! »

Victor m'enseigna tout ce qu'il savait sur les astres. Et quand nous eûmes étudié ce qui se voyait à l'œil nu, il m'installa sur une chaise derrière l'énorme télescope en cuivre que le baron avait rapporté d'Italie et dont on disait qu'il était le plus grand de Suisse. Je vis grâce à lui des scènes inimaginables : les monts fantomatiques du paysage lunaire et les lunes de Jupiter.

« Les merveilles que tu vois ici, ma chère petite, me dit le baron, saint Pierre lui-même n'aurait pu te les montrer, se fût-il usé les genoux à prier pendant mille ans. Mais le *signor Galileo,* qui nous a donné un regard neuf pour voir de telles merveilles, a bien failli être envoyé au bûcher par les pompeux disciples de saint Pierre. Retiens bien cette leçon, je t'en conjure ! »

« Père est un libre-penseur », m'apprit un jour Victor non sans fierté. Mais cela ne me disait rien puisque je n'avais jamais entendu parler de la libre-pensée. « Il a maintes fois été l'invité de M. Voltaire à Ferney. Surtout, M. Voltaire est lui-même venu en visite ici au château... pendant trois jours ! N'importe qui pouvait se rendre à Ferney : mais que M. Voltaire vînt chez père... ce n'était pas une mince affaire. » N'ayant aucune idée de qui était M. Voltaire, cela ne m'apprit pas grand-chose non plus. « Père ne croit pas aux miracles de la Bible et autres, m'expliqua enfin Victor. Moi non plus. Et tu ne le dois pas non plus. »

Je lui promis consciencieusement de ne pas y croire, mais en secret, j'étais toujours l'enfant de la bohémienne. Ayant grandi dans une famille d'illettrés, j'avais reçu les rudiments de la foi non des textes érudits mais des peintures murales et des statues qui décoraient l'église du village à laquelle on me conduisait chaque dimanche. Utilisant ces images pieuses avec tout le talent de conteur de son peuple, Rosina m'avait appris que les miracles étaient le sens même de la religion. Son humble catéchisme avait plongé de si profondes racines dans ma mémoire que je ne pouvais imaginer à quoi Dieu ressemblait, ni pourquoi il fallait Le prier s'Il ne pouvait arrêter le soleil dans le ciel ni frapper d'en haut

Ses ennemis. Quand je passais devant les tapisseries bibliques qui remplissaient Belrive, ce n'était pas le scepticisme parfaitement aiguisé du baron qui me venait en tête, mais les fables séduisantes de Rosina, surtout quand je m'attardais à observer en détail une tenture en particulier. Il s'agissait d'une œuvre Renaissance qui occupait un coin sombre de la galerie près de la porte de ma chambre. Elle représentait Notre-Seigneur ressuscitant Lazare d'entre les morts. L'homme, encore drapé dans son linceul, était montré assis droit comme un *i* dans son sarcophage ; plus proche du monde des morts que de celui des êtres vivants, il avait la chair d'un bleu cadavérique et son visage livide semblait frappé de stupeur. De tous côtés, ceux qui le regardaient tremblaient d'effroi, comme je le ferais moi-même à leur place.

« Une pareille chose pourrait-elle arriver ? demandai-je à Victor, un jour, comme nous nous arrêtions devant la tapisserie. Crois-tu que les morts puissent ressusciter et marcher à nouveau ?

– S'ils le pouvaient, ils ne le voudraient pas, répondit Victor.

– Et pourquoi cela ? Ne voudrais-tu pas t'évader de la tombe ?

– Jamais ! Les morts pourrissent ; les asticots les dévorent jusqu'à ce qu'ils éclatent et empestent. C'est pourquoi nous les cachons dans le sol. J'ai souvent vu cela se produire avec mes spécimens. L'image ne reflète pas la vérité là-dessus, puisque, tu vois, elle montre Lazare entier et le corps en bon état. Si Jésus l'avait ressuscité après quatre jours dans la tombe, Lazare serait devenu trop affreux à voir. Il aurait détesté Jésus d'avoir fait une chose pareille. Bien sûr, comme pour tous les miracles, c'est une pure invention. »

Je fais la connaissance des « petits amis »

Cependant, on pouvait assister à des miracles entre les murs de Belrive. Ceux-ci étant l'œuvre de l'homme plutôt que de Dieu, le baron entendait m'en réserver la surprise. Un matin, au petit déjeuner, quand la table fut débarrassée, il considéra Victor, se frotta les mains, savourant son plaisir à l'avance, et demanda : « Allons, mon fils, ne croyez-vous pas qu'il est grand temps de présenter Elizabeth à nos petits amis ? »

La baronne m'adressa un clin d'œil de connivence comme pour me prévenir qu'une farce se préparait.

« Oh oui ! » s'écria Victor et il se précipita pour montrer le chemin.

Nous traversâmes la bibliothèque, dont chaque mur était tapissé de livres jusqu'au plafond et le sol encombré d'instruments de navigation et d'astronomie sur lesquels le baron avait plaisir à disserter. Mais ce jour-là, nous ne nous attardâmes pas devant ceux-ci et marchâmes droit vers l'énorme cheminée à l'extrémité de la pièce pour nous immobiliser, le nez pointé sur le mur de pierre. Je levai les yeux, le front plissé, me demandant ce qui allait suivre.

Le baron hocha la tête en direction de Victor, qui s'approcha avec empressement du côté du manteau de cheminée. Se dressant sur la pointe des pieds, il posa la main sur la tête sculptée d'un cerf, empoigna le bout d'un des bois de l'animal et tira d'un coup sec. La pointe vint comme un levier et j'entendis une forte détonation de l'autre côté du mur. Un instant plus tard, le panneau proche du foyer se mut brusquement. Je vis alors que ce n'était pas un mur mais une porte dérobée, habilement camouflée pour se confondre avec la pierre brute de la cheminée. Victor me prit la main et m'entraîna dans le passage qui apparut ; l'espace était si étroit que c'était à peine s'il autorisait l'introduction du corpulent baron, qui dut rentrer son ventre rebondi pour nous suivre. « J'arrive, j'arrive », cria-t-il tandis que Victor se précipitait en avant avec moi.

Nous entrâmes dans une pièce dont les étroites fenêtres munies de barreaux étaient recouvertes de lourdes draperies ; Victor se hâta de les tirer pour dévoiler une vue sur les jardins de la façade est du château. Le soleil matinal, à présent à mi-hauteur dans le ciel, entra hardiment dans la pièce, révélant un spectacle à vous couper le souffle. Je me tenais au milieu d'une population entièrement nouvelle ! Tout autour de moi se trouvaient des hommes, des femmes, des enfants... et c'était bien, en effet, des « petits amis », car aucun ne me venait plus haut que la taille. Ils occupaient des tables et des étagères de tous côtés, posant sur moi un regard froid et inquisiteur. J'étais entourée d'une galerie pleine de poupées ! Chacune était réalisée avec art et vêtue avec élégance. Il y avait des rois et des reines, des chevaliers et leurs dames, des acrobates, des danseurs et des musiciens, et toute une ménagerie, dont certains animaux fabuleux portaient des bottes, des chapeaux et des habits de riches satins. Il y avait un ours arborant un costume de général, un éléphant paré en potentat oriental, un escadron de chevaux caracolant, un cygne argenté flottant sur un étang aux eaux cristallines et une portée de renards en escarpins qui formaient une ronde en se tenant par la main.

« Alors, mon enfant, que penses-tu de nos petits amis ? s'enquit le baron.

– Ce sont les plus merveilleux jouets...

– Des *jouets* ? s'insurgea le baron avec un déplaisir feint. Vraiment ! Ils ne sont rien de tel. Ce sont des êtres vivants comme nous. » Ses paroles me laissèrent sans voix ; je ne sus que dire. Dans la plus extrême confusion, je me tournai vers Victor qui aussitôt éclata d'un rire si tumultueux qu'il dut se plier en deux. Je considérai à nouveau le baron. « Enfin, presque comme nous, ajouta-t-il avec un clin d'œil. Victor ! Allons-nous faire venir nos amis à la vie ? »

Victor regarda d'un côté à l'autre de la pièce, puis opta pour la silhouette délicate d'une dame assise à un pianoforte. Hormis la texture de porcelaine de sa peau, elle avait une apparence vraiment vivante. Elle était habillée de brocart rose, coiffée d'une haute perruque poudrée ; sur ses doigts minuscules se trouvaient des bagues constellées de pierres étincelantes et sur sa gorge, un rang de perles scintillantes. Victor passa la main sous le tabouret du piano ; j'entendis un faible déclic. Et soudain, la femme minuscule s'anima. Elle tourna la tête et la hocha vers moi. Puis ses mains bougèrent vers la gauche et la droite. Je vis chaque doigt se plier et appuyer pendant qu'elle les faisait aller et venir légèrement sur le clavier. Et voilà ! la musique envahit la pièce, un tintement clair comme le cristal dans lequel je reconnus une berceuse. Je clignai des yeux, ébahie. La petite pianiste dressa la tête pour écouter les notes, puis me lança un autre coup d'œil et de nouveau hocha la tête d'un geste gracieux. Entre-temps, Victor était allé de l'avant. Il s'était arrêté à la table où un Noir enturbanné, assis en tailleur sur un coussin de velours, fumait un narguilé ; effleuré par Victor, le personnage s'empara d'une flûte qu'il porta à ses lèvres. Une sarabande aiguë se mit à rivaliser avec la berceuse de la pianiste.

« Pose le doigt ici », me dit le baron en plaçant ma main au-dessus des trous de la flûte. Je perçus un mince filet d'air : le souffle du Noir traversait l'instrument. « Il y a un soufflet dans sa poitrine, expliqua le baron, qui produit une musique aussi suave que si elle venait d'un poumon humain. » Derrière la marionnette, un cabinet richement marqueté s'ouvrit et il en sortit doucement une *danseuse** voilée qui se ploya et tourbillonna au rythme des accents exotiques. Sur son doigt délicat était perché un minuscule canari qui agita la queue, ouvrit le bec et pépia. La petite danseuse prenait des poses affectées d'une façon tout à fait fascinante, mais avant que j'aie pu remarquer tous les détails de son numéro, Victor mit en mouvement d'autres poupées. L'éléphant ploya en avant pour se mettre en équilibre sur ses défenses, le cygne glissa d'avant en arrière en lissant ses plumes, les chevaux se cabrèrent et caracolèrent, les renards dansèrent une gaillarde sur une autre musique.

« Bien, déclara le baron, tu vois donc que ce ne sont pas de simples jouets. Ceci, mon enfant, ce sont des automates. » Il se pencha en avant pour chuchoter les mots comme s'il s'agissait d'un effroyable mystère. « Le secret même de la vie est en eux. » Je le fixai, absolument ébahie. « Peut-être... *peut-être* qu'ils sont plus astucieux que toi, ma chère petite ? ajouta-t-il en se tapotant gravement le front. Tu ne me crois pas, hein ? Victor, allons-nous convier Herr Doktor Heinrich à se joindre à nous ? »

Aussitôt, Victor fonça sur une étagère du fond et rapporta un personnage barbu portant toque et toge académiques. Sous le doigt de Victor, la figurine se redressa sur son fauteuil et tourna la tête à gauche et à droite.

« Herr Doktor ! déclama le baron. Je vous présente mademoiselle Elizabeth. Allez, mon enfant, serre-lui la main. »

Ce que je fis en prenant délicatement les petits doigts cireux de sa main gauche. Je m'aperçus que la droite serrait une plume d'oie tenue avec diligence au-dessus d'une feuille de papier. Le personnage s'inclina et leva les yeux vers moi. « Allons, Elizabeth, dis-nous, si tu le peux, combien font sept fois dix-sept ? demanda le baron. Tout de suite ! » Et il claqua des doigts sous mon nez une fois, deux fois, trois fois. Même si j'avais pu effectuer le calcul aussi vite, sa façon de faire m'aurait paralysé l'esprit. Je reconnais que je l'ignorais ; car je n'avais appris les tables de multiplication que jusqu'à cinq, et encore, pas très bien. « Ah, vous voyez ! Herr Doktor ! poursuivit le baron en se tournant vers la poupée et lui secouant de nouveau la main. Vous avez entendu ? Sept fois dix-sept. »

Herr Doktor hocha la tête et cligna des yeux. D'un geste saccadé, la main qui tenait la plume alla sur le côté pour en plonger le bout dans un minuscule encrier placé sur l'écritoire soutenue par ses genoux. Herr Doktor écrivit « 7 x 17 » sur la feuille de papier posée sur le bureau. Au bout d'un moment, il ajouta un « = ». Et un instant plus tard, le nombre 119.

« Ce qui est parfaitement exact ! » proclama le baron.

Là-dessus, je restai ébahie, attendant du baron et de Victor un mot d'explication. À mon côté, Victor fut incapable de dissimuler son hilarité. Il mit ses mains en cornet devant mon oreille pour me chuchoter :

« C'est la seule opération qu'il connaisse, ce balourd !

– Ce n'est pas vrai ! s'insurgea le baron qui l'avait entendu.

– Si ! insista Victor. À moins qu'on ne lui change le cerveau.

– Le cerveau ? demandai-je.

– Pour chaque addition, nous devons retirer le cerveau pour le remplacer par un autre. Tu vois ? Son cerveau est là. » Et il retourna la poupée. Soulevant sa redingote, il me montra ce qui se trouvait en dessous : un réseau complexe de rouages, de leviers et de ressorts.

« Mais certainement, inspectez le cerveau de Herr Doktor, car c'est cela le vrai miracle », l'encouragea le baron. Il sortit une lentille de la poche de son gilet et me la tendit pour que je pusse examiner à loisir le labyrinthe mécanique qui remplissait le corps de la marionnette. « Tu vois comme ces mécanismes sont minuscules ? On croirait que seule une araignée peut filer un tissu aussi fin. Cependant, chaque année, ces systèmes deviennent de plus en plus petits, aussi minuscules et délicats que les mécanismes à l'intérieur de nos meilleures montres. » Il sortit de son gousset une montre qu'il m'avait souvent montrée ; sur son cadran rond, elle affichait le soleil et la lune bougeant avec la précision des saisons. « Un jour, quand nous pourrons faire des pièces suffisamment petites, nous introduirons toutes les sommes possibles à l'intérieur d'une seule mécanique cérébrale. Et peut-être beaucoup d'autres choses en plus. Herr Doktor transportera peut-être en lui toute une bibliothèque. Qu'en penses-tu à présent, mon enfant ? »

Je regardai Victor, puis de nouveau le baron.

« Mais comment cela se pourrait-il ?

– Si ces petites gens peuvent déjà écrire, chanter et jouer, où se trouve la limite, je te le demande ? Nous avons ici un petit bonhomme qui sait jouer aux échecs, le croirais-tu ?

– Seulement deux coups, précisa Victor avec dédain. Il ne peut bouger que son pion et son cavalier. Et toujours le même jeu.

– Voyons, il apprend, il apprend. Un jour – en doutes-tu ? – il sera capable de faire trois coups, puis quatre... et finalement, qui sait ? Qui sait ?

– Est-ce vous qui les avez fabriqués ? » demandai-je au baron.

Il partit d'un grand éclat de rire. « Grands dieux, non ! ce sont les créations des savants les plus doués de Suisse. Je ne suis guère que leur mécène.

– Ce ne sont certainement pas des savants, protesta Victor avec une soudaine effronterie. Ce ne sont que des horlogers.

– Balivernes ! rétorqua le baron. Ce sont des hommes de science concrets, de véritables philosophes de la nature, pas de ceux qui s'égarent dans les brumes de la théorie. Un jour, je vous le garantis, ils seront capables de façonner des entités vivantes si semblables à nous que l'on ne sera plus capable de dire si ce sont des êtres humains ou des automates. » Remarquant l'expression de colère qui avait envahi le visage de Victor, il ajouta : « Mon fils, comme tu peux le voir, doute de mes prédictions. Eh bien, juges-en par toi-même, ma chère petite. Vois ici ce que M. Vaucanson a réalisé... » L'on me mena à l'autre bout de la pièce jusqu'à un perchoir sous une des fenêtres ; il occupait clairement la place d'honneur parmi les pièces d'exposition du baron. Derrière nous, les petits personnages continuaient à hocher la tête et à danser et à jouer, mais je remarquai que l'éléphant s'était arrêté alors qu'il faisait le poirier, et que la danseuse se traînait à présent avec peine. Sur le perchoir devant moi se trouvait la réplique d'un canard grandeur nature, à l'aspect si réel que mis à part son immobilité, on aurait presque pu le confondre avec l'original. Au début, je le pris pour un animal empaillé. Mais Victor passa la main derrière le support pour atteindre l'interrupteur. J'entendis un déclic aigu ; un ronronnement et un tic-tac émanèrent du petit volatile. Soudain, l'oiseau ouvrit le bec et émit un vigoureux coin-coin qui ressemblait parfaitement au cri d'un vrai palmipède. Il tourna la tête, battit des ailes et refit coin-coin.

« Vas-y, mon enfant, dit le baron. Nourris-le.

– Le nourrir ?

– Oui, tiens. » Il me tendit quelques graines séchées dans un bol qui était posé sur le perchoir. Prudemment, je tendis une graine au petit automate. Le baron pressa un bouton et le bec s'ouvrit pour recevoir la nourriture. Aussitôt, les graines disparurent et l'oiseau claqua du bec comme s'il mâchait. « Encore, ordonna le baron, avant de répéter : Encore. » Quand j'eus inséré plusieurs graines dans le bec en action du canard, il y eut un autre solide coin-coin. Je me tournai vers Victor pour lui demander : « Mais où sont passées les graines ?

– Regarde ! » dit Victor en gloussant. Il poussa un autre bouton. J'entendis le bruissement de roues et de ressorts ; les ailes du canard battirent et il sortait présentement, de sa partie arrière, une minuscule boulette. « Il a fait une crotte ! s'exclama Victor en riant grassement. C'est là que sont allées les graines – carrément d'un bout à l'autre.

– Le secret de la chimie alimentaire ! annonça son père. Voilà ! Tu l'as observé de tes propres yeux. » En lisant mon incompréhension dans mon regard vide, il se pencha plus près de moi pour m'expliquer « Le fluide électro-magnétique ! La base de la vie même. M. Vaucanson l'a introduit dans son invention. C'est le plus grand génie naturel de notre temps. Je tiens son invention pour la plus grande de toutes ! »

Nous passâmes deux heures entières, ce matin-là, à explorer la chambre des merveilles du baron. L'on me montra des automates qui parlaient, chantaient et effectuaient des exercices acrobatiques ; j'écoutai de minuscules violonistes, harpistes et guitaristes mécaniques. Le baron débordait presque d'orgueil tandis que Victor sortait l'un après l'autre les « petits amis » de son père pour me les présenter. « Ce que tu vois dans cette pièce, me révéla le baron, est le bien le plus précieux de notre famille, la plus belle collection du monde en son genre. C'est pourquoi je la garde ici dans cette chambre secrète. Mais déjà je dresse des plans pour bâtir un musée ; et alors mes petits amis appartiendront au monde afin que tous les voient et les admirent. Ce sera le don de notre famille pour une meilleure compréhension humaine de la vie. »

Victor connaissait toutes les figurines et me montra comment elles fonctionnaient, bien que je ne comprisse pas grand-chose à ce qu'il me disait. « Celle-ci, se vanta-t-il en prenant un clown qui se balançait sur un trapèze, je l'ai démontée et remontée. » Je témoignai la stupéfaction qu'il attendait de moi. Il me parut plus intéressé par mes réactions que par les automates ; car tandis que le baron rayonnait d'orgueil de voir combien j'admirais sa collection, Victor avait souvent l'air de s'ennuyer.

« Je croyais jadis que toutes ces poupées étaient vivantes, me confia-t-il ce jour-là. Quand j'avais ton âge. J'ai été fort désappointé d'apprendre que j'avais été abusé. Comme tu peux le voir, père croit dur comme fer dans la philosophie mécanique. Il souhaite me voir partager sa conviction. Mais ce ne sont en fait que des jouets, comme tu l'as dit toi-même. Ces personnages ne sont pas vivants, loin s'en faut.

– Père le croit.

– Mais il se trompe ! Tu as touché les poupées. Elles ne sont pas faites de chair, de sang et de nerfs comme nous. Ce ne sont que des imitations de la vie faites de bois, de fil et de porcelaine... Tu vois ma main ? Même le bout de mon petit doigt est plus merveilleux que toutes les poupées du musée de mon père. Parce que c'est un tissu vivant ! Il peut saigner, il peut brûler et geler, il peut avoir mal, il peut... sentir. Une chose vivante doit être faite de chair, comme nous. Les poupées jouent de la musique, mais elles ne peuvent entendre ce qu'elles jouent ; elles dansent, mais elles n'ont pas plaisir à danser. Qui voudrait être une machine... aussi astucieuse soit-elle ?

– Mais tu m'as dit qu'un jour, les tissus vivants devaient se réduire en poussière dans la terre et devenir hideux. Peut-être qu'alors les poupées sont mieux loties car elles ne pourriront ni ne périront jamais.

– Certes, reconnut Victor en pesant soigneusement mes mots. Pourtant, je crois qu'il vaut mieux périr que ne jamais avoir vécu.

– Comment Herr Doktor a-t-il fait pour calculer ?

– Allons donc ! La poupée ne calcule pas vraiment ; elle n'a aucune cervelle, seulement des engrenages et des ressorts. Herr Doktor dessine simplement avec les mains le total pour lequel son mécanisme interne a été conçu ; il donne l'opération que la poupée écrira quoi qu'il arrive. Ce n'est qu'une astuce. La véritable science va beaucoup plus loin que des astuces.

– Qu'est-ce que la *science* ?

– C'est un océan plus vaste que tous ceux que l'homme a jamais traversés, aussi infini et obscur que l'univers. Quand je songe à naviguer sur ses eaux... ma tête me fait presque mal à force de questions. » Puis, se surprenant dans une sorte de rêverie, Victor éclata de rire. « Je vais te dire ce que la science n'est pas. Ce n'est pas quelque chose qu'il convient aux petites filles de connaître.

– Mais pourquoi ? »

Il me regarda en plissant les paupières pour rire. « Vite ! Combien font 150 plus 72 plus 33 ? Vite, dis-je ! » Et il claqua les doigts devant ma figure.

« Oh, je ne peux pas réfléchir si vite.

– Voilà. C'est pour cela. Tu n'as pas le don du calcul mental. Pas plus que M. Vaucanson, en dépit des louanges de mon père à son endroit. C'est un bricoleur ingénieux, sans plus. La vie est un plus grand mystère que ce que peut construire un horloger, je sais cela

– Victor...

– Oui ?

– Pourrais-tu me dire une chose que j'aimerais beaucoup savoir.

– Oui... quoi ?

– Combien font 150 et 72 et 33 ? Vite ? » Et je claquai les doigts sous son nez.

« Voyons, c'est que... » Mais avant qu'il ait pu trouver la réponse – car il avait autant que moi besoin de calculer le total –, je lui tirai la langue et partis comme une flèche avec lui sur mes talons. Quand il me rattrapa, comme j'en avais envie, il lutta avec moi rudement et me plaqua contre le mur, mes bras levés au-dessus de la tête et mes seins pressés étroitement contre lui. Je le taquinais souvent ainsi pour qu'il me poursuive et me tienne et m'embrasse.

« Deux cent cinquante-cinq ! répondit-il. Ce qui est le nombre de coups que je devrais te donner pour ton impudence, petite coquine ! »

Mais au lieu de coups, il pressa ses lèvres sur les miennes, un baiser auquel je fis mine de résister, le forçant ainsi à me tenir plus rudement. *Encore, encore !* criai-je à l'intérieur de ma tête quand il retira ses lèvres. Mais à l'extérieur, je piaillais :

« Arrête ! Tu ne dois pas !

– Pourquoi me dis-tu d'arrêter alors que tu le veux ? me demanda-t-il.

– Tu ne peux pas dire ce que je veux, protestai-je en me débattant pour échapper à son emprise. Je ne suis pas une de tes poupées mécaniques que tu peux démonter pour en connaître les secrets. »

Mais s'il y avait de la colère dans ma réponse, c'était autant contre moi que contre Victor. Car je ne comprenais pas mes sentiments partagés, cette envie de dire oui et non.

Je devais souvent revisiter le musée privé du baron ; et à chaque fois, il m'était présenté de nouveaux sujets d'étonnement. Cependant, aussi merveilleux que fussent les petits amis du baron, cela me troublait quand il en parlait comme d'entités vivantes. Car c'étaient, en fin de compte, des mécaniques inanimées, qui ne voyaient, n'entendaient ni ne sentaient ; comme Victor, je ne pouvais fermer les yeux sur leur nature artificielle évidente. Le fait même qu'elles eussent l'air aussi vivant rendait leur ingéniosité d'autant plus effrayante à mes yeux. Le baron ne pouvait-il dire, dans son enthousiasme, combien était grande la différence entre ces automates et le modèle humain ? N'étais-je à ses yeux qu'une poupée qu'on pouvait démonter et remonter avec des outils d'horloger ?

J'emportais souvent ces pensées au lit avec moi la nuit, des questions déconcertantes sur la vie et la mort qui surpassaient mon entendement puéril. Puis, dans le secret de ma propre imagination, les petits amis prirent un comportement plus inquiétant. Je les voyais parfois sourire de moi d'un air hautain, paraissant curieux de connaître mes mécanismes internes comme je l'avais été des leurs. Et une fois, je rêvai qu'ils étaient rassemblés autour de mon lit, en intrus curieux et étranges qui tenaient conseil entre eux.

« Comment voit-elle ? demandait la pianiste. Sortons ces étranges globes vitreux qu'elle appelle ses yeux pour les examiner.

– Comment parle-t-elle ? demandait le Noir. Sortons ce petit ruban de chair dansant qu'elle appelle sa langue pour l'étudier.

– Et ce cœur palpitant, dit un autre.

– Et ces poumons qui respirent... »

Dans mon rêve, j'essayai de me lever et de fuir, mais découvris qu'ils avaient trouvé un moyen d'immobiliser mes membres de sorte que je pouvais à peine les soulever.

« Et son sang, dit un autre. Qu'est-ce que c'est ? »

Après cette nuit-là, je ne demandai plus à voir les petits amis.

Ce que j'appris sur mes ancêtres

« Tu es une princesse à mes yeux et le seras toujours. Cela n'a strictement rien à voir avec un héritage matériel. Tu as la noblesse de l'âme, pas celle des titres ni des emblèmes. »

Telle fut la réponse de la baronne Caroline quand j'abordai pour la première fois la question de ma filiation. En grandissant, je devais inévitablement me montrer plus curieuse concernant l'histoire que Rosina racontait sur mes origines princières. Qu'y avait-il de vrai là-dedans ? Qui était le père sans nom que je ne connaissais que comme « le roi du Sud » ? Et qui était la mère infortunée dont je me souvenais qu'elle appartenait à la maison régnante d'Angleterre ? Puisque je ne connaissais ma naissance et mes parents qu'à travers les contes de ma nourrice bohémienne illettrée, tout cela pouvait n'être que des fables et des contes de fées. Ou signifier qu'un sang royal coulait dans mes veines.

Je fus déconcertée par la désinvolture avec laquelle ma nouvelle mère écartait ces questions, comme si elle ne s'intéressait nullement aux histoires de haute naissance. « Ta pauvre nourrice éprouvait peut-être le besoin d'avoir ces idées folles dans sa pauvre vie ; pas moi. Tu vois, ma chère petite, moi qui suis née pauvre et ai pris soin de conserver un regard humble... j'ai vécu parmi ces personnes titrées ; je les ai vues ivres à table, j'ai entendu leurs méchants bavardages au salon, et je les ai vues passer la nuit à faire des inepties que tu ne saurais imaginer en raison de ta jeunesse. Je connais leur vraie valeur. Si on pouvait acheter un prince parmi eux pour sa valeur véritable et le revendre pour ce qu'il *croit* valoir, on pourrait devenir plus riche que Crésus par ce seul commerce. Laisse-moi t'assurer que si tu étais la fille d'un empereur, cela ne me dirait rien de ce que je désire savoir sur la bonté de ton cœur. Souviens-toi toujours que même s'il est partout dans les fers, l'homme est né libre. Au regard du ciel, nous sommes tous égaux. C'est la grande leçon de notre temps, bien que ce soit une leçon que beaucoup d'esprits parmi les plus admirés ont encore à apprendre. Mais ils le feront, ils le feront, cela dût-il s'écrire pour eux en lettres de sang. »

Même quand je dessinais pour elle ce dont je me souvenais du blason de mon père, la baronne ne manifestait qu'un léger amusement. Laissant son doigt suivre paresseusement les contours de l'aigle à deux têtes et des lions ailés que j'avais maladroitement esquissés, elle remarqua : « Tu auras beaucoup à faire dans ta vie avec des bêtes fabuleuses, mon enfant ; mais elles seront d'une bien plus grande signification que ces simples symboles héraldiques. »

Chose étrange, c'est mon nouveau père qui se montra le plus intéressé à connaître la vérité sur mes origines. En apprenant le récit de Rosina, il manifesta une curiosité intense pour ma famille. « Il se peut que nous ayons dîné à cette même table avec tes tantes, tes oncles, tes sœurs et tes frères », déclara-t-il un soir à dîner. C'était parfaitement possible. Un flot incessant d'invités titrés venaient en visite au château de Belrive, qui fonctionnait pour les notables en voyage comme une auberge sur la route reliant l'Italie, la France et les États germaniques. J'ignorais dans quelles affaires ils étaient ; je sais qu'ils insistaient souvent pour prendre le baron à part pendant des heures d'affilée afin de lui parler d'affaires qui ne pouvaient être évoquées que derrière une porte close. Ainsi, à notre table, j'avais rencontré des princes, des comtes et des duchesses de même que des ambassadeurs, des ministres et des émissaires diplomatiques qui allaient et venaient entre les cours royales d'Europe. N'importe lesquels auraient pu m'être liés par le sang. Beaucoup venaient d'Italie, de Milan même. Un de ces invités aurait-il pu connaître mon vrai père ou ma mère ou leurs proches ?

J'appris plus tard que c'était précisément cette perspective – la possibilité que des gens de mon propre sang pourraient venir en visite – qui rendait Caroline si réticente à l'idée d'enquêter sur mon passé. En effet, qu'adviendrait-il si le baron réussissait à retrouver ma famille ? Ne devrait-elle pas me rendre à eux ? Pour cette raison (comme je le découvris plus tard), elle fit prêter serment à mon père qu'il ne ferait procéder à aucune enquête officielle sur moi, ni n'annoncerait aucune conclusion basée sur des suppositions concernant mes ancêtres, sans d'abord la consulter. Il accepta mais resta tout aussi farouchement curieux, et surtout sur la possibilité que je fusse liée à la maison régnante d'Angleterre. « Et si cette petite pauvresse avait des droits sur la couronne du roi George ? disait-il, plaisantant à demi. Les Anglais ont déjà remplacé un monarque imbécile. Peut-être abritons-nous sous notre toit celle qui est destinée à devenir l'agent des Lumières de Londres. Car l'enfant, exactement telle que vous la voyez ici, ne saurait être pire dirigeant que George III. »

J'étais trop jeune pour comprendre les implications profondes qui sous-tendaient ce que le baron disait sur les affaires politiques. Les courants révolutionnaires qui parcouraient l'Europe dépassaient mon entendement enfantin ; mais je pouvais aisément comprendre ce que voulait dire connaître ses parents. Avec le temps, toutefois, comme les années rendaient les recherches plus infructueuses et comme je devenais de plus en plus une enfant de la famille Frankenstein, mon histoire se fondit à nouveau dans un brouillard de suppositions fantaisistes qui ne devaient jamais recevoir la consécration des faits. Je préférais penser à moi comme à quelqu'un qui était né trois fois : de ma première mère à qui je dois le jour, de la deuxième à qui je dois mon enfance, et de la troisième, à qui je dois d'être devenue femme.

NOTE DE L'ÉDITEUR

De la généalogie d'Elizabeth Frankenstein

J'étais animé par l'extrême curiosité de retrouver ce qui pouvait encore subsister de la généalogie d'Elizabeth Lavenza-Frankenstein, notamment concernant son souvenir d'une haute naissance. Aussi, au cours de l'été de 1806, quand je fus en mesure d'entreprendre mes voyages d'exploration sur le continent, je m'appliquai à vérifier l'exactitude des souvenirs d'enfance d'Elizabeth. J'avais peu d'éléments pour avancer à part sa réminiscence que son père appartenait à la noblesse milanaise et se rendait au combat quand il s'était arrêté devant sa roulotte pour lui faire ses adieux. Malheureusement, les archives historiques de Milan, point de départ naturel de mon enquête, avaient été mises à sac et largement détruites par les forces révolutionnaires qui avaient établi, alliées avec l'armée de Napoléon, la République cisalpine. Dans cette situation politique délicate, je ne trouvai personne dans la cité qui fût disposé à discuter de la maison régnante bannie, de peur d'avouer quelque lien de famille avec elle. Je reconnais qu'à un certain point de mes recherches, je sentis que mon intérêt pour l'ancien régime de Milan pourrait m'attirer la suspicion des autorités révolutionnaires de la ville et sans doute compromettre ma sécurité. L'on doit se souvenir que c'étaient là des temps troublés.

Quant à la guerre qu'Elizabeth se remémorait et que je situai au début des années 1770, c'était une période si instable de rivalités dynastiques dans les affaires européennes qu'on pouvait difficilement distinguer les conflits l'un de l'autre. L'histoire de l'époque mentionne que le duché de Milan était impliqué dans la guerre russo-turque, étant allié malgré lui de l'Autriche ; je découvris que le duc avait envoyé son fils, le prince Alessandro, en Crimée en 1773. Une visite au cimetière de la ville révéla un monument commémorant la mort du prince l'année suivante. À part cela, je ne pus retrouver les annales familiales de cet homme, aucune trace de sa naissance ni de sa mort. L'étude des archives ecclésiastiques survivantes de la cathédrale de Milan me concéda la mention d'un mariage contracté entre Alessandro et une fille de la maison des Farnese de Parme cinq ans avant son décès. Le nom de l'épouse était censé être Juliana, mais je connus peu de succès en suivant sa trace ou celle de sa famille. Quant au nom d'Elizabeth, il n'apparaissait nulle part.

Mais qu'en était-il des armes familiales restées dans la mémoire enfantine d'Elizabeth Frankenstein et dont un dessin figurait dans ses mémoires ? Que pouvait révéler cette lointaine réminiscence ? Ce n'était la devise d'aucune maison aristocratique italienne que je retrouvai. Aussi, de retour à Londres, je me hâtai d'emporter le petit croquis au College of Arms, où le conservateur l'identifia aisément.

« La double hache a été placée dans le mauvais quartier, observa-t-il, mais il n'y a qu'une seule armoirie qui associe la hache avec l'aigle à deux têtes. Ce n'est pas italien mais allemand. La maison de Saxe-Gotha, qui est liée à notre famille royale par le biais de la succession des Hanovre.

– Cette maison peut-elle avoir un rapport avec le duché de Milan, disons, à la fin du XVIIIe siècle ? » demandai-je.

Mon informateur érudit médita ce point, puis répondit par la négative.

« Pas dans l'état actuel de mes connaissances. Mais la noblesse allemande de cette époque présente une généalogie particulièrement complexe. Il y a eu nombre d'intermariages. »

Les armoiries étaient donc celles du côté de sa mère, pas de son père : une parenté anglaise par le biais d'une lignée allemande. Le mystère demeurant presque entier, je lui laissai le nom d'Elizabeth et lui demandai de faire tout son possible afin d'éclaircir la question pour moi. Il y consentit et, quelques semaines plus tard, je reçus le message ci-dessous.

Monsieur,

Les annales de la maison de Saxe-Gotha font effectivement état d'une enfant du comte Albertus de Gotha appelée Elizabeth. On sait peu de chose d'elle. Elle est morte en 1773 à l'âge de dix-neuf ans et était, pour autant qu'on puisse l'établir, célibataire. La biographie du comte crédite celui-ci de services diplomatiques à la cour de Milan entre l'année 1764 et 1775. À part cela, je ne puis rien vous dire de plus.

En espérant que cette information vous sera de quelque utilité, je reste

Votre dévoué

D.

Directeur des Archives

Royal College of Arms

Bien que cette précision ne permît d'établir aucune certitude, elle autorisait une hypothèse plausible. Se pouvait-il qu'Elisabeth de Saxe-Gotha, accompagnant son père en mission diplomatique à Milan, fût devenue alors la maîtresse du prince Alessandro ? Dans cette situation, elle aurait pu donner naissance à une fille qui était de sang bleu, mais illégitime. Cela pourrait expliquer la décision par ailleurs déconcertante du jeune prince de mettre le nouveau-né à l'écart chez la matrone bohémienne, pour mieux en dissimuler l'existence.

Je trouve mon « frère spirituel »

Plus que mon foyer, Belrive devint mon école. Entre le château et la ville, il y avait d'incessantes allées et venues de précepteurs pour le seul privilège des enfants du baron, qui étaient censés devenir des modèles du siècle des Lumières. Matin et après-midi, aussi souvent que le temps le permettait, nos maîtres quittaient la ville en voiture ou en bateau. Herr Dienheim, un distingué érudit allemand qui ne manquait jamais de se vanter qu'il était membre de l'Académie du roi Frédéric à Berlin, nous enseignait les langues anciennes avec une rigueur qui aurait pu être pénible à l'extrême s'il n'avait possédé l'esprit nécessaire pour faire de ces cours autant un jeu qu'une discipline. « Herr Fritz », comme Victor l'appelait en cachette quand il n'était pas à portée de voix, semblait avoir trouvé une astuce pour que l'on se souvînt de chaque idiome et de chaque irrégularité dans les déclinaisons. Nous apprenions la musique avec l'élégante Mme Branicki ; bien qu'elle fût à présent une femme d'un âge avancé dont les doigts étaient moins lestes sur le clavier, elle avait été une enfant prodige qui avait joué à la cour de la reine Catherine de Russie et du roi de France. Avec elle, nous apprîmes autant d'histoire que de musique, et pas mal de potins de cour. Mme Eloïse, la femme de chambre personnelle de la baronne, était chargée de me faire pratiquer la conversation française et de surveiller mon maintien ; mais sa vraie passion était la danse, pour laquelle elle faisait preuve de la grâce d'une femme deux fois plus jeune qu'elle.

Du point de vue du baron, il était bon d'enseigner la musique et la danse à une jeune fille pour des raisons de maintien ; mais selon lui, les vraies valeurs se situaient dans une tout autre direction. « L'harmonie, le rythme, le contrepoint, m'expliquait-il, sont des arts *mathématiques*: le calcul appliqué à la mélodie. Ils préparent l'esprit à lire les lois éternelles de la nature. C'en est la quintessence. » Par conséquent, je fus conduite devant le *signor* Giordani, un érudit padouan sous l'autorité duquel Victor avait déjà progressé dans l'étude du calcul jusqu'à l'algèbre. « La jeune dame doit apprendre la mathématique ? s'étonna-t-il. Le baron veut parler de l'arithmétique, peut-être ?

– Ma foi, non, il n'en est rien. Car cela, elle le sait déjà. Je veux parler des branches supérieures de la mathématique.

– Non, non, non et non, cela n'est pas possible, protesta le *signor* Giordani de sa voix chantante de ténor italien. Le cerveau de la femme, il est dépourvu de *l'esprit géométrique**. Ce sera comme verser un bon vin dans une passoire.

– À cet égard, monsieur, répliqua le baron, indigné, vous pourriez vouloir consulter ma femme, qui semble avoir peu de difficulté à lire les traités de messieurs Descartes, Pascal et Lagrange. Peut-être sera-t-elle en mesure de vous convaincre de votre erreur.

– Certes ! Mais madame la baronne est une femme extraordinaire, protesta l'érudit. Elle a l'intelligence d'un homme.

– Alors, voyons s'il n'en va pas de même pour ma fille, monsieur, insista le baron. Car comment saurions-nous sans un jugement équitable lesquelles de nos femmes possèdent les facultés intellectuelles masculines ? »

Le mathématicien consentit à s'exécuter bien malgré lui, mais j'allais démontrer qu'il était meilleur juge des limites féminines que le baron ; en vérité, j'étais totalement dépourvue de dons pour le calcul. Alors que la géométrie se révélait à ma portée, car c'était une science des formes visibles qu'on pouvait dessiner sur la page, l'algèbre et le calcul me fuyaient comme le sable entre les doigts, ne laissant que quelques grains derrière eux. Quand je dus honteusement avouer cela à la baronne Caroline, elle ne manifesta guère d'inquiétude.

« Applique ton esprit à ce qui lui plaît, dit-elle. Le monde possède plus d'habiles calculateurs qu'il n'en faut.

– Mais le baron désirait prouver qu'une fille peut être aussi compétente avec les chiffes qu'un garçon. »

Cela la divertit grandement.

« Ah bon ? Alors laisse-moi te dire ceci, mon enfant : le baron n'a jamais pu débrouiller son chemin dans le triangle de Pascal, car lui-même ne s'entend guère aux chiffres. Cependant, je me fais fort de pouvoir l'enseigner à chacune des servantes du château, y compris celles qui ne savent pas lire un mot. »

Aussi importants que fussent mes maîtres, j'appris infiniment plus dans le salon et à la table familiale qu'à mon pupitre d'élève, car à Belrive, l'instruction était constante et aussi disponible que l'air que je respirais. Durant la saison des voyages, aucun philosophe de passage, artiste ou homme de lettres traversant les cols des Alpes n'aurait manqué une invitation du baron. Belrive était le plus célèbre lieu de rencontre pour les grands esprits de Genève (et de ce fait, de toute la Suisse, aurait souligné le baron, car, de son point de vue, Genève était pour le reste des cantons « tel le cerveau pour le ventre »). Ils venaient donc pour disserter, discourir et vanter leur marchandise intellectuelle en échange de l'hospitalité la plus généreuse qui fût, hormis celle d'une cour royale.

C'était dans une large mesure ce qui faisait de Victor un fat aussi insupportable ; il prétendait que, quand il n'était encore qu'un nourrisson, il avait sauté sur les genoux des plus grands hommes de science. Je n'avais aucune idée de qui étaient des gens comme le baron d'Holbach ou l'abbé Condillac, mais j'avais rencontré celui dont Victor s'enorgueillissait le plus et qu'il prenait pour modèle dans la vie : le professeur de Saussure, qui était son parrain de même que son précepteur de toujours. Le professeur de Saussure, qui séjournait souvent à Belrive, était une célébrité dans toute l'Europe ainsi que le plus grand philosophe naturaliste de Suisse. Il pouvait disserter sur les cieux et la terre et tout ce qui se trouve entre les deux. En outre, il était le plus téméraire des alpinistes et il avait escaladé les plus hauts pics des Alpes, tous excepté le mont Blanc. Pour la conquête de ce sommet inviolable, il avait promis une forte récompense, que Victor, comme tous les jeunes Suisses, aspirait à gagner un jour. Quand le professeur de Saussure venait en visite, Victor pouvait rester enfermé avec lui pendant des heures à examiner les nombreux instruments que le professeur apportait au château. Cet homme remarquable semblait passer sa vie à inventer des machines pour mesurer tout ce que, enfant, je trouvais incommensurable. Ses instruments pesaient l'air, évaluaient l'humidité des nuages, calculaient la lumière du soleil et même calibraient le bleu du ciel. Quand, un jour, avec une franche naïveté, je demandai pourquoi de telles choses avaient besoin d'être mesurées, je m'attirai son rire condescendant. « D'abord, nous mesurons, demoiselle, déclara le professeur. Ensuite, nous maîtrisons. » Une autre des inventions du professeur était un petit globe de verre dans lequel étaient suspendues deux minuscules boules de moelle de sureau qui permettaient de mesurer l'électricité. Le baron, qui était le mécène du professeur, considérait l'électromètre de De Saussure comme la plus remarquable invention du siècle. Mais l'étincelle qui volait dans le réceptacle était si minuscule que, même en pressant fort mon œil contre le verre, je ne voyais rien du tout et j'en venais à me demander si ce n'était pas une mystification. Pourquoi le baron tenait-il pour de la superstition de croire aux anges que seuls les saints pouvaient voir, me demandai-je, alors qu'il n'en allait pas de même de croire en des étincelles jaillissantes que seuls des professeurs issus de l'Académie pouvaient voir ?

Quelle que fût l'admiration que Victor portait au professeur de Saussure, j'étais profondément heureuse que sa forme d'esprit différât grandement de celle de son idole. Sinon il aurait pu être un autre « habile calculateur » et rien d'autre. Mais Victor avait découvert, dans son enfance, un maître plus grand qu'aucun des précepteurs qui venaient nous rendre visite. Et c'était Belrive : je veux parler de la maison même, dotée d'une magie qui donnait vie aux illusions enfantines. Dans les *Écritures,* on lit : « Dans la maison de mon père il y a de nombreuses demeures. » De même, Belrive, la maison de *mon* père, était un lieu de nombreuses demeures, les chambres intangibles de l'esprit cachant des trésors de connaissances dans chaque coin et recoin. Je pouvais à peine passer d'une pièce à l'autre sans que mon imagination fût tenue captive. Surtout, il y avait la collection de chefs-d'œuvre qui remplissait le château. Une grande partie de ce que je connais de l'histoire et de la littérature apparaît encore devant mon imagination sous la forme des plus grandes tapisseries et des toiles historiques du baron, dans lesquelles explosait toute la fantaisie de la Renaissance. Mais il y avait d'autres circonstances, plus subtiles, pour s'instruire ; et je découvris celles-ci grâce à Victor, qui brûlait de me révéler les ressources secrètes du château. De lui, j'appris qu'il n'y avait pas un meuble à Belrive, pas un placard ni un cabinet, voire une corniche ténébreuse, qui ne fût source d'étonnement, pour peu que l'on eût le regard fantasque pour les épier et l'esprit qu'il fallait pour les animer. Il m'apprit à saisir dans chaque sculpture, chaque filigrane, chaque armoirie sur les murs l'occasion d'une envolée lyrique. Cela, cette tournure d'esprit imaginative, fut le plus grand cadeau qu'il me fît et dans cet exercice, se forgea cette complicité d'esprit que nous devions conserver toute notre vie.

Que le château, la nuit, devînt un lieu fait d'enclaves ténébreuses et d'obscurs corridors nourrissait d'autant plus l'imagination. Des choses peintes et des formes sculptées pouvaient alors paraître s'animer dans la lueur vacillante des bougies. « Regarde là », disait Victor, la voix réduite à un chuchotement tandis que nous longions les corridors obscurs. Et il pointait du doigt un coffre de laque décoré, importé de Tartarie ou des côtes de l'Arabie par le baron. « Tu vois l'ogre qui nous guette ici ? » Puis, se rapprochant à pas de loup, il esquissait du bout du doigt le visage lubrique qu'il avait trouvé, caché dans l'enchevêtrement des plantes. Il pouvait aussi bien s'arrêter devant un vaisselier rempli de porcelaine pour éclairer de sa bougie les assiettes peintes en insistant pour que nous tissions des histoires autour des scènes que nous y voyions. « Dis ce que la licorne raconte à la jeune fille, me commandait-il en pointant le doigt sur la représentation d'une princesse dans un jardin. Est-elle son amie ou son ennemie ? Si elle monte sur son dos, où va-t-elle l'emporter ? »

Pas un mur ni une moulure du château qui n'eût été embelli par un artisan imaginatif pour raconter une histoire. Des épisodes de la chevalerie – les aventures des chevaliers et de leur dame, de méchants sorciers et des guerriers infidèles – étaient visibles partout, rappelant la grande époque du roi Arthur et de la *Chanson de Roland*. Si on y regardait de près, on pouvait découvrir toute une ménagerie de créatures fantasmagoriques – dragons et chimères, minotaures et gorgones, centaures et tritons – vagabondant sur le carrelage du poêle et les pieds de la table au milieu desquels nous vivions chaque jour. Avec la pendule carillonnante devant la porte de la bibliothèque du baron, j'appris à connaître les divinités de l'Olympe dont l'image marquait les heures sur le cadran ; et dans la marqueterie qui bordait les volets de ma chambre, je lisais la légende du tragique Tristan et de la belle Iseult qu'un artisan anonyme avait représentée, une scène après l'autre, sur les panneaux. Avec quelle clarté je me souviens de Victor me narrant leur histoire, pas en une fois, mais en traînant sur plusieurs nuits durant lesquelles il retraçait minutieusement chaque image dans le bois et prêtait sa voix aux amants. C'était le premier récit hautement romanesque que j'entendais ; cela m'étreignait le cœur de savoir qu'un tel amour pouvait exister.

« Et tu vois, ici, dit-il comme il arrivait aux derniers panneaux, voici l'épouse jalouse de Tristan. Elle annonce cruellement au chevalier agonisant que la voile qu'elle observe sur la mer est noire au lieu de blanche ; et alors, il croit que sa bien-aimée ne viendra plus et il meurt de désespoir. Écoute ! Tu peux entendre gémir et se lamenter la pauvre Iseult qui le tient dans ses bras. Son cœur se brise ; elle ne peut vivre sans lui ; et pour finir, elle va le rejoindre dans la mort. Regarde ici comment les arbres qui ont poussé sur leurs tombes ont entrelacé leurs branches.

– Ont-ils pu mourir d'amour ? » demandais-je.

En vain, j'essayai de ravaler les larmes que ses paroles avaient suscitées tant il avait mis de sensibilité à raconter la légende. Me scrutant avec attention, Victor approcha un doigt curieux pour toucher les gouttes amères qu'il avait repérées sur ma joue. « Ce n'est que de la littérature, *piccola ragazza,* répondit-il. Cela n'est vrai qu'autant que dure l'histoire. »

Sur quoi je décidai que je rendrais l'histoire vraie chaque nuit de ma vie en imaginant que j'étais la reine éplorée et Victor, le chevalier agonisant dans mes bras.

Les images du Mal

Mais de toutes les œuvres qui remplissaient Belrive, aucune ne devait exercer de plus grande influence que les images du Mal. Et celles-ci aussi, ce fut Victor qui me les fit découvrir.

C'était par un jour d'hiver où nous étions désœuvrés, quand aucun précepteur ne pouvait emprunter les routes impraticables depuis la ville. Nous avions passé la matinée à étudier la vie de Jeanne d'Arc telle qu'elle était immortalisée sur l'une des tapisseries du baron.

« Elle a été brûlée comme sorcière, m'expliqua Victor. Mais après, l'Église a changé d'avis et en a fait une sainte.

– Crois-tu que les sorcières aient existé ? me hâtai-je de lui demander.

– Mais elles existent. Et je peux te les montrer. » Sur quoi, une lueur malicieuse que j'avais appris à redouter apparut dans son regard ; c'était souvent le prologue à une farce irritante. « Attends-moi », m'ordonna-t-il avant de partir en courant pour revenir bientôt avec un trousseau de clés cliquetant, celui de Joseph, le majordome du baron.

« Nous devons les remettre à leur place avant que Joseph n'en ait besoin », me dit-il, l'air cachottier. D'un pas furtif destiné à exagérer l'audace de notre aventure, Victor m'entraîna sur l'arrière du château et de là vers la plus ancienne tour de la demeure, une ruine inhabitée (du moins le pensais-je) et dont les fenêtres à meneaux avaient depuis longtemps disparu sous la vigne vierge. Là, il frappa une pierre à briquet et alluma une chandelle à mèche de jonc pour nous éclairer dans l'étroit escalier en spirale. Nous gravîmes le passage exigu et sans lumière qui grimpait toujours plus haut, passant à chaque palier devant des portes closes dont certains verrous avaient rouillé avec l'âge. À la lueur vacillante, la tour prenait un halo plus surnaturel que jamais ; mais davantage que les fantômes, je redoutais de rencontrer en chemin des rats ou des araignées, et je gardai un œil méfiant. À ma grande surprise, aussi ancienne et décrépite que fût la maçonnerie de la tour, les marches étaient aussi impeccablement balayées que si elles avaient servi récemment. Et l'air, en ce lieu clos, ne sentait pas autant le renfermé que je l'avais imaginé. Manifestement, d'autres avaient déjà emprunté ce chemin.

Quand nous parvînmes au dernier étage du bâtiment, Victor s'arrêta et me fit jurer le secret. C'est après seulement qu'il utilisa les clés de Joseph pour ouvrir une lourde porte qui conduisait dans l'aile sud du château. On m'avait dit que les appartements qui s'y trouvaient étaient vides, inoccupés depuis des générations et ne servaient que de remise. Mais j'y entrai dans la plus grande agitation car, à plusieurs reprises, regardant par la fenêtre de ma chambre, j'avais vu quelqu'un se déplacer dans cette partie de l'habitation. Et après la tombée du jour, j'avais vu une bougie, portée par une main invisible, errer dans les corridors.

La porte refermée, nous traversâmes à la dérobée une salle plongée dans l'ombre pour nous diriger vers une pièce qui était également fermée à double tour. Elle fut vite ouverte ; nous pénétrâmes dans une pièce à l'odeur de moisi, dont les fenêtres étaient garnies d'épais rideaux. Il semblait y flotter une sorte de secret honteux lourdement menaçant. « Regarde », m'intima Victor en chuchotant. Il écarta un rideau, mais seulement un peu, pour ne me laisser voir au début qu'une rangée de rectangles encadrés sur les murs ; puis il découvrit une partie d'une fenêtre à l'extrémité de la pièce, laissant un rai de lumière révélateur plonger dans la pénombre. Les images qui tapissaient les murs retinrent immédiatement mon attention. Je vis de minces silhouettes flottant dans des bois sombres, vêtues de robes pâles qui leur donnaient une allure spectrale. L'exécution de ces tableaux, comme je l'appris plus tard, était grossière, voire primitive comparée aux nombreux chefs-d'œuvre que possédait le baron. Mais ceux-ci, me fit savoir Victor, n'appartenaient pas à la collection du baron. « Il en a honte, chuchota-t-il comme nous passions devant la rangée de toiles dont beaucoup étaient accrochées sans cadre. C'est pourquoi ils sont cachés ici. »

Néanmoins, ce n'était pas la qualité artistique de ces œuvres qui retenait mon attention, mais plutôt l'air d'étrangeté surnaturelle qui les enveloppait. Car même si je reconnaissais sur les tableaux les montagnes et les forêts qui nous entouraient, les paysages familiers étaient nimbés d'un mystère indéfinissable. La plupart des scènes nocturnes étant éclairées seulement par une mince lune déclinante, il en émanait une phosphorescence fantasmatique. Et, le plus surprenant de tout, à travers cette lueur spectrale, des silhouettes en robe longue se mouvaient, uniquement des femmes pour autant que je pusse le dire, bien que leurs visages fussent dissimulés dans l'ombre de leurs capuches. Par la magie du pinceau, l'artiste leur avait conféré un air d'animation qui vous glaçait le sang. Mais que faisaient-elles dans ce bois hanté ? Sur une image, elles étaient allongées à plat ventre, les bras écartés sur la terre ; sur une autre, elles étaient penchées comme en prière devant une estrade peinte ornée de toutes sortes de colifichets ; sur une autre encore, elles suivaient des femmes qui jouaient de la flûte et du tambourin, dansaient en se tenant par la main entre les arbres éclairés par la lune, la tête rejetée en arrière et la bouche ouverte vers le ciel nocturne comme si elles hurlaient. Troublantes, ces toiles l'étaient. Mais je ne voyais rien de « mal » en elles contrairement à ce que Victor m'avait annoncé.

« Pourquoi dis-tu qu'elles sont le Mal ? demandai-je.

– Parce que ce sont des *sorcières* ! » Il fit siffler le mot en chuchotant, l'air outragé. « Tu vois ici ? » Et il me fit venir près d'un ensemble de toiles sur lesquelles les silhouettes – de nouveau que des femmes – étaient dévêtues. Je sentis le rouge me monter au front ; près de moi, pendant que j'observais la peinture, Victor semblait pouvoir à peine réprimer son hilarité devant mon embarras. J'avais déjà appris par les tableaux renommés du baron qu'il était permis de représenter un corps nu, notamment le corps féminin, dans une œuvre d'art. Mais quand les nus apparaissaient dans de telles peintures classiques, leurs formes étaient parfaites et sans défaut, des corps de déesses à l'éclat presque marmoréen. Dans les œuvres dont je parle à présent, les corps étaient représentés sans un soupçon de pudeur ou de délicatesse. Au contraire, ces silhouettes étaient reproduites de façon beaucoup trop crue, se prélassant ou s'étalant sans aucune tentative de dissimulation – et cela, que le corps fût maigre ou obèse, difforme ou manifestement voluptueux. Il y avait des vieilles femmes aux allures de harpies, les cheveux gris filandreux, et des jeunes femmes aux belles rondeurs qui donnaient le sein à leur bébé. Plusieurs semblaient caresser leur propre chair nue, les membres déformés dans des transports d'extase, que malgré mon jeune âge je savais inconvenants. Une toile était peinte comme si l'artiste regardait par-dessus l'épaule de la femme et voyait le corps dévoilé tel qu'une femme peut le voir, les seins aperçus d'en haut, les cuisses écartées, les doigts explorant sans vergogne la chair béante, une vue que je ne me serais jamais attendue à voir représenter. En somme, il y avait dans l'œuvre une sincérité effrayante et cependant fascinante pour mon jeune esprit.

« Regarde ça », me somma Victor en pointant le doigt sur une toile plus éloignée, comme si elle pouvait être la plus outrageante de toutes. Mais c'était une image que je reconnus sur-le-champ, car j'avais jadis vécu une pareille scène ! Elle représentait une femme au ventre rond, les seins lourds, assise sur un tabouret, la tête rejetée en arrière et le visage déformé par un grand effort, les jambes largement écartées dans une posture qui m'était terriblement familière. Autour d'elle se tenaient d'autres femmes, armées de serviettes et de cuvettes, l'une d'elles attendant de recevoir le nouveau-né, qui devait être sur le point de naître, car la femme était extrêmement béante. Victor posa l'index sur l'organe sexuel peint qui était le centre de la peinture. « Sais-tu ce qu'est cela ? » demanda-t-il comme s'il paraissait impossible que je réponde oui.

Mais je le fis.

« Elle va avoir un bébé, dis-je avec un certain orgueil. J'ai déjà vu ça. La femme s'ouvre comme ça ; je l'ai vu se produire.

– Impossible ! trancha-t-il, contestant ma réponse.

– Mais si ! Regarde, le bébé sort par ici. La matrone attend de le recevoir. J'ai déjà tenu un nouveau-né dans mes mains. »

Victor était déconcerté par ma réponse, mais ne voulut pas le montrer. « Tu imagines, peindre *ça* ! » Et il fit un bruit comme s'il allait avoir mal au cœur. Pourquoi se comportait-il ainsi ? me demandai-je, mais je n'eus pas le courage de lui poser la question.

Notre visite de la pièce fut forcément rapide. « Ne laisse jamais savoir à mon père que tu es venue ici, m'avertit-il comme il me faisait quitter l'aile.

– Mais d'où viennent ces peintures ? Qui les a faites ?

– Chut ! m'intima-t-il. Je ne peux pas te le dire.

– Pourrai-je les revoir ? demandai-je car j'avais vivement envie d'y retourner.

– Peut-être, mais seulement quand je le dirai. »

Pendant des jours par la suite, les peintures hantèrent mon esprit ; j'imaginais la musique qui accompagnait la scène : la flûte gémissante et le tambourin au rythme endiablé. Il y avait un enchantement dans ces images qui me transportait jusque dans mon souvenir. Comment était-ce, me demandai-je, de gambader sous la lune jusqu'au comble de l'excitation, de danser nue dans la nuit, de sentir la terre humide contre sa chair ? Cela me semblait être le comble de la lubricité ; cependant, j'étais attirée par le plaisir évident des actes que j'avais contemplés. Même si je désirais revoir les images, je voulais plus encore poser les yeux sur les scènes vivantes qui y étaient représentées. Y avait-il des gens – des *femmes* – qui se conduisaient ainsi ? L'artiste pouvait-il avoir peint ces tableaux d'après nature ? Et dans ce cas, à quel homme ces femmes avaient-elles accordé le privilège d'être le témoin de leur conduite inconvenante ?

Ce que je vis dans la clairière

Bien que le baron n'épargnât aucune dépense pour l'éducation de ses enfants, il lui arrivait de regimber pour des questions de principe. En libre-penseur, il rechignait à ce qu'on introduisît de la religion dans notre instruction. Il en résultait que la baronne redoutait que l'éducation morale de ses enfants ne fût laissée en friche. Sur son insistance, le pasteur Dupin de l'Église réformée de Genève fut invité à se rendre régulièrement au château deux fois par mois pour assurer notre instruction religieuse. Bien que le baron, qui considérait toute théologie comme de la chicanerie, maugréât contre cette décision et fît savoir qu'il ne fallait pas compter qu'il fût dans les parages quand le pasteur viendrait, il consentit aux désirs de sa femme. Il se consola en se disant qu'aux mains de l'Église réformée (pour laquelle, en bon Genevois, il avait un respect patriotique), ces jeunes esprits se verraient au moins épargner la casuistique des Jésuites !

Le pasteur Dupin était un jeune homme beau mais grave, au front perpétuellement plissé, ce qui lui conférait un air de vieillesse prématurée. Il semblait s'acharner à défendre l'austère discipline calviniste conformément à ce que ses supérieurs à Saint-Pierre de Genève attendaient de lui. Bien qu'il fût assez doux dans son commerce avec ses élèves, ni Victor ni moi n'accueillions sa venue guère plus favorablement que le baron, car il pénétrait invariablement dans la maison comme un nuage sombre. Curieusement, Caroline semblait aussi avoir des réserves concernant le pasteur, qui n'eût été notre hôte si elle ne l'avait invité. C'était déconcertant pour moi qu'elle ne pût s'empêcher de le railler dès que l'occasion se présentait. Ainsi, quand l'un ou l'autre des enfants boudait, elle riait et le mettait en garde : « Attention ! Tu finiras par être aussi sinistre que le pasteur Dupin ! » Et elle mimait son air maussade, faisant onduler ses sourcils et grimaçant, ce qui ne manquait jamais d'encourager Victor à l'imiter à son tour, en exagérant encore plus.

Aussi amusant que ce fût, cela m'amenait à me demander comment j'étais censée prendre à cœur les leçons du pasteur alors que ma mère s'obstinait à faire de cet homme un jocrisse. Je posai la question à Victor au cours d'une de nos séances, à un moment où le pasteur Dupin avait quitté la pièce. Pourquoi notre mère le faisait-elle venir au château alors qu'elle le ridiculisait si volontiers ?

« Ne le sais-tu pas ? demanda Victor. C'est *Francine*. Tu ne t'en es pas rendu compte ? »

J'avais bien entendu remarqué que la baronne portait beaucoup d'affection à Francine, la femme du pasteur, qui ne manquait jamais d'accompagner son mari au château. En fait, c'était presque comme si les invitations de la baronne s'adressaient plutôt à la femme qu'au mari. Mais qu'étais-je censée penser de cela ?

Francine était aussi vive et joyeuse que le pasteur était grave. Surtout, c'était un ravissement de la voir car elle était la plus jolie fille que j'eusse jamais vue. En tant que femme de pasteur, elle n'avait pas le droit de se parer ni de se farder ; elle était vêtue d'une simple robe noire qui la couvrait du cou aux chevilles, et sa chevelure noire brillante était tirée en arrière dans un chignon bien serré. Mais elle possédait une beauté qui irradiait facilement sous le style austère qu'elle était contrainte de respecter. Elle avait des traits d'une beauté classique, le regard franc brillant comme des perles noires. Il y avait en outre dans ses mouvements une grâce naturelle qui donnait l'impression qu'elle glissait au-dessus du sol. Je guettais avec une impatience particulière ses visites, car Caroline m'avait laissé entendre qu'elle souhaitait que Francine devînt ma grande amie, bien qu'elle ne dît pas à quel égard. Ainsi, tandis que le pasteur assurait notre instruction et nous faisait faire le tour du château pour disserter sur les tapisseries d'inspiration biblique, Caroline et Francine s'asseyaient ensemble et faisaient des travaux d'aiguille, ou plus souvent dessinaient, un passe-temps dans lequel la baronne excellait. Elle prenait grand plaisir à enseigner ce talent à d'autres, et Francine était heureuse d'apprendre. Installée avec elle devant un arrangement floral, Caroline lui montrait comment appliquer le fusain et les pastels. Pendant qu'elles étaient à l'ouvrage, elles échangeaient des confidences *sotto voce*, riant souvent de quelque plaisanterie secrète. De temps à autre, elles se retiraient avec leurs carnets à dessin dans une partie éloignée de la maison ou dans le jardin, ne revenant que lorsque le pasteur avait fini sa visite.

Un jour, comme il le faisait souvent, le pasteur nous indiqua une leçon à étudier et nous laissa à nous-mêmes. Il n'avait pas sitôt quitté la pièce que Victor se faufila près de moi et me tira par la manche. Quand je levai les yeux, je le vis m'intimer le silence. Il escalada une des fenêtres et m'aida à enjamber le rebord. Puis il passa rapidement derrière le buisson le plus proche et m'enjoignit de le suivre aussi furtivement que je le pouvais. Je restai sur ses talons pendant qu'il m'entraînait hors du jardin pour me conduire dans les bois proches. Là, tels des chasseurs sur la piste d'un gibier insaisissable, nous nous frayâmes notre chemin sur la pointe des pieds jusqu'à un petit vallon ombragé dans lequel un torrent courait entre les pins de haute taille. C'était un lieu particulièrement isolé, où je n'étais encore jamais venue. Pour y accéder, il fallait se glisser latéralement par une étroite fente dans les rochers ; comme nous nous faufilions par ce passage, Victor se retourna pour poser un doigt sur ses lèvres et me rappeler que je devais me taire.

Le passage aboutissait enfin à une saillie qui dominait une étroite trouée dans les bois. Victor me fit signe de m'allonger par terre et de le suivre pendant qu'il rampait jusqu'au bord du rocher. L'air dans la clairière était immobile et d'une chaleur intense sous le soleil de midi. L'odeur âpre des pins était lourde autour de nous. En regardant là où Victor pointait le doigt, j'aperçus la baronne assise sur une couverture avec un panier de victuailles à ses côtés. Et à quelques pas de là, je vis Francine, vêtue de sa seule chemise, avançant pieds nus dans le cours d'eau. Dans la chaleur du jour, Caroline n'avait gardé elle aussi que son linge et avait retiré ses bas. Au bout de plusieurs minutes, Francine revint à l'endroit où Caroline était assise ; les deux femmes parlaient. Elles n'étaient pas loin, mais le gazouillement du ruisseau qui se répercutait rendait impossible de saisir leurs paroles. La baronne fit un geste en direction d'un arbre à l'autre extrémité de la garenne, qui était tombé et se trouvait en partie immergé dans l'eau du torrent. Francine se leva pour aller s'y asseoir. Mais avant cela, d'un geste preste, elle fit passer sa chemise par-dessus sa tête et la laissa tomber sur le sol. Entièrement nue à présent, elle dénoua ses cheveux et les secoua pour qu'ils tombent sur ses épaules et ruissellent dans son dos. Je sentis le rouge me monter au front, autant en raison de la désinvolture de son geste que de sa nudité. Sur l'invitation de Caroline, la jeune femme avança prudemment sur le tronc d'arbre abattu, s'allongea avec la grâce langoureuse d'un chat, puis regarda la baronne, qui lui indiqua de se tourner d'abord de ce côté, puis de l'autre. Abandonnant son corps le long de l'arbre, Francine finit par trouver une position qui convînt à Caroline. Les cheveux amplement répandus sur les épaules et la gorge, elle croisa les bras derrière la tête et baissa les paupières comme si elle allait s'assoupir. Après avoir étudié la forme de Francine pendant un moment, la baronne prit son bloc à dessin et commença son esquisse.

Allongé par terre à mes côtés, Victor était dans un état de concentration d'une intensité palpable. Son regard se repaissait du corps de Francine. On pourrait croire que quelqu'un d'aussi jeune que moi, car je n'étais encore qu'une enfant, ne comprendrait pas la nature de la transgression de Victor. Mais je la comprenais, ne serait-ce que d'instinct. Mon affection pour Francine – et, sans doute, une certaine solidarité féminine – me persuadait que c'était une trahison de ma part de consentir à ce qu'il les épie ; et néanmoins, je voulais plus que tout savoir ce que ces deux femmes faisaient. Déchirée entre la curiosité et la honte, je m'empourprai sous l'effet de mon embarras, mais craignis de parler, de peur qu'une dispute entre nous ne les alertât. Je préférai me cacher les yeux avec les mains et attendre, réduite à l'impuissance. Au bout de plusieurs minutes, Victor chuchota près de mon oreille : « Regarde ! » Quand je secouai la tête pour signifier mon refus, il me pinça le bras jusqu'à ce que je lève la tête.

La baronne Caroline, ayant mis de côté son carnet à croquis, était allée s'asseoir à côté de Francine, qui était toujours allongée sur le mélèze abattu. Pendant qu'elles parlaient, Caroline effleura la joue de Francine puis ses cheveux, y passant doucement les doigts. Au bout d'un moment, la baronne se pencha en avant pour déposer un bref baiser sur les lèvres de Francine, puis un autre qui n'était pas si bref. Le baiser dura assez longtemps pour me mettre mal à l'aise. Avant qu'il fût fini, sa main errait sur le cou et la gorge de Francine, pour se poser enfin sur son sein, qu'elle enveloppa délicatement quelques instants en frottant la paume sur le bout, puis elle glissa vers le bas de son corps. Encore un moment, et je ne pus regarder davantage ; je me rejetai en arrière aussi silencieusement que je le pus et rampai en direction du passage dans le rocher. Un instant plus tard, je quittai la clairière et courus en direction du château.

Peu m'importait que Victor me suivît ou non, mais j'entendis bientôt ses pas et son souffle haletant derrière moi.

Quand il m'eut rattrapée, il m'empoigna le bras sans ménagement et me força à m'arrêter :

« Pourquoi es-tu partie ? demanda-t-il avec colère. Elles auraient pu t'entendre.

– Tu n'aurais pas dû les épier. C'est mal.

– Tiens ? Pourquoi ?

– Tu le sais. Tu es un garçon. Tu ne devrais pas regarder. »

Victor fit la grimace.

« Puis-je te dire quelque chose ? Ma mère s'en ficherait sûrement.

– *Non !* insistai-je, la confusion et la colère me faisant tourner la tête. Non ! Et comment ! »

Victor se contenta de m'adresser un coup d'œil assez content de lui pendant qu'il courait à mes côtés.

« Et toi aussi, tu avais envie de voir.

– Non ! criai-je presque ; mais je savais qu'il ne me croyait pas.

– Maintenant tu sais pourquoi elle aime recevoir la visite du pasteur », remarqua-t-il d'un ton suffisant.

Quand nous eûmes atteint le château, le pasteur Dupin, qui nous cherchait, était totalement à bout de patience. « Il faisait trop chaud dans la pièce », dit Victor quand il nous réprimanda pour notre absence. Sur quoi le pasteur prononça un sermon impromptu que nous avions entendu maintes fois sur les vertus chrétiennes de la mortification charnelle. Ne savions-nous pas avec quelle allégresse les martyrs de la foi avaient enduré la mort sur le bûcher ? Qu'était une heure dans une pièce chaude comparée à leur supplice béni ? « Je préfère brûler sur le bûcher qu'endurer une fois de plus son stupide discours », déclara Victor plus tard.

Notre aventure de l'après-midi me laissait avec de nombreuses questions qui tournaient follement dans ma tête. Bien que je fusse en colère contre Victor, je savourais secrètement le savoir interdit qu'il m'avait apporté. Je voulais qu'il m'en dise plus. En fait, je voulais qu'il me dise ce que je devais éprouver, car je pensais qu'il le savait. À ma grande surprise, il avait autant de questions à me poser lui-même.

« Aimerais-tu embrasser Francine ? me demanda-t-il.

– Oui, dis-je sans hésiter, car je l'avais déjà embrassée – quand elle arrivait et quand elle partait. Je l'ai embrassée souvent.

– Pas de la même façon que notre mère. Aimerais-tu l'embrasser comme cela ? »

Je ne sus que répondre.

« Je ne sais pas... Peut-être.

– Et la toucher comme notre mère l'a fait ? Là ? » et il avança un doigt pour toucher ma poitrine, qui n'était pas comparable, bien sûr, avec la poitrine épanouie de Francine. « Ou là ? » Et il me toucha plus bas, mais je l'esquivai.

Qu'étais-je censée répondre ? Voulait-il m'entendre dire que je désapprouvais ce que notre mère avait fait ? Je ne pus me résoudre à dire ni oui ni non ; les deux réponses restaient bloquées dans ma gorge. En vérité, j'étais curieuse de savoir ce qu'on éprouvait à toucher le corps de Francine, car je savais que mon propre corps commencerait bientôt à lui ressembler. Mais je savais que Caroline ne l'avait pas touchée par curiosité.

« Elle témoignait son affection à Francine...

– Mais pourrais-tu le faire ? En as-tu *envie* ?

– Si notre mère le veut », répliquai-je faiblement, mais en faisant comme si c'était la seule réponse possible. Je savais que Victor ne mettrait pas en cause le bien-fondé de ce que faisait sa mère ; mais au fond de moi, mon esprit baignait dans l'incertitude et je lui en voulais de me faire ainsi ressentir mon ignorance enfantine.

Je suis invitée dans l'atelier de ma mère

D'autres questions qui me traversaient l'esprit reçurent une réponse tout à fait accidentelle quelques semaines plus tard.

Un jour, me trouvant seule à jouer, je gravis de nouveau subrepticement l'escalier de la tour sud jusqu'au dernier étage du château, en espérant réussir à entrer dans l'aile qui abritait les étranges dessins. À ma grande surprise, la porte n'était pas verrouillée. J'entrai et me faufilai le long d'un corridor obscur, prenant soin d'avancer doucement sur le sol grinçant – mais avant que j'aie pu atteindre la pièce que je cherchais, une porte s'ouvrit sur mon passage et la baronne apparut devant moi.

« Elizabeth ? » demanda-t-elle, plus surprise que mécontente, comme si elle n'en croyait pas ses yeux. Ne sachant que répondre, je restai silencieuse et l'air contrit. Pendant quelques instants, elle me toisa, paupières mi-closes, comme si je pouvais n'être qu'une illusion. Elle était vêtue comme je ne l'avais encore jamais vue. Ses cheveux en désordre étaient enserrés négligemment dans un turban, elle avait les pieds nus et était recouverte d'un sarrau gris qui lui tombait jusque sous les genoux. Le vêtement, qui était maculé de taches de toutes les couleurs, n'était pas ceinturé à la taille et tombait ouvert sur toute la longueur. Je ne pouvais en avoir la certitude dans la pénombre, mais j'avais l'impression qu'elle ne portait pas de corsage, ni rien d'autre que son jupon. Pendant quelques instants, elle m'observa attentivement. Puis, se rapprochant de moi, elle m'effleura la joue, ce qui parut lui confirmer que je n'étais pas une apparition. Alors, seulement, elle rapprocha les pans de sa robe pour les attacher à la ceinture.

« Comment es-tu arrivée là ? s'enquit-elle.

– La porte était ouverte.

– Alors tu explores ? » demanda-t-elle. Quand je répondis timidement que oui, elle sourit et continua à me scruter avec cet air curieusement distrait qu'elle avait parfois dans le regard. À de pareils moments, elle semblait prêter une attention méditative à une voix que d'autres ne pouvaient entendre. Elle pouvait rester ainsi, perdue dans ses pensées pendant de longs moments, se caressant la joue négligemment avec un brin de verdure qu'elle portait toujours à la main. Puis enfin : « Viens », dit-elle.

Une fois dans la pièce, je réalisai pourquoi Caroline était ainsi dévêtue. Étant située en haut de la maison, la chambre était excessivement mal aérée malgré les fenêtres ouvertes. La poussière abondante se souleva et nous remplit les narines. Mais sans accorder d'attention à cela, je regardai autour de moi avec étonnement. L'endroit ressemblait davantage à un musée qu'à une chambre. À tous les lambris et au plafond pendaient des formes de plantes et d'animaux fantastiques : des animaux empaillés, des restes de squelettes, des cornes, des défenses, des peaux séchées. Il y avait des tables portant des seaux débordant de coquillages et de cailloux, des étagères envahies d'instruments non identifiables, des vitrines encombrées d'icônes et de figurines. Dans les recoins obscurs de la pièce, je pouvais deviner des rangées de récipients et de pichets contenant des liquides colorés et, à l'intérieur, des substances flottantes que je parvenais à discerner faiblement : on eût cru de la vigne et des vrilles, ou des vestiges préservés d'insectes et d'animaux. Les murs affichaient partout d'anciennes cartes et des emblèmes énigmatiques, dont beaucoup de formes humaines contorsionnées en une anatomie monstrueuse.

Tout dans la chambre était excessivement désordonné. Surtout, elle était remplie d'odeurs chimiques âcres qui me piquaient le nez.

« Rien à voir avec le boudoir de madame la baronne, n'est-ce pas ? dit Caroline en riant. Comme tu le vois, les domestiques ne font pas le ménage ici ; ils n'y sont pas autorisés. Je préfère enfermer mon fouillis et être à l'aise pour m'occuper de mon travail. Enfin !... quel est ce "travail" ? te demandes-tu. Ma foi, puisque tu t'es donné la peine de venir jusqu'ici, laisse-moi satisfaire ta curiosité. Il est temps que tu l'apprennes. »

Elle me fit traverser la chambre. Il y avait beaucoup de choses pour retenir le regard de tous côtés, mais cela se dissipa quand nous entrâmes dans une alcôve à l'autre extrémité de la pièce où nous découvrîmes Mme Van Slyke qui se prélassait sur la banquette en pierre. « Bienvenue, petite souris », dit-elle.

Mme Van Slyke et son mari étaient des notables d'Amsterdam en visite ; ils étaient nos invités depuis plusieurs jours. C'était une femme à l'allure exotique, qui devait avoir quelques années de plus que Caroline. D'après sa conversation, on aurait pu croire qu'elle avait lu tous les livres du monde ; elle parlait assurément toutes les langues dont j'avais entendu parler, y compris celle des Indiens algonquins du Nouveau Monde. Hongroise de naissance, elle se prétendait la réincarnation d'une princesse peau-rouge. Les Van Slyke, disciples d'un grand penseur qui s'appelait Swedenborg, avaient récemment fait sensation à Genève, où ils étaient venus donner une conférence sur les étonnantes doctrines du philosophe. Il était inévitable qu'ils fussent invités à se transporter chez nous durant leur séjour helvétique.

« Ainsi, déclara le baron avec une délectation manifeste lorsqu'il accueillit les Van Slyke sous son toit, nous allons apprendre en quoi cet homme remarquable, Swedenborg, peut contribuer à la grande cause des Lumières et à la vertu humaine. »

Au cours du séjour des Van Slyke au château, le salon et la table du dîner s'animèrent d'échanges enflammés sur les enseignements du baron Swedenborg, un discours métaphysique qui se situait, faut-il le préciser ? bien au-delà de mon entendement enfantin. La baronne Caroline semblait transportée par tout ce qu'elle entendait ; elle et Mme Van Slyke entretenaient des discussions constantes, vives, entre elles. Mais je pouvais m'apercevoir que le baron, un sceptique convaincu, devenait de plus en plus impatient. Je me souviens d'un échange emphatique en particulier car, à ma grande surprise, j'y figurais en tant que « preuve vivante » de la folie de Swedenborg. Au dîner, ce soir-là, mon père se prit à railler Swedenborg pour avoir prédit la fin du monde pour 1757 – et plus encore pour avoir soutenu que c'était chose faite, alors même que le prophète lui-même avait vécu plusieurs années au-delà de cette date. Comment la fin du monde pouvait-elle ne pas retenir mon attention ? D'autant que le baron pointa sa fourchette directement sur moi à l'autre extrémité de la table en me demandant : « As-tu entendu cela, Elizabeth ? Voilà un homme qui croit que le monde est arrivé à sa fin avant même que tu aies vu le jour. Et cependant, tu es là à te régaler de l'excellent dessert de Céleste. Et n'est-il pas parfaitement délicieux, ma chère enfant ?

– Oui, murmurai-je timidement tandis que tous les yeux s'abaissaient sur moi.

– Tenez, monsieur, déclara mon père en se tournant triomphalement vers Van Slyke, vous tenez ici l'argument de la *crème renversée**. À chaque cuillerée que cette enfant met dans sa bouche, elle est la preuve vivante de la folie de Swedenborg. »

Mais Van Slyke, un petit homme nerveux, ratatiné, avec un catarrhe chronique, les yeux exorbités derrière des verres épais, ne se laissa guère impressionner. Il se hâta de le reprendre.

« Non, non, monsieur ! Vous ne comprenez pas. L'enseignement est que le monde matériel toucherait à sa fin en 1757. Le monde *matériel*. D'après Swedenborg, nous sommes entrés dans le royaume de l'homme céleste, ne voyez-vous pas ? Nous connaissons tous une seconde naissance dans le monde spirituel.

– Fort bien, monsieur, répliqua mon père non sans humeur. S'il en est ainsi, j'aurais pu m'épargner une somme rondelette en commandant à ma cuisinière spirituelle de vous préparer une oie spirituelle. Et je crois bien que j'aurais pu vous offrir un vin encore plus spirituel pour l'accompagner que celui que vous semblez avoir fort apprécié. Mais je me demande si votre ventre spirituel se sentirait à moitié aussi bien rempli qu'il l'est en cet instant. »

De tout le reste de ce qui fut dit, une seule question présenta quelque intérêt à mes yeux. Victor, qui prétendait comme à l'ordinaire comprendre tout ce qui se passait entre les adultes, m'apprit que le baron Swendenborg s'était, de son vivant, entretenu avec les anges et avait marché dans les cieux. Cela m'amena à demander en privé à notre père s'il en était ainsi.

« Il est exact que cet homme a dit qu'il l'avait fait, répliqua le baron sèchement. Ainsi que n'importe quel fou que l'on croise sur le bord du chemin. Et voilà ! Nous vivons à l'âge de la Raison et cependant, la folie marche encore parmi nous... souvent sur des échasses. »

Les relations de mon père avec Mme Van Slyke étaient à peine plus plaisantes. Bien que Caroline se plût beaucoup en sa compagnie, le baron était rebuté par son assurance. Pis que tout, elle osa critiquer Voltaire en présence de mon père. « Un homme d'esprit, déclara-t-elle. Mais pas à moitié aussi sage que les sachems de mes ancêtres tribaux qui tenaient leur sagesse du véritable état de nature. » Qu'elle pût prétendre qu'un peuple sauvage était d'une intelligence supérieure au grand Voltaire était plus que mon père n'en pouvait supporter.

Par la suite, je l'entendis parler d'elle comme d'une « tribade effrontée ». Telle était la dame qui m'accueillait à présent dans l'alcôve de l'atelier de ma mère.

« C'est Elizabeth qui vient nous voir, Magda, annonça Caroline.

– Ah oui ! Nous nous demandions qui s'avançait à pas furtifs dans le corridor pour nous épier, expliqua Mme Van Slyke en me faisant signe de venir à côté d'elle sur la banquette. N'es-tu jamais venue dans l'atelier de ta mère ? me demanda-t-elle.

– Non, madame. Je ne savais pas que c'était ici.

– Alors tu as beaucoup à apprendre sur les talents de ta mère. C'est l'une des femmes les plus remarquables de notre temps. Je crois que, comme le grand Swedenborg, elle a foulé les cieux. »

La mise de Mme Van Slyke était tout aussi mal ajustée que celle de Caroline. Ses cheveux étaient défaits et tombaient sur ses épaules, et elle sentait aussi fortement la sueur. Elle semblait s'être épuisée à quelque grand effort, car ses joues, son cou et sa gorge étaient empourprés et son souffle était laborieux. Je vis ses habits jetés en tas sur le sol, ne lui laissant que sa chemise pour la couvrir ; son vêtement, fin jusqu'à la transparence, collait à sa chair moite, révélant son ample poitrine en pointe comme si elle était totalement nue. Mais ce qui retint encore davantage mon attention, ce fut le cigarillo qu'elle porta à ses lèvres pour aspirer. C'était un de ceux que j'avais vu mon père offrir à ses visiteurs ; mais je n'avais encore jamais vu de femme fumer.

« Ta mère m'a dessinée, dit-elle. Aimerais-tu voir son travail ?

– Oui, énormément. »

Du coin de l'œil, je vis Caroline faire « non » de la tête. Elle adressa une phrase en allemand à son amie.

« Certes ; alors montrez à cette petite quelque chose de plus convenable », proposa Mme Van Slyke.

La baronne Caroline alla vers un lot de peintures entassées contre un mur. Elle en retira une toile choisie avec soin qu'elle plaça sur un chevalet. « Voilà, dit-elle. Viens voir. » Bien que l'image ne fût que partiellement achevée, je compris qu'elle faisait partie des images du Mal, à la recherche desquelles je m'étais lancée. On y voyait les mêmes femmes fantomatiques en longue chemise, errant par les bois sombres, qui se tenaient ici par la main pour former une ronde tumultueuse. Et au centre, il y avait une silhouette féminine que je reconnus aussitôt, bien que son visage fût encore flou. C'était Francine, dévêtue et allongée comme Victor et moi l'avions vue cet après-midi-là dans la clairière.

« Alors, qu'en penses-tu ? s'enquit Caroline avec entrain.

– C'est *vous* qui avez fait cela ? demandai-je, stupéfaite.

– Cela t'étonne qu'une femme fasse de la peinture ? demanda-t-elle avec un amusement visible, adressant un clin d'œil à Mme Van Slyke. Oh oui, c'est bien moi. C'est une grande joie pour moi de dessiner, bien que je sois loin d'être un grand maître, je m'en rends compte.

– Balivernes ! s'exclama Mme Van Slyke. Pas un homme ne reconnaîtrait qu'une femme est un "maître", même si elle était plus grande que Raphaël. Notre art n'est pas leur art. Et qu'importe ce qu'ils disent ? Dis-moi, Elizabeth, que penses-tu de la peinture de la baronne Caroline ?

– Je la trouve très étrange, remarquai-je. Et merveilleuse... d'une façon différente.

– Tu le penses vraiment ? insista Caroline en fronçant les sourcils devant ma remarque. Tu es très bonne de dire cela.

– Cette fillette a l'œil. Et la cervelle, commenta Mme Van Slyke. Elle a l'étoffe d'une femme.

– Mais existe-t-il réellement des femmes comme celles qui figurent sur cette image ? questionnai-je.

– Sans doute, affirma Caroline.

– Sont-elles des sorcières ? »

Là-dessus, elle plissa le front avec une inquiétude évidente.

« Qui t'a dit qu'elles l'étaient ? intervint Mme Van Slyke.

– On dirait des sorcières... il me semble. »

Les deux femmes échangèrent à nouveau quelques répliques en allemand. À nouveau, Caroline parut s'éloigner de moi, comme plongée dans la contemplation.

« Pas des sorcières comme dans les contes de fées, mon enfant, expliqua Mme Van Slyke. N'y pense pas de cette façon. Songes-y comme à des "femmes rusées[5]".

– Y a-t-il de ces femmes dans les bois ? »

Caroline sourit.

« Un jour, tu le sauras, quand le moment sera venu. Entre-temps, tu dois respecter ces pièces qui sont mes appartements privés... dans lesquels tu ne dois pas entrer sans mon autorisation. Comprends-tu ?

– Oui, ma mère. Mais j'aimerais en savoir plus.

– Et cela sera. Cependant, que cela reste mon secret pendant quelque temps encore : le fait que tu es entrée ici avec Magda et moi ; de quoi nous avons parlé. N'as-tu pas de secrets, toi aussi ? »

Elle me posa la question comme si elle connaissait déjà la réponse. Et bien sûr, il y avait un secret en particulier qui me vint à l'esprit.

« Si, répondis-je.

– Et je respecterai ton secret, je le promets.

– Me peindrez-vous un jour ? lui demandai-je comme elle me faisait sortir de son atelier.

– Oui, assurément. Je le désire vivement.

– Quand le ferez-vous ? »

À nouveau ses pensées parurent partir la dérive.

« Bientôt, je pense. Quand tu seras des nôtres. »

Quelques jours plus tard, la visite des Van Slyke faillit tourner au désastre. Tard dans la nuit alors qu'on

5. Ces « *wise women* » et « *wise men* » faisaient partie de la sorcellerie blanche en Angleterre, comme les guérisseurs, charmeurs, astrologues et devins. *(N.d.T.)*

m'avait envoyée me coucher, j'entendis des voix hurler au comble de la fureur à travers le château. J'étais sûre de reconnaître parmi elles celle du baron, que je n'avais jamais entendu d'aussi méchante humeur. Le lendemain matin, les Van Slyke quittèrent notre domaine en disgrâce. Même si Caroline et Mme Van Slyke s'étreignirent avec chaleur avant que la voiture partît pour la ville, le baron et Van Slyke ne s'adressaient manifestement plus la parole ; mon père refusa de mettre un pied dehors pour prendre congé de ses invités. Je l'entendis grommeler : « Bon débarras ! » quand la voiture s'éloigna. « Plus question de recevoir de ces infâmes swedenborgiens sous mon toit. L'homme est un mécréant et la femme pas loin d'être une catin. » La baronne Caroline tenta d'intervenir en faveur de Mme Van Slyke, mais le baron refusa de l'entendre. « D'après mon expérience, madame, seule une catin pourrait rester dans une pièce quand une telle proposition est faite... et seul un entremetteur la ferait. *Ergo*, ces gens-là sont des ordures ; l'un et l'autre, et leurs voyages ne feront guère que pervertir les crédules. »

Ce jour-là, la rumeur courut dans la maison que le baron Frankenstein avait provoqué Van Slyke en duel ! Cela pouvait-il être vrai ? Victor me le confirma.

« Mais pourquoi ?

– Parce que Swedenborg enseigne que l'homme doit prendre une concubine. »

C'était la façon dont Victor aimait le mieux me taquiner, et que je déplorais vivement : employer des mots que je ne connaissais pas, puis me forcer à lui demander des explications. J'avouai que je n'avais aucune idée de ce que voulait dire le mot « concubine ».

« Une sorte de deuxième femme qu'un homme peut emmener au lit avec lui.

– Est-ce permis ?

– Seulement dans l'Église des swedenborgiens. Et bien sûr, chez les infidèles.

– Mais pourquoi un homme voudrait-il une deuxième femme ?

– Parce que, tu vois, les hommes ont des besoins excessivement puissants.

– Des besoins de quoi ?

– Allez ! Des choses que font au lit les hommes et les femmes. Et dans la grange, au vu de tous, les animaux. Tu as observé, je crois, ce que font le taureau et ses vaches.

– Quand bien même, qu'est-ce que cela aurait à voir avec les besoins d'un homme ?

– Simplement qu'une seule femme ne peut suffire à satisfaire les désirs d'un homme ; peut-être même que plusieurs femmes non plus. Aussi, les hommes doivent prendre des concubines.

– Et en va-t-il de même pour les femmes ?

– Point du tout. Les femmes ont très peu de besoins. Leurs besoins sont plus que satisfaits par leur mari.

– Et les hommes sont faits comme les taureaux de l'étable ? Est-ce ce que tu as appris en regardant le bétail ? »

C'était la première fois que je parlais aussi effrontément à Victor ; je découvris que c'était fort plaisant.

« J'ai appris que les femelles sont faites pour être mères. Leurs besoins sont satisfaits de cette façon.

– Je me demande d'où tu tiens tout ce savoir sur les besoins des femmes, Victor. Et le baron Swedenborg aussi ? Ou tout autre homme, au demeurant ? »

Il répliqua avec un soupir las.

« C'est universellement connu.

– Ah bon ? "Universellement connu" sauf de la moitié de l'espèce humaine ? C'est une étrange arithmétique pour un mathématicien.

– La moitié peut connaître le tout.

– La moitié peut croire qu'elle connaît le tout. Mais comment saura-t-elle avec certitude à moins de demander ? Allons, je vais te dire ce que j'ai appris de nos filles de cuisine : "*Un coq suffit à dix poules, mais dix hommes ne suffisent pas à une femme.*" »

Là-dessus, il s'empourpra, ce qui me donna encore plus de plaisir.

« Je te dis seulement ce que le baron Swedenborg croit, s'insurgea-t-il.

– Mais pourquoi notre père s'est-il ainsi emporté ? »

Victor eut un petit sourire hautain. « Parce que – le croiras-tu ? – Van Slyke a émis l'idée de s'installer à Genève et de prendre ma mère pour concubine.

– Tu veux dire pour partager son lit ?

– Bien sûr. Et en échange, il a proposé à mon père de prendre Mme Van Slyke pour concubine, pour sa part. »

Je pensai à Van Slyke avec ses mauvaises dents et son vieux catarrhe. Je fis remarquer que je ne pouvais croire que notre mère trouvât beaucoup de choses à admirer chez lui.

« Ma foi, expliqua Victor. La question n'est pas là, en fait. Ce sont les besoins de l'homme qui l'emportent... d'après Swedenborg.

– Crois-tu à ces choses-là ? demandai-je. Souhaites-tu avoir une concubine, ou cinquante, pour mettre dans ton lit ?

– Allons ! Swedenborg prétendait tenir tout cela du monde des esprits. Je suis un libre-penseur. Comment pourrais-je prendre de pareilles idées au sérieux ? En outre, j'ai l'intention d'être un homme de science ; quel besoin aurais-je de cinquante femmes ? » Quand il me vit lui lancer un regard moqueur, il ajouta : « Voire d'*une* seule ? »

NOTE DE L'ÉDITEUR

Quatre peintures conservées, de Caroline Frankenstein

Il me fallut attendre 1806 et ma première visite à Belrive pour que je me rende compte de quelles sombres fantaisies gothiques j'avais enveloppé le berceau de la famille Frankenstein. Comme c'était la maison qui avait vu mûrir les ambitions impies de Victor Frankenstein et corrompu l'âme de sa fiancée, j'en étais venu secrètement à l'imaginer comme l'exemple même d'un château romantique hanté.

Ce ne fut que lorsque je posai les yeux sur ce que Belrive était devenu que je compris les folles espérances que j'avais entretenues. Car, hélas ! on en était loin. La splendeur passée de ce château avait été maintes fois profanée ; il avait été dépouillé de ses trésors du sol au plafond, et sans ménagement. La tapisserie même avait été arrachée et les mots d'ordre de la Révolution défiguraient les lambris. Cela faisait peine à voir ! Là où des personnes privilégiées avaient jadis dîné et conversé au temps de l'Ancien Régime, de simples soldats bivouaquaient à présent. La majeure partie de la propriété familiale avait été vandalisée par des factions révolutionnaires déferlant sur Genève pendant les bouleversements de la République helvétique ou par des troupes en maraude à la suite des nombreuses campagnes qui avaient ravagé ce sol disputé. Je trouvai le domaine et les terres servant au cantonnement de tout un régiment de mercenaires suisses et milanais à la solde de l'Empereur. Le commandant en chef français, un certain maréchal Chabannes, m'autorisa à explorer le château et les communs, mais me donna peu d'espoir de trouver aucune des œuvres d'art qui naguère avaient embelli les lieux. Celles-ci – y compris la très précieuse collection d'automates du baron – avaient dû disparaître, il en était certain, dès la première des nombreuses vagues de confiscation officielle par le régime révolutionnaire vaudois. J'avais déjà pu me rendre compte par moi-même du sort des automates ; plusieurs des mécanismes décrits par Elizabeth Frankenstein ont réapparu dans les musées et les collections privées du continent et jusque dans la ville de New York. Cependant, j'avais eu quelque espoir que les documents de famille aient survécu quelque part sur les lieux ou de pouvoir m'entretenir avec des domestiques ayant été au service de la famille. Je me trompais ; un examen attentif de la maison un après-midi ne produisit rien de quelque valeur pour mes recherches. Pas même la bibliothèque des Frankenstein n'avait été épargnée ; ses rayonnages avaient été entièrement dépouillés. Le pillage des meubles et des effets personnels avait été si complet que je ne pus pas même reconnaître les pièces qui avaient été jadis occupées par les membres de la famille. Quant au personnel de la maison, je fus en mesure de retrouver quelques-uns des domestiques les plus jeunes dans d'autres maisons du voisinage ; mais ils ignoraient les habitudes de la famille ou du moins le prétendirent. Les personnages qui tenaient un rôle plus important dans l'histoire – Joseph, le majordome, et Céleste, la cuisinière – étaient morts ; Eloïse, la femme de chambre de la baronne, était partie sans laisser de traces.

Je n'avais guère d'autre solution que d'attendre des temps plus paisibles. Par conséquent, dans l'année qui suivit la défaite de Napoléon à Waterloo, j'entrepris de chercher des souvenirs de la famille Frankenstein en plaçant des placards publicitaires dans des publications françaises et genevoises. Par un incroyable caprice de la fortune, mes recherches rencontrèrent une issue heureuse en avril 1816. Ce mois-là, je reçus un courrier d'un marchand d'art parisien qui affirmait être en possession de quatre toiles signées « C. Frankenstein ». Au début, je ne compris pas ce que cela voulait dire, tant mes pensées étaient loin des peintures de la baronne Frankenstein. Mais dès que j'eus parcouru la brève description contenue dans la lettre, je compris que c'étaient là, évidemment, les « images du Mal » qui figurent dans les mémoires d'Elizabeth Frankenstein.

Je joins la lettre, qui contient un commentaire éloquent sur ces œuvres de la part d'un critique indépendant qui ne savait rien de leurs origines.

Monsieur,

Votre petite annonce dans Le Courrier français *concernant les biens jadis en possession de la famille du baron Alphonse Frankenstein de Genève est arrivée entre mes mains. Je crois pouvoir satisfaire à votre demande. J'ai en ma possession quatre curieuses peintures qui portent la signature de « C. Frankenstein », artiste qui m'est parfaitement inconnu.*

Les peintures sont étrangement inhabituelles tant par le sujet que par leur facture. Je ne puis franchement dire qu'elles possèdent quelque valeur artistique ; l'œuvre témoigne d'une faible formation académique en ce qui concerne l'anatomie et la perspective. En fait, à ces deux égards, les peintures témoignent d'une distorsion presque délibérée, produisant un effet repoussant qui est l'œuvre d'un amateur. Aussi corrosif qu'en soit le style, le sujet est encore plus rébarbatif. Je ferai de mon mieux pour vous décrire les toiles ; mais je vous prie de comprendre que je le fais à contrecœur et seulement dans le but de vous fournir une base afin de vous permettre de juger si elles font partie des œuvres que vous recherchez.

Toutes les peintures sont des nus féminins, posés en extérieur à une exception près et d'une manière hautement provocante. Si je puis me montrer franc : elles tomberaient presque dans la pornographie si un aussi grand nombre des personnages choisis pour modèles n'étaient totalement dépourvus d'attrait physique. En fait, je ne connais aucun peintre qui serait disposé à introduire dans son œuvre des corps féminins dotés de pareilles malformations, ni à reproduire leur anatomie avec une franchise aussi répugnante. Une des peintures pourrait être une étude de la grossesse du plus mauvais goût, représentant un groupe de nus à différents stades de la gravidité. Un autre est une représentation de pratiques explicitement saphiques dont je ne dirai rien de plus. Une troisième image montre une célébration sylvestre dans laquelle les personnages sont préoccupés ; elle se concentre sur un objet qui a la forme d'un homme fait de brindilles ou d'osier. Cela me paraît être la reconstitution d'un ancien rite druidique, peut-être une fête de la moisson. Le quatrième tableau, le plus soigneusement exécuté de cet ensemble, décrit la mort horrible par noyade d'une femme nue non identifiée.

Je ne prendrai pas la peine de vous dire comment ces toiles sont venues en ma possession ; je vous dirai seulement que j'ai sérieusement envisagé de les détruire en raison de leur absence de valeur artistique et qu'en aucun cas, elles ne sauraient donner lieu à une exposition publique. Seule, ma curiosité concernant l'artiste a retardé la mise à exécution de ce dessein. Si vous pouviez me fournir quelque information concernant M. Frankenstein, je vous en serais on ne peut plus reconnaissant. Et je suis évidemment disposé à conclure un marché pour la vente d'une partie ou du tout.

Avec mes salutations,

Gaston de Rollinat
Galerie Lamennais
14, boulevard de Grenelle.

Dès que l'époque le permit, je pris des dispositions pour rendre visite à M. de Rollinat, en qui je trouvai un homme d'une érudition fort plaisante. Il me fit savoir qu'il avait acquis les peintures avec la succession d'un officier français qui semblait avoir accumulé sans discernement des *objets d'art** pendant qu'il participait aux campagnes de l'Empereur. M. de Rollinat préférait ne pas s'avancer plus loin sur le sujet, indiquant qu'il avait accepté d'acheter l'intégralité de la succession sans poser de questions. Il supposait que les peintures, comme, du reste, une grande partie des biens du colonel, étaient un butin de guerre. Quand il me fit voir les œuvres dans l'arrière-salle de la galerie, il me présenta mille excuses et seulement après m'avoir rappelé qu'il m'avait clairement averti de leur caractère. « Vous autres, Anglais, manifestez peut-être moins de tolérance pour les œuvres de cette nature que ceux d'entre nous qui traitent dans le monde parisien de l'art », observa-t-il.

Les peintures étaient effectivement un travail d'amateur et d'un érotisme aussi éhonté qu'il m'avait été donné de le comprendre. L'image qu'il avait décrite comme « saphique » était particulièrement dérangeante. Je limiterai ma description en disant qu'elle montrait des femmes se livrant à diverses formes de pratiques sexuelles et à la masturbation. À l'époque, mes recherches sur les mémoires de Frankenstein m'avaient mis en contact avec certaines illustrations érotiques hindoues qui atténuèrent le choc de ces images ; néanmoins, je n'étais encore jamais tombé, dans l'art ni dans la littérature, sur des représentations aussi crues du tribadisme. Non sans un certain embarras, je me sentis obligé de justifier mon intérêt pour le tableau – mais pas avant que M. de Rollinat eût convenu de fixer un prix pour les toiles. Je redoutais que, s'il en apprenait davantage, il n'en profitât pour renchérir. Ayant conclu le marché qui faisait que les quatre peintures étaient miennes pour trente guinées, je lui expliquai alors que j'effectuais des recherches sur la famille Frankenstein. Ces peintures, lui appris-je, étaient l'œuvre d'une femme : la baronne Caroline Frankenstein. La stupéfaction qui le saisit était impossible à dissimuler. Il me demanda s'il était concevable que je me fusse fourvoyé ; il trouvait difficile de croire qu'une femme pût exécuter une œuvre aussi moralement nauséabonde. En tout état de cause, si cela était vrai, il se devait de me féliciter pour avoir fait une si bonne affaire. Car si une œuvre de ce genre avait peu de valeur commerciale sur le marché officiel, il ne doutait pas que, dans des cercles moins reluisants, je n'aurais aucune difficulté à trouver des acquéreurs qui seraient prêts à faire des offres au prix fort pour ces toiles, précisément parce qu'elles étaient l'œuvre d'une femme sexuellement dérangée. Je me hâtai de lui assurer que je n'étais nullement intéressé par un commerce de ce genre.

Les peintures sont toujours en ma possession bien que, à l'instar de M. de Rollinat, j'eusse trouvé peu d'occasions de les montrer. Toutefois, elles ont une valeur inestimable sous un autre aspect. À mes yeux au moins, elles sont la preuve tangible et irréfutable que la description que donne Elizabeth Frankenstein de la baronne Caroline est amplement fidèle. L'auteur de ces peintures est sûrement une personnalité aussi pervertie qu'Elizabeth l'évoque dans ses mémoires. Je puis donc apporter cela pour preuve de l'authenticité de son récit.

Au fil des ans, mes recherches ne m'apportèrent qu'un seul autre objet ayant appartenu à la famille Frankenstein. Le canard animé qu'Elizabeth rapporte avoir vu dans la collection d'automates du baron réapparut il y a quelques années seulement, au cours de l'été 1838. L'œuvre de l'inventeur français Jacques Vaucanson, que l'on peut voir exposée au musée de Vienne. Cependant, les années ont causé des dégâts et le mécanisme est en fort piteux état. On ne peut qu'imaginer son génie créateur.

Des peintures que j'ai achetées à M. de Rollinat, je mentionnerai brièvement celle que j'ai trouvée la plus frappante, puisqu'elle était destinée à jouer un rôle spécial dans la vie d'Elizabeth Frankenstein. C'était la plus petite des quatre toiles, mais la plus adroite aussi. Elle montrait les signes d'une minutieuse révision. Son ambiance aquatique prêtait à ce tableau l'atmosphère d'un songe. Elle représentait un corps de femme nu submergé par la mer. Enveloppée de chaînes de plomb, la jeune femme aux belles courbes flotte, tête en bas, dans les profondeurs océaniques ; sa peau luit faiblement dans l'eau ténébreuse : sa luxuriante chevelure s'étale sur son corps, pareille à un linceul. Il y a un détail saisissant : un filet de sang sort de l'organe sexuel et se répand vers le haut pour teinter d'incarnat les flots qui l'entourent. Au-dessus de la surface bouillonnante de l'onde, l'on voit un oiseau (du moins cela en avait-il l'apparence au premier abord) disparaître dans les cieux agités par la tempête. Après un examen plus attentif, ce personnage se trouva être un lion ailé ; dans sa bouche, il emporte une forme humaine.

Il m'était absolument impossible d'imaginer à quelles sources obscures d'égarement mental ou spirituel Caroline Frankenstein avait puisé pour trouver ces images mêlant le mythe et le cauchemar qu'elle avait peintes sur cette toile. Celle-ci ne faisait qu'une seule allusion insaisissable à sa signification : un seul mot, « Rosalba », était griffonné à la peinture noire sur le revers. Le nom avait encore moins de sens pour moi que le tableau. Cependant, quand je retournai chez moi à Londres, je ne pus m'empêcher d'accorder à cette toile une place sur le mur de mon cabinet de travail, où elle retenait souvent mon attention vagabonde. Une force instinctive était sans doute à l'œuvre pour me dire que cette peinture exprimait toute la tragédie d'Elizabeth Frankenstein. Bien que je ne le comprisse pas à l'époque, les années qui me restaient à vivre seraient consacrées à déchiffrer l'énigme que je voyais à chaque fois que je levais les yeux et portais le regard sur ce pan de mur.

En pleine nature

Ce fut à l'occasion de mon douzième anniversaire, trois ans après que la baronne m'eut accueillie au sein de sa famille, que j'appris que de plus hauts desseins avaient préludé à mon adoption. Bien que je fusse encore trop jeune pour saisir toute l'importance de ses remarques, je me souviens du soir où Caroline me prit à son chevet pour me dire comment mon destin était lié à celui de Victor. Comme souvent quand elle parlait de son fils aîné, ses yeux s'embuèrent de tristesse. Elle parla avec hésitation, comme si elle cherchait son chemin vers des îlots de sens disséminés dans un océan de silence.

« Un rôle particulier t'échoit dans notre famille. L'affinité que je souhaite voir grandir entre Victor et toi est plus qu'un lien de sang ; elle sera d'une espèce pour laquelle notre monde n'a pas encore trouvé de nom. Appelons-la simplement une union. Il y a du génie chez Victor, un don rare. Il possède un démon... ou il est possédé par lui. Celui-ci soulève en lui une certaine fureur qui doit être domptée. Son esprit peut prendre d'étranges tournures. Quelque chose s'affirme en lui... Quelque chose sur quoi je n'ai aucun pouvoir... » Pendant un moment, elle s'interrompit et laissa son esprit vagabonder. L'air absorbé, comme si elle marchait dans un rêve, elle s'approcha d'une bibliothèque à l'autre extrémité de la pièce. Sa main effleura plusieurs volumes ; puis, passant par-derrière, elle retira un livre qu'on avait dissimulé dans le fond du rayonnage. Elle revint vers moi et me le tendit.

« Cette lecture te semblera ardue au début, mais applique-toi à la continuer, mon enfant. À mesure que ton français s'améliorera, ce livre t'aidera à mieux comprendre Victor. »

J'ouvris l'ouvrage. Il s'intitulait *Émile*. Même si j'en ignorais le contenu, j'en connaissais l'auteur, au moins de nom. Jean-Jacques Rousseau avait surgi plusieurs fois dans la conversation à la table du dîner et au salon. Je dis « conversation », mais le mot « bataille » conviendrait mieux. M. Rousseau ne pouvait être mentionné à portée d'oreille du baron sans le faire bouillir de rage. C'était le seul point sur lequel la baronne et lui pouvaient véritablement s'emporter.

« J'ai entendu mon père appeler M. Rousseau un "sauvage impudent", remarquai-je, un "malotru", un "butor" et un "vrai sagouin". » Je me souvenais de toutes ces expressions, parce que je ne voyais pas tellement souvent le baron déployer un tel courroux. Mais le « sauvage impudent » me collait à l'esprit car le baron avait été jusqu'à dire que si M. Rousseau pouvait en faire à sa fantaisie, « nous serions tous à nous balancer nus dans les branches ». Je me demandais si cela pouvait être vrai.

La baronne Caroline sourit, non sans tristesse.

« Rousseau était le Prométhée du sentiment. De tous les écrivains de notre époque, il était le seul à posséder la flamme de l'inspiration nécessaire pour décrire ces passions qui vont directement au cœur, et à les décrire sans crainte. Je crois qu'il est le philosophe de l'avenir. Toutefois, le baron ne partage pas mon opinion... loin s'en faut. Tu entendras d'autres personnes tenir des propos tout aussi intransigeants. Assurément, Rousseau souffrait de certaines faiblesses, comme cela arrive souvent aux grands esprits ; notamment, il s'est montré fort injuste envers notre sexe. Il n'a pas compris le rôle que devait jouer la femme en défendant la vie des passions contre le joug fatal de la Raison. En tant que personne, néanmoins, il admirait profondément les femmes érudites. Seules peut-être celles d'entre nous qui ont eu la chance de l'approcher peuvent saisir pleinement la grandeur de son esprit.

– Vous l'avez *connu* ?

– Brièvement, quand il habitait dans les environs. J'étais fort jeune et lui, hélas ! très tourmenté... surtout par ses relations avec les femmes. C'était un terrible échec pour lui. Celui qui ne peut pas respecter comme une égale la femme avec laquelle il partage sa vie peut difficilement prétendre parler au nom de l'humanité, ayant laissé pour compte la moitié de l'espèce humaine. Je suis fière de dire que ma compagnie eut un effet apaisant sur son esprit agité. J'avais coutume de jouer au clavecin pour lui. La musique était son seul réconfort. Le livre que tu tiens entre tes mains est un présent qu'il me fit. C'est devenu une sorte de bible pour moi. Cependant, le baron est exaspéré par chaque mot que Rousseau a couché sur le papier, aussi je te conseille de le lire en privé. Tu n'en trouveras pas beaucoup d'exemplaires à Genève. De même que tous les écrits de Rousseau, *Émile* fut brûlé par nos édiles en place publique. C'est tout à l'honneur du baron d'avoir tenté, en dépit de ses sentiments, d'empêcher cet acte barbare. Il se porta acquéreur de tous les exemplaires de l'œuvre de Rousseau pour les sauver des flammes, mais ne fut pas autorisé à le faire.

– Victor l'a-t-il lu ?

– Il n'en a pas besoin. Victor est Émile... ou aussi proche de cet idéal que j'aie pu l'amener par son éducation. J'ai favorisé certaines forces dans son âme. Je crois que j'ai bien agi en cela. La nature est, après tout, notre seul véritable guide dans la vie. Et je crois que Rousseau est notre seul véritable guide vers la nature. *Confiance, confiance, confiance !* nous ordonne-t-il. *Ayez confiance* en la bonté naturelle de l'homme ; car "l'homme est un être naturellement bon". Mais dans le cas de Victor, le résultat a été imprévisible. La nature, vois-tu... » À nouveau, ses pensées la firent sombrer dans le silence ; car pendant de longs moments, elle resta assise à se caresser la gorge avec le brin de verdure qui était posé chaque matin près de son assiette au petit déjeuner. Reprenant enfin, elle poursuivit : « Tu trouveras Victor impulsif certaines fois, voire emporté par son ardeur... et dans ces moments-là, il devient insensible. Sois patiente avec lui, Elizabeth, je t'en supplie. Enseigne-lui ta douceur ; montre-lui ton cœur. Pense à lui comme étant davantage que ton frère, comme tu es toi-même davantage que sa sœur. »

Bien que la baronne ne me livrât que des explications fragmentaires, je compris ce qu'elle pensait mieux qu'elle ne le crut. L'égarement qui s'emparait de Victor était connu de moi. J'avais vite appris qu'il était un esprit tourmenté, un découvreur-né de contrées inexplorées pour lequel les agréments de la vie civilisée étaient une intolérable contrainte. Le domaine où nous vivions, aussi vaste fût-il, le confinait telle une cellule de moine. Dès ses plus jeunes années, Victor s'était rebellé contre cet ordre établi, lui préférant la solitude indisciplinée des Voirons, où les seules exigences du baron sur la terre prenaient la forme d'un troupeau de bêtes à demi sauvages qui paissaient dans les alpages. À peine âgé de quatre ans, Victor était parti dans cette région rude et dangereuse et s'était perdu. À demi mort de faim et de froid, il avait été retrouvé trois jours plus tard dans une grotte glaciale au pied d'une falaise tombant à pic ; c'est là qu'il avait renoncé à l'aventure, arrêté par une barrière qu'aucune chèvre de montagne n'aurait pu escalader. À compter de ce jour, Victor fut une source d'inquiétude perpétuelle pour ses parents et précepteurs. Jusqu'à ce qu'il fût enfin suffisamment robuste et eût le pied assez sûr pour avancer sans crainte sur un terrain accidenté, on pouvait craindre qu'il ne reprît ses vagabondages et ne se blessât dans les montagnes qui exerçaient sur lui un attrait irrésistible.

Pour cette raison, Victor ne se sentait jamais aussi divinement chez lui que lorsque la famille opérait sa migration estivale dans le chalet du baron de l'autre côté de la frontière aux environs du mont Salève. Là-bas, il était plus près des montagnes, dont les sommets aériens, éternellement drapés dans les nuages et les neiges, faisaient naître en lui des transports exaltés. Même à partir du chalet, il fallait des heures de randonnée pour trouver les lieux où Victor adorait passer ses journées... aussi haut sur les pentes déchiquetées que nos jambes pouvaient nous porter. J'étais inévitablement la traînarde, incapable d'escalader aussi vite que lui ; par moments, quand je m'arrêtais pour me reposer, j'observais sa silhouette se rétrécir de plus en plus pendant qu'il fonçait vers le lointain. Quand je le rattrapais, il pouvait être en train de s'attaquer à une impossible façade de granite ou accroché de façon précaire au-dessus d'une cataracte qui s'écrasait avec fracas. Par-dessus tout, il adorait ces lieux désolés aux abords de l'hiver, quand le temps devenait orageux ; il trouvait du plaisir à courir contre les vents forts et être battu par les pluies. Il aspirait à être loin à l'intérieur de l'enceinte des montagnes, là où les cieux déchaînés projetaient des éclairs de feu. Nous nous réfugiions alors dans une grotte ou sous quelque abri sur la façade rocheuse et contemplions l'orage donner la charge telle une horde barbare envahissant les ravins dont l'écho répercutait le fracas.

« Si seulement je pouvais me faire une couronne de ces éclairs ! s'écria Victor assez fort pour se faire entendre malgré les hurlements du vent qui emportèrent ses paroles avant que je pusse en saisir la moitié. Ce feu, c'est le secret même de la vie.

– Que veux-tu dire ? demandai-je.

– Tu as sûrement entendu dire : au commencement était la lumière. Cette lumière, c'était le feu... ce feu-*là* ! Il a tiré la vie de la terre, j'en suis sûr. Nous sommes faits de cette force. Elle est en nous. »

La violence qui s'emparait de lui dans ces moments-là était si terrible que j'étais presque terrifiée et devais me rassurer en me rappelant que celui qui parlait était mon frère.

« Je ne l'ai jamais entendu dire, protestai-je. Tu l'inventes.

– Oui, je l'invente. Mais je sais que c'est vrai.

– Tu ne peux pas inventer la vérité. Elle doit t'être enseignée.

– Elle m'a été enseignée. La foudre est mon maître. Elle est mon dieu. »

Son exaltation contagieuse me faisais frémir en secret ; cependant je savais que c'était un blasphème. Et malgré cela, je ne pouvais croire que Dieu exercerait Sa vengeance sur un enfant. Je sentais d'instinct qu'il m'incombait de contenir l'exaltation de ses propos. Car qu'adviendrait-il si de pareils sentiments, conçus bien innocemment dans un âge tendre, devaient s'enraciner et grandir un jour pour recevoir la force d'un esprit adulte ? Aussi, dès qu'il fut possible, je souhaitai que Victor éprouvât en partie ce que je trouvais dans la nature, ses vertus plus douces et bienveillantes.

« Les montagnes sont des géants assoupis, lui dis-je un jour. Je les entends respirer profondément la nuit. Peut-être que nous ne sommes que leur rêve, un rêve de la terre somnolente.

– Absurde ! répliqua Victor. Elles sont là pour qu'on les escalade comme mon père l'a fait. Quand nous atteignons le sommet, c'est nous qui sommes les géants.

– Notre père les nomme par leurs noms comme de vieux amis, lui rappelai-je.

– C'est juste un jeu qu'il joue avec nous... il fait semblant. Les Alpes sont un amas de roches mortes, c'est tout. Un jour, nous bâtirons des cités sur leurs sommets. Ils seront tous domptés... et le mont Blanc aussi. Je serai le premier à mériter la récompense de M. de Saussure, mais je la refuserai. Je ne grimperai pas pour l'argent, pas plus que lui, mais seulement pour étudier la lumière et l'air et les orages. »

La forte récompense promise par M. de Saussure pour la conquête du mont Blanc faisait rêver tous les jeunes Suisses, et Victor pas moins que ses compagnons de jeunesse. Souvent, dans leurs jeux, ils désignaient un coteau à proximité auquel ils attribuaient le nom du mont majestueux, puis ils rivalisaient et se battaient pour être le premier à atteindre le sommet. Je ne pouvais partager avec Victor sa passion pour un exercice aussi téméraire.

« Il y a tellement à voir ici même, dis-je un jour alors que nous étions assis dans une calme prairie. Simplement ici, d'où nous sommes, je vois assez de choses pour remplir mon cœur de joie. Et quand j'écoute...

– Oui ? Quoi donc ?

– Chut ! Et écoute avec moi. Tout a une voix, tout a une histoire. Les histoires se cachent partout. Ici dans l'herbe... les brins d'herbe sont autant de langues vertes. Je préférerais connaître la langue de l'herbe qu'entendre la foudre hurler au faîte des montagnes. »

Quand il était d'humeur moins impulsive, Victor était parfois charmé par mes propos ; il essayait d'apprendre ma façon plus douce de considérer la Nature environnante. Mais il était vite repris par la même agitation. Son esprit se tournait incontinent vers des phénomènes plus sauvages : la tempête, la bourrasque, la foudre. Je n'avais inventé qu'un passe-temps qui lui plaisait. Nous empruntions une barque qui était attachée sur un des lacs de montagne et ancrée non loin du rivage. Puis nous nous allongions côte à côte dans le fond de l'embarcation à la dérive, laissant les vagues nous bercer doucement. Sans rien dire, nous scrutions la voûte brillante et insondable du ciel, laissant nos esprits voguer au loin telles des plumes dans le vent. « Attends, disais-je à Victor, encore un petit moment. » Et parfois il partageait ce que je ressentais. Un doux vertige s'emparait de nous ; les cieux tourbillonnaient avec ivresse, se remplissaient de tons étranges et de lumières vagabondes. Et alors, quelles images surgissaient !

Victor savourait cette sensation, bien que dans un état d'esprit un peu différent du mien. Il me suffisait de goûter à ce moment de délire ; mais il reprenait ses esprits toujours plein de questions. Quelle était la cause de cette expérience étrange, voulait-il savoir. Il s'agissait, il en était convaincu, d'une humeur vagabonde du cerveau. Semblables propos n'avaient aucun sens pour moi, sauf qu'ils me laissaient stupéfaite devant le contraste de nos natures. Pour ma part, il me suffisait de contempler les splendeurs du monde.

« Pourquoi *t'interroges-tu* sur de pareilles choses ? demandais-je.

– Pourquoi ne t'interroges-tu *pas* ? me répondait-il. N'es-tu pas curieuse de ce qui arrive ici ? » Il posait son doigt sur son front. « D'où viennent les rêves, et les pensées ?

– D'où viennent-ils ? De l'air, de rien. »

Il s'esclaffait. « Ce n'est pas une réponse. Une réponse découvre un secret, ne le sais-tu pas ? »

Cependant, me disais-je, *la baronne dit qu'il est bon d'avoir des secrets. Peut-être que le monde doit aussi conserver quelques secrets aux yeux des humains trop curieux.*

Ce qu'il advint d'un jeu d'enfant

Victor et moi devînmes vite de très bons amis et compagnons d'aventure, battant la campagne tels deux innocents dans un Éden restauré. Dès que nous avions fini nos devoirs quotidiens, nous étions, jusqu'à la tombée de la nuit, des esprits libres à l'œuvre dans le véritable état de nature. Comme nous étions constamment en compagnie l'un de l'autre, nos manières devenaient plus confiantes et plus intimes. J'étais flattée qu'il en vînt à préférer ma société à celle des garçons du voisinage, qui fréquentaient de moins en moins souvent le domaine depuis mon arrivée. Au début, je savais que c'était parce que la baronne Caroline l'avait fortement encouragé à s'occuper de moi afin que je ne sois pas constamment harcelée par Ernest qui, se collant à sa mère dès qu'elle était dans les parages, n'accepterait jamais ma présence au sein de la famille ; mais au cours de notre première année, je m'aperçus que Victor choisissait volontiers d'avoir commerce avec moi plutôt qu'avec ses bruyants compagnons de jeu. Un jour, il me déclara spontanément :

« Tu as de loin une tête mieux faite que celle que j'obtiendrais en mettant toutes leurs cervelles ensemble. Toi, tu as de *l'imagination*, pas eux.

– C'est quoi, l'imagination ? demandai-je, bien décidée à cultiver cette faculté si Victor l'admirait.

– C'est une disposition de l'esprit qui permet de voir dans d'autres mondes. C'est plus précieux que l'or, parce que l'or ne peut l'acheter.

– Et j'ai cette disposition-là ?

– Et comment ! C'est pour cela que tu aimes t'allonger pour rêver au fond de la barque. »

Un de nos étangs préférés, que nous visitions volontiers, s'étalait, lisse et brillant tel un miroir dans les alpages. En contemplant sa surface limpide depuis le rivage, on se croyait entre deux ciels, l'un au-dessus et l'autre au-dessous. L'étang, alimenté par des sources profondes, se trouvait dans un vallon au milieu d'un tapis de verdure ; ici tout était incroyablement verdoyant, orné durant le printemps et l'été des fleurs les plus rares et fleurant le thym. Autour de nous, les cimes effilées des lointains sommets se dressaient telles des sentinelles veillant sur la solitude des lieux, nous les réservant sans partage. Souvent, durant les saisons les plus clémentes, nous y nagions nus comme d'innocents sauvages, offrant nos jeunes corps au soleil et à la brise. Victor n'était pas le premier garçon que je voyais dévêtu ; depuis ma petite enfance, je m'étais souvent baignée avec mes anciens frères gitans. Mais leur corps avait la douceur lisse d'un corps de bébé, ne manifestant encore aucun signe de maturité. En fait, n'ayant pas eu l'occasion de les observer par-delà la frontière de l'enfance, je ne savais pas que de pareils changements se préparaient. Ce fut Victor, lequel avait quelques années capitales de plus que moi, qui le premier attira mon attention sur les différences corporelles entre nous, ou plutôt qui fit de cette différence plus qu'une simple remarque sans conséquence. Car nous nous tenions en équilibre sur le seuil délicat au-delà duquel la curiosité charnelle, comme un diablotin qui se tient en embuscade, surgit brusquement pour nous surprendre, et transformer la virilité de l'un et la féminité de l'autre en éléments du plus intense attrait.

Un jour, après que nous avions fini de nager, nous restâmes à nous prélasser un moment sur l'herbe du rivage pour goûter le soleil. Bientôt, Victor s'assoupit ; me tournant vers lui, je laissai mon regard errer sur son beau profil. Je me hissai sur un coude et, chuchotant à son oreille, je lui chantonnai la comptine des baisers qu'il m'avait enseignée.

Pique ta joue l'abeille
La puce te suce l'oreille.
Te pince au cou le vilain moucheron
Mais moi je te fais un gros suçon... *ici !*

Et pressant fort ma bouche contre la sienne, je ne fis pas un simple petit baiser, mais m'attardai tant que nos lèvres semblèrent se fondre pour former une seule chair. Quand enfin je m'écartai, mon esprit chancelait, pris de vertige, et mon cœur battait à tout rompre. Baissant les yeux, je fus surprise de découvrir qu'il avait une érection. Je n'avais encore jamais vu cette métamorphose se produire dans le corps masculin. La choquante disproportion dans le changement me frappa autant que tout le reste ; cet objet, se déclarant de façon aussi ostensible au regard, semblait parfaitement incongru. Presque malgré moi, mes yeux en survolèrent le contour, découvrant autour de la base de son pénis un léger réseau duveteux que je n'avais pas remarqué. Clouée sur place par cette vision avec une intensité qui me brûlait presque à l'intérieur, j'étais déchirée entre regarder de plus près et détourner les yeux. Je ne me souvenais pas qu'on m'ait jamais dit qu'il était mal de scruter ainsi la nudité d'un garçon ; cependant, de la façon qui vient inexplicablement aux enfants, comme une leçon qu'ils paraissent absorber avec l'air environnant, j'étais imprégnée de l'idée que c'était mal se conduire. Peut-être que pour cette raison même, je n'arrivais pas à détourner le regard de cette délicieuse vision. Aussi séduisant que j'eusse trouvé Victor, il était encore plus beau d'une façon nouvelle, dérangeante. Je remarquai comment son torse était articulé, montrant le renflement de muscles là où il était autrefois aussi lisse que l'enfant qui vient de naître. Et à présent son visage, quand je levai les yeux pour le regarder, avait acquis (pourquoi ne m'en étais-je pas rendu compte ?) la finesse d'un jeune homme élégant. Être en présence d'un être si beau, contempler sa nudité, me coupa le souffle... c'était une sorte de sentiment de panique que je n'avais encore jamais éprouvé. Sentant ma perplexité, Victor, qui n'était nullement troublé de voir mes yeux se repaître de son corps, rit tout haut et m'invita allègrement à inspecter celui-ci autant qu'il me plairait ; il prenait en fait grand plaisir à observer ma fascination. « Comment appelles-tu cela ? » demanda-t-il en indiquant son organe dressé.

Il y avait des noms que je tenais des fils de Rosina ; mais je rougis à l'idée de les prononcer, car je me rendais compte que c'était les mots qu'aurait utilisés un enfant. L'occasion exigeait un langage d'adulte que je n'avais pas appris. Aussi je répondis que je ne savais pas comment appeler cette chose.

« Je vais te le dire, reprit-il en s'amusant presque cruellement de mon embarras. Les garçons appellent cela leur dard. Sais-tu pourquoi ? »

Rougissant plus encore, je reconnus que non.

« Ne vois-tu pas que c'est comme une pique ? Dur et pointu comme de l'acier nu. »

S'il ne l'avait décrit ainsi, je n'aurais jamais pensé le voir comme un objet aussi menaçant. En fait, cela n'avait nullement l'air d'une arme à mes yeux. Tout au contraire, j'aurais estimé qu'il était pitoyablement dénudé et délicat. Avait-il à dessein de me faire peur ? La vérité était celle-ci : je me sentais heureuse que mon corps ne fût pas encombré d'une chose aussi disgracieuse et ostensiblement vulnérable.

« Je l'appelle mon soldat qui se met au garde-à-vous, poursuivit-il. Il se prépare à partir en guerre. » Puis, d'un air entendu, il ajouta : « Tu comprends ce que je veux dire ? »

À nouveau, je répondis que non et sentis l'embarras de mon ignorance déferler sur moi telle une vague rugissante. L'eussé-je su que je lui aurais demandé de me le dire, désireuse d'éprouver l'excitation qui naît d'entendre des choses interdites. Bien que je me sentisse honteuse, il y avait en moi une grande avidité de connaître ce que j'espérais qu'il me dirait. Et cela me procurait souffrance et plaisir mêlés. Je savais d'instinct que je jouais à la frontière d'un savoir qui séparait l'enfant de l'adulte.

« Vas-y, insista hardiment Victor. Touche-le, si tu oses ! Regarde comme il passe à l'action ! » Il en parlait comme d'un autre de nos jeux ; mais je savais que c'était beaucoup plus sérieux qu'un jeu. « Cela ne me dérange pas : il ne te fera pas de mal. Empare-toi de lui. À moins que tu n'aies peur ? »

Relevant le défi, j'avançai la main et refermai les doigts légèrement autour de lui. Sa chair rigide eut un brusque sursaut ; je retirai la main par réflexe comme si j'avais effectivement été piquée. Là-dessus, Victor éclata de rire. « Tiens, tu vois, il t'a chargée ! » Et se levant d'un bond, il se tint menaçant au-dessus de moi, riant et laissant son organe saillant se balancer de ci de là devant moi. « Cours, fillette ! Cours ! Il est sur toi ! » Je roulai sur le côté, me levai et courus à travers la prairie dans une prétendue terreur, mais ressentant un vertige jubilatoire. Ma confusion augmentait à chaque foulée où Victor se rapprochait de moi, en riant bruyamment. Quand il m'eut rattrapée, il me jeta sur l'herbe et s'assit à califourchon sur mes cuisses, pressant son membre dressé contre mon ventre. « Tout de suite ! » proclama-t-il comme s'il donnait un ultimatum et sa main descendit rapidement sur mon corps pour aller se loger entre mes jambes, où il me frotta rudement. Là-dessus, je criai d'indignation et cherchai de toutes mes forces à le désarçonner, mais en vain. Sa main restait là où elle était et s'enfonça même plus profondément dans les doux replis de mon corps. Brusquement une vague de panique inexplicable me submergea. Quelque chose dans le comportement de Victor avait changé ; je n'étais plus du tout assurée de pouvoir lui faire confiance.

« Tu n'as pas eu ma permission ! » criai-je, le foudroyant d'un regard furieux et incrédule. Mais il n'était nullement contrit et se pressa plus fort contre moi au point que je craignis qu'il ne voulût pénétrer de force dans mon ventre.

« Allons donc ! répondit-il, paradoxalement amusé par mon désarroi. Sois honnête, cela te plaît.

– Non ! Je veux que tu t'arrêtes. » Ce n'est que lorsque des larmes de rage me jaillirent des yeux qu'il consentit à retirer sa main envahissante.

Quand il me permit enfin de m'asseoir, il dit presque avec rancune : « Mais as-tu vraiment trouvé cela fort déplaisant ?

– Tu étais pressé et brutal. Tu m'as fait mal. » Je m'écartai de lui, prête à repartir en courant au besoin.

« Je croyais que cela te plairait autant qu'à moi, répondit-il avec un haussement d'épaules déconcerté. Je crois que les filles veulent que les garçons se montrent effrontés avec elles ; je crois qu'elles veulent être un peu forcées de défendre leur innocence.

– Qu'est-ce qui te le donne à penser ?

– Tu n'es pas la première fille que je touche, fanfaronna-t-il.

– Qui d'autre as-tu touché ? Dis-le-moi ? Il n'y a personne d'autre. Tu mens.

– Si, c'est vrai ! J'ai été avec Solange, répondit-il. Et j'ai fait ce que je voulais avec elle. » Solange était une lourdaude aux formes généreuses qui avait un an de plus que Victor. Fille d'Anna Greta, la femme de chambre de la baronne Caroline, elle avait pris du service à la cuisine avec Céleste.

« Solange ! Elle est bête comme ses pieds ! » Je le vis sourire d'un petit air content devant mon évidente jalousie. « Je ne te crois pas. Quand as-tu eu l'occasion d'être avec elle ?

– Dans sa chambre, quand sa mère était absente.

– Et cela t'a-t-il plu d'être avec elle ? »

À nouveau, il haussa les épaules, comme s'il n'accordait pas d'importance à la chose.

« J'étais simplement curieux. Je l'ai étudiée comme j'aurais pu étudier un livre.

– Alors ton étude ne t'a guère appris, si c'est ainsi que tu te conduis... comme un rustre.

– Solange n'a émis aucune protestation.

– Parce qu'elle est ta servante, Victor ! Ne comprends-tu pas cela ? Si elle pouvait s'ouvrir librement à toi, cette grande bêtasse, elle te dirait autre chose. Mais qui l'écouterait si elle protestait... qui même la croirait ? Tu es son maître et tu peux agir à ta guise. Mais tu n'es pas le mien. »

Un air de contrition sincère se peignit sur son visage. « Je ne voulais pas mal faire, Elizabeth. Je me suis laissé emporter. Cela arrive quand l'homme est excité.

– Et je peux voir à présent que tu ne l'es plus. Et de ce fait, tu es redevenu mon ami et mon frère. » Sous le feu de ma colère, je fis cette remarque en passant, sans vouloir le blesser. Cependant, cette parole plongea Victor dans le plus profond embarras. Aussitôt, il voulut se cacher, comme s'il était plus honteux que je voie son organe au repos que dressé. Qu'il est aisé de contenir et d'inspirer la honte à un homme, me dis-je. Ce soldat prêt à partir en guerre a été désarmé en un instant. « Mais je suis toujours ta sœur, poursuivis-je, même quand tes sens sont excités. Et non pas un livre pour satisfaire ta curiosité.

– Veux-tu que je ne recommence plus jamais ? »

Mon esprit eut du mal à répondre à la question. « Je ne dirais pas cela. Mais je n'aimerai jamais que tu le fasses sans ma permission. »

Un peu plus tard, comme nous rentrions à la maison, Victor s'arrêta quand nous fûmes en vue du château. « Ne dis rien ! me conjura-t-il, m'empoignant le bras. Nous serons punis si tu parles. »

Et tant que je n'eus pas promis, il refusa de me lâcher.

*

Chez la femme, rien ne marque l'approche de l'âge adulte autant que la naissance de la vanité. À cet égard, ce qui s'était passé ce jour-là dans la prairie produisit un curieux changement dans mes habitudes d'enfant. Jusque-là, je n'avais pas accordé plus d'importance à mon apparence qu'une autre jeune fille. Mais maintenant, l'image que je voyais dans la glace devint le tyran de mes heures de veille, exigeant constamment mes services. Ce n'était plus assez pour moi de me regarder dans la glace pour voir si j'avais placé un nœud correctement ou négligé de faire disparaître une tache de graisse faite à table. Maintenant j'étudiais chaque trait de mon visage comme si le simple fait de le scruter pouvait redessiner ce que je voyais devant mes yeux. Et ce que je voyais me déplaisait fortement, car je me trouvais prise au piège d'une compétition tacite avec le reste de la gent féminine. Chaque contour de mon visage me semblait imparfait, sinon totalement disgracieux. Mes pommettes, jadis dissimulées miséricordieusement par les rondeurs insistantes de l'enfance, étaient devenues beaucoup trop hautes et proéminentes. Mon front était sûrement trop bas de deux centimètres, une situation à laquelle je cherchais à remédier en tirant mes cheveux en arrière jusqu'à les tendre à la racine. Cela contribuait peu à m'embellir et, en outre, révélait la cicatrice de naissance sur ma tempe. Cette tare décolorée, une marque que peu remarquaient à moins d'un examen très minutieux, était à mes yeux d'une présence aveuglante, et parfaitement inacceptable. Fallait-il l'enduire de crème ou la poudrer ? me demandais-je. Et mes sourcils ? Ils étaient indiscutablement trop rapprochés, se réunissant presque au-dessus de l'arête du nez. Cela, cependant, était aisément corrigé en arrachant jusqu'à la racine les poils incriminés. Mes yeux, bien que d'une couleur délicate à mon sens, couraient le risque de devenir beaucoup trop grands et les cils pas assez longs. Mon nez était absolument dénué de caractère, une chose minuscule, mais au moins était-il bien proportionné. Quant à la bouche, elle semblait d'une laideur désespérante, loin d'être aussi pulpeuse et charnue que je l'eusse souhaité. En observant de plus près encore, je détectai des défauts sur toute la surface de mes joues, de ma gorge et de mon front : ici un bouton, là une tache de rousseur, chacun devenant plus ostensible à chaque fois que je regardais.

En revanche, il me plaisait que mon menton eût une forme affirmée et que mon cou fût gracieusement posé sur mes épaules. Mais quand je reculais pour en voir davantage, je pouvais à peine supporter la vision de ma personne. Car je ne voyais qu'un torse étroit, tout droit, la poitrine aussi plate que celle d'un garçon. Même quand j'inspirais à fond et faisais ressortir au maximum ma poitrine, il n'y avait pas l'ombre d'un renflement. Et au-dessous, mes hanches étaient impossibles à distinguer de ma taille ; entre les deux, à la jonction de mes cuisses étroites, mon sexe était encore celui d'une enfant, lisse et chaste. Combien restait encore à être façonné en moi !

Mais quelle était la pierre de touche de la beauté féminine à laquelle je me mesurais si sévèrement ? Était-ce Solange, dont Victor avait fait son jouet ? J'évoquai son image et franchement, priai le Ciel de ne point lui ressembler. Ces grosses souillons, aux manières si effrontées, méritaient le mépris que les hommes leur manifestaient. Non, le vrai modèle que j'avais à l'esprit était Francine, sur laquelle j'avais vu en premier Victor jeter un œil lascif. Elle était devenue pour moi le parangon de la femme, un idéal que je ne pourrais jamais égaler. Cependant, je savais qu'elle ne prenait nul soin de sa beauté, se fiant à la nature quel que fût l'aspect que celle-ci lui accordait. Même les cheveux tirés et retenus sévèrement sur la nuque, et sans la moindre trace de fard, elle irradiait de beauté. Et ce que j'avais vu de sa nudité était devenu à mes yeux la perfection du corps féminin, même si je n'avais nul espoir d'atteindre un jour ce niveau.

Ce que les enfants apprennent de plus profond, ils n'ont besoin d'aucun vocabulaire pour l'exprimer. Parfois, l'absence même de mots rend l'expérience d'autant plus forte. Je ne disposais d'aucun mot pour exprimer tout ce que j'avais appris ce jour à l'étang ; cela viendrait plus tard ; cependant, les émotions qui avaient momentanément embrasé mon être étaient un enseignement. La répulsion et la fascination, la fébrilité et l'impertinence, la honte et l'euphorie avaient toutes leur part dans la leçon. Par la suite, quand Victor et moi nagions nus ensemble, c'était comme si un autre climat plus oriental nous eût enveloppés : l'air était chargé d'électricité, entourant notre nudité autrefois chaste d'un suave délire.

Avec le recul, je me rends compte aujourd'hui que ce jour-là, nous avions franchi la ligne qui sépare l'innocence de l'expérience. Ce moment douloureusement poignant de la fin de l'enfance ouvrait un nouveau chapitre de nos vies qui seraient excessivement exaltées et tragiques. Jamais plus Victor et moi ne serions le frère et la sœur que nous avions été dans le passé, même si frère et sœur nous demeurions désormais, dans une sorte de parenté plus audacieuse. Sans réaliser clairement vers quoi tendait notre chair délicieusement tentée, nous avions fait nos premiers pas chancelants vers une union fusionnelle.

NOTE DE L'ÉDITEUR

Un portrait d'Elizabeth Frankenstein qui a survécu

Le jugement que l'auteur porte ci-dessus sur son apparence physique, en privilégiant la période de l'enfance, est infiniment trop peu flatteur pour rester sans rectificatif. Je veux à ce niveau introduire une image contrastante et moins subjective.

Parmi ses papiers, Elizabeth Frankenstein conservait une petite miniature à l'aquarelle ternie par le temps.

Bien que l'œuvre ne porte aucun nom, elle sera mentionnée plus tard dans ses mémoires comme étant son portrait, peint en l'an 1786 dans des circonstances inhabituelles. Ses cheveux étaient naturels et non poudrés, retenus au sommet du crâne par un simple nœud plat, et répartis en bouclettes tout autour du visage au lieu du style en vogue à l'époque à Paris. Je note que c'est une façon de se coiffer qu'Elizabeth évoque comme un moyen de recouvrir la cicatrice de naissance qu'elle portait sur la tempe.

On remarque une délicatesse mémorable dans le visage, les pommettes hautes, le menton fier, les lèvres pleines. Le regard est franc et pénétrant. Il n'y a pas une once de timidité virginale dans les yeux, mais plutôt une vivacité dans l'expression qui témoigne d'une haute intelligence et d'un esprit curieux, peu caractéristiques de son sexe... exactement la forme d'intelligence dont, à mon sens, Victor Frankenstein, en homme de science, eût fait grand cas chez sa fiancée. La gorge et les épaules vont de pair avec la délicatesse du visage, de même que la fermeté de la jeune poitrine. En vérité, je ne pouvais jeter les yeux sur la fragile gorge sans retourner dans ma tête et de façon morbide la facilité avec laquelle celle-ci avait été broyée entre les mains qui avaient mis fin à la vie de la jeune femme ; ce geste n'avait pas dû demander plus d'effort que pour briser les os d'un oiseau chanteur.

Je me dois de reconnaître que ce portrait occasionna beaucoup d'embarras au cours de mes recherches. Quand la vraie nature de l'expérimentation alchimique de Victor devint claire à mes yeux, mon cœur s'émut d'abord pour la jeune servante séduite qu'il avait convaincue de collaborer, supposai-je, à ses desseins contre nature. Mais considérant le rôle propre d'Elizabeth dans ces activités tel qu'il ressortait de ses mémoires, je me trouvais de plus en plus troublé par la terrible éventualité qu'une personne si jeune et si belle pût avoir abrité des passions aussi inconvenantes. Depuis que j'ai entrepris mes travaux sur ces documents, ce portrait fascinant a été sans cesse devant mes yeux, exposé au-dessus de mon bureau où j'écris à présent. Il ne s'est pratiquement pas passé de jour sans que je le scrute à nouveau, cherchant à tirer au clair la véritable nature qui se tient cachée derrière la chaste surface. Une question m'occupait l'esprit : des désirs aussi contre nature ne se trahiraient-ils pas par quelque ombre ou nuance, par le vague indice d'une âme corrompue ? Mais je dus finalement céder à l'amère sagesse qui nous enseigne : « Il n'y a point d'art qui apprenne à découvrir sur le visage les inclinations de l'âme[6]. »

Se pouvait-il, me demandai-je, que le développement du sang-froid et d'une haute intelligence chez la femme comportât toujours le risque de la dégénérescence morale qui conduisit à la ruine d'Elizabeth Frankenstein ? N'est-il aucun moyen de s'assurer que le développement intellectuel de la gent féminine épargne sa vertu ? Ou devons-nous malheureusement choisir entre les deux ? J'imagine que cela demeurera une des grandes énigmes de notre époque révolutionnaire.

---

6. *Macbeth*, par William Shakespeare, acte I, scène 4. Trad. M. Guizot, Librairie académique Didier & Cie, 1864. *(N.d.T.)*

J'apprends les mystères des femmes

Dans les semaines qui suivirent, j'accordai tout particulièrement mon attention à Solange, étudiant chacune de ses qualités. En mon for intérieur, j'essayais de la rejeter en la traitant de nigaude et de souillon ; j'éprouvais une petite satisfaction d'amour-propre à entendre le rude accent paysan qu'elle avait, et guettais avidement chaque marque de rusticité dans ses manières. Comme elle empestait affreusement l'odeur des cuisines ! Malgré tout, même si je refusais de le reconnaître, je brûlais d'une jalousie secrète en sa présence. Était-ce donc la sorte de jupon malpropre que Victor affectionnait ? Était-ce sa vulgarité qui lui plaisait ; le langage de poissarde qu'elle utilisait, sa façon éhontée d'exhiber ses jambes et sa grosse poitrine quand elle était à l'ouvrage dans la maison ? Quelles libertés avait-il prises avec elle quand il était seul et l'avait à sa merci ? Avant de sombrer dans le sommeil le soir, je les imaginais tous les deux ensemble aussi nus que je l'avais été avec Victor dans la prairie ; mais Solange lui permettrait de faire tout ce qu'il désirait, et avait peut-être aimé son dévergondage. Était-il possible qu'elle eût séduit Victor ? J'avais entendu dire que des servantes rusées intriguaient souvent pour se gagner les faveurs du maître de cette manière. Cependant, je ne pouvais croire que Solange fût si futée. Chaque fois que j'en avais l'occasion, je m'arrangeais pour lui donner des ordres désagréables qui l'obligeaient à s'acquitter de diverses tâches pour moi ; je me plaignais à haute voix qu'elle fût stupide et maladroite. Si j'avais pu en faire à ma guise, je l'aurais bannie de la maison et l'aurais envoyée travailler aux champs où le soleil aurait noirci sa peau d'un blanc laiteux et le travail lui aurait rompu les reins.

Ce que j'avais appris en examinant le corps de Victor ce jour-là à l'étang était le prologue de ma propre transformation de femme ; je savais que j'allais subir une métamorphose plus grande encore. Ressemblerai-je alors aux nombreuses femmes que j'avais vues, les flancs robustes et les seins tombants, quand j'aidais Rosina dans ses accouchements ? L'idée d'acquérir une pareille silhouette féminine ne me réjouissait guère. À coup sûr, telle que les artistes la représentait, elle me paraissait maladroite et disgracieuse ; je n'étais pas pressée de renoncer à mon corps agile de fillette qui me permettait de gambader comme il me plaisait, en échange de ce que je craignais être une grande carcasse sédentaire. Toutefois, malgré mes doutes, j'aspirais encore plus fortement à rejoindre Victor dans sa maturité, espérant pénétrer des secrets qu'aucun enfant ne saurait connaître.

Je ne savais à quoi je devais m'attendre ; malgré cela, la féminité me vint avec le choc qu'elle provoque invariablement chez les jeunes filles. De Tamara, ma sœur gitane, de quelques années plus âgée que moi, j'avais appris l'existence des saignements ; toutefois, entendre parler de cette chose et la vivre, ce sont deux affaires bien différentes. Et lorsque cela m'arriva, j'oubliai complètement tout ce qui m'avait été dit. Un matin au réveil, je trouvai ma chemise rouge et gluante. Étais-je blessée ? me demandai-je, et je courus aussitôt dans le couloir vers la chambre de la baronne Caroline. Mais elle n'était pas là ; à la place, je trouvai Anna Greta, la femme de chambre, occupée à tirer les draps. Quand elle se retourna, je reculai, honteuse et paniquée. Elle comprit sur-le-champ quel était mon état. « Seigneur ! Ne crains rien, mon enfant ! dit-elle. Ta mère va t'expliquer cela. »

Elle m'emmena dans le cabinet de toilette et me donna ce qu'il me fallait pour me nettoyer. « Attends ici, me signifia-t-elle avec douceur. Et sois calme Tu n'as pas à avoir honte. » Puis elle alla prévenir Caroline.

Je sus, dès que celle-ci apparut en arborant un sourire bienveillant, que je n'avais aucune raison de m'inquiéter. Sa présence attentionnée suffit pour me rasséréner. « Sais-tu ce qui se passe, mon enfant ? demanda-t-elle. Te voilà devenue pubère. Quelque chose a changé ici... et là. » Elle posa la main sur mon abdomen et ma poitrine. « C'est un changement obscur et merveilleux. Tu te refais de l'intérieur, comme une chenille se refait pour devenir un papillon.

– Mais faut-il qu'il y ait du sang pour cela ? demandai-je.

– Le sang est ta force, comme tu l'apprendras. Maintenant, écoute attentivement », me dit-elle en me faisant asseoir sur le sofa à ses côtés. Ses yeux reprirent leur expression lointaine. « Considère cela comme une seconde naissance. Quand tu es née pour la première fois, une marque violente fut apposée sur toi... ici. » Elle effleura la cicatrice à demi effacée sur ma tempe. « Cela fut fait dans l'ignorance par un homme qui avait l'audace de se dire médecin. Pour cette seconde naissance, tu seras soignée par des femmes, et ce moment donnera lieu à des réjouissances et des célébrations. Il n'y aura ni cicatrices ni mauvais rêves. »

Peu après mon arrivée dans la famille, j'avais confié à la baronne mon cauchemar. Une nuit où je m'étais réveillée en criant, elle avait insisté pour que je lui raconte ce qui avait troublé mon sommeil. Quand je lui eus parlé du cruel homme-oiseau qui hantait mon repos nocturne, pour la première fois je crus voir la couleur de la colère envahir son visage serein. « Tu as été blessée non seulement dans ta chair, mais plus profondément encore, dit-elle, puis elle fit de son mieux pour me réconforter. Il n'existe pas de pareille créature. C'est une chimère et avec le temps, elle s'effacera de ton esprit. » À présent, comme elle parlait de célébration, je ne pus retenir ma curiosité. Je voulus savoir, *quand, quand !* et le lui demandai avec une impatience qui frisait l'impertinence. « Bientôt, répondit-elle. Le moment doit être soigneusement choisi. »

L'on me dit que je devrais attendre la première pleine lune de l'été, encore à deux mois de là. Deux fois encore avant cela, je fis l'expérience de ce saignement et m'en occupai comme j'en avais été instruite. Mes peurs cessèrent, mais pas mon trouble. Je me résignai vite au fait que je devais accepter la fastidieuse répétition de cet embarras, mais ne voyais pas pourquoi Caroline y trouvait quelque sujet de fierté. Malgré son propos rassurant, cela me paraissait être un phénomène tellement anormal que j'étais certaine d'en porter l'empreinte visible. Les autres devaient sûrement s'apercevoir de mon état et me trouver souillée. J'attendais donc avec une impatience grandissante l'événement que l'on m'avait promis, en espérant que cela m'apporterait davantage que la honte qui m'accablait. Comme juin suivait son cours, je regardais tous les soirs par ma fenêtre la lune croître dans les cieux et le fragile croissant se transformer en une grosse perle resplendissante. Enfin, nous fûmes à la veille de sa plénitude ; et le lendemain matin, Anna Greta m'éveilla par ces mots : « Ce soir, ma petite. Tiens-toi prête. »

Cet après-midi-là, Mme Eloïse mit fin de bonne heure à mon cours et me conduisit à ma chambre, insistant pour que je fisse la sieste. Ce n'était pas dans mes habitudes. « Écoutez-moi, dit-elle. Madame la baronne dit que vous allez veiller tard ce soir. Vous devez prendre du repos. » Comme je n'avais pas vu Caroline de la journée, je demandai où elle se trouvait. Mme Eloïse hocha la tête. « Elle s'est absentée, mon enfant. Pour s'occuper des préparatifs. »

J'essayai de dormir comme on m'y engageait, mais en vain. L'air autour de moi était chargé d'impatience fiévreuse Ce n'était pas un jour ordinaire, mais je n'aurais pu dire de quelle manière il était extraordinaire.

Ce soir-là, il ne me fut pas servi à souper, mais je reçus de Mme Eloïse l'ordre de regagner ma chambre, de prendre un bain et de mettre la robe neuve qu'elle me donnerait ; puis je devrais attendre qu'on me demande. La robe qu'elle étala sur mon lit était une longue chemise blanche flottante, qui me tombait aux chevilles. Me préparait-on pour aller au lit ? me demandai-je. Néanmoins, malgré ma perplexité, je m'exécutai et passai le temps à la fenêtre, observant la lune montante qui couvrait le jardin et les champs au-delà d'un voile d'argent obscurci. Je n'avais encore jamais remarqué l'étrangeté de cette lumière, qui est à la fois froide et liquide, et comment elle répand l'éclat du vif-argent sur tout ce qu'elle touche. Les choses sont dépouillées de leurs couleurs et prennent des formes troublantes, comme si elles étaient le fantôme d'elles-mêmes. Je ne saurais dire combien de temps j'attendis, car malgré moi, je finis par m'assoupir sur mon séant. Je fus réveillée par une main sur mon épaule : c'était Mme Eloïse, venue pour me conduire.

Nous nous glissâmes à pas feutrés à travers la maison assoupie et sortîmes par la porte des cuisines. Là, nous retrouvâmes Anna Greta qui, comme Mme Eloïse, était vêtue d'une ample pèlerine munie d'une capuche. Sans poser de question, je les suivis. Bien que le trajet fût plein de tours et détours, je réussis à me repérer. Il menait à la petite clairière où Victor et moi avions surpris la baronne et Francine. Chemin faisant, je tressaillis en voyant surgir sur le sentier une silhouette encapuchonnée, puis une autre et une autre. Je jugeai que c'était des femmes, bien que les visages ne m'apparussent pas clairement. L'une tenait une lanterne, les autres de longues perches fourchues. Mme Eloïse s'avança hardiment vers elles comme pour se présenter. Nous les dépassâmes, laissant les trois silhouettes derrière nous dans les bois ; mais quand nous eûmes avancé de plusieurs pas, l'une d'elles lança un cri de chouette qui me figea le sang. Si je n'avais su qu'il était lancé par une femme, j'aurais pu croire qu'il s'agissait du cri d'un oiseau de proie. Le même manège se produisit deux autres fois ; ces silhouettes étaient, pensais-je, des sentinelles qui nous guettaient sur le chemin. Chaque fois, elles nous indiquaient la route avec un sinistre hululement. Le dernier groupe que nous croisâmes était posté juste à l'orée de la clairière. Cette fois, quand je me faufilai par l'étroite brèche qui la dissimulait, je découvris que l'endroit était éclairé de tous côtés par des lanternes ; elles étaient accrochées aux arbres et placées dans chacune des fissures du rocher environnant, créant partout une douce clarté qui n'était ni le jour ni la nuit.

Au premier regard, la clairière paraissait déserte. Mais comme Mme Eloïse et Anna Greta guidaient mes pas vers le torrent au pied du promontoire, je distinguai des silhouettes silencieuses et immobiles tapies derrière les arbres. Au centre de la trouée où je reçus l'ordre de m'agenouiller se trouvait une table rudimentaire faite de pierres dressées. Dessus étaient posés un calice, une cloche, deux couteaux de forme étrange croisés, sur les couteaux un cercle de fleurs tressées et derrière eux, trois hautes bougies encore éteintes. Mme Eloïse et Anna Greta retirèrent leur cape, sous laquelle elles portaient de longues chemises grises flottantes avec une capuche qu'elles passèrent sur leur tête ; elles s'agenouillèrent avec moi devant l'autel de pierre. Au bout d'un moment pendant lequel il n'y eut d'autre bruit que le gazouillis du torrent, j'entendis un gémissement vibrant et aigu dans les bois proches. C'était le cri qu'un aigle aurait pu lancer en fondant sur sa proie, mais il émanait, comme je le savais, de la gorge d'une femme. Trois fois il s'éleva et s'éteignit, comme s'il lançait un appel. Et alors, les bois alentour s'animèrent. Tambours, sonnailles et tambourins imposèrent le rythme ; et virevoltant au-dessus d'eux, le son d'une flûte brodait une mélodie sinueuse. C'était une musique d'un autre monde ou d'un autre âge, un âge depuis longtemps révolu ; elle scandait le rythme du sang et de la respiration ; le corps aspirait à bouger avec la fluidité fondamentale qui en émanait. Des quatre coins du champ, des colonnes de silhouettes encapuchonnées surgirent, toutes vêtues comme mes compagnes qui se tenaient à mes côtés. Certaines portaient les instruments que j'entendais ; les autres se glissaient au milieu et se faufilaient entre elles, les encerclant dans une danse au rythme lent. Mon cœur battait à tout rompre, pas de peur mais d'impatience, quand le cercle tourna lentement autour de l'endroit où j'étais agenouillée. Comme pour soutenir mon courage, Mme Eloïse me prit la main et la pressa fermement.

Je ne saurais dire combien il y avait de femmes devant et derrière moi, mais elles devaient être au nombre d'une quarantaine au moins. Quand elles m'eurent entourée, elles s'immobilisèrent et s'assirent à même le sol sans cesser de jouer leur musique, puis elles se mirent à chanter, dans une langue que je ne pouvais comprendre. Enfin, leurs voix se turent et la musique cessa. Derrière moi, j'entendis un bruissement de pas dans l'herbe. Deux formes s'étaient frayé un passage entre les femmes assises et se tenaient à présent devant moi de l'autre côté de l'autel. Elles étaient vêtues de la même à robe à capuche que les autres. L'une resta debout, pour murmurer ce que je pris pour une prière ; l'autre se pencha pour allumer les chandelles, puis l'encens qui était disposé dans un réceptacle en argent ciselé. Quand cela fut fait, les deux femmes relevèrent la tête et repoussèrent leur capuche. Je les connaissais toutes deux. L'une était la baronne Caroline, dont je me doutais qu'elle apparaîtrait à un moment donné ; mais l'identité de l'autre me surprit plus que je ne saurais le dire. Il s'agissait de Céleste, la cuisinière ! Elle se tenait, le visage solennel et austère, devant moi, ses boucles grises défaites et tombant sur ses épaules. La voir ici dans cet accoutrement, portant ce costume et arborant un air aussi majestueux... cette vision m'ébranla.

« Lève-toi, Elizabeth ! ordonna Céleste d'une voix forte et profonde. Tu es ici pour devenir une femme, en tant que femme reconnue par les femmes. »

Je me levai promptement comme cela m'avait été signifié ; je crois que je me serais hâtée d'obéir quoi qu'elle m'eût ordonné ; bien que je ne l'eusse connue que comme servante sous notre toit, elle avait à présent une présence plus intimidante que jamais et n'était pas une simple cuisinière me donnant des ordres. À un hochement de tête de sa part, Mme Eloïse et Anna Greta s'affairèrent à ma gauche et à ma droite, défaisant mes liens et mes boutonnières. Je me rendis compte qu'elles me retiraient mes habits. Bien que mon cœur battît à toute allure, je gardai le regard bravement fixé sur le visage de Céleste, bien résolue à ne montrer aucune appréhension. Quand, enfin, je me tins nue, toutes les femmes en cercle se levèrent et s'approchèrent du petit autel en pierre ; là, elle se dépouillèrent vivement de leurs vêtements lâches pour se dresser aussi nues que moi. Coulant un regard vers celles que je voyais les plus proches de moi, je reconnus alors plusieurs visages. Je reconnus trois autres de nos femmes de chambre, et Germaine, la femme du garde-chasse ; elle portait le plus grand des tambours. Il y avait Mme Laplanche, la femme de notre régisseur, et à côté d'elle, Mme Perroud, la femme du juge qui était souvent invité aux *soirées** du baron. De l'autre côté, je vis Mme Jussieu, la femme du pêcheur, et Mme Grimaldi avec ses deux filles, qui s'occupaient ainsi que leurs maris de notre vignoble. J'entrevis des femmes que j'avais vues travailler dans les champs quand notre voiture passait sur les routes et des femmes de La Belotte, dont les maris attrapaient les poissons que nous mangions. Combien de chemin elles avaient parcouru pour venir cette nuit-là dans la clairière ! Montant du lac en contrebas, trouvant leur route au clair de lune. Et comme il était étrange de les voir ici sous cet aspect, dévêtues, les cheveux défaits, se tenant sans honte à la lumière de la lanterne. Dépouillées de leurs habits et de leurs parures qui les distinguaient les unes des autres, elles formaient une société d'êtres égaux, où l'on ne pouvait dire laquelle était une femme de qualité et laquelle une femme d'un rang plus humble. Qu'il était courageux de retirer ses vêtements, me dis-je. Car avec eux, on doit abandonner toute distinction. Je remarquai aussi qu'ici et là, se trouvaient des femmes qui portaient à la taille le morceau d'étoffe qu'on m'avait donné récemment pour absorber le sang ; de haute ou de basse extraction, toutes partageaient cet état et en cette compagnie, ne portaient rien pour le cacher, ne manifestant aucune gêne de se montrer ainsi. Certaines, comme je m'en rendais compte à présent pour la première fois, étaient fluettes avec un corps affaissé, d'autres minces et robustes, les unes corpulentes, les autres ratatinées, d'autres encore d'une beauté saisissante. Et là, entre les rangs des femmes, se trouvait quelqu'un dont la vue me fit sursauter, même si je la cherchais secrètement : Solange, qui se tenait fièrement au côté de sa mère. Elle était aussi voluptueusement pourvue que je l'avais imaginé avec envie. Mais comme elle tenait bien son rôle cette nuit-là, se mouvant au rythme de la musique, avec la grâce d'une danseuse de menuet !

Regardant de ci de là, je vis des corps de femmes aussi courbés par l'âge que celui de la grand-mère de Jacques, le garçon d'écurie, et d'autres en fleur, aussi resplendissants que celui de Marianne, la fille du percepteur, qui n'était guère plus âgée que moi. Certaines portaient sur leur personne les marques d'une blessure – cicatrices et meurtrissures, un membre tordu, une épaule voûtée. Combien de ce que nous sommes est inscrit dans notre chair et nos os, mais caché aux yeux du monde par notre vêture. Céleste, dans sa nudité, était d'un intérêt particulier à mes yeux. J'avais remarqué qu'elle était une femme aux formes généreuses : à présent, je me rendais compte qu'elle était vraiment corpulente. Ses seins, que je n'avais vus que ligotés tels qu'une grosse miche sur sa poitrine, pendaient lourdement sur son torse, reposant sur un ventre volumineux qui se rabattait pareil à un tablier sur son bas-ventre et dissimulait son sexe aux regards. Ses courtes jambes étaient aussi épaisses que mon corps tout entier. J'aurais dû me sentir incapable de considérer comme une figure d'autorité une femme aussi entravée par sa corpulence. Mais elle l'était, c'était incontestable. Elle se dressait, fière et grave, à côté de Caroline, partageant avec elle la direction des opérations.

La baronne prit la couronne de fleurs sur l'autel ; puis elle se retourna, me l'apporta et la tint au-dessus de ma tête. Elle me dit en souriant : « Nous t'accueillons, Elizabeth, coiffée de fleurs et d'épines. Qui parle pour elle dans cette compagnie ? »

Une voix s'éleva dans mon dos. « Moi », entendis-je simplement, mais je reconnus aussitôt celle qui prononçait ce mot. Je me tournai pour voir Francine debout juste derrière moi. Elle aussi était nue, hormis un disque d'argent brillant qu'elle portait sur une chaîne à son cou. Elle fit un pas en avant, arborant un sourire épanoui, et me tordit le nez pour rire. Puis, se postant derrière moi, elle posa les mains sur mes épaules. Là-dessus, la baronne posa le cercle de fleurs sur ma tête et recula. Deux femmes s'approchèrent de chaque côté de l'autel, tendant des plats : sur l'un était posée une simple pomme ; sur l'autre, une cruche en métal. Céleste prit d'abord la pomme et l'éleva au-dessus de sa tête. À côté d'elle, Caroline agita doucement la clochette tandis que Céleste concentrait ses pensées sur le fruit qu'elle tenait ; puis elle le tendit à Francine en disant : « Mange cela en souvenir de notre mère Ève, qui ne saurait être blâmée pour nos douleurs. »

Francine croqua un petit bout de pomme, puis me la tendit. Quand j'eus mordu à mon tour, on la rendit à Céleste, qui partagea le reste avec Caroline. Céleste prit alors la cruche et remplit le calice de cristal sur l'autel. Elle leva la coupe au-dessus de sa tête et, à nouveau, la cloche tinta. Elle dit à Francine : « Bois ceci en souvenir de notre mère Lilith, qui souffrit la première entre les mains de l'homme. »

Le réceptacle passa entre les mains de Francine, qui partagea avec moi le vin qu'il contenait. Puis Francine me chuchota à l'oreille : « Viens ! » Je me levai et la suivis. Un sourd battement de tambour se répercuta à travers la clairière tel le tonnerre montant de la terre.

À présent au centre du cercle des femmes, je me tenais avec Francine juste derrière moi, son corps serré si étroitement contre le mien que je pouvais sentir ses seins se soulever et retomber dans mon dos. Céleste fit un pas en avant, tenant un grand rouleau de parchemin jauni aussi épais que son bras. Il était noué par un lacet de cuir orné d'un gland. Elle ne l'ouvrit pas mais le serra étroitement contre sa poitrine tandis que, les yeux clos, elle entonnait ce que je pris pour une prière dans une langue que je ne connaissais pas. Elle poursuivit pendant de longues minutes, les sourcils froncés par l'effort, le visage rayonnant d'émotion ; pendant ce temps, le tambour battait sourdement, sur un rythme qui s'accélérait sans cesse. Comme son incantation devenait plus passionnée, Céleste entra dans un état de stupeur, se balançant d'un côté à l'autre, le corps luisant de transpiration. Sa prière semblait être devenue une énumération de noms, d'abord étranges et anciens, que je pus reconnaître ensuite comme des noms de femmes, prénoms et patronymes, des noms français, italiens, allemands, anglais, espagnols... Puis, brusquement, elle s'arrêta : le roulement du tambour devint rapide et fort, puis stoppa net. Céleste tendit le rouleau d'abord à Francine pour qu'elle l'embrasse, puis à moi pour que je fasse de même.

La baronne s'avança ; dans ses mains se trouvaient les deux couteaux que j'avais vus posés sur l'autel. Elle me les tendit, le couteau blanc dans ma main droite et pointé vers le ciel, le noir dans ma gauche et pointé vers le sol. Derrière moi, Francine me fit écarter les bras largement. Une autre femme – Mme Kleist – fit un pas en dehors du cercle ; elle tendit un bol de faïence à Caroline, qui plongea dedans une main qu'elle ressortit teintée d'écarlate. Se retournant vers moi, elle passa les doigts sur mon front, y traçant une forme curieuse, puis, replongeant à chaque fois la main dans la coupe, elle fit de même sur mes lèvres, ma poitrine, mon abdomen, entre mes jambes juste au-dessus de la fente du sexe, et sur chaque pied. Dès l'instant où elle toucha mes lèvres, je sus que c'était du sang et le goût me fit tressaillir. Je baissai les yeux pour voir la marque qu'elle avait faite sur moi ; c'était une étoile à six branches composée d'un double triangle.

Francine me fit tourner sur moi-même pour me mettre face à elle et laisser Caroline me tenir contre son corps. De nouveau, j'ouvris les bras, tenant les deux couteaux écartés l'un de l'autre. La flûte amorça une mélodie sombre, mélancolique tandis que Francine retirait le collier qu'elle portait – le disque en argent sur une chaîne – et le tenant très haut au-dessus de sa tête comme si elle voulait toucher la lune scintillante, elle parla dans une langue que je compris enfin. Chaque phrase qu'elle murmurait était reprise en écho par toutes les voix dans la prairie.

Dame de nacre,
Baisse les yeux, baisse les yeux.
Reine des étoiles,
Penche-toi, penche-toi

Vaisseau d'argent,
Vogue au loin, reviens.
Joyau de la nuit,
Accorde-nous ta bénédiction.
Colombe des ténèbres,
Descends, descends.
Lame d'Hathor,
Défends-nous, défends-nous.

Puis Francine abaissa lentement le disque qu'elle tenait et avec le rebord, effleura mon front à l'endroit où était placée la marque de sang. « Elle te bénit ici pour la pureté de tout ce que tu penseras », dit-elle, puis elle pressa ses lèvres sur ma chair là où le disque m'avait touchée. Ensuite elle répéta ce geste en chaque point où la baronne avait tracé l'emblème sanglant.

Sur mes lèvres : « Elle te bénit ici pour la pureté de tout ce que tu prononceras. »

Sur ma poitrine : « Elle te bénit ici pour la pureté de tout ce que tu aimeras. »

Passant par-dessus mon ventre – dont je pensais qu'elle allait le toucher ensuite –, elle pressa le disque entre mes cuisses : « Elle te bénit ici pour la pureté de tout ce qui te donnera du plaisir. » Et puis, se penchant, elle pressa fermement ses lèvres sur moi. Je crois que j'aurais sûrement tressailli sous l'audace de son geste si Caroline ne m'avait tenue solidement.

Francine retourna alors à mon ventre : « Elle te bénit ici pour la pureté des enfants que tu porteras de ton plein gré. »

Puis, se penchant devant moi pour me toucher et embrasser chaque pied : « Elle te bénit ici pour la pureté de chaque chemin que tu suivras. »

Quand elle eut fini, le tambour rugit, exécutant un crescendo tumultueux, et les femmes poussèrent des cris joyeux. Francine me passa le disque autour du cou et m'embrassa chaleureusement sur les lèvres. « Bienvenue, ma sœur », dit-elle. Et tout le groupe reprit ses paroles en écho. Il y eut beaucoup de rires dans le cercle tandis que chaque femme lançait à son gré des paroles de bienvenue et des félicitations.

Ensuite, plusieurs s'avancèrent pour nous conduire en formant une procession. Elles exécutaient devant nous une sarabande pleine de majesté, disséminant des pétales de fleurs pour nous faire un tapis. J'étais étonnée de voir avec quelle grâce même les vieilles et les disgracieuses suivaient la mesure, comme si elle leur conférait une dignité particulière. Avec Caroline d'un côté et Francine de l'autre, je fus menée vers les arbres à l'autre extrémité de la clairière. Céleste, qui portait le grand rouleau serré contre son sein, et les autres composaient un groupe derrière nous et suivaient, au son joyeux du tambour, de la flûte et du tambourin. Entre les arbres, je distinguai une autre lueur : un brasero allumé en plein air. Dans la flaque de lumière qui l'entourait, je vis une silhouette assise sur une sorte de trône rudimentaire fait de branchages. Quand nous approchâmes, je distinguai une femme, nue comme nous l'étions mais grandement ravagée par l'âge. Sa peau avait une teinte sombre et pendait, flasque, sur son corps voûté ; ses cheveux avaient la blancheur de la neige et tombaient en mèches fines autour de son visage. Je ne connaissais pas cette personne, mais elle semblait avoir une grande importance. Quand nous nous tînmes devant elle, je vis qu'elle portait plusieurs colliers sur sa gorge et des bracelets à chacun de ses poignets émaciés. Elle paraissait d'un âge canonique, mais il y avait une lueur flamboyante dans ses yeux quand elle me regarda.

« Approche, Elizabeth », m'ordonna-t-elle en m'indiquant le pied du trône sur lequel elle était assise. Elle avait la voix sèche et râpeuse, mais de la bonté dans le ton. Elle me scruta attentivement, puis me caressa les cheveux. « Gracieuse Elizabeth aux boucles d'or », dit-elle. Je fus surprise d'entendre ces mots, car ils étaient prononcés en langue gitane, celle de mon enfance. Elle sourit de ma surprise. « Oui, je parle un peu ta langue gitane, mais plus très bien, je le crains. » Puis, en français, avec un accent qui pouvait être italien, elle demanda : « Sais-tu qui je suis ?

– Non. Je l'ignore.

– Je m'appelle Seraphina. Je suis aussi vieille que tu es jeune. Le sang qui s'écoule richement de ton corps s'est depuis longtemps tari dans le mien. Mais nous sommes toutes deux femmes – l'une au début, l'autre à la fin du parcours. Et nous sommes sœurs. Le croiras-tu ? » Je répondis que non, ce qui la fit rire, d'un rire sec, asthmatique. Quand sa bouche fut béante, je vis qu'il ne restait pas une dent sur ses mâchoires. « Tu as plus de sœurs que tu ne penses, Elizabeth. Cette terre sur laquelle tu te tiens en cet instant a été piétinée par des sœurs, les tiennes et les miennes, depuis des temps immémoriaux. Il y avait ici des fontaines où les femmes venaient discuter de questions profondes il y a si longtemps de cela que même ces hautes montagnes ne sont peut-être pas assez vieilles pour s'en souvenir. Les hommes disent "ancien" le savoir qu'ils trouvent gravé dans la pierre ou inscrit sur un parchemin. Mais de l'avis des femmes, leurs grands hommes – Aristote et Pythagore – ne sont que des enfants. Avant que les hommes lisent des parchemins, nos mères et nos grand-mères déchiffraient les forêts et les étoiles et les pierres. Ce bosquet est une de nos plus anciennes écoles ; chacun des arbres que tu vois ici en sait davantage que le plus grand philosophe naturaliste. Ils ont été nos maîtres. »

À cet instant, je fus surprise par un brusque bruissement d'ailes près de mon oreille. Un grand oiseau sombre descendit de la ramée pour se poser sur le poignet de la vieille dame. Il s'immobilisa et pencha la tête vers moi comme s'il m'observait de près. Je n'avais encore jamais vu un oiseau pareil ; il était aussi gros qu'un corbeau, mais sa couleur était d'un violet chatoyant et son bec jaune crochu était plus gros que sa tête. J'aurais jugé, d'après l'aspect miteux de son plumage, qu'il était lui-même assez vieux. Un œil paraissait aveugle : mi-clos et voilé sous la paupière toute ridée. Je ne savais pas si je devais lui trouver l'air menaçant, mais rien en moi ne laissa paraître de signe de frayeur devant sa présence inopportune. En fait, Seraphina, à laquelle la créature semblait appartenir, passa les doigts sous sa gorge, ce qui fit glousser l'oiseau. Puis il leva une patte pour se gratter le cou.

« N'aie pas peur, dit Seraphina en m'adressant un large sourire édenté. C'est mon amie personnelle, Al Oussa. Elle est venue pour faire ta connaissance. Elle va se faire son idée sur tes qualités, mais je vais tâcher de la convaincre d'avoir une bonne opinion de toi. » Seraphina se pencha pour chuchoter à l'oreille de l'oiseau ; j'entendis prononcer mon nom au milieu de mots d'une langue que je ne compris pas. « Aussi vieille que je sois, Alou est encore plus vieille que moi. Elle a été ma compagne depuis que j'avais ton âge. » Entre-temps, l'oiseau avait paru perdre tout intérêt pour moi et alla se poser sur l'épaule de Seraphina, où il resta à regarder tout ce qui suivit d'un air préoccupé, voire un peu ennuyé.

« Toutes les femmes qui se tiennent auprès de toi, poursuivit Seraphina, sont mes sœurs comme elles sont les tiennes, des sœurs auxquelles tu t'adresseras dans les moments de joie et de crainte et de chagrin. Elles ont été des amies pleines de bonté et de reconnaissance à mon égard. Aucune ne saurait ce qu'elle sait si je ne le lui avais enseigné. Et de quoi s'agit-il ? Je leur ai appris à ne jamais déplorer ni avoir honte d'être femmes. Je leur ai appris à s'entraider. Je leur ai appris que le sang est leur force, car c'est le pouvoir du Ciel et de la Terre en elles. Regarde maintenant et je vais te montrer. Fais-moi voir les couteaux. »

Je lui tendis les poignards qu'on m'avait donnés.

« Tu les garderas, Elizabeth. Ils seront là pour te rappeler cette nuit et tout ce que tu auras appris. Tiens-les cachés comme tu le ferais de ton bien le plus précieux. Voici le couteau d'argent ; il te lie à la lune que tu vois là-haut. La lune est l'étoile de la femme ; elle régit le flux de notre sang comme le flux et le reflux de la mer. Les hommes n'ont rien de tel pour leur parler de l'ordre véritable. Aussi ils s'imaginent qu'ils peuvent inventer un ordre des choses selon leur volonté ; mais non. Nous devons leur rappeler cela.

« Et voici le couteau noir. Ce couteau te lie à la terre. La terre est une femme, comme nous. Elle porte des enfants, comme nous. De sa chair, elle fabrique les arbres, les moissons et les bêtes. Nous connaissons ce pouvoir dans nos propres corps. Les hommes n'ont rien de tel pour les lier à la terre ; leur ignorance donne lieu à d'étranges chimères. Ils déchirent la terre et la façonnent et creusent en elle. Ils dérobent les gemmes et les métaux qu'elle cache dans ses entrailles. Ils déplaceraient les montagnes s'ils le pouvaient et détourneraient les rivières de leur cours naturel. Ils croient pouvoir en faire à leur guise avec le monde. Ils ont tort. Nous devons leur rappeler cela. »

Elle se pencha en avant sur son siège et tendit vers moi un bras mal assuré.

« Viens ici, mon enfant. Approche-toi. Je vais te dire un secret. » Je m'approchai autant que possible de son trône ; elle plaça ses lèvres près de mon oreille et chuchota d'une voix rauque : « Dans le tréfonds de la terre, il y a des pierres enfouies où nul œil ne les verra jamais. Et à l'intérieur de ces pierres, si tu les brisais, tu découvrirais des merveilles et des prodiges qui rendraient ton âme ivre de tant de beauté. Tiens, je vais te montrer. » Et m'attirant vers sa poitrine, elle tendit un bras tremblant pour étaler les nombreux bracelets qu'elle portait au poignet. À l'un d'eux était pendue une grosse pierre en forme de larme qui scintillait d'or, de pourpre et de vert à la lueur du feu. « Qu'en penses-tu, mon enfant ? demanda Seraphina. N'est-ce pas exquis ?

– Oh, si... si », dis-je en regardant, fascinée, cette minuscule fontaine de couleurs étincelantes. La pierre semblait être éclairée de l'intérieur tant était forte la lumière qui en émanait.

« Plus tu la regardes, plus elle devient merveilleuse, poursuivit Seraphina. C'est un arc-en-ciel venu du fin fond de la terre. Mais ce n'est rien comparé aux pierres qui se trouvent à l'endroit d'où provient cette pierre. Maintenant dis-moi : pourquoi crois-tu que la terre a mis quelque chose d'aussi admirable là où nul œil ne le contemplera jamais ?

– Je l'ignore.

– Tu apprendras la réponse à cela et à de nombreuses énigmes. La terre elle-même te l'enseignera. » Elle me libéra et m'ordonna de me relever. « Maintenant prends tes couteaux et pose-les croisés sur la terre ici même, le blanc sur le noir. »

Je descendis pour faire ce qu'elle me disait et posai doucement les deux couteaux par terre au pied de son trône.

« As-tu entendu parler la terre quand tu as fait cela ?

– Non.

– Mais tu l'entendras avant de regagner ton lit ce soir. » Elle tendit un bras fripé pour attirer Francine vers elle. Francine s'agenouilla auprès de moi à ses pieds. « Toutes ces femmes sont tes sœurs, Elizabeth, comme je le suis moi-même. Mais Francine est ta sœur particulière. Elle t'enseignera des choses que nul homme ne peut t'enseigner, des matières que tu dois étudier si tu veux être ton propre maître. Elle t'apprendra le sens de tout ce que tu as vu cette nuit. Avec elle, tu partageras des secrets que tu ne partagerais avec nul autre. Tu es déjà marquée en tous tes lieux sacrés avec le sang qu'elle a librement donné pour cette cérémonie. Tu seras liée avec elle par le sang à l'intérieur de tes veines. Es-tu disposée à ce que cela soit ? »

Je dis que oui, même si j'éprouvais quelque appréhension. Seraphina demanda ma main et celle de Francine. Tenant nos mains dans la sienne, elle ferma les yeux, pencha la tête et marmonna des mots que je ne pus entendre. Puis Céleste s'avança avec un couteau ; elle en essuya la lame sur une feuille, puis piqua mon index : elle fit de même pour Francine. Seraphina pressa nos doigts l'un contre l'autre et les tint d'une poigne plus ferme que je n'aurais pu l'imaginer chez quelqu'un d'aussi vieux. À nouveau, Francine me donna un baiser sur les lèvres, puis s'écarta. « Ce soir nous avons éclairé ce bosquet de lanternes, expliqua Seraphina. Mais marche un petit peu dans ces bois et tu parviendras à un endroit où la lumière s'arrête et les ténèbres commencent. De même, les mots s'arrêtent. Il y a beaucoup de choses que personne ne peut t'enseigner, beaucoup de choses qui peuvent s'enseigner d'elles-mêmes, des choses qui ne surgiront pas de l'obscurité vers la lumière. Ce qui se produit dans ton corps, quand la vie commence au-dedans de lui, est caché dans les ténèbres. Mais les ténèbres peuvent parler à leur manière. » Comme si elle n'était plus baronne dans cette compagnie mais la servante de Seraphina, ma mère était agenouillée au côté de la vieille femme et tenait une petite coupe dans laquelle Seraphina puisa une substance pâteuse. Elle la tint devant mes lèvres sur ses doigts tremblants. « Tiens, prends. Mange », m'ordonna-t-elle. L'odeur qui en émanait était piquante mais pas déplaisante. La saveur, cependant, était excessivement âcre ; ma gorge se noua presque, refusant tout d'abord d'avaler. J'obligeai la préparation à franchir mon gosier et en un instant, je me sentis défaillir. J'essayai de tenir d'aplomb, mais mes membres avaient perdu leurs forces. Francine et Caroline m'aidèrent à m'éloigner du trône et m'allongèrent sur le sol, la tête placée sous les couteaux que j'avais posés en croix sur la terre. Francine se posta à côté de moi, posa une main sur mon front et l'autre sur mon cœur. Le vertige que je ressentais était devenu une douce et chaude sensation ; ma peau entière semblait rayonner. Levant les yeux, je vis la lune qui me parut si proche que j'aurais pu la toucher en grimpant simplement à la plus haute ramure ; elle dansait presque entre les branches. Les femmes dansaient aussi en cercles entrecroisés autour de l'endroit où j'étais allongée. La musique du tambour, de la flûte et des clochettes remplissait la clairière. J'entendais l'harmonie joyeuse qui allait et venait, allait et venait à mes oreilles. Elle explosa dans ma tête, puis s'évanouit. Peu à peu, je perçus un tremblement dans le sol sous moi ; la trépidation se propageait le long des veines dans mon corps entier. C'était un ébranlement de tout mon être mais, en même temps, une sorte de langage, comme si mon corps était la langue qui parlait ; je crois que je commençai à rire et tout le monde autour de moi rit, un rire fort et bruyant de femme. La terre sous moi rit aussi ; je l'entendis – ou la sentis. Le visage de Francine penché vers moi portait la lune en halo. Je me sentis rassurée et réconfortée, et la tête me tourna presque entre ses bras.

Ce qui arriva cette nuit-là, on me fit jurer de ne jamais le révéler. « Nous conservons nos secrets non par honte ni par peur, m'expliqua Seraphina, mais par respect. Ce que nous faisons ici est à nous. Il existe peu de choses au monde que les femmes puissent revendiquer comme leur bien ; mais ces rites sont les nôtres. Les autres ne comprendraient pas. Ils verraient le mal là où nous voyons le bien. Ils châtieraient et détruiraient. Tu dois respecter ce que tes sœurs entendent garder pour elles-mêmes. Promets-tu de garder enfermé dans ton cœur ce que tu as appris ? »

Et je promis.

Aujourd'hui encore, alors que je suis résolue à tout dire, c'est comme si une main invisible sortait du passé pour sceller mes lèvres et me rappeler mon serment. Mais, en vérité, il y a beaucoup de choses que je ne pourrais dire même si je le souhaitais, car comme la nuit s'avançait, tout prit étrangement l'allure d'un songe, comme si je me pâmais, et mon esprit partit à la dérive. Je sais que l'on dansa et qu'il y eut beaucoup de réjouissances ; les femmes partagèrent la nourriture et rirent ensemble avec une aisance et une gaieté que je n'avais encore jamais vues chez les femmes. Avant que la nuit s'achevât, toutes étaient venues m'embrasser et me jurer leur amour ; beaucoup me donnèrent des gages de leur affection, de simples objets qu'elles avaient fabriqués pour la plupart, mais plus précieux à mes yeux que l'or ou des bijoux. Quand j'eus regagné ma chambre, me fus baignée et coiffée, je me sentis aussi légère que l'air, comme si, à tout moment, je pouvais m'envoler au-dessus des arbres pour étreindre la lune et les étoiles. Quant à ce qui était vrai ou imaginaire, je n'aurais su le dire avec certitude.

Quand je m'éveillai le lendemain matin, ainsi que les jours suivants, je me sentis transportée dans un état curieux et plaisant d'exaltation, un état d'esprit que je souhaitais conserver à tout prix. J'avais l'impression d'avoir été purifiée jusqu'à l'os ou plutôt *polie* au point d'avoir l'éclat d'une pierre précieuse. Cristalline. Et je me sentais le cœur en paix, une paix pour laquelle j'étais débordante de gratitude. C'était comme si je m'étais tenue devant un portail sans voir ce qui se trouvait au-delà et dans la crainte de ce qui me guettait, pour finalement le franchir et découvrir qu'il n'y avait rien d'effrayant. Les autres – mes sœurs – étaient là pour m'accueillir.

Et autre chose encore, le bien le plus précieux de tous. Pour la première fois depuis qu'elle m'avait prise pour sa fille, cette femme que je considérais comme la distante et altière baronne était devenue – dans mes pensées et non plus seulement par les mots – ma mère. Il y avait encore une différence de niveaux entre nous qui exigeait ma déférence à son égard. Mais sous-jacent à cela, il existait désormais entre nous une égalité dont je savais qu'elle deviendrait notre lien le plus fort. Je savais qu'elle le souhaitait autant que moi. Nous étions devenues le sang l'une de l'autre, non pas comme mère et fille, mais comme femmes.

J'avais devenue femme.

Les deux courants

Il est un endroit sur les hauteurs du bois de Bâtie, à une lieue à peine des remparts de Genève, d'où l'on peut observer l'Arve et le Rhône couler ensemble. Un jour, mon père m'emmena voir cette remarquable confluence. Sur plusieurs mètres après leur jonction, les flots des deux rivières – le gris songeur de l'Arve, le bleu royal du Rhône – coulent côte à côte, comme s'ils devaient rester à jamais séparés dans leur lit commun. Mais alors, avec grâce et subtilité, ils mêlent leurs eaux pour former un seul fleuve, ce Rhône grossi qui dévale les pentes pour aller arroser les riches terres du Midi.

Après que j'eus été initiée aux mystères des femmes, voici comment je découvris Belrive sous sa nature spirituelle. Plus qu'un manoir ancestral, le domaine était à une croisée des chemins, un moment clé où deux grands courants de vie convergeaient. L'un s'incarnait dans les travaux et les espérances du baron, un flot puissant qui se projetait vers l'avenir, transportant les aspirations dynamiques de toute l'humanité. Mon père était esprit, science, invention : la force de la pensée révolutionnaire. L'éclair qu'il avait hardiment choisi pour nos armoiries familiales exprimait sa vision enfiévrée en laquelle résidait une puissance qui pourrait éclairer le monde, voire l'embraser. Bien qu'il parlât du pouvoir de la Raison, celle-ci n'était pas pour lui une affaire de froide précision géométrique. C'était une passion de l'âme qui pourrait à juste titre emporter tout ce qui se dresserait sur son passage.

En apparence, au regard du monde, Belrive était la maison de mon père. Les grandes *soirées** et les affaires d'État, qui rassemblaient des notabilités avec leurs femmes, et des hommes de lettres, c'était lui. C'était ce que l'on voyait de Belrive si, debout sur sa pelouse de gazon velouté en quelque grande occasion, on contemplait les lustres qui brûlaient derrière chaque fenêtre et toutes les salles où se pressaient les invités. Mais à présent, je savais que ma maison était bien davantage que cela. Même quand le château était éclairé du haut en bas, étincelant de tous ses feux, il n'était qu'un minuscule point lumineux cerné par la nuit et le silence. Autour de l'îlot des Lumières créé par mon père, il y avait les forêts obscures et les clairières mystérieuses qui se trouvaient là depuis le commencement, plus vieilles encore que les ossements de ces rois barbares qui gisaient sous nos fondations. Ces ténèbres enveloppantes formaient le second Belrive, le Belrive de ma mère, un courant venu du tréfonds de la terre, charriant avec lui le souvenir de comportements primordiaux. Mon père fixait le cap, conduisant le paquebot de la civilisation vers des continents inconnus. Ma mère était l'ange tutélaire des anciennes sources. Il fallait prendre les deux ensemble, le courant qui cherche et la rivière de la mémoire, pour composer le vrai Belrive.

J'étais parfois tentée de qualifier l'un des courants de totalement masculin, l'autre, de totalement féminin. Mais ils ne l'étaient pas. Car, à de nombreuses reprises, je vis le cœur tendre de mon père se révéler dans des gestes de bonté. Par ailleurs, je voyais surgir des éclairs d'intelligence masculine chez ma mère. L'intelligence était chez elle un talent de l'esprit ; mais elle était équilibrée par l'autre courant qui représentait chez elle la fidélité au cœur. Comme je n'allais pas tarder à l'apprendre, elle voulait m'insuffler cet équilibre et plus encore chez Victor, qui semblait souvent se laisser emporter aveuglément par le courant de la recherche. Nous étions censés marier les deux flots en une union harmonieuse. Elle mit en œuvre ce dessein presque aussitôt après la nuit de mon initiation.

Pour commencer, le baron devint fort commodément préoccupé par des affaires urgentes qui le tinrent éloigné de notre foyer durant plusieurs mois d'affilée. Comme il travaillait principalement hors de ses locaux en ville, qui se situaient à plus de deux heures en bateau par vent favorable, ses activités restaient largement mystérieuses pour moi. Tout ce que je savais, c'est qu'il œuvrait principalement dans le commerce de l'or, qu'il transportait en grosse quantité dans les centres de commerce à travers toute l'Europe et bien au-delà. Mais je ne soupçonnais pas sous quels horizons lointains avant le jour où, comme il s'apprêtait à prendre congé pour un long voyage, il nous emmena, Victor et moi, visiter ses bureaux de banque sur la Grand'Rue. Frankenstein Fils était un ensemble de pièces confortables où une douzaine d'hommes s'affairaient avec une intensité fiévreuse à échanger des documents et à comparer des livres de comptes. Sa principale caractéristique, à mes yeux profanes, résidait dans l'immense mappemonde qui s'étalait sur un mur et sur laquelle des chiffres étaient apposés et dcs lignes tracées pour enregistrer les opérations du baron. C'est alors que, pour la première fois, je me rendis compte jusques à quels confins le nom de notre famille s'était transporté hors de nos frontières. Car partout où les exigences du commerce conduisaient le baron, l'endroit était marqué d'un minuscule fanion qui portait les armes de Frankenstein. « En juin, je serai ici... et en septembre, là... et en décembre, ici... », dit le baron en enfonçant à chaque fois un nouvel insigne. À présent, il y avait des petits drapeaux disséminés à travers toute l'Europe, du royaume du Portugal aux plaines de la Moscovie. Un voyage avait permis d'apposer les armes des Frankenstein sur le Nil à la hauteur des grandes pyramides et un autre tout au fond des possessions du Grand Turc, dans les fabuleuses cités de Bagdad et Samarra.

« Est-il permis de faire du commerce avec les musulmans ? demandai-je, me rappelant les multiples développements qu'il nous avait faits sur les grandes croisades.

– Pourquoi pas ? répliqua-t-il. L'or des païens est aussi bon qu'un autre. Et, je t'assure..., ajouta-t-il d'un air entendu, il y a beaucoup plus à gagner chez le sultan que chez n'importe quel banquier chrétien... y compris chez moi. »

Mais depuis peu, ses intérêts le portaient vers d'autres horizons : de l'autre côté de l'Atlantique, vers l'Ouest lointain, où les colonies américaines s'étaient soulevées contre le roi George d'Angleterre. Comme il décrivait le voyage qui l'attendait, il planta des fanions sur des villes appelées New York et Boston.

« Et par-delà ces avant-postes, déclara-t-il, balayant de la main le reste du continent, des étendues solitaires, rien qu'une vaste solitude. Des déserts, des montagnes, des sauvages au visage peint. Ce sera l'œuvre des siècles à venir d'apporter la civilisation dans ces contrées abandonnées de Dieu.

– Et devez-vous vraiment vous rendre en des lieux aussi sauvages ? m'enquis-je.

– Cette fois, mon enfant, je ne voyage pas pour cause de commerce. L'or que j'ai expédié dans le Nouveau Monde, je ne compte pas le revoir, et ne souhaite pas non plus qu'il me soit rendu. Il a été consacré à réaliser l'œuvre de M. Voltaire et cela est une récompense suffisante pour un esprit éclairé. »

Je compris l'allusion. Tout comme ma mère m'avait donné Rousseau à lire, le baron avait insisté pour que j'étudie l'œuvre de Voltaire, qu'il portait aux nues. J'étais presque assignée à la lecture de l'*Essai sur les mœurs et l'esprit des nations,* et pressée de questions à ce sujet chaque soir au dîner. Le baron s'était maintes fois engagé auprès du célèbre sage de Ferney, qu'il appelait « le premier réformateur social de notre temps ». Et quand, quelques années à peine avant mon arrivée, il avait appris la mort de Voltaire, le baron, qui ne pouvait retenir ses larmes, avait fait incontinent le vœu de devenir le fidèle disciple de ce grand penseur. D'après ce que je compris, les braves colons qui s'accrochaient aux rivages boisés de l'Amérique s'étaient soulevés contre les Anglais au nom de leurs libertés ; aux yeux du baron, c'était là un coup contre la tyrannie que Voltaire aurait approuvé. Victor m'avait dit quel rôle le baron jouait pour assurer l'indépendance des rebelles ; il leur avait expédié des chargements d'or pour acheter l'armement, devenant ainsi un champion de la cause révolutionnaire. Maintenant que l'insurrection avait pris fin, il était invité à visiter le pays à la naissance duquel il avait contribué, afin de recevoir les hommages de ceux qu'il avait aidés.

« Et ici même, poursuivit-il en fixant un drapeau sur une ville appelée Philadelphie, à la limite de la frontière indienne, le croiras-tu ? habite l'esprit le plus brillant de notre temps... hormis M. Voltaire lui-même. »

Victor savait déjà qui c'était.

« Le docteur Franklin, proclama-t-il.

– Parfaitement. As-tu entendu parler du docteur Benjamin Franklin, ma chère petite ? » me demanda-t-il.

Ce nom m'était inconnu.

« Victor peut t'en dire davantage. Il est particulièrement versé dans les études en électricité du docteur Franklin. Cet homme s'est emparé du feu vivant du ciel pour nous, tel un Prométhée moderne. Un jour, nous utiliserons le fluide électrique qu'il a étudié pour créer une nouvelle civilisation. Car c'est un pouvoir prodigieux. Qui peut dire jusqu'à quel point ? Peut-être serons-nous capables de donner à nos petits amis l'étincelle de vie ? Pense donc ! Une toute nouvelle race humaine, peut-être supérieure à nous. » Puis, roulant les yeux en direction de Victor, il ajouta : « Et que dirais-tu, mon garçon, si je t'apprenais que l'on m'a promis l'honneur de rencontrer le docteur Franklin ? »

Victor resta bouche bée de stupéfaction.

« Vraiment ?

– Absolument. Il a pris des dispositions pour que je devienne citoyen d'honneur. Je te rapporterai un souvenir de cette circonstance. Peut-être une des inventions remarquables du docteur Franklin.

– Parle-moi de l'électricité, dis-je à Victor après le dîner.

– C'est une étude dangereuse, répondit-il en fronçant les sourcils d'un air rempli d'importance. Il faut être très brave pour la poursuivre. Le docteur Franklin aurait pu être tué en s'attaquant à la foudre comme il l'a fait.

– La foudre est faite d'électricité, alors ?

– Bien sûr. C'est bien le même élément. Le docteur Franklin l'a prouvé. Nous pourrons bientôt traiter la foudre comme notre jouet ; nous l'utiliserons pour cuire nos repas et chauffer nos maisons. Les hommes la dompteront comme ils ont dompté les chevaux sauvages et la réduiront à l'état d'esclave pour la mettre à notre service.

– Mais comment une chose aussi sauvage que la foudre peut-elle être domptée ?

– D'abord, elle doit être capturée hors de l'éther dans une bouteille de Leyde.

– As-tu un pareil ustensile ?

– Le meilleur de Genève. Mon père l'a acheté pour moi. Il peut conserver l'essence sans substance de l'électricité pour qu'on puisse l'étudier.

– Me montreras-tu la bouteille ?

– Mieux que cela, fillette. Un jour, quand tu seras assez grande pour comprendre, je ferai une expérience pour toi et tu pourras constater sa puissance de tes propres yeux. »

Peu après le départ en voyage du baron, il y eut un changement qui me plut moins encore. Avec notre mère, Victor et Ernest devaient partir pour un séjour prolongé ; je devais rester seule au foyer. Ils passeraient plusieurs semaines à Thonon-les-Bains. J'y étais déjà allée prendre les eaux en famille, comme les visiteurs venus de toutes les régions d'Europe. L'endroit avait la réputation d'avoir un effet salubre, mais je ne m'y plaisais pas. Je n'aimais pas la moiteur froide des bains et l'odeur d'infirmité qui flottait dans l'air. Il me paraissait plus à mon goût de visiter les nombreuses ruines romantiques qui agrémentaient les montagnes bordant le lac. Certaines étaient censées être habitées par des âmes errantes ; le bruit courait qu'on avait vu un vrai squelette marcher sur les parapets du palais ducal où nous étions descendus. Mais sûrement ma mère n'allait pas séjourner si longtemps à Thonon simplement pour se baigner ou explorer les châteaux hantés. Même Victor ignorait pourquoi il devait participer au voyage ; notre mère y tenait et il s'inclina. Ce serait la première fois que nous serions séparés depuis mon arrivée à Belrive.

Francine devient mon précepteur

Je me consolai de l'absence de Victor du fait qu'on me confia aux soins de Francine. Ma mère avait souhaité que, dans les jours suivant immédiatement mon initiation aux mystères, je fusse seule avec Francine aussi souvent que possible. « Elle sera ton professeur particulier, me dit-elle. Elle t'enseignera ce que d'autres ne peuvent t'enseigner. »

Francine commença à venir seule au château pour la première fois ; elle me rendait visite quand le vicaire était absent et restait parfois plusieurs jours d'affilée. Le plus souvent quand nous souhaitions parler ensemble, elle me conduisait à la clairière où nous nous étions livrées à nos rites. Avais-je des questions à lui poser ? me demandait-elle. Et comment donc ! Tellement que je ne savais par laquelle commencer et toutes sortaient à la fois en se bousculant. D'où venaient toutes ces femmes ? Se réunissaient-elles souvent dans la clairière ? Qui les avait convoquées ? Pourquoi étions-nous dévêtues ? Quelle était la signification du disque d'argent ? Et des deux couteaux ? Et que m'était-il arrivé à la fin de cette nuit mémorable, quand j'étais certaine d'avoir volé audessus des arbres ?

Francine rit en entendant le flot de questions qui jaillissait de ma bouche. « Une interrogation à la fois ! me reprit-elle. Et tu dois réfléchir mûrement à chaque réponse que je te donne sans te précipiter sur la suivante. Car ce ne sont pas des leçons comme celles qui te sont familières, pas même comme le catéchisme que tu apprends avec le pasteur. La connaissance de nos pratiques est d'une autre espèce. Celles que tu as rencontrées sont des “femmes sages”, dont les enseignements ne peuvent être transcrits dans les livres ni enseignés par des sermons. Cependant il s'agit de la simple connaissance des choses ordinaires : si tout allait bien en ce bas monde, nous n'aurions pas besoin de recevoir un enseignement particulier pour les apprendre, et nous n'aurions pas besoin non plus de nous cacher pour en parler. Mais dans la situation actuelle, si les femmes n'enseignaient pas ce savoir aux jeunes filles, tu ne connaîtrais rien de ce qui concerne ton propre corps.

– Seraphina est-elle une “ sage ” ? » m'enquis-je.

Je désirais en savoir beaucoup plus long sur cette mystérieuse dame.

« Oh, oui. La plus vieille et la plus sage d'entre nous, plus sage encore que ta mère, qui fut mon professeur.

– Je n'ai jamais vu d'oiseau tel que celui qui l'accompagne.

– Alou ? Personne n'a jamais vu d'oiseau pareil. Seraphina dit que son oiselle vient des îles des mers du Sud, où des oiseaux de ce genre sont honorés comme des oracles.

– Est-elle aussi vieille que Seraphina le dit ?

– C'est possible. C'est sûrement un animal plein d'esprit. Seraphina s'entretient sans cesse avec elle, mais dans une langue que personne ne comprend. J'ai entendu dire que Seraphina envoyait l'oiseau en reconnaissance quand elle voyage, pour qu'elle l'avertît des dangers. Une “femme rusée” qui voyage à l'étranger s'expose à de grands périls.

– Comment est-elle devenue si sage ?

– On dit que ses parents étaient des gitans originaires de Sicile, mais elle a étudié nos pratiques dans de nombreux pays, comme sa mère avant elle. Les femmes qui l'ont formée appartiennent à une longue lignée qui remonte très loin dans le temps ; Seraphina croit qu'elles remontent jusqu'à la nuit des temps, au temps de Pharaon et des grandes pyramides. Tu ne verras pas leurs noms dans les livres ; les femmes, vois-tu, n'ont pas d'histoire, sauf celle dont nous nous souvenons nous-mêmes. C'est pourquoi nous lisons toujours le nom des plus grandes d'entre nous quand nous nous rassemblons lors de la première pleine lune de l'été. Tu as vu le grand rouleau que Céleste tenait ? Ce doit être le document le plus vieux du monde, qui fut entièrement écrit par des femmes et en de nombreuses langues. Les noms de nos sages s'y ajoutent ; Céleste les connaît par cœur. Après elle, une autre d'entre nous fera de même. Nombre de celles qui sont nommées ont grandement souffert pour leur savoir ; elles sont mortes comme les martyres de l'Église chrétienne. Au-dessus du nom de certaines, tu verras un trait irrégulier comme ceci ; celles-ci furent brûlées vives sur le bûcher. Sous le nom de certaines autres, tu verras un trait ondulé comme cela ; celles-ci furent noyées. D'autres noms sont encerclés ; celles-ci furent pendues. Et toutes furent torturées et violées avant de trouver le repos. Sais-tu ce que je veux dire par “violer” ? »

Je dis que non.

« Cela veut dire que leur organe sexuel, ce lieu qui devrait être respecté comme la porte de la vie, fut forcé par des hommes, à leur corps défendant. C'est une façon que les hommes ont inventée d'utiliser leur sexe, non pour le plaisir, mais pour humilier et faire souffrir, comme si leur organe était une arme. Le monde n'honore pas les femmes qui ont souffert de cette manière, mais nous, si. Car nous sommes le sang de leur sang, et nous en sommes fières. Ce que ces femmes ont apporté à l'humanité, personne ne saura jamais l'évaluer. Toutes les sciences de la vie proviennent d'elles, nous enseigne Seraphina : ce que nous savons de l'art de planter et de tisser, de cuisiner et de nourrir. Savais-tu que le grand Paracelse a dit un jour que si tu veux apprendre l'art de guérir, va parmi les femmes et apprends auprès d'elles ? Il fut lui-même l'élève d'une sorcière dont le nom nous est inconnu.

– Mais alors pourquoi ces femmes sages ont-elles dû souffrir ? »

Francine laissa échapper un petit ricanement.

« C'est une grande énigme. Parmi les chrétiens, c'est parce que les Pères de l'Église voulaient purifier le monde de toute superstition ; mais les pires superstitions sont de leur propre invention : des mensonges et des mystifications qu'ils attribuent à d'autres. Ils croient que nous pouvons voler telles des chauves-souris dans la nuit et faire sortir des cochons de la terre, tu t'imagines ! Ils inventent cette folie et puis nous traitent de démoniaques. »

Même quand Francine m'expliqua aussi attentivement que possible comment elle avait utilisé le disque d'argent cette nuit-là pour attirer sur moi la lune afin qu'elle me bénît, ou comment les couteaux étaient les deux voix du monde – la voix du Ciel et celle de la Terre –, je ne compris pas tout ce qu'elle essayait de m'apprendre. « Moi non plus, reconnut-elle en riant. Pas ici, dit-elle en indiquant son front, mais là, je crois avoir une sorte d'intelligence. » Elle passa la main sur sa poitrine. « Il y a une connaissance du monde d'en haut, qui est brillant et limpide ; telle est la connaissance de la lame blanche. Et une seconde connaissance, qui préfère les ténèbres et le silence. Telle est la connaissance de la lame noire. Chacune d'elles, seule, est une demi-vérité ; mais ensemble, l'une fertilise l'autre. » Elle tendit ses mains avec les deux index croisés. « Parfois, c'est ainsi que nous nous saluons. Quand nous sommes en compagnie d'étrangers, nous effectuons ce signe. Si nous sommes en présence d'une sœur, elle fera de même. Tu vois ? Comme les deux lames croisées. C'est le signe que l'obscurité a son rôle à jouer : nous devons donc trouver le moyen de nous y fier autant que nous nous fions à la lumière. Ce qui se produit à l'intérieur d'une femme – ici – quand un enfant se forme, cela se produit dans l'obscurité. Notre corps n'a pas besoin de mots pour savoir ce qu'il fait. »

Et pour le disque d'argent ? Que voulait dire le fait qu'elle m'ait touchée et embrassée comme elle l'avait fait ?

« C'était pour t'apprendre que tu ne dois pas avoir honte d'être une femme, ni d'aucune partie de ton corps. Toutes doivent être honorées pareillement : l'esprit, le cœur, la chair... toutes.

– Mais tu m'as embrassée ici, lui dis-je en pointant un doigt.

– Certes, là aussi. Cette partie aussi est sacrée. Aucun homme ne te le dira, mais c'est vrai. À l'Église, les chrétiens m'ont appris que mon sexe était impur, ne devait être ni touché, ni vu, ni évoqué, même s'il avait besoin d'être soigné. Mon corps doit être recouvert comme s'il était un objet de honte. Les hommes ont appris cela à ma mère, et à sa mère avant elle. Ceux qui désirent notre corps – car ils le désirent, chacun d'entre eux – nous font honte en le gardant couvert comme si nous étions de redoutables tentatrices. C'est pourquoi nous allons dévêtues, quand nous nous réunissons entre femmes : pour montrer que nous n'avons plus honte de ce que les hommes pensent de nous. Et pour nous rappeler que nous sommes toutes égales dans notre féminité, accablées par les mêmes vicissitudes. La Nature n'a rien fait dont elle ait à avoir honte. La Nature est elle-même, après tout, une femme ; certains l'ont appelée déesse. »

C'était une chose stupéfiante à entendre. Je n'avais jamais vu ce mot sauf dans des livres qui parlaient des temps anciens.

« L'est-elle ?

– Ne le crois-tu pas ?

– Dieu est un homme... c'est ce que j'ai appris. Y a-t-il un autre dieu que lui ? »

Francine se frotta le front.

« Seigneur ! Ta mère aurait pu t'expliquer cela mieux que moi. Ou peut-être Seraphina. Je ne suis pas très versée dans ces questions-là. » Elle éclata de rire. « N'oublie pas que je suis la femme du pasteur. Ma pauvre tête déborde encore du catéchisme de mon mari... et de ses interminables prêches. Il parle et parle et parle de Dieu, Dieu, Dieu ! Pour ma part, je sens qu'il y a des puissances comme celle de Dieu tout autour de nous, dans les arbres... et les montagnes... et les nobles animaux. Je ne puis dire où Dieu s'arrête, ni ce qui dans le monde est *autre* que Dieu, ce qu'il faut traiter comme une chose vile et qui doit être rejetée. Seraphina nous a enseigné que même les choses déplaisantes – les choses qui pourrissent et empestent – doivent être honorées, car c'est par elles que la terre donne la vie. Mais peu de gens le comprennent. Je sais cela et te mets en garde : il est malavisé de parler d'un autre dieu que celui sur lequel les chrétiens aiment discourir à tort et à travers. Les chrétiens aiment croire que le monde n'a pas eu besoin d'une mère pour voir le jour, seulement d'un père. Alors surveille bien tes paroles. Dans certaines régions du monde – pas à Genève, le Ciel soit loué ! – tu serais condamnée à mourir par le feu ou l'eau pour douter de Dieu le père. »

Quand nous parlions ainsi du monde et de Dieu, ma tête était pleine de confusion, Mais il y avait d'autres sujets qui étaient beaucoup plus à la portée de mon entendement. À présent, sous la direction de Francine, je me rendais compte combien j'en savais peu sur le fonctionnement de mon corps ! Même si chaque jour, quand je me regardais dans la glace, je voyais des changements se faire plus visibles, je n'avais aucune idée de la raison pour laquelle cela se produisait. « *Pourquoi* une femme se transforme-t-elle ainsi ? » demandai-je, rougissant de mon ignorance.

« Mais tu n'es pas aussi ignorante que les autres jeunes filles, m'assura Francine, amusée par mon embarras. Ta nourrice bohémienne t'a permis de voir comment les enfants viennent au monde. Tu ne sais pas quel privilège ce fut. Peux-tu t'imaginer qu'il y a des femmes qui n'ont jamais au l'autorisation de voir cela... de peur qu'elles ne soient trop délicates ? Elles doivent attendre pour le savoir que leur soit imposé l'enfantement.

– Vraiment ?

– Absolument. Ce fut mon cas. À ton âge, ma mère ne voulait rien me dire. Je n'étais pas autorisée à me baigner sans mon jupon. Mon propre corps m'était étranger.

– Vous n'avez jamais assisté à la naissance d'un bébé ?

– Non. Pas avant que Seraphina, il y a quelques années seulement, s'arrangeât pour que je regarde une de ses femmes pratiquer. »

Comme je l'avais appris entre-temps, Seraphina était une matrone, comme ma mère d'adoption Rosina ; elle avait aidé de nombreuses femmes de la région à accoucher ; elle avait mis au monde Victor et Ernest. Trop frêle à présent pour l'ouvrage, elle se faisait remplacer par d'autres matrones qu'elle avait formées et autorisait souvent des femmes de notre communauté à venir voir.

« Pis encore, poursuivit Francine, les jeunes filles n'ont pas le droit de savoir comment ces bébés entrent en elles... de peur que cela ne heurte leur sensibilité.

– Mais comment le font-ils ? demandai-je car de cela, même Rosina n'avait jamais parlé.

– C'est si simple ! s'exclama Francine en riant. Pourtant, on nous élève de manière à nous faire croire que c'est le secret des secrets. » Puis, très allègrement, elle se mit à m'expliquer ; mais quand elle en vint au rôle du père dans cela, je ne pus, malgré la promesse que j'avais faite de garder le silence, m'empêcher de lui parler de Victor. « Mais j'ai vu un garçon comme cela, rétorquai-je presque contente de moi. Je l'ai même... touché.

– Ah ! Alors nous devons en parler », déclara Francine en prenant un air plus grave. Car elle savait que je parlais de Victor. « Dis-moi, ma chère enfant, que penserais-tu si tu te réveillais un de ces matins pour découvrir qu'il y a un bébé *ici*, à l'intérieur de ce corps de jeune fille ? » Elle posa une main sur mon ventre.

Je fus choquée par cette idée.

« En *moi* ? Comment serait-ce possible ?

– Réfléchis à ce que je t'ai dit. Tout ce qui arrive à présent à ton corps te prépare à cela, si jeune que tu sois. Tu es souvent seule avec Victor, n'est-ce pas ? Au château ? Ici, dans les bois ? N'est-ce pas le cas ?

– Si.

– Victor pourrait être le père de cet enfant... si tu l'y autorisais. Cela peut ressembler à un jeu. Un simple jeu d'enfants. Mais il serait bien davantage par ses conséquences. Beaucoup de jeunes filles de ton âge dans tous les villages alentour se font engrosser ; certaines ne savent absolument pas ce qui leur est arrivé presque jusqu'à la venue de l'enfant. Je sais cela par les visites que je fais avec Charles. Ces pauvres filles n'ont pas choisi d'être mères ; mais brusquement, tel est leur destin, et certaines ne sont pas même assez robustes pour subir cette épreuve. De quel prix les femmes paient leur ignorance ! Tu ne dois jamais te fier à un homme pour se maîtriser. Il y a quelque chose de la bête en chacun ; et plus ils le dénient et feignent la piété, moins on peut leur faire confiance. C'est un procédé courant chez ces tartufes de ne montrer leur aspect le plus vil qu'aux femmes, pour mieux les piétiner. »

Ce qu'elle donnait à entendre me remplit de dégoût et de peur. C'était la chose la plus éloignée de mes vœux. Même si je croyais avoir écouté attentivement tout ce que Francine me disait, cette seule pensée – que moi, je pouvais être mère ! – donnait finalement à ce qu'elle me disait un sens effroyable. « Mais que dois-je faire ? » demandai-je comme si je courais un danger immédiat.

Francine s'approcha pour me prendre dans ses bras.

« C'est ce que tu ne dois pas faire qui importe, mon enfant ! répondit-elle avec entrain.

– Mais si je ne puis le faire comprendre à Victor ?

– Il comprendra. Rassure-toi : Victor a déjà entendu tout ce que je te dis. Et c'est un garçon intelligent. »

Ce que j'avais en tête avait peu à voir avec l'intelligence. Il s'agissait plutôt du déferlement de violence que j'avais découvert en lui et que je doutais de pouvoir dompter. Il était trop agile et trop téméraire. Francine vit que je me tourmentais. « Assurément, dans ces affaires, le savoir ne suffit pas en soi. C'est pourquoi Victor et toi devez vous entraider à être attentifs. »

À compter de ce jour, la perspective de devenir une femme me parut effrayante. J'en vins à vouloir éviter Victor, dont le caractère enjoué m'apparut brusquement comme une menace. Quand, lors d'une autre visite dans la clairière, j'avouai à Francine ma nouvelle disposition d'esprit, elle fit preuve de la plus grande inquiétude.

« Mais mon dessein n'était pas de t'alarmer. Au contraire. Il y a tant de choses dont il faut se réjouir. » Puis s'interrompant pour plonger son regard dans le mien, elle me demanda : « Crois-tu que je sois ta véritable amie, Elizabeth ?

– Oui, répondis-je sans hésiter.

– Alors, vois dans ce que je vais faire un geste d'amitié, rien d'autre. Parfois nous devons laisser parler notre corps ; je crois qu'il est notre meilleur maître. Viens, je vais te montrer. »

Elle se leva et commença à retirer ses vêtements. « Allons, allons, insista-t-elle. Tu dois en faire autant. » Je m'exécutai. « Ce que j'ai à t'apprendre, me dit Francine, est tellement facile... Il s'agit simplement de connaître les particularités de ton corps. Mais qui d'autre te les enseignera ? » Quand nous fûmes nues toutes les deux, je ne pus m'empêcher de contempler le corps de Francine avec admiration et envie ; elle avait le physique des déesses que j'avais vues sur les tableaux. Je comparais malgré moi ses courbes épanouies avec mon corps menu.

« Vous êtes si belle, Francine ! dis-je. J'espère vous ressembler un jour. »

Là-dessus, elle rit non sans amertume. « Les femmes sont souvent flattées pour leur apparence, comme si c'était un exploit. Le but de cela est, comme j'espère que tu l'apprendras, de nous rendre vaniteuses et de nous dresser les unes contre les autres, en séparant les belles des ordinaires. Avec le temps, toutes les femmes, même les plus ravissantes, perdent la beauté de la chair. Devons-nous vivre dans la crainte de cela ? Mais je te remercie de tes paroles, ma chère petite. À présent, fais bien attention. » Elle fouilla dans sa bourse dont elle tira un petit miroir. « Maintenant fais comme si j'étais ton infirmière qui t'explique comment prendre soin de ton corps. » Elle me fit écarter les cuisses et tint le miroir de sorte que je pusse voir mon sexe comme je ne l'avais jamais vu. Ensemble nous explorâmes ce lieu labyrinthique avec ses plis de velours rouge et ses recoins ondulés. Posant un doigt ici et là, Francine m'apprit le nom de toutes ces parties de moi ; j'aurais pu me sentir horriblement gênée de me trouver ainsi mise à l'étude, mais elle adopta un ton tellement professoral que cela aurait pu être une leçon de géographie ! Pourtant, c'était mon propre corps que j'inspectais comme si c'était une terre d'Orient. « Connais-tu cette partie-là ? » me demanda-t-elle.

Elle avait posé le doigt sur un gonflement délicat sur le devant. Elle caressa doucement cet endroit pendant un moment jusqu'à ce que j'éprouve un frisson familier courir le long de mes cuisses.

« Oui, concédai-je. J'ai parfois touché cela.

– N'as-tu pas trouvé cela plaisant ?

– Certes... mais je croyais que, peut-être, je ne le devais pas.

– Ah bon ? Qui t'a dit cela ?

– Ma précédente mère, Rosina... avant que je vienne ici. Un jour, elle m'a vue me toucher là pendant que je me baignais. Elle m'a retiré la main et m'a dit que je ne le devais pas.

– T'a-t-elle donné une raison à cela ?

– Elle m'a dit que de me toucher là me donnerait des boutons sur le visage et que personne ne me trouverait jolie. Elle m'a dit que les hommes me trouveraient dégoûtante s'ils savaient que je faisais cela et que personne ne me ferait la cour. »

Francine éclata de rire. « Quelle absurdité ! Comment les femmes peuvent-elles croire de pareilles sornettes ! Laisse-moi te montrer à quoi cela sert. » Et, se servant de son corps et du mien, elle m'enseigna plusieurs façons de caresser cette partie, qu'elle aimait appeler la perle parce qu'en effet, elle était cachée comme une perle entre les plis d'une huître. Ce jour-là fut la première fois où je pris pleinement plaisir à mon corps, en n'éprouvant ni honte ni peur. Je découvris des postures que je pouvais prendre et des manières de respirer qui envoyaient la sensation plus profondément, et des manières par lesquelles celle-ci pouvait se prolonger presque à l'infini. Il y avait une huile que Francine me donna à utiliser qui parut stimuler la sensation, et une liqueur amère qu'elle me donna à boire, dont quelques gouttes suffirent à me plonger dans un état second qui dura... je ne puis dire combien de temps. Le plaisir fut alors moins vif, mais les divagations qui me traversèrent l'esprit me procurèrent une jubilation d'une autre espèce. « À quoi penses-tu ? » s'enquit-elle quand j'eus quelque peu recouvré mes sens.

J'hésitai à le lui dire.

« À Victor... Je pense qu'il me fait la même chose.

– Et il se peut qu'il le fasse un jour, si tu le lui enseignes.

– Ce n'est pas mal... si un homme me touche comme vous l'avez fait ? »

Francine sourit, mais son sourire était voilé par une sorte de chagrin.

« C'est même très bien ; c'est un geste d'amour merveilleux. Mais certains hommes ne veulent pas se donner cette peine. Ils ont de tristes, d'étranges idées sur les femmes, y compris leurs propres épouses. Ils croient qu'elles n'ont ces organes que pour avoir des enfants et que nous ne trouvons aucun plaisir à faire l'amour, ou bien ils ne veulent pas que nous en ayons. C'est pourquoi... parfois, les femmes se débrouillent entre elles... comme je l'ai fait pour toi aujourd'hui.

– Ce n'est pas mal pour les femmes de faire cela ?

– Crois-tu que ce que nous avons fait soit mal ?

– Oh non !

– J'en étais sûre, sinon je me serais retenue. Je crois que ce que les femmes font par amour et bonté pour se réconforter entre elles ne peut être mal. Mais, encore une fois, je te mets en garde : il y en a qui n'approuveraient pas de pareils actes. Ils diraient que c'est contre nature. En revanche, qu'une femme vive sans amour, dans la honte et le désespoir, et ne connaisse jamais les délices qu'elle peut prendre à son propre corps... ils trouvent cela "naturel".

– Puis-je enseigner à Victor ce que vous m'avez appris sur mon corps ?

– Ah ! Ce n'est pas à moi de te répondre. Tu dois poser la question à la baronne Caroline. Elle a certains desseins qu'elle te fera connaître en temps voulu. Mais je t'en supplie, en attendant qu'elle t'en parle, sois prudente, mon enfant. »

Francine m'enseigna encore bien d'autres choses durant les jours qui suivirent. Elle m'apprit le cycle complet de l'année de la femme, chaque saison étant célébrée lors de sa première nouvelle lune. Elle m'apprit nombre de rituels et de chants de la communauté et le sens des symboles et ustensiles que je verrais intervenir dans nos rites ; elle me parla des « femmes sages » qui avaient vécu auparavant, dont beaucoup avaient été harcelées et persécutées pour leurs croyances ; et elle me montra les secrets des plantes que je pourrais utiliser pour me soigner et soulager la douleur qui venait avec le saignement. Mais encore et encore, elle m'enjoignit la prudence dans ce que je dirais et à qui je le dirais. « Nous conservons nos secrets non par honte mais par prudence », me dit-elle. Par-dessus tout, je devais me garder d'évoquer la communauté en présence des hommes, dont peu seraient susceptibles de comprendre nos pratiques.

« Le baron sait-il ce que nous faisons dans la clairière ? demandai-je.

– Le baron est un homme perspicace. Je ne puis croire qu'il soit ignorant des activités de sa femme. Il connaît sûrement ses peintures, même s'il n'en parle pas.

– Approuve-t-il donc ce que fait ma mère ? »

Francine sourit avec douceur. « Le baron est un homme de l'ère nouvelle. À l'instar de M. Voltaire, il défendra la liberté même de ceux dont il méprise les croyances. Surtout, il aime Caroline de tout son cœur. Elle est la seule femme qu'il ait véritablement connue ; il la vénère presque. Je crois qu'elle pourrait recevoir de lui toute l'indulgence qu'elle voudrait. Tu as entendu l'expression " fermer les yeux " ? C'est ce qu'il a décidé de faire. Comme beaucoup d'hommes de la région, qui savent ce que font leurs femmes. Il y a, bien sûr, des hommes pour lesquels notre savoir doit être tenu secret. C'est mon cas. Charles ne saurait tolérer un pareil blasphème. Aussi tu es prévenue ! Tu n'es plus une enfant, Elizabeth. J'espère que tu sauras tenir ta langue. »

Son ordre me troubla ; car il y avait un homme qui en savait long sur nous. Chaque fois que nous nous retrouvions pour parler, je me sentais plus fautive de ne pas en prévenir Francine. Enfin, quand je ne pus plus me taire, je déclarai : « Victor connaît cet endroit. Il m'a amenée ici pour épier... vous épier. Peut-être a-t-il observé d'autres choses. »

Francine médita cette information, mais ne témoigna ni surprise ni dépit pour ce que je venais de lui révéler. Finalement, avec un air de profonde perplexité, elle admit : « Je sais cela. C'est le désir de la baronne Caroline que Victor puisse parfois assister à ce que nous faisons ici. Elle lui a parlé de la clairière. » Elle se hâta d'ajouter : « Mais cela reste un secret même pour nos sœurs. Tu dois le respecter. »

Je fus étonnée par ses propos. « Mais pourquoi laisse-t-elle Victor regarder ? »

Francine parlait maintenant comme si elle avançait à tâtons ; je vis qu'elle était troublée par ce qu'elle me disait.

« Elle veut que Victor connaisse les secrets des femmes ; cela est destiné à lui servir d'enseignement, dit-elle. Tu dois le comprendre, mon enfant. Victor compte énormément pour elle. Ce qu'elle fait est en grande partie pour lui. Je n'exagérerais pas en disant qu'il est toute sa vie.

– Et vous vous moquez qu'il regarde ce que vous faites ? »

Elle pesa sa réponse. « Je ne m'en moque pas. Non pas parce que je pense que ce que nous faisons ici est honteux, comprends-le. Néanmoins, il ne me plaît pas de savoir que Victor nous observe. Je puis seulement dire que je m'en remets à la baronne. Elle a ses raisons pour agir de la sorte. Comme tu le sais, elle est une disciple de M. Rousseau, qui enseigne que la curiosité des jeunes gens ne doit pas être contrariée. »

Francine m'avait vue plongée dans la lecture difficile du livre que ma mère m'avait donné. Je n'étais pas encore parvenue à la moitié d'*Émile*, mais le génie dont elle m'avait avertie continuait de m'échapper. En revanche, j'avais rencontré des sottises. Rousseau croyait que les filles n'étaient pas faites pour courir et qu'elles ne devaient pas essayer ! Je savais à coup sûr que cela était faux, car j'étais excellente à la course.

« La baronne Caroline dit que Victor est Émile, dis-je à Francine.

– Elle le veut ainsi. Elle a cherché à l'élever conformément à la Nature, comme M. Rousseau le recommande.

– Mais qu'est-ce que cela veut dire ? »

Elle partit d'un éclat de rire, mais ce rire avait un accent plutôt irrité que joyeux.

« Qu'il lui est permis d'agir à sa guise !

– Vous n'approuvez pas ce que Rousseau enseigne ? »

Elle posa les doigts sur ses tempes comme si elle avait la migraine. « Ce qu'il *"enseigne"* ! Il *enseigne.* Encore des mots, vois-tu. Les mots, pauvres mots ! Quelquefois, je crois que c'est là tout le problème. N'y a-t-il point d'autres façons d'enseigner que de palabrer ? La tête de M. Rousseau doit être farcie de mots à ras bord. En dépit de cela, il a abandonné ses enfants à l'hospice. Je ne crois pas que les mots puissent jamais toucher notre vraie nature.

– N'aimez-vous pas Victor ? » demandai-je après un long silence.

Elle répondit avec une prudence visible.

« Je vais te dire une chose que Caroline préférerait sans doute que je garde secrète. Avant ton arrivée dans la famille, elle avait l'espoir que je deviendrais l'amie intime de Victor, une sorte de sœur. Je ne sais pas exactement ce qu'elle entendait par là. Je t'ai dit que la baronne a un dessein en tête ; j'étais censée en faire partie. Mais maintenant qu'il a une vraie sœur, je me trouve exemptée de cette charge. Je dois avouer que j'en suis heureuse. Victor est un jeune homme doué et d'une indicible beauté. » Pendant un moment, elle se détourna pour dissimuler sa rougeur. « J'ai rêvé de lui tel qu'il sera dans quelques années seulement, le plus beau des hommes. Je l'ai imaginé venant à moi comme un amant et me prenant comme son amante. Voilà ! Je te confie ce secret comme à une sœur. Mais je le trouve indocile. Indocile... et cependant, étrangement froid. Les *idées* semblent lui paraître tellement réelles. » Avec un sourire railleur, elle ajouta : « J'ai presque l'impression qu'il les convoite à la façon dont les autres hommes convoitent une femme. Cela me déroute. Je sais que Caroline voudrait que tu aimes Victor comme ton véritable frère. Aussi le dois-tu... mais prudence. Ne fais rien de prématuré. Cela risque d'être difficile, mais promets-le-moi. »

Ce que je fis.

Sous la houlette de Francine, j'appris tout ce qu'une novice peut apprendre et devins un membre de la communauté autant qu'une jeune fille de mon âge pouvait l'être. Cependant, jamais je ne pensais à moi comme à une « sorcière ». Dans mes pensées, la sorcellerie m'a toujours paru être une identité à laquelle je n'étais pas préparée – celle d'une vieille femme sage. Je n'utilisais donc jamais ce nom. Je me considérais, tout simplement, comme la sœur-enfant des femmes qui se tenaient auprès de moi lors de nos rites, rien de plus. C'était la joie d'être en leur compagnie qui faisait que j'étais des leurs : leurs chants et leurs danses et leur gaieté me procuraient un grand plaisir. Et la force que j'éprouvais à être parmi elles quand nos rites étaient au comble de l'exubérance pouvait me donner un sentiment d'ivresse. Ce dont j'étais moins avertie, dans ma candeur enfantine, c'était du stigmate que cette société pouvait faire peser sur moi aux yeux d'autrui. Car si tolérante que soit Genève, il ne faut escompter aucune indulgence (et moins encore parmi les gens d'Église) pour les femmes indisciplinées qui inventent leur propre foi et préservent leurs secrets.

Ma mère eut-elle tort, me demandais-je parfois, de m'entraîner dans leurs réunions avant que je sache les risques auxquels cette appartenance pouvait m'exposer ? Je sais que ses intentions étaient louables ; elle voulait que ces pratiques me procurent courage et fierté. Et tel fut le cas. Mais ce n'était pas son seul dessein. Il y avait un autre motif, bien plus obscur, qui l'emportait dans son sillage pareil à un raz-de-marée. Cela concernait Victor. Et pour cette raison, parce que son devoir envers lui primait sur toute autre considération, je crois que, l'eût-il fallu, elle aurait été capable de se montrer négligente pour ma propre sécurité.

NOTE DE L'ÉDITEUR

Traces des mystères de la fertilité des femmes dans l'Europe rurale

Le compte rendu d'Elizabeth Frankenstein concernant les rites clandestins effectués par les femmes dans les forêts des environs de Genève nous donne certains des passages les plus inattendus de ce document. À première lecture, je ne pus m'empêcher de me demander s'ils n'étaient pas une pure invention d'une imagination chimérique. La majeure partie de ce que l'auteur offre dans son récit est, après tout, furieusement incohérent, pour ne pas dire totalement hallucinatoire. En quête de nouvelles lumières, je me tournai vers le récent volume de sir Henry Monmouth, *Superstitions populaires de l'Europe dans la société rustique de la fin du XVIIe siècle.* Là, nous trouvons de nombreux récits de telles pratiques ataviques se poursuivant dans les époques modernes, que sir Henry fut à même de voir de ses propres yeux dans certains cas. De son point de vue, nous nous trouvons ici en présence des derniers vestiges en décomposition de cérémonies de la fertilité qui remontent à l'ère préchrétienne. En ces temps lointains, quand même les esprits les plus vifs ne disposaient d'aucun élément pour appréhender les mécanismes de la loi naturelle, on supposait couramment que l'abondance des récoltes et la fécondité du bétail dépendaient de l'itération de certains rites faits en offrande à des déités naturelles fabuleuses.

Là où la civilisation a pénétré le moins efficacement dans le monde moderne, de telles pratiques ont parfois survécu jusqu'à des époques récentes. Nul doute que celles décrites par Elizabeth Frankenstein furent longtemps considérées comme un commerce avec le diable et qu'en des temps moins éclairés, leurs adeptes furent persécutés. Mais ce qu'un esprit moderne averti trouve ici est simplement un rappel regrettable de la fragilité de l'humaine raison, réalité plus tragique que criminelle.

Des observations comme celles de sir Henry ont invariablement été limitées aux zones rurales et principalement aux populations paysannes de l'Europe du Sud et de l'Est. Cette narration est unique car elle soulève la possibilité que des femmes de toutes conditions, y compris des femmes de bonne famille et cultivées, aient pu tâter de ces pratiques occultes. Le rôle attribué ici à la baronne Frankenstein est particulièrement surprenant, car elle semble avoir été la prêtresse du culte et, à ce titre, chargée d'enrôler dans celui-ci – on pourrait dire littéralement de « séduire » – des jeunes femmes de la ville, sa propre fille adoptive incluse. Mais ici un fait est significatif. En des lieux fort éloignés des campagnes les plus reculées de l'Europe, que reste-t-il de la notion de « fertilité », qui était jadis la fonction sociale de ces rites ? Une seule chose, qui est une grotesque caricature de l'intention d'origine : à savoir, l'abandon sexuel de la femme.

De son propre aveu, les fantaisies érotiques étaient constamment à l'œuvre dans l'esprit d'Elizabeth Frankenstein ; mais pouvons-nous raisonnablement croire que les femmes, dans des groupes se comptant par dizaines, aient partagé son état pathologique ? Si je n'avais vu de mes propres yeux les peintures de la baronne Frankenstein qui attestent ses prédilections malsaines, j'aurais peut-être cru qu'Elizabeth utilisaient ces narrations dans le but de calomnier sa mère pour d'obscures raisons. Mais dussions-nous en conclure que Caroline partageait la folie d'Elizabeth – et en était peut-être l'instigatrice –, jusqu'où s'exerçait la lubricité de ces deux femmes en dehors de leur toit ?

Comme je travaillais sur ces mémoires, la question ne cessa de me tarauder. Aussi, durant l'été de 1834, quoique je ne fusse pas au mieux de ma forme, j'entrepris l'épisode le plus épuisant de ma recherche. Je résolus de me rendre à Genève pour voir s'il était possible de retrouver quelque trace des coutumes dont Elizabeth Frankenstein fait état. Je ne pouvais penser à un meilleur endroit, pour commencer, que celui où résidaient les autorités religieuses de la région. Contre toute attente, le pasteur de Saint-Pierre, M. Antoine Lavater, se montra fort disposé à discuter de la question. Il possédait une curiosité presque savante sur l'époque et me réserva un accueil chaleureux.

Bien que je prisse soin de présenter mes recherches sous un aspect aussi universitaire et général que possible – je m'abstins de toute allusion à Elizabeth Frankenstein ou à ses mémoires comme sources de mes informations –, le pasteur reconnut sur-le-champ les pratiques que je décrivais. Il me parla d'un culte qui avait été dénoncé du temps de son prédécesseur. En fait, la femme d'un des jeunes pasteurs de la congrégation – Charles Dupin – avait été reconnue coupable d'appartenir à une assemblée de sorcières. Il ne se souvenait pas du nom de la femme, mais Mme Lavater, qui assistait à notre rencontre et se mêla à la conversation, se rappelait qu'elle se prénommait Francine. L'un d'eux savait-il ce qu'il était advenu de Francine ? Seulement qu'elle avait été répudiée par son mari, lequel avait réussi à faire annuler leur mariage.

Le pasteur Lavater, en homme singulièrement éclairé, ne souscrivait pas à une vision démoniaque de ces activités. « La sorcellerie, reconnut-il, est un vestige d'anciennes superstitions. Grâce à Dieu, nous n'attachons plus des motivations diaboliques à de pareils comportements ! » Mais il était gravement préoccupé par les preuves de la licence sexuelle qui avait régné au cours de ces pratiques ; pour lui, celle-ci avait un effet dépravant indéniable. Surtout, comme cela concernait les femmes de la commune, une pareille inconduite frappait au cœur même de la vie familiale et pour ce motif, devait être débusquée. Avait-il quelque raison de croire, demandai-je, que de telles pratiques aient survécu à ce jour ? Presque avec indignation, il rétorqua qu'il pouvait affirmer que les assemblées de sorcières avaient été chassées du comté de Vaud, lequel, me rappela-t-il, faisait partie intégrante de la Suisse romande, de langue française. Quant au reste des cantons... eh bien, c'était une autre affaire.

« Les Alémaniques, comme vous le savez, sont portés vers le gothique. Et ceux de langue italienne, ajouta-t-il avec un petit gloussement entendu, sont incapables de tenir leurs femmes. Je crois qu'une femme italienne qui n'est pas une sorcière fait exception à la règle. Elles sont nées possédées par le *malocchio.* »

À l'opposé de l'ouverture d'esprit du vicaire, le bourgmestre de la ville, François Rebuffat, témoigna d'une grande impatience et de brusquerie. J'avais pris soin de lui écrire pour le prévenir de ma visite et demander un rendez-vous ; mais sans sa femme, qui répondit au tintement de sonnette et me fit entrer, je pense qu'il m'aurait renvoyé quand je vins le voir. J'avais à peine commencé à poser mes questions sur la baronne Frankenstein et Francine Dupin quand je m'aperçus qu'une espèce de mur de glace se dressait entre le bourgmestre et moi. Au début, je crus que son attitude était politique ; sa famille avait grandement souffert, appris-je, des révoltes de la précédente génération ; dans une certaine mesure, il semblait tenir la famille Frankenstein pour responsable de ce qui était arrivé à ses aïeux. Leurs liens historiques avec la Savoie avaient sérieusement compromis, d'après lui, l'attachement de la famille à la ville. Cette manière affectée de conserver son titre de « baron » avait en particulier le don d'exaspérer le bourgmestre : « Seul un étranger savoyard peut étaler un pareil titre. » Comme cela pouvait se comprendre, il envisageait désormais les bouleversements de l'époque d'un point de vue réactionnaire. Je m'interrogeai : étais-je en train de lui demander de se remémorer des événements trop pénibles ? Mais je décelai bientôt autre chose, un aspect plus personnel dans son irritation. Il consentit enfin à en révéler la raison :

« J'espère, monsieur, qu'il n'est pas dans le but de vos recherches actuelles de noircir encore la réputation de notre ville.

– Moi, monsieur ? Jamais je ne ferais une chose pareille.

– À vrai dire, vous l'avez déjà fait. La publication de vos conversations avec Victor Frankenstein n'a pas été du goût de beaucoup de Genevois. Nous aurions préféré voir cette aberration contre nature dans l'histoire de notre ville sombrer dans l'oubli général. Au lieu de cela, vous avez immortalisé le nom de cet homme et l'avez gravé à jamais dans notre histoire. Des savants fous ! Des monstres ! Ce ne sont pas des fréquentations honorables pour des gens respectables qui vivent dans la crainte de Dieu. »

J'eus beau le prier sincèrement de me pardonner le tort que j'aurais pu causer et expliquer que cela n'était nullement intentionnel de ma part, le bourgmestre ne voulut rien entendre.

« Vous devriez savoir, sir Robert, que beaucoup d'entre nous considèrent le récit que vous avez publié comme le produit d'une imagination dérangée. Quant à savoir si cette imagination est celle du docteur Frankenstein ou *la vôtre*, je n'aurais pu jusqu'à cet instant le déterminer avec certitude. Mais que vous veniez à présent me questionner sur les sorcières... les *sorcières* ! » Là-dessus, l'homme indigné me congédia et quitta la pièce, laissant à sa femme décontenancée le soin de prononcer les formules de politesse qu'elle voudrait. La brave femme se répandit en excuses pour le comportement de son mari, expliquant que l'inimitié entre les Rebuffat et les Frankenstein remontait à plusieurs générations.

« Le baron Frankenstein, en dépit du titre qu'il s'obstinait à porter, était un libéral qui a soutenu de nombreuses causes politiques lesquelles ont coûté cher à la famille de mon mari pendant les époques troublées. Cela lui reste toujours sur le cœur. »

À la porte, je lui demandai si elle pouvait m'aider dans quelque partie de mes recherches. Elle m'assura que non. « Les femmes que vous voudriez trouver ont depuis longtemps été chassées de la contrée. Il en est peu qui parleraient avec vous, pour des raisons bien compréhensibles, me semble-t-il. Je vous conseille de renoncer à votre mission avant d'attirer sur vous davantage d'animosité. »

En dépit de l'avis de Mme Rebuffat, je poursuivis mon enquête, surtout parmi les femmes de la ville : deux gouvernantes, une infirmière, une dame de la bonne société... J'allai jusqu'à flâner dans les vignes pour parler avec des femmes que j'y vis travailler. M'inspirant de ce que je savais à présent de la culture champêtre, je prétendis être un homme marié dont la femme était grosse ; je prétendis que j'étais en quête d'une matrone, profession qui était encore activement pratiquée dans la région. Les femmes auxquelles on m'adressa formaient une triste équipe, exactement le genre d'affreux laiderons que j'aurais imaginé. Je posai la même question à chacune que je rencontrai : avait-elle entendu parler de Francine Dupin ou d'une certaine Seraphina ? J'espérais que les noms ouvriraient quelque brèche dans leur silence. Partout je me heurtai à des protestations d'ignorance.

Ce n'est que lorsque j'eus pris mes dispositions pour quitter la ville que je me vis proposer une curieuse offre d'assistance. L'après-midi précédent mon départ par la *diligence** de Bâle, l'aubergiste frappa à ma porte pour m'annoncer que j'avais de la visite. Je me rendis dans le vestibule où je trouvai une jeune fille d'une quinzaine d'années qui m'attendait. Cette servante, une fraîche frimousse et un corps bien formé, une attitude particulièrement hautaine, ne dit rien mais me tendit un billet. Il comprenait une seule phrase : « Suivez cette jeune fille si vous voulez en savoir plus sur Francine Dupin. » Il ne portait pas de signature, mais l'écriture était visiblement féminine ; aucun doute, le message provenait d'une des dames de Genève que j'avais récemment contactées. Je croyais savoir laquelle, mais demandai néanmoins à la messagère si elle pouvait me dire qui me l'adressait. Comme je m'y attendais, elle garda le silence. Elle fit simplement un signe négatif de la tête, puis se détourna et se dirigea vers la porte comme s'il lui était indifférent que je la suive. Elle avait laissé deux mules devant l'auberge. Nous les enfourchâmes et je la suivis.

Notre trajet emprunta un sentier escarpé en direction des hauteurs du mont Salève. La servante se montra aimable, mais étant donné le nombre de mots qu'elle prononça en chemin, elle aurait pu aussi bien être muette. Elle avait visiblement juré le secret à celui ou celle qui me l'avait envoyée. Notre route s'acheva une heure plus tard, dans une clairière qui offrait une vaste vue sur le lac et la ville. À l'est, le pic parfaitement reconnaissable de la Dent d'Enfer se profilait sur le ciel et, au-delà, se devinant à travers un éternel voile de nuages, le mont Blanc. Du fait de mes précédentes visites, je connaissais bien l'endroit pour son panorama ; mais je ne m'étais jamais enfoncé aussi profondément dans les bois que je le faisais à présent. Le jour était bien avancé et une brume froide était descendue sur la forêt qui nous entourait, recouvrant le sol sous nos pas d'un tapis de nuages Après que nous eûmes chevauché encore un quart d'heure, je fus surpris d'apercevoir une forme fantomatique qui se mouvait entre les arbres sur notre gauche. La fille dirigea la mule dans cette direction et s'approcha de ce que je reconnus alors être une forme encapuchonnée vêtue d'une cape grise qui nous attendait au pied d'un immense noyer. La servante serra la bride de sa monture et indiqua que nous devions mettre pied à terre. Quand nous eûmes rejoint la femme, celle-ci resta le visage détourné, retenant d'une main le capuchon du vêtement sur sa joue. Je ne pouvais voir ses traits, mais je reconnus tout de suite sa voix.

« Vous ne me demanderez pas mon nom, exigea l'inconnue. J'espère que vous comprendrez. » Je répondis que oui.

Là-dessus, elle tomba à genoux auprès d'un monticule herbeux à côté de l'arbre. Je n'aurais pas remarqué la pierre qui en marquait l'emplacement si elle ne me l'avait indiquée ; et je n'aurais pas remarqué les incisions qui s'y trouvaient si elle n'avait pressé mes doigts contre elles. « Vous êtes venu pour découvrir ce qu'il est advenu de Francine Dupin. Ce qui reste de son être terrestre repose ici. »

Dans la clarté déclinante du jour, je pouvais à peine déchiffrer les marques que je sentais là, mais en utilisant mon toucher autant que la vue, je fus capable de discerner suffisamment ce qui était gravé pour savoir qu'il avait été écrit : » Sœur Francine. »

« La pauvre, la chère âme ! Elle a souffert grandement aux mains des hommes et de l'Église. Elle fut forcée de fuir Genève de peur d'être lapidée dans les rues. Eh oui, tel aurait pu être son sort ; même sur notre terre, il en est qui ne tolèrent pas de laisser vivre une sorcière. Pendant des années, elle vécut une vie de proscrite dans ces bois, ne survivant que grâce à ses sœurs qui lui procuraient la nourriture et un abri. À la longue, elle devint une de nos “femmes sages”. Elle fut mise en terre ici en l'an 1819, après de dures années.

– Avez-vous connu Elizabeth Lavenza ?

– J'étais enfant quand elle trouva la mort. Je n'ai entendu que des ouï-dire. Parmi les femmes, il se dit qu'elle a été tuée par un esprit malin. D'autres disent qu'elle fut assassinée par son mari.

– Je puis vous assurer que Victor Frankenstein n'a pas tué sa femme. L'avez-vous connu ?

– Il a quitté la ville peu après la mort de sa femme. Et n'est jamais revenu. La famille a mal fini. Maudite, d'après certains. »

Malgré toute ma reconnaissance, je demandai :

« Pourquoi m'avez-vous amené ici si c'est pour me raconter cela ?

– Je vous crois quand vous dites que vos intentions sont celles d'un savant en quête de vérité et non de mensonges calomnieux destinés à nuire. Je fus l'élève de Francine Dupin. J'aimerais qu'on garde d'elle un souvenir honorable. Nous n'avons pas à avoir honte des secrets que nous gardons. »

Là-dessus, elle retira un paquetage de sous son vêtement et me le tendit. C'était un paquet carré, lourd, enveloppé d'une peau de chamois et solidement fermé par des lanières. « Cela me fut confié par Francine, comme cela lui avait été confié auparavant par Elizabeth Lavenza avant son mariage. Elizabeth donna pour instructions que ce paquet fût conservé jusqu'à ce qu'il pût être remis entre les mains de quelqu'un dont le seul intérêt serait de publier la vérité sur sa vie en ce bas monde. Sachez que je n'ai jamais examiné celui-ci ; Francine non plus. Je demande seulement que vous respectiez les vœux de ces femmes qui ont tellement souffert. » Quand j'eus juré de le faire, elle ajouta : « C'est un soulagement pour moi d'être enfin libérée de ce fardeau. »

Elle se leva pour partir, me demandant une fois encore de promettre que je me montrerais digne de sa confiance. Puis elle s'enfonça dans les bois, dans lesquels une mule, j'imagine, ou une voiture l'attendait. À mon côté, la jeune servante, encore agenouillée auprès de la tombe, plongea la main dans sa pèlerine et en sortit un petit chiffon qu'elle déplia. Il contenait des pétales de fleurs et quelques brins d'herbes. Elle les dissémina soigneusement sur le monticule, puis inclina la tête pendant un moment de méditation. Après un bref silence au cours duquel seul parla le vent dans les arbres, elle leva la tête, tendit les deux mains, croisa ses deux index en signe de salut et les posa sur la pierre. Pour ma part, je reconnus le geste décrit dans les mémoires. Quand elle eut fini, elle plongea son regard dans le mien avec une franchise qui me troubla. Jusque-là, elle avait paru être une enfant timide, incapable même de me regarder une seule fois en face. Mais brusquement, elle eut un air si confiant que son visage semblait exprimer un défi. Je vis qu'elle n'était nullement une jeune fille, mais une jeune femme adulte qui avait accompli une mission d'une certaine audace. Et je reconnus cette expression ; je l'avais déjà vu, cet air hardi, franc. Mais où ?

Et alors, je compris : c'était comme si je contemplais le visage d'Elizabeth Frankenstein en personne, telle qu'elle apparaissait sur le portrait miniature posé sur mon bureau depuis des années. Les yeux de la jeune femme posaient la même interrogation que j'avais vue dans le regard d'Elizabeth : *Puis-je vous faire confiance ?*

Était-ce donc là ce que les femmes trouvaient dans ces rites bucoliques, cette manière directe, cette franchise ? À cet instant, en présence de ce regard, je crois que je fus proche de comprendre, en dépit de mes réticences, une petite partie de ce que la sorcellerie apportait à ces femmes. Pas suffisamment pour surmonter mes profonds scrupules moraux, mais sans doute assez pour introduire un soupçon d'indulgence dans mon jugement. Je puis seulement dire que j'espérais que ma jeune guide trouverait dans mes yeux la réponse que je souhaitais donner, qui était « oui ».

Nous nous levâmes et enfourchâmes à nouveau les mules. Sur le chemin du retour, la jeune femme et moi n'échangeâmes pas un mot jusqu'à l'auberge.

C'était en l'an 1834. Depuis lors, j'ai loyalement honoré ma promesse de rester digne de la confiance de la mystérieuse informatrice que je rencontrai ce jour-là sur le mont Salève ; mais ayant appris l'année passée la mort de la dame, je me sens libéré de mon serment. Comme il peut peser sur la crédibilité de mon récit, je signale ici que c'était la femme du bourgmestre, Mme Rebuffat, que je rencontrai en cet après-midi. Même si je ne vis pas son visage, je reconnus instantanément sa voix. Quant à la jeune fille, je me sentis tenu de brider ma curiosité en ce qui concerne son identité. À ce jour, j'ignore absolument de qui il s'agissait.

Lorsque j'eus regagné ma chambre à l'auberge cet après-midi-là, la porte à peine refermée derrière moi, je déchirai sans ménagement l'emballage du paquet qui m'avait été remis. Et quelle fut alors ma découverte ?

À présent, lecteur, écoute cette comparaison.

Imagine un savant qui a consacré toute sa vie à l'étude des antiquités égyptiennes. Imagine qu'un jour, un capitaine au service de la Grande Armée lui apporte un bloc de basalte ébréché et patiné par les intempéries et le pose devant lui, ayant remarqué la présence de signes étranges. Le capitaine a gagné la pierre aux cartes en jouant avec un de ses congénères. Peut-être a-t-elle quelque intérêt... ?

Imagine maintenant que le savant s'appelle Champollion. Imagine que l'objet qu'on vient de poser sur son bureau soit la pierre de Rosette.

Cela te donnera peut-être une idée du bond que fit mon cœur quand je vis le trésor qui se trouvait posé devant moi. Deux antiques livres reliés de cuir : l'un d'une couleur de pourpre fané, portant une rose estampée sur la couverture ; l'autre sans marque, teint en mauve délavé. Comme la partie suivante de ce mémoire va le démontrer clairement, ces volumes – le *Livre de la Rose* et le *Livre Lavande* – n'étaient rien de moins que la clé nécessaire pour décrypter les mystérieux hiéroglyphes de la vie d'Elizabeth Frankenstein.

Je reçois le Livre de la Rose

Quand Victor rentra de Thonon, je m'efforçai de garder l'avertissement de Francine au premier plan de mes pensées. Je résolus de lui témoigner autant de froideur que possible, comptant me dispenser le plus souvent possible de sa compagnie. Quand il rentra au château, je ne courus pas l'accueillir d'une étreinte chaleureuse ; je me montrai réservée et tins mes distances, comme si on venait à peine de faire connaissance. Que penserait-il de ma conduite ? me demandais-je. J'aurais dû ne pas me soucier de cela. À ma grande surprise, le Victor qui rentrait de Thonon se révéla être encore plus distant que je pourrais jamais me montrer. Un voile étrange s'était tendu entre nous. Je restai médusée par cet abrupt changement jusqu'à ce que notre mère demandât à me voir un matin.

Elle me parlait maintenant d'un air plus grave et préoccupé que jamais. Elle semblait constamment écouter une voix que je ne pouvais entendre, une voix qu'elle consultait pendant que nous parlions.

« Ce que je te dis maintenant, je l'ai déjà dit à Victor, commença-t-elle. C'est pourquoi je l'ai emmené avec moi. Je lui ai fait prêter le serment qu'il garderait mes paroles à l'esprit à tout instant. Maintenant, je t'en demande autant. Victor et toi n'êtes pas comme les autres enfants ; et à vrai dire, vous n'êtes plus des enfants. Une destinée particulière vous attend. J'ai quelquefois laissé entendre cela dans le passé ; à présent, je vais m'efforcer de me rendre aussi claire que possible. Vois-tu ce livre sur le chiffonnier ? Je te prie de me l'apporter. » Je lui apportai l'ouvrage qu'elle réclamait, un lourd volume ancien relié de cuir et dont les pages étaient dorées sur tranche. « Je vais te demander de temps à autre d'étudier cette œuvre. Je ne m'attends pas à ce que tu comprennes tout ce que tu lis, mais je t'instruirai du mieux que je pourrai. Le temps venu, tu auras un autre professeur dont le savoir dépassera le mien. »

Je retournai le livre entre mes mains. Il y avait une magnifique rose pourpre estampée sur la couverture. Je l'ouvris à la page de titre. Mon œil fut aussitôt arrêté par une image brillamment colorée. Elle représentait deux chérubins : un garçon, dont la peau était rose et les cheveux d'un roux flamboyant ; et une jolie fille rayonnante, avec des tresses blondes sur les épaules qui lui tombaient aux chevilles. Plus tout à fait des bébés, les deux poupons étaient couchés nus et enlacés avec ardeur, le garçon sur la fille, son organe dressé profondément enfoui en elle. Ils flottaient dans une coupe d'eau bleue ; sous eux se déroulait un tapis de verdure d'où sortait la tête d'une sorte de lézard qui les épiait. Au-dessus de la coupe planait un splendide oiseau bariolé aux ailes déployées et, derrière l'oiseau, des rayons d'or étincelants s'étalaient jusqu'au bord de la page. « Lis ceci », dit ma mère en passant l'index sur les mots au-dessous de l'image. C'était en latin, mais pas au-delà de mes connaissances de la langue.

« *De Conjunctionibus Chimicis,* lus-je.

– Comprends-tu ce que cela veut dire ? demanda-t-elle.

– “Des... noces *alchimiques*”, me semble-t-il.

– Oui, “noces” serait la traduction normale, remarqua ma mère. Mais je préfère “union”. »

Noces ou union, je ne comprenais pas le sens de cette phrase. « Sera-t-il totalement en latin ? » demandai-je un peu inquiète, car mes compétences dans cette langue étaient modestes.

« Ce serait une rude épreuve, n'est-ce pas ! répondit-elle en riant. Je t'ai préparé une traduction. Tu pourras le lire page à page dans notre langue. » Elle prit plusieurs feuilles pliées au dos du livre, qu'elle ouvrit pour moi. Elles étaient en français, écrites de sa main.

« Vous avez fait cela ? demandai-je.

– Avec l'aide de savants venus en visite.

– Et cela me dira-t-il ce qu'est le mariage chimique ?

– L'image que tu vois ici est un symbole de ce mariage. Le garçon et la fille sont promis l'un à l'autre. L'image montre leur union ; mais ne te méprends pas. Leur union est chaste ; c'est pourquoi ils sont représentés comme de simples enfants. Comprends-tu le sens du mot " chaste " ? »

Je répondis que oui.

« La chasteté est une discipline exigeante quand on est jeune, et plus particulièrement quand on est jeune et beau. Je vais te dire un secret. La chasteté est une grande magie, mais seulement si tu la désires autant que d'autres désirent des plaisirs plus vils. Je me rends compte que ce que je vais te demander est difficile, mais c'est nécessaire. » Elle se tut un long moment, comme si les mots qu'elle voulait dire arrivaient de très loin. « Je sais qu'il a été dans vos habitudes – à Victor et toi – de vous baigner ensemble à l'étang. Dis-moi, cela t'a-t-il manqué durant les derniers mois où Victor était parti ? Dis-le-moi sincèrement.

– Oui, un peu... quelquefois. »

Elle sourit d'un air entendu.

« J'imagine plus qu'un peu. Allons, tu peux me le dire.

– Oui, beaucoup.

– N'as-tu jamais eu de raison d'éprouver de l'appréhension quand tu étais seule ainsi avec Victor ? »

Comme cela avait été mon habitude depuis l'enfance, je répondis impulsivement : « Non ! » Je lâchai le mot avant de commencer à rougir ou à bégayer. C'était ma façon de mentir.

« Tu ne seras pas surprise de savoir que vos récréations ont également manqué à Victor. Ce sentiment qui vous donne l'envie d'être nus ensemble... cela a un nom. Sais tu comment cela s'appelle ? »

Je ne comprenais pas ce qu'elle me demandait. Je passai en revue les mots qui me vinrent à l'esprit, mais n'en trouvai aucun qui fût convenable.

« Nous aurons besoin de trouver des noms corrects pour beaucoup de choses. Ce sentiment, par exemple : certains l'appelleraient le désir, d'autres la concupiscence. Le pasteur Dupin l'appellerait sûrement la concupiscence. Et ne peux-tu pas imaginer la mine austère, revêche, qu'il ferait ? Mais saurait-il *pourquoi* il nous est possible d'éprouver un tel sentiment ? Il pourrait dire que c'est l'œuvre du diable. Les chrétiens sont prompts à attribuer au diable ce qui leur fait peur. Mais pourquoi craignent-ils les plaisirs du corps, d'après toi ? Comme Rousseau l'a montré, la réponse est transparente à la simple raison : ils craignent le corps parce qu'ils ont reçu une éducation inappropriée. Ils ont cessé de croire en l'innocence des enfants. Mais en cela comme en toutes choses, nous devons "suivre l'esprit de nature". Ainsi parle le grand *philosophe**. Alors admettons que nous parlions de ce désir comme d'une faim, une sorte de faim. Car la faim est une chose naturelle. Mais une faim de quoi ? Du plaisir, n'est-ce pas ? Mais de quelle sorte de plaisir ? Le plaisir de la vue ? Du toucher ? Quand nos estomacs crient famine, nous choisissons entre plusieurs mets pour satisfaire notre appétit ; et quelle que soit notre faim, nous évitons de manger des aliments empoisonnés. Mais cette faim que nous appelons la concupiscence, que réclame-t-elle vraiment ? Sommes-nous sûrs de le savoir ? Beaucoup ne connaissent qu'une seule sorte de mets pour répondre à ce besoin. Victor et toi apprendrez qu'il est d'autres aliments dont elle préfère se nourrir. Le diable n'est pas dans l'appétit, mais dans la façon de satisfaire celui-ci. Entre-temps, cependant, je crains que vous ne deviez être un peu privés l'un de l'autre. Pour quelque temps, je souhaite que tes relations avec Victor deviennent chastes, rigoureusement. Je puis même vous demander de vous comporter l'un envers l'autre comme des étrangers, bienveillants, certes, mais distants. Et pas seulement sur le plan physique. J'aimerais que vous mettiez de la distance entre vous jusque dans vos pensées. Tu dois me croire quand je te dis qu'il y a un dessein à cela. Tu dois devenir la terre de son ciel. » Elle m'observa d'un œil interrogateur après avoir fait cette remarque. « Tu ne comprends pas, je m'en rends compte. Mais astu confiance en moi ? »

J'affirmai que oui.

« Victor a-t-il lu ce livre ? demandai-je.

– Ce fut la cause de notre voyage à Thonon. Il l'a lu là-bas de la première à la dernière page sous ma tutelle, et avec le plus grand soin. Et non seulement ce livre, mais d'autres que j'avais emportés. Je souhaitais qu'il pût étudier avec la plus grande concentration ; c'est pourquoi nous avons effectué cette retraite. Avec le temps, il partagera ce qu'il a appris. Ce que je lui ai enseigné, il te l'enseignera. Votre union commence par ces livres et va bien au-delà.

« Mais, très chère Elizabeth, je t'ai déjà parlé de mon enfance. À présent, je vais t'en dire davantage. Quand j'avais juste ton âge, étant la garde-malade d'un père souffrant et aussi pauvre qu'une mendiante, j'eus la bonne fortune de rencontrer une bienfaitrice. Avant que le baron n'entrât dans ma vie, il y avait eu quelqu'un d'autre, une femme. Elle avait entendu parler de ma situation. Elle-même était pauvre et de ce fait incapable de me donner plus qu'une maigre pitance pour nous tenir en vie, mon infortuné père et moi. Mais à d'autres égards, elle était d'une richesse infinie, beaucoup plus que le baron. Elle m'apporta les trésors de l'esprit. En dépit de ma détresse, elle vit en moi ce que j'ai vu en toi plus tard : une âme de pèlerin. Elle m'enseigna ce que je suis à présent capable d'enseigner à Victor, la sagesse des arts spagyriques ou au moins en partie. Le mot ne t'est pas familier, comme à beaucoup. Il se réfère à la sagesse des maîtres de l'alchimie que tu vas découvrir dans ce livre. De même, ma bienfaitrice me donna des livres, dont celui-ci. Je te le dis, j'aurais donné ma nourriture en échange de ce qu'elle a apporté dans ma vie : la vastitude du monde. Au fil des années, j'ai poursuivi les études qu'elle m'a fait connaître autant que je l'ai pu par mes faibles moyens. Mais à un moment donné, on a besoin d'un autre... d'un compagnon. Nous fûmes créés mâles et femelles. Il y a une profonde raison à cela que peu ont le privilège d'apprendre. Mon rôle, m'enseigna-t-elle, serait de transmettre ce que j'avais appris à un fils ou une fille qui parviendrait à concrétiser ces enseignements. Victor et toi êtes ce fils et cette fille. Je suis prête à vous livrer cela. Devines-tu qui fut cette bienfaitrice ? »

Force me fut de reconnaître que j'en étais incapable.

« Mais tu l'as rencontrée ! Une femme pleine de sagesse qui a déjà manifesté de l'intérêt pour ton éducation. Elle est à présent extrêmement vieille, mais son esprit est toujours embrasé de savoir.

– Voulez-vous parler de Seraphina ?

– Oui, mon enfant. Tu la connais comme la mère de notre assemblée. Mais elle est davantage que cela. C'est une philosophe remarquable. Elle a voyagé bien au-delà des frontières de la chrétienté en des lieux où nulle autre femme ne s'est jamais rendue par elle-même. Elle a eu le courage de chercher la vérité parmi les hommes d'autres fois et coutumes, dont certains refusent de livrer leurs secrets à des femmes ; elle a dû prouver qu'elle était leur égale, parfois à ses risques et périls. De ses aventures, elle a rapporté des enseignements qui pourraient ébranler les universités d'Europe jusqu'à leurs fondations. Mais bien sûr, elle n'est qu'une femme et, en outre, une pauvresse. Qui l'écouterait ? Tout ce qu'elle m'a enseigné, je vais chercher dorénavant à l'enseigner à Victor. Mon plus cher espoir est qu'il puisse porter la sagesse de Seraphina à son point de perfection. Seul un homme peut le faire d'une façon que le monde écoutera. Mais il aura besoin de ton aide. »

Je n'avais revu Seraphina qu'un petit nombre de fois depuis notre première rencontre dans la prairie. Elle assistait de temps à autre aux rassemblements des femmes, mais seulement pour regarder de loin, et toujours avec son oiseau de compagnie dans les parages, tantôt dans la futaie, tantôt perché sur son épaule. Elle ne m'avait pas reparlé, bien que j'eusse souvent senti ses yeux posés sur moi.

« Je ne suis pas à mon aise en compagnie de Seraphina, avouai-je.

– C'est une femme impressionnante, j'en conviens. Mais elle ne veut que ton bien ; et elle t'admire grandement. Comment le dirai-je ? Elle voit de l'or en toi, comme je le fis lors de notre première rencontre. De temps en temps, elle te demandera de faire des choses... des choses inhabituelles. Je te prie de respecter ses désirs. Ses manières peuvent paraître étranges, mais c'est un maître puissant. Tu ne sauras pas à quel point tant que tu ne l'auras pas suivie jusqu'au bout du chemin et cela, tu dois le faire en confiance. C'est un paradoxe. »

Dans les jours qui suivirent, il me fut permis de lire plusieurs fois dans ce que nous appelions le *Livre de la Rose,* en raison de l'emblème sur sa couverture.

« Ce que tu lis et vois ici, tu le trouveras déconcertant, me dit ma mère. Souviens-toi seulement d'une chose. Rien dans ces pages ne veut dire ce qu'il paraît à première vue, comme dans le monde en général, rien n'est seulement comme il apparaît. Tout est soi et autre chose ; l'image dans l'image, le mot dans le mot. Ce qui se révèle en premier est utile à savoir ; mais ce qui vient ensuite... avec cela, l'esprit prend son envol. Même si la langue que tu lis est le français, penses-y comme à une langue étrangère que tu dois apprendre mot à mot comme un enfant apprend la langue de ses parents. De même pour les images. Ce que tu vois décrit ici somme l'œil de regarder au-dessus de sa puissance normale. Tu apprendras à voir au travers des images comme si elles étaient dessinées sur le verre. Il te faudra une instruction minutieuse pour cela. Et d'autres formes d'assistance. »

En quelques occasions, j'eus l'autorisation d'emporter le volume dans ma chambre, où je lus attentivement jusque tard dans la nuit. Comme j'en avais été avertie, je ne comprenais pratiquement rien de ce que je lisais ; le langage sur la page était un enchevêtrement d'allusions étranges. Il parlait de bêtes fabuleuses, d'oiseaux et de temps et de contrées dont je n'avais jamais entendu parler. Toutes les planètes de la voûte céleste y figuraient, de même les êtres séraphiques qui les chevauchaient. Je m'attardais sur les images, des images fantastiques, qui vous donnaient le tournis ! Toutes n'étaient pas belles : la plupart étaient d'une bizarrerie grotesque ; certaines étaient monstrueuses jusqu'au cauchemar. Pourtant, j'étais captivée par elles et surtout par le garçon et la fille dont les images servaient de fil conducteur au livre. Ils voguaient d'une page à l'autre, formant une histoire qui demeurait pour moi une énigme totale et qui, cependant, hantait ma rêverie.

Voici l'histoire telle que je me la rappelle.

Les deux enfants vivaient dans un royaume mythique. Celui-ci était entouré d'une forêt impénétrable habitée de bêtes fantastiques. Le garçon et la fille étaient promis depuis la naissance. Le jour des épousailles arriva et les réjouissances furent organisées. Mais comme la fiancée et le fiancé avaient commis un péché (qui n'était pas nommé), ils furent condamnés à être enfermés à jamais dans une prison hermétiquement close dont les murs étaient taillés dans le cristal. Là, ils furent mis à nu et exposés pour que le monde entier pût contempler leur honte et leur souffrance. Sur une petite paillasse, ils se blottissaient l'un contre l'autre pour essayer de se réconforter, mais leur tourment restait presque aussi dur à supporter. Avec le temps, comme la prison avait été laissée à l'abandon, l'air devint glacial et le garçon tomba malade. Sa fiancée, s'efforçant de le réchauffer, parvint à réveiller ses sens, et ils en vinrent bientôt à copuler. Ou du moins à le tenter ; mais avant de pouvoir assouvir leur passion, le fiancé devint si incandescent qu'il se consuma presque entre les bras de sa bien-aimée.

Accablée de chagrin, la fiancée abandonnée noya le corps de son amour perdu dans les larmes. Elle pleura jusqu'à ce qu'elle eût rempli la prison jusqu'au plafond. Sous les eaux, elle expira enlacée au corps de son amant. Rapidement, tous deux devinrent noirs, affreux et empuantis pendant que leur enveloppe terrestre se décomposait. Alors le soleil, qui sur le dessin était transporté entre les mâchoires d'un lion gigantesque, devint d'une extrême chaleur et finit par chauffer suffisamment pour faire s'évaporer les eaux de la prison. Après quarante jours et quarante nuits d'évaporation et de condensation, les vapeurs produisirent un arc-en-ciel radieux à l'intérieur de la geôle ; les eaux se retirèrent et voilà qu'une pluie miséricordieuse baigna les corps de la fiancée et du fiancé et les ramena à la vie. Alors les portes de la prison de cristal s'ouvrirent, et le garçon et la fille, plus beaux et resplendissants que jamais dans leur parure dorée et leurs escarboucles étincelantes, purent enfin sortir pour consumer leur union.

Sur la dernière image, les deux semblaient se fondre en seul corps avec un double visage, produisant une silhouette obsédante qui possédait les organes des deux sexes. Derrière leur forme accouplée, s'élevait un gigantesque corbeau à deux têtes, les ailes éployées ; mais les enfants n'avaient pas peur. Chacun à présent tenait une épée, l'épée noire et la blanche, pointée l'une vers les cieux, l'autre vers la terre.

Le volume s'achevait par ces mots :

Sœur-Frère, deux en un,
Mâle et femelle, lune et soleil,
Bruit et silence, lumière et ténèbres,
Graine et branche et chant d'alouette,
Grand géniteur, temps déployé,
Centre, créateur, racine du monde,
En un chant joyeux les nombres entrent
Dans la danse ordonnée du Tout.

Ces deux innocents, frère-sœur, étaient-ils censés représenter Victor et moi ? me demandais-je. Quelles aventures m'attendaient alors ! J'éprouvais sincèrement plus de peur que de curiosité.

« Ce sont des jumeaux, m'expliqua Victor quand je lui apportai le livre pour qu'il le lise. Des jumeaux royaux. Le Grand Œuvre est l'histoire de leur mariage.

– Le Grand Œuvre ?

– La découverte de la pierre philosophale, qui devait transmuer de vils métaux en or. Ce que signifie le mariage. Mais cela ne saurait être compris de façon vulgaire. Rien de ce qui concerne le Grand Œuvre n'est ce qu'il apparaît à la surface. La prison de cristal, par exemple. Sais-tu ce que c'est ?

– Non.

– C'est censé représenter la cornue, le vaisseau dans lequel les substances sont mélangées. Parfois on l'appelle l'œuf, ou le sépulcre, ou la chambre nuptiale. Tout a plusieurs noms. La cornue doit être bouchée si exactement que rien ne puisse s'exhaler. Cela s'appelle un sceau hermétique, d'après le nom d'Hermès, qui fut le plus grand sage alchimique. Le vaisseau devient alors un microcosme en soi où tu peux observer les éléments en train de réagir. C'est ce que je veux voir par-dessus tout ; dans l'histoire, cela s'appelle “la souffrance”. C'est une métaphore, bien sûr, car ces éléments inanimés ne possèdent aucune sensibilité et n'éprouvent rien. Le garçon, vois-tu, est roux ; il est le soufre ; la belle jeune fille est le mercure. Voilà comment les substances se mélangent et composent l'univers. »

Je ne pouvais absolument pas suivre cette explication

« Pourquoi tout doit-il être ainsi caché ?

– Parce que c'est un art secret. Les adeptes ne souhaitaient pas voir des gens ordinaires s'immiscer dans l'Œuvre. Ce qu'ils voyaient n'était pas destiné aux yeux de tous.

– Que voyaient-ils ?

– De grandes visions. Des visions qui pouvaient rendre fous certains hommes. Ce que les adeptes font est comme l'œuvre de Dieu. Mais si ce n'est pas fait avec des intentions pures, cela produit le mal.

– Ma mère dit que tu as étudié le livre pendant que vous étiez à Thonon.

– C'était une chose merveilleuse ! Je n'aurais jamais cru que le monde pouvait être un aussi vaste mystère. Elizabeth, mon esprit était en extase ! Comme si j'étais sur le point de pénétrer dans les recoins les plus éloignés de la Nature. Te rends-tu compte de ce que ces livres contiennent ? Des secrets dans des secrets dans des secrets. Tous les rouages cachés du cosmos. L'on doit seulement apprendre à déchiffrer le véritable sens de ces images. »

À cet instant, je vis en lui les mêmes transports que lorsqu'il observait, debout, la foudre dans les défilés de montagne. Mais maintenant, la foudre semblait frapper dans son esprit et j'en éprouvais encore davantage d'appréhension.

« Peux-tu m'apprendre à voir ce que tu as vu ? demandai-je.

– En fait, je le dois ! Tu dois te tenir à mon côté, comme la jumelle du livre. Ce que je veux savoir, tu dois m'aider à le savoir. Nous sommes sœur et frère dans cette aventure. Nous apprendrons ensemble. »

À ces mots, comme d'un coup de baguette magique, toute l'inquiétude qui m'habitait s'envola. Elle fut remplacée par un sentiment d'exubérance et une grande espérance. Je ne craignais plus ce qui m'attendait ; par-dessus tout, je ne craignais plus l'ardeur que je voyais en Victor. Une seule chose emplissait mes pensées : Victor voulait que je partage sa passion ! L'aventure nous appartiendrait à tous les deux ! Dans ce cas, je serais brave pour lui ; j'aurais l'audace nécessaire quoi qu'il me demande d'entreprendre. Je voulais tellement le prendre dans mes bras, et pas comme une sœur étreignant son frère. Mais je me souvins de la promesse faite à ma mère. Et brusquement, je me rendis compte que la barrière invisible qu'elle avait dressée entre nous ne servait qu'à accroître le désir qui me traversait. Faire semblant d'être de glace en surface rendait le feu au fond de moi plus ardent, comme si la flamme était alimentée par l'abstinence. Bien que je ne m'en fusse point rendu compte, j'avais commencé à apprendre une nouvelle sorte d'amour.

Le soir où ma mère me montra le *Livre de la Rose*, je commençai à tenir mon journal, sachant qu'une aventure m'attendait et que je devais prendre soin de la raconter au jour le jour.

Voici les premiers mots que j'écrivis sur ses pages :

Je suis entrée dans un bois sombre dont peu ont foulé le sol auparavant. Ma mère me conduit par un fil de soie : il n'y a pas de chemins clairs ; je ne puis qu'aller où elle guide mes pas. Nous nous enfonçons loin dans un pays où le soleil semble n'avoir jamais brillé. Je puis à peine discerner la forme de ma mère qui se meut devant moi entre les arbres. Si jamais le fil venait à m'échapper...

J'ai peur...

J'ai peur...

Deuxième partie

NOTE DE L'ÉDITEUR

J'avoue aborder ce passage de ces mémoires avec une grande nervosité. Rien ne requiert autant une attention judicieuse que l'épisode décisif du mariage chimique, car c'est bien la mésaventure qui a précipité la tragédie d'Elizabeth Frankenstein. Pour cette raison, j'ai consacré beaucoup de temps et d'étude à ce rite extraordinaire afin de comprendre sa signification et les pratiques qui y mènent. En même temps, rien ne saurait être plus choquant pour la pudeur que le rôle qu'Elizabeth Frankenstein joua dans cet épisode de sa vie et qu'elle décrit dans ces pages. La sincérité de son récit lui sera peut-être pardonnée si nous nous rappelons que ces mémoires étaient, après tout, destinés aux yeux d'un seul et unique lecteur et que cet homme, en tant que futur époux, assistait à ces rites. En tout cas, je réclame l'indulgence du lecteur si, en cet instant, je me permets d'en exposer les détails avec plus de franchise que je ne m'y suis autorisé ailleurs dans le cadre de mes fonctions éditoriales.

La forme de pensée trouble et informe dont nous avons hérité sous le nom d'« alchimie » ne saurait être plus choquante pour la sensibilité civilisée que dans son symbolisme érotique. Les illustrations qui accompagnent ses écrits étalent souvent de façon éhontée l'aspect sexuel de la question. Cela n'apparaît nulle part de façon plus frappante que dans les deux volumes que j'ai reçus de Mme Rebuffat sur la tombe de Francine Dupin. Sans l'aide des ouvrages intitulés *Le Livre de la Rose* et *Le Livre Lavande,* il se serait révélé impossible pour moi d'explorer nombre des sombres recoins de ce récit. Ce qu'Elizabeth Frankenstein n'évoque qu'obscurément et en passant dans ses mémoires ou au travers de symboles occultes connus d'elle et de son fiancé, est mis en pleine lumière dans ces ouvrages. Le sens précis de ses références indirectes à de pareils rituels comme « l'Empereur endormi » ou « Nourrir les lions » m'aurait complètement échappé sans l'explication que j'ai trouvée dans ces pages.

Les deux livres sont des traductions d'ouvrages en latin beaucoup plus anciens et perdus depuis longtemps. La provenance de ces textes est impossible à situer ; on ne peut même pas être certain de leur langue originelle. Il n'est donc aucun moyen de juger de la fidélité de la traduction latine ; en général, le récit est écrit dans un style classique, ampoulé, qui incite peu à croire à sa sensibilité aux nuances les plus fines. (Je dois ajouter que je n'ai trouvé aucune trace de la traduction française que la baronne Caroline avait effectuée pour Elizabeth ; seules nous sont parvenues les parties qu'Elizabeth a décidé de consigner dans son journal.) Retracer ne serait-ce qu'un semblant du parcours de ces volumes représenta en soi de longues années de labeur, car ils n'étaient pas identifiables, et ils étaient dépourvus de toute mention crédible d'auteur, d'époque ou de lieu. L'obscurité de leur origine était intentionnelle, érigeant soigneusement un rempart de mystère autour d'eux pour protéger les lecteurs contre les accusations d'hérésie. Les libraires bibliophiles que je consultai eurent tôt fait de dater la publication des livres à la fin du XVe siècle en Italie, ce qui les situait parmi les plus anciens textes imprimés de notre histoire littéraire ; mais établir cela revenait à égratigner la surface de l'énigme, sans plus. Car les textes que la presse typographique d'invention récente coucha sur papier dans le cours des années 1480 étaient d'une origine beaucoup plus ancienne. Je vais résumer ici brièvement les conclusions d'une étude qui pourrait donner lieu à un livre par lui-même.

À l'apogée de la Renaissance italienne, une école fut fondée par le savant italien Marsilio Ficino dans la ville de Florence en vue d'étudier les œuvres obscures de la philosophie ancienne. Ces œuvres étaient à l'époque réputées contenir la plus antique sagesse du monde, à côté de laquelle les œuvres rassemblées de Platon, Aristote, Épictète et peut-être la totalité des Écritures étaient des bavardages puérils. Parmi les œuvres que nous remercions sincèrement Ficino et son Académie florentine d'avoir préservées figure un curieux recueil de documents à présent connu comme le *Corpus Hermeticum.* Cette seule œuvre contient presque tout ce que nous savons de l'ancienne tradition alchimique. En même temps, toujours grâce aux savants de l'Académie, deux autres livres furent traduits et mis sous presse. L'un d'eux était ce même *Livre de la Rose,* qu'Elizabeth Frankenstein reçut des mains de la baronne Caroline pour son étude. Il se peut que ce bel ouvrage ait facilement trouvé en son temps un public de lecteurs aussi vaste que le *Corpus Hermeticum* et soit devenu aussi célèbre que ce dernier. Brillamment illustré de la riche iconographie symbolique qu'on escompte découvrir dans les traités d'alchimie, le livre comprend aussi les formules et procédés exacts pour réaliser pas à pas le Grand Œuvre. L'on ne peut que conjecturer que son absence des annales historiques résulte d'une volonté délibérée de conserver à son contenu son caractère ésotérique.

Quant à l'autre volume, le *Livre Lavande,* ainsi nommé en raison de la couleur de sa reliure, sa disparition peut s'expliquer beaucoup plus facilement. On en saisit la cause dès qu'on pose les yeux sur la première de ses nombreuses illustrations. Le livre est franchement obscène. Comme celles du *Livre de la Rose,* les images comprennent des gravures sur bois d'origine orientale, arabes ou hindoues, coloriées à la main, mais l'intention est clairement plus hédoniste. Dans le *Livre Lavande,* le cadre est généralement princier : palais, jardins d'agrément, sérails où rois, reines et courtisanes prennent leurs ébats. Bien que l'auteur anonyme prétende qu'il s'agit d'un traité d'alchimie, le livre est d'un érotisme si cru et sans répit qu'il pourrait passer pour un catalogue des perversions sexuelles.

Le *Livre Lavande* m'enferma dans un dilemme moral dès l'instant où il tomba en ma possession. Alors que j'étais prêt d'emblée à mettre le *Livre de la Rose* dans le domaine public dès que mon travail éditorial serait achevé, je restai incertain quant à la façon de me comporter vis-à-vis du second volume. Au fil des ans, comme l'existence du livre se répandait dans mon cercle de relations, je fus contacté à maintes reprises par des collectionneurs disposés à payer une coquette somme pour l'acquérir. Mais je ne pouvais franchement pas me fier aux intentions de ceux qui m'offraient de l'argent. Craignant que l'œuvre ne s'égarât trop aisément dans le *demi-monde** du libertinage, où l'on aurait fait assurément grand cas de cet objet, je décidai finalement de prendre les dispositions nécessaires pour que le *Livre Lavande* fût déposé à la bibliothèque du Vatican, dont la vaste collection de littérature érotique est protégée depuis plusieurs générations contre l'accès sans discernement du public. J'adresse ceux qui souhaitent poursuivre la recherche sur ce volume au conservateur de la collection Lambruschini dans le Giardino della Pigna, à Rome.

J'attirerai l'attention du lecteur sur un trait nouveau de ce mémoire. Au commencement de sa formation à l'alchimie, Elizabeth Frankenstein commença de tenir un journal : il représente le témoignage le plus immédiat des travaux qu'elle entreprit avec Victor. Dans la dernière année de sa vie, comme elle composait ces mémoires, elle y introduisit des extraits de son journal, de même qu'une série de poèmes concernant les diverses phases du Grand Œuvre. Ces pièces tombèrent entre mes mains comme autant de pages volantes attachées au journal dans lequel les mémoires furent écrits ; beaucoup ont été grossièrement arrachées de sorte qu'il manque les mots écrits sur le bord des pages. Les parties publiées ici ont été introduites dans son journal par la propre main de l'auteur. Le lecteur trouvera ci-dessous la totalité de ce qu'il m'a été possible de retrouver du journal d'origine.

Seraphina entreprend notre instruction

Nature, jubile ! L'Éden revient !
Auprès de l'arbre brûle la rivière.
D'or est la pomme que vola notre mère,
D'épreuves notre chemin, le ciel notre dessein.

À la saison des ombres reste bas le soleil,
Sur la terre règne une noire corneille,
Un hiver trop rude pour que vienne le dégel
Pris dans l'étau d'une loi qui n'est pas naturelle.

L'Œuvre commence dans la morne désespérance,
Quand nul oiseau ne chante dans les bois blafards.
L'Œuvre au cœur de la nuit commence,
Quand la nature éclose fuit notre regard.

Trouve la fleur dans l'os de la tombe
Trouve le feu dans la pierre.
Sous la morsure de la morte-saison
Trouve ressuscitée la Lumière.

Le... novembre 178...

« Il nous faut du sang et de la semence, déclara Seraphina. Le sang d'abord, car c'est plus difficile que de recueillir de la semence. Pour prendre le sang, nous devrons être patientes. Car le sang a ses saisons de même que la Nature. »

Depuis l'été, à chaque fois que je rencontre Seraphina, elle s'enquiert de mes menstruations. Elle pose ses mains ici et là sur mon corps, tâte ma température sur mon front, ma poitrine. Elle presse son oreille contre mon ventre ; elle effleure du bout des doigts une veine de ma gorge et une autre à l'intérieur de ma cuisse. À l'heure du coucher, ma mère m'apporte un fortifiant que Seraphina a préparé pour moi ; puis elle m'enduit le dos et le ventre d'huiles aromatiques. Ma mère me dit que Seraphina cherche à influer sur les rythmes de mon corps. Car l'œuvre ne peut aller plus loin tant que les menstrues ne coïncident pas avec le début de la pleine lune. Cela doit être fait en douceur et peut durer plusieurs mois.

Sur l'invitation de ma mère, Seraphina est venue vivre à Belrive. Elle habite dans une chaumière de jardinier près de la pépinière. Elle y prépare ses propres repas qu'elle prend en solitaire. Elle consacre ses journées à l'étude, sortant rarement pour se mêler au reste de la maison, qui la considère à l'évidence avec une certaine appréhension, car elle a l'allure peu amène quand elle arpente le domaine. Douloureusement voûtée et le pas lent, elle va avec peine son chemin en s'aidant d'un long bâton fourchu. Son costume comporte une longue tunique rapiécée avec des breloques de gitane tintinnabulant au cou, aux poignets et aux chevilles. Si elle se montre dans la journée, c'est pour aller quérir des plantes, qu'elle dépose dans une besace en toile. Alou l'accompagne fatalement, perchée sur son épaule ou, parfois, ouvre la marche avec élégance sur le sentier devant elle. Nos serviteurs semblent trouver le volatile plus sinistre encore que sa maîtresse ; quelquefois, en effet, quand Alou se promène seule, claquant du bec et croassant en se dandinant sur la propriété, les domestiques s'écartent à la hâte de son chemin comme si un ogre approchait. Victor et moi trouvons cela comique à regarder, car Alou est une vieille oiselle douce et nullement menaçante. Mais en dépit des ans, elle impressionne ; un matin où le gros mastiff du régisseur s'est précipité sur Seraphina en aboyant, Alou a fondu sur lui avec des cris stridents comme si elle allait lui arracher les yeux. La pauvre bête a vite couru se mettre à l'abri en glapissant.

Ma mère a déclaré aux serviteurs que Seraphina demeurait sous notre toit comme son apothicaire personnel. Un jour, alors que le baron était brièvement à la maison entre deux voyages, elle lui a dit de même. Bien que le baron désapprouvât visiblement la présence de Seraphina, il s'abstint de poser d'autres questions, se contentant de s'enquérir avec sollicitude de la santé de ma mère « Ce n'est rien de sérieux, j'espère », dit-il simplement. Je sais qu'il préférerait qu'elle consultât un médecin adepte des Lumières.

Seraphina donne véritablement ses soins à ma mère ; elle lui prépare des décoctions et des potions, et non sans raison. Ma mère, qui souffre de consomption depuis son enfance, est parfois faible et pâle ces derniers temps ; elle tombe malade aisément et garde la chambre pendant plusieurs jours. Je crois que les traitements de Seraphina l'aident grandement ; mais cela n'est pas le motif principal de sa présence. Elle est ici pour s'occuper de notre instruction, dont la plus grande partie se fait la nuit, parfois dans la chaumière de Seraphina, parfois dans la prairie.

Ce n'est pas par hasard, nous dit Seraphina, que nous avons commencé nos études au mois de novembre, quand la morte-saison s'avance subrepticement à notre rencontre. Pendant quelque temps, au début, nos études seront sombres, une méditation obscure. Nous devons passer par la Vallée de l'Ombre pour laisser pénétrer l'agonie de la terre jusqu'au tréfonds de nos pensées, la meilleure façon pour comprendre la merveilleuse fertilité de la nature. « Nous étudions les fondements de la vie, nous explique Seraphina. La vie et la vie d'un ordre supérieur qui cache tout ce qui est autour de nous dans le monde. Mais pour apprendre les causes de la vie, nous devons d'abord avoir recours à la mort. » Victor est bien avancé dans l'étude des nombreuses correspondances chimiques des choses. L'automne, m'apprend-il, est l'époque de Saturne, du buisson de roses fanées, du sépulcre de plomb, de la corneille noire et du roi sur son lit de douleur. Dans le *Livre de la Rose*, il me montre des images qui symbolisent la saison de la mort ; il y a tant de choses à retenir.

Un autre mot de son vocabulaire remplit l'esprit des images les plus douloureuses : le *nigredo*. Le noir des noirs. Le noir plus noir que noir. Le *nigredo* est un état songeur, mélancolique de l'âme qu'il faut chercher au-dedans ; mais pour nous aider à y réfléchir comme le font les maîtres alchimistes, Seraphina nous fait emporter le *Livre de la Rose* au cimetière de Vandœuvres et là, étudier les illustrations qui témoignent de cette morne saison. « Vous devez marcher parmi les morts, nous ordonne-t-elle. Vous devez marcher parmi eux comme si, même sous terre, ils étaient nos compagnons dans la vie, qui subissent une phase fixée par le destin et sans laquelle la vie ne saurait se perpétuer. Vous devez tâcher de percevoir autour de vous la fertilité de la mort, qui n'est pas une fin, mais un commencement. Le temps est justement ce cercle, à l'image du dessin que je vous ai montré dans le livre. Souvenez-vous du serpent qui se mord la queue. Nous oublions le cycle du temps quand nous prêtons une trop grande attention aux événements tels que les livres d'histoire les rapportent, et que nous marchons droit vers l'avenir toujours plus lointain. Nous oublions que toute chose revient à son point de départ. »

Aujourd'hui, au cimetière, Victor et moi avons rencontré le fossoyeur qui préparait une nouvelle tombe ; il a déblayé de vieux ossements qui étaient ensevelis, dit-il, depuis des siècles. Ils sont devenus durs comme la pierre et, comme l'a fait remarquer Victor, curieusement blanchis. Nettoyés par la décomposition, débarrassés du moindre souvenir de la vie. Enfin en paix.

Mais, dis-je à Victor, je ne veux pas d'une telle « paix ». Ce serait pour moi une prison de silence et d'engourdissement.

Le... novembre 178...

Nous commençons toujours par un moment de méditation. Seraphina recherche une image dans un des livres et l'offre à notre réflexion. Sa préférée représente la main de Dieu qui descend pour envoyer le Saint-Esprit sous la forme d'une colombe flamboyante. « Comme Noé qui lâche l'oiseau pour explorer l'immensité des eaux, dit Seraphina. Mais ici l'immensité est le monde entier ; et en fait, il n'y a plus de monde, mais seulement l'immensité. » Elle passe son doigt noueux sur l'image pour tracer le chemin de la colombe, montrant comment elle descend pour creuser le néant qui jadis était partout.

Alou observe tout ce que nous faisons comme si elle comprenait chaque parole, bien qu'après un moment, elle rentre la tête sous l'aile et s'endort. Ce soir, elle n'est pas loin de jeter un coup d'œil sur l'image que Seraphina nous montre. Cela amuse Seraphina. Elle lui demande : « Alou, dis-nous : connaîtrais-tu cet oiseau ? Serait-ce un de tes compères ? Allons donc, tu n'es pas assez vieille ! »

Là-dessus, la vieille oiselle harassée claque du bec, qu'elle a fort grand, émet un croassement sonore, et retourne se percher au-dessus de l'âtre.

« Voyez comment l'Esprit flamboyant consume les ténèbres, formant un grand espace, poursuit Seraphina. Et quel est ce trou qu'il laisse derrière lui, ce néant à l'intérieur du Néant plus vaste, ce vide à l'intérieur du Vide ? C'est là le grand mystère, mes enfants. Absorbez cet espace obscur dans votre esprit ; laissez votre pensée s'en repaître. Videz votre esprit jusqu'à ce qu'il ne contienne plus que le néant. Et puis videz votre esprit de ce néant. Car ce Néant dont nous parlons n'était pas le vide de l'espace ; c'était le néant qui n'est pas même l'espace. Imaginez ce Néant qui est au-delà du vide, imaginez un temps où il n'y a pas même le temps qui passe, ni aucun esprit pour se souvenir du temps qui est passé ou regarder devant soi pour voir ce qu'il adviendra. Imaginez ce silence qui est venu avant qu'il n'y ait rien pour souffler un mot ou émettre un son. Rien, rien, rien du tout. Ce vide aurait pu durer à jamais. Mais non. Au contraire, de ce trou formé dans les ténèbres par le feu, le monde s'est levé telle une graine qui germe dans l'obscurité de la matrice. *Mais pourquoi cela fut-il ?* Pourquoi fallait-il qu'il y eût quelque chose ? Pourquoi fallait-il réveiller les ténèbres endormies ? Qu'y avait-il dans le Vide pour faire un monde ? C'est un trop grand mystère pour que les mots puissent le dire. C'est ce Moment avant les moments. Le Temps avant le temps, quand le Très-Haut Amour descendit dans les Abysses pour fabriquer la première matière. Vous voyez quelle leçon d'humilité c'est de contenir ce grand Vide dans nos minuscules esprits ? Mais c'est là que la vraie connaissance commence. »

J'essaie de faire comme Seraphina le demande, mais trouve impossible de vider mon esprit. Cependant, après plusieurs séances, seulement pour un instant on ne peut plus fugace, ici et là, je découvre une vastitude au fond de moi, qui me donne le vertige. Il me semble planer là où il n'y a nul endroit pour tomber. Et je me dis : *Il y a un monde là-dedans !* Puis, d'une voix tranquille, nous demandant de fixer nos yeux sur le trou noir au centre de l'image, Seraphina frappe son tambourin d'un doigt aussi léger que la rosée du matin et chantonne une invocation :

Matière vierge
Divine semence
Dont le sang et le corps
Donnent le pain et le vin

Béni le fruit
Qui emplit Tes entrailles
Or et argent
Soleil et lune

Eaux des origines
Donnez le jour
Aux richesses cachées
Sous la terre

Ta sagesse se répand
En douce pluie
Pour glorifier
Le nom de notre Mère

Le... décembre 178...

Notre travail est censé être chaste, mais nous nous rencontrons dévêtus, Victor et moi, exactement comme les femmes qui se rassemblent dans la clairière. Seraphina aussi. Elle s'assoit en tailleur à côté de nous, uniquement vêtue de ses anneaux de gitane au col et aux poignets.

Je me suis habituée à être nue parmi les femmes ; je comprends ce que cela signifie dans nos pratiques. Mais je ne me sens pas à l'aise d'être nue à côté de Victor. Mon esprit s'écarte de la tâche qui nous attend. J'ai des pensées futiles. Je me demande s'il me trouve belle, aussi belle qu'il trouvait Francine jadis quand il l'épiait dans la clairière. Je veux qu'il me regarde comme il la regardait, bien que mon corps soit encore gracile et enfantin.

Chaque fois que nous nous retrouvons pour nos leçons avec Seraphina, nous commençons par des ablutions. Victor et moi, nous nous entraidons pour notre toilette. Nous bassinons nos corps avec de l'eau dans laquelle a macéré de la camomille, puis les enduisons d'huile de camphre. C'est le signe, nous dit Seraphina, que nous avons chassé la poussière de la mortalité. « Nous ne sommes pas des créatures déchues, contrairement à ce que les prêtres nous enseignent, dit-elle, mais les émissaires de la lumière dont le rôle est de perfectionner la création terrestre. » Mais quand Victor passe ses mains sur mon corps, je n'ai pas des pensées aussi élevées à l'esprit. Je pense seulement à la sensation qui me parcourt la peau comme de petites langues de feu. Je veux ses mains partout. Je veux qu'il me couche sur l'herbe comme il le fit cet autre jour dans la prairie et qu'il s'allonge sur moi d'autorité. Et je m'ouvrirais pour lui et le tiendrais au fond de moi. Je le tourmenterais jusqu'à le rendre follement insensé. Je le laisserais me violer.

Je crains d'avoir une imagination trop vive et dévoyée.

Mais cela n'est pas ma plus grande cause de malaise. Si curieux que cela paraisse, je trouve la nudité de Seraphina plus troublante que celle de Victor. Car elle est tellement vieille. Son corps est décharné à l'extrême ; sa chair flétrie pend mollement à chaque articulation. Pourquoi ne préfère-t-elle pas la dissimuler aux yeux d'autrui, me demandé-je. Comment une femme aussi chargée d'ans peut-elle se montrer assez impudique, voire effrontée, pour aller ainsi dévêtue en présence de Victor ? Je m'inquiète des appréhensions de Victor ; je vois comment il cherche à détourner la tête pour éviter de poser les yeux sur elle à moins d'y être contraint. Pour finir, Seraphina s'enquiert de ce que nous éprouvons. Si vieille soit-elle, c'est une femme perspicace et autoritaire. Rien ne lui échappe. Elle paraît lire dans nos pensées. Elle observe, elle questionne. Elle ne mâche pas ses mots.

« Je vois que tu détournes souvent les yeux quand nous parlons, Victor... » Sa voix râpeuse crisse comme le vent dans l'herbe sèche. Souvent elle mélange son français avec des mots d'autres langues qui lui viennent plus spontanément, telles que l'italien ou le grec. « Ma nudité te contrarie-t-elle ? l'interroge-t-elle avec un certain amusement dans le ton. Oui, je le crois. Pourquoi ? Parce que c'est la nudité d'une vieille femme ? Une nudité disgracieuse ? » Victor tente de se montrer courtois, mais elle ne se laisse pas arrêter. « Allons, parle avec franchise. Nous n'avons pas de secrets l'un pour l'autre. Me trouves-tu trop laide à voir ?

– Cela semble inconvenant... » avance Victor, cherchant à ne pas la blesser.

Seraphina éclate de rire. Son rire est une sorte de gloussement haletant. Elle se prend la poitrine, qui est plate et informe comme une besace vide. Elle la secoue sous les yeux de Victor. « Tu ne trouves pas ça agréable à contempler, n'est-ce pas ? Peux-tu croire que des amants ont sucé cette mamelle desséchée ? Non ? Ah, mais regarde cela ! » Et se penchant vers moi, elle me caresse hardiment sous le sein gauche. Je sursaute sous le geste et croise les bras sur ma poitrine. « Non, non, mon enfant ! Découvre-toi ! Laisse-toi admirer par notre jouvenceau. Laisse-le comparer. » À contrecœur, j'abaisse le rempart que formaient mes bras. Seraphina me touche de nouveau, soulignant avec douceur cette fois la rondeur de mon sein. « Ne te tasse pas ainsi sur toi-même, ma fille. Laisse-toi voir ! Sois fière, comme il t'a été enseigné de l'être. Laisse Victor t'admirer, laisse-le jouir du spectacle. » À son injonction, je carre les épaules et projette en avant ma poitrine de manière à me mettre en valeur. Je me sens audacieuse et cette sensation me plaît. Avant que nos leçons avec Seraphina commencent, il s'était écoulé de nombreux mois depuis la dernière fois où Victor m'avait vue déshabillée ; je me rends compte que j'étais désireuse qu'il remarquât combien mon corps d'enfant avait changé. « Vois comme elle a de jolies formes, dit Seraphina. Comme elle est fraîche avec de jolies rondeurs. Mais je m'aperçois que tu es également mal à l'aise quand tu regardes Elizabeth. N'est-ce pas le cas ?

– Oui, répond Victor avec un certain trouble.

– Et la cause en est fort différente, je parie. N'est-ce pas ? Sa nudité te met mal à l'aise en raison de sa jeunesse et de sa fécondité. La mienne, parce que je suis très usée et tarie. Curieux, n'est-ce pas, que la beauté et son contraire doivent t'affliger... comme si tu ne savais pas qu'attendre d'une femme. Qu'est-ce qui t'afflige le plus, je me le demande, la présence ou l'absence de désir ? Lequel paraît le plus "convenable" ? Maintenant, laisse-moi te dire une chose qui t'étonnera, Victor. Avant que nous finissions, tu seras capable de nous contempler toutes deux, Elizabeth et moi, d'un œil égal. Tu verras sa beauté en moi. Car elle est là, enfouie sous le poids gris des ans. Tu désireras la vieille, oh oui ! Et tu verras mon âge en elle, car il est là aussi, la décomposition à l'œuvre en toute chair. Mais si tu apprends bien, tu verras ce qui se trouve par-delà cette enveloppe, la chose qui fait de nous deux des femmes. Tu trouveras une nouvelle manière de nous regarder qui n'est ni désir ni rejet. »

Je ne saisis pas clairement ce que Seraphina entend par ces propos. Elle parle souvent par énigmes. Mais je sais cela : je ne souhaite assurément pas que Victor me voie comme une vieille décatie ! Je veux son désir et dans toute sa puissance !

Ma mère me peint

Le... décembre 178...

Ma mère examine mon corps, d'un œil aussi aigu que celui de Seraphina, mais dans un autre dessein. Elle peint mon portrait, comme elle me l'avait promis naguère. Elle a commencé peu après mon initiation. À présent, elle me laisse venir régulièrement dans son atelier et là, je pose pendant qu'elle croque mon portrait. Elle s'absorbe totalement dans son travail ; elle prononce rarement un mot et prétend ne rien entendre si je parle. Au début, je me sentais encore plus « adulte » à l'idée que ma mère désirait me dessiner comme elle avait jadis portraituré Francine et souvent de même les femmes de son entourage. Mais parfois, nos séances ensemble me laissent une grande impression de malaise. Le regard de ma mère a, certaines fois, une manière d'observer mon corps quand je suis déshabillée qui me donne l'impression d'être *profondément* nue. Pas comme je me sens quand je suis parmi les femmes, ni comme je me sentirais si Victor me contemplait. Je crois que ma mère voit ce que nul autre ne voit, une partie de moi plus intérieure dont il est possible que j'ignore l'existence. Son œil pénètre en des replis secrets dont je ne suis pas sûre de vouloir qu'ils soient mis au jour. « Je veux te voir te transformer en femme, me dit-elle. Je veux capter l'essence de ce changement... pas seulement l'évolution de ton être extérieur, mais celle aussi de ton âme. »

Percevant mon trouble, ma mère fait brûler de l'encens pendant nos *séances**. Il a une fragrance âcre, végétale ; l'odeur me fait bientôt tourner la tête et alors, je n'ai plus de mal à me détendre pendant que je pose. Je perds toute notion du temps. Ma mère dit que la feuille qu'elle fait brûler vient du Pérou et qu'elle a été découverte par les anciens Incas. C'est Seraphina qui la lui a donnée ; les matrones s'en servent pour les accouchements difficiles.

À chaque fois, ma mère me montre les esquisses qu'elle a faites de moi ; elles ne présentent aucune ressemblance avec moi. Mon visage disparaît dans un brouillard ; mais mon corps est dessiné avec un grand soin en reproduisant chaque forme et chaque ombre, ainsi que le moindre défaut : les petits grains de beauté de naissance sur mon épaule, la cicatrice presque totalement disparue sur ma tempe : même le fin duvet qui entoure le bout de mes seins et les boucles sous mes aisselles. Souvent, elle me demande d'adopter des postures révélatrices, les cuisses écartées et ouvertes sous son regard afin qu'elle puisse reproduire chaque brin de poil et repli de mon intimité. Ses représentations sont excessivement crues, bien que souvent décorées de motifs de fleurs et de vrilles en spirale qui s'enroulent autour de mes seins et de mon sexe. Elle me demande ce que je pense de son travail. Je laisse percer une petite pointe de désapprobation dans ma voix :

« C'est trop direct, me semble-t-il.

– Comment cela ?

– Je n'aimerais pas que des étrangers voient ces images s'ils savaient que j'en ai été le modèle. Elles en montrent trop. »

Cela l'amuse.

« Je pense que tu veux parler des poils.

– Oui.

– Tu as un corps de jeune fille encore splendide dans son état naturel, avec une beauté intérieure qui jaillit, aussi fraîche que la source qui coulera en toi jusqu'à la fin de tes jours. Ton regard est trop influencé par les peintures que les hommes font de nous. Ils se plaisent à faire poser les femmes en chair et en os ; mais souvent, ils préfèrent nous donner des corps angéliques de petites filles : lisses et glabres, avec des seins géométriques minuscules qui auraient pu être sculptés dans le marbre. À moins, bien sûr, qu'ils ne nous représentent sous forme de bacchantes. Oh, comme ils sont fascinés par les bacchantes ! Des femmes folles de passion... qui vivaient assurément il y a fort longtemps et qui n'existent plus. Les hommes n'arrivent pas à décider s'ils nous veulent voluptueuses ou virginales. À en juger par le résultat de leurs œuvres, David et Fragonard n'avaient guère besoin de faire poser des femmes nues ; en vérité, ils ne peignaient que leurs propres fantaisies. Allons donc, nous savons bien pourquoi les dames étaient là, non ?

– Je ne pourrais jamais arriver à poser pour un homme ; m'allonger nue sous son regard pendant des heures d'affilée ! Je ne sais ce qui serait pire pour moi, la honte ou l'ennui.

– Tu es bien naïve si tu crois que ce sont là les seules éventualités. Dans la Grèce antique, c'était un honneur convoité par les plus belles femmes mariées de la cité de poser nues pour le grand Praxitèle. "La sculpture, prétendait l'artiste, est la véritable école de la pudeur féminine." Et pourquoi disait-il cela ? Il affirmait que rien n'attestait mieux la vertu de la femme athénienne que le fait que chaque modèle qui avait joué pour lui le rôle d'Aphrodite était retournée auprès de son mari aussi chaste qu'elle était venue. Bien sûr, nous n'avons que la parole de l'artiste pour l'affirmer. Je soupçonne que ses modèles le quittaient chaque jour sans avoir éprouvé la moindre honte ni une once d'ennui. »

Les esquisses de ma mère font partie d'une grande toile à laquelle elle travaille depuis des mois : un curieux tableau que je trouve très déconcertant. Elle me dit que c'est l'œuvre la plus ambitieuse qu'elle ait tenté de faire et se demande si elle sera jamais capable de la finir. Pour cela, elle a fait d'innombrables études de Seraphina de même que de moi ; la jeune et la vieille, qu'elle combine sur la toile. Je suis représentée sur les genoux de ma mère et elle est elle-même assise sur les genoux de Seraphina. Nous sommes nues toutes les trois ; et, derrière Seraphina, la soutenant, s'étire une rangée de femmes nues, chacune tenant la suivante sur ses genoux. Les visages sont obscurs. La rangée s'éloigne vers le fond du tableau et se perd à la vue, mais chacune a une main sur la poitrine de la femme voisine. En haut, la lune est représentée dans toutes ses phases en même temps. Nous trois – Seraphina, ma mère et moi – nous tenons curieusement enlacées dans les bras les unes des autres. La main de Seraphina fait le tour pour toucher la poitrine de ma mère avec une intensité surnaturelle que je trouve presque prédatrice. Le regard de ma mère est presque tendre et fixé sur moi ; je suis représentée, les yeux baissés sur la paume de ma main, que je tiens ouverte à hauteur de mon sein. Mais la main est vide. Je demande ce qu'elle est censée contenir, car cet espace retient le regard. « Tu verras, mon enfant, répond ma mère. C'est une surprise. »

Je demande à ma mère de m'en dire plus sur Seraphina. « Elle me parle en langue tzigane. Est-elle gitane comme Rosina et Toma ? »

Ma mère sourit en entendant ces paroles.

« Seraphina a vécu parmi les gitans, comme elle a vécu parmi de nombreux autres peuples. Si je te disais qu'elle vient d'une tribu qu'on appelle les Tamouls, j'imagine que cela t'en dirait aussi peu qu'à moi. Cela en dirait tout aussi peu au baron, en dépit de tous ses voyages lointains. Seraphina vient d'un lieu qui se trouve au-delà même du royaume du Grand Turc.

– Est-ce là qu'elle a acquis sa grande sagesse ?

– Là et en de nombreux autres lieux. Seraphina fait partie d'un savoir très ancien. Elle appartient à une chaîne de pensée qui remonte loin dans le temps, comme cette ligne de “femmes rusées” sur ma toile. Elle ne se trouve pas dans les chroniques des hommes, mais elle existe néanmoins. » Ma mère ferme les yeux comme si, en esprit, son regard traversait les siècles. « La chaîne est aussi ténue qu'un fil de la Vierge, mais aussi solide que le bronze ; elle relie maître et élève à travers les âges. Les maillons de cette chaîne sont des enseignements qui ne peuvent être écrits sur une page, mais seulement prononcés face à face. Dans la philosophie alchimique, les femmes comptent parmi les maîtres les plus respectés ; on considère qu'elles apportent un talent particulier à la science. Une fois, dans les temps anciens, dans la grande cité d'Alexandrie, il y eut une sage du nom de Kléopatra. Pas la reine, mais une femme assez célèbre en son temps pour faire partie des grands adeptes. Seraphina s'est consacrée à l'étude de son œuvre et un jour, elle comptera à son tour parmi ces femmes. »

J'avoue à ma mère que je ne saisis pas toujours ce que Seraphina m'enseigne.

« Elle a l'esprit subtil. Accorde-lui toute ton attention, et pas seulement à ses paroles. Seraphina n'enseigne pas seulement par les paroles. Comme tu le verras, elle a d'autres moyens. » Elle s'interrompt pour observer mon expression. « Y a-t-il autre chose ? » me demande-t-elle. Elle devine une note d'inquiétude dans ma voix. Oui, dois-je admettre... quelque chose que j'ai du mal à dire. « Allons ! Nous n'avons plus de secrets l'une pour l'autre.

– Lorsque nous faisons les exercices... cela me laisse terriblement insatisfaite.

– Comment donc ?

– Victor et moi ne nous touchons jamais, sauf sous la direction de Seraphina. En sera-t-il toujours ainsi ?

– Nullement. Avec le temps, vous deviendrez les compagnons les plus intimes.

– C'est difficile de patienter. Vous m'avez dit que je connaîtrais le désir. Je l'éprouve. Mais il reste inassouvi. » Ma voix n'est plus qu'un chuchotement quand je lui avoue : « Je rêve que Victor me viole. Je le laisse faire ; je désire qu'il le fasse. »

Une expression tendre, scrutatrice se lit dans les yeux de ma mère. « Bien sûr, bien sûr. Pauvre enfant ! » Elle s'approche d'une armoire à côté de son chevalet et en sort une petite bourse de velours. « Tu as entendu dire que les "femmes rusées" pouvaient voler. T'es-tu demandé comment elles faisaient cette chose remarquable ?

– Le peuvent-elles vraiment ?

– Autant que les oiseaux, mais pas de la même façon. »

À présent, je suis extrêmement curieuse. « Alors, comment ? »

Il y a de la gaieté dans son regard quand elle me tend la bourse pour que je l'examine. « Voici le manche à balai que nous utilisons. »

Ce que je trouve à l'intérieur n'a rien d'un manche à balai. C'est une mince baguette à peine plus longue que ma main et étroitement serrée dans un étui de soie brillante. Sous le fourreau, une poignée d'ivoire finement ouvragée dépasse, gravée de feuilles de vigne et de fleurs. Il y a également une fiole dans la bourse, que ma mère prend et qu'elle ouvre. « Et voici les ailes avec lesquelles nous volons. » Elle agite le flacon et puis applique soigneusement deux gouttes d'un fluide âcre incolore sur l'enveloppe de soie.

« Il faut se montrer prudent avec cette lotion. C'est une mixture puissante. Tu ne dois surtout pas la boire.

– Qu'y a-t-il dedans ?

– C'est le secret de Seraphina. Mais elle nous a dit que cela contenait de la belladone, un poison mortel. On s'en sert en mettant quelques gouttes sur la peau et seulement à un certain endroit où le corps peut le mieux en ressentir la puissance, même en très infime quantité. Veux-tu que je te montre lequel ?

– Oui, dis-je.

– Alors, étends-toi et vide ton esprit. Laisse ton corps se relâcher. Tu dois écarter les jambes. » Je m'allonge sur la couverture et laisse mon souffle dénouer la crispation de mes muscles. Puis je laisse mes cuisses s'ouvrir. Ma mère me tend la baguette et me montre où la poser. Il faut la placer juste à l'entrée de ma fente et la presser doucement contre la partie la plus sensible de mon sexe. Elle me dit de faire vibrer le bâton légèrement et rapidement « comme les ailes d'un colibri » jusqu'à ce que j'éprouve une sorte de tension insistante. À peine la surface de soie a-t-elle frôlé mes chairs que tout le bas de mon corps se met à irradier. Une rougeur brûlante m'envahit, suivie d'ondes d'un plaisir doucement convulsif. Cette palpitation enivrante faiblit et revient, à chaque fois en cercles grandissants. En quelques secondes, mon esprit se brouille comme si on m'avait mis un voile sur les yeux et j'ai l'impression que je quitte le sol telle une feuille soulevée par la brise. J'aurais pu avoir peur, mais mon corps semble s'être libéré de la pesanteur ; il est léger comme une plume. Je sais que je ne risque pas de tomber. Surtout, le sentiment qui se diffuse dans mon corps est une douce extase qui apaise mes craintes. C'est comme si je me trouvais dans la compagnie des oiseaux qui fendent l'azur. Tout en bas sur la terre, j'entends quelqu'un qui rit dans le plaisir de l'instant ; je baisse les yeux et je vois que ce quelqu'un n'est autre que moi ! Et puis je sombre dans un sommeil chaud et obscur qui dure je ne sais combien de temps.

Quand j'ouvre les yeux, ma mère est auprès de moi, qui me caresse le front. Tout mon corps fourmille telle une cloche qu'on a fait sonner et qui vibre encore. Entre mes jambes, je ressens une légère sensation de brûlure. Ma mère me tend un baume que je dois étaler à cet endroit et, en quelques instants, l'irritation disparaît.

« Dis-moi honnêtement, demande ma mère. Peux-tu croire que rien de ce que tu feras avec un homme puisse surpasser ce que tu viens de vivre ?

– Mais je n'en sais pas assez pour répondre.

– Réponse astucieuse. Et il est évident que tu ne dois pas me croire sur parole. Mais je t'assure, aucun homme ne saurait t'apporter de plaisir plus grand que ce que tu as connu aujourd'hui. C'est pourquoi la teinture de Seraphina doit rester notre secret. Les hommes veulent croire que nous avons grand besoin d'eux. Ils croient que seuls, leurs *grands bâtons** peuvent nous donner la sensation de voler ! Nous ne devons pas blesser leur amour-propre. Assurément, il y a d'autres raisons de rechercher la compagnie des hommes ; il y a des choses que tu découvriras avec Victor, des extases d'une autre sorte. Cela demandera du temps et de l'étude... Pour ces simples diversions, ajoute-t-elle avec un petit rire léger, tu as ta baguette magique. »

Mais elle ne me permet pas d'emporter la bourse. Le baume, me prévient-elle, doit être utilisé avec circonspection. Car si on l'emploie à l'excès, il peut devenir une sorte de tyran qui ne laisse jamais l'esprit en repos.

Le crapaud à la mamelle de la damoiselle

Je me souviens des heures innombrables que je passai, plongée dans le *Livre de la Rose* avec son abondance d'illustrations et de poèmes énigmatiques. Surtout durant les nuits d'hiver, quand le reste de la maison était depuis longtemps endormi. Je restais assise dans ma chambre à regarder fixement les pages, en m'acharnant à associer le texte avec les images. Les images que j'étudiais avaient une vie intérieure ; une avidité qui semblait capter l'œil au point de le vider de toute faculté visuelle. Par moments, j'aurais pu jurer que je voyais les silhouettes bouger sur la page comme si elles allaient mettre le pied dans la pièce. Et souvent, quand le sommeil me surprenait alors que j'étais assise, blottie sous la couverture devant le feu mourant, peu disposée à reposer le livre à mon côté tant que je pouvais garder les yeux ouverts, les images se confondaient avec les rêves qui me transportaient sur des scènes surnaturelles où j'étais la princesse ou le sage ou le héros mythique menant sa quête périlleuse. Je me souvenais que ma mère m'avait parlé du don de la connaissance que Seraphina lui avait donné quand elle était jeune fille : ce don lui avait ouvert les portes de l'imagination et permis à son esprit de vagabonder dans le monde de la pensée dont les femmes étaient tenues écartées. À présent, elle m'accordait le même don et l'effet était enivrant ! Bien que je n'eusse été encore autorisée à goûter qu'une gorgée de vin à ce banquet, je ne pouvais penser à un autre mot pour décrire cette sensation. C'était ainsi, j'en étais certaine, que l'esprit titubait quand il était sous l'emprise de la boisson, dans une sorte de délicieux vertige qui libérait la langue en la rendant exaltée.

Le fait que ce savoir fût entaché par une triste histoire de charlatanerie, entaché aussi par le sang de tant d'adeptes persécutés, ne diminuait pas ma fascination. J'étais parfaitement avertie de la mauvaise réputation que les alchimistes s'étaient acquise au cours des siècles. N'avais-je pas entendu le baron lui-même vilipender leurs pratiques autour de notre table, appelant leur philosophie la plus obscure des superstitions ?

Cela s'était produit au cours d'une visite d'un certain M. Cazotte, un occultiste parisien qui était récemment arrivé au château en provenance de Palerme, juste après avoir été reçu en audience par le célèbre comte Cagliostro. Je me serais souvenue assez bien de M. Cazotte ne serait-ce qu'à cause des nombreux récits surprenants qu'il apportait ; mais aujourd'hui, je me souviens de lui surtout pour avoir appris récemment que le destin avait voulu que cet homme fantastique fût une des victimes de la Terreur et mourût sous la guillotine.

À l'occasion de sa visite à Genève, M. Cazotte raconta que le comte Cagliostro lui avait retiré un bouchon de cire de l'oreille, qu'il avait transformé sous ses propres yeux en or pur. Comme cela se produisait souvent avec nos invités, il s'ensuivit un échange enfiévré avec le baron qui, dans un moment d'exaspération, demanda enfin : cela ne prouvait-il pas sans l'ombre d'un doute que la science spagyrique était l'œuvre de simulateurs et d'imposteurs ? « S'il suffisait, monsieur, de plonger le doigt dans votre oreille malpropre pour se procurer de l'or, proclama le baron, le comte Cagliostro serait plus riche que moi, et il en irait de même de tous les mendiants des rues d'Europe. Mais ce n'est pas le cas. À ma connaissance, monsieur, votre coquin de comte est un misérable débiteur, un aigrefin et un faussaire, comme tous ses semblables. » À peine eut-il prononcé ces mots que, jetant un regard à ma mère à l'autre extrémité de la table, il s'empourpra et cacha son visage au fond de son verre de vin ; car il connaissait parfaitement les centres d'intérêt de sa femme. Plus tard, je demandai à celle-ci ce qui motivait l'hostilité de mon père. Je ne pouvais croire qu'il les comptât, Seraphina et elle, parmi les mystificateurs qu'il était si prompt à condamner. Avec un soupir las, elle m'expliqua : « Comme beaucoup d'esprits sceptiques de notre temps, le baron ne connaît les anciens enseignements que sous leur forme dévoyée, où l'on trouve toujours des charlatans à l'œuvre, pas moins dans les sciences naturelles que dans les sciences occultes. L'été dernier, à Strasbourg, il y avait un mécaniste qui prétendait avoir inventé une machine du mouvement perpétuel basée sur les stricts principes de Newton. Or, que découvrit à l'intérieur du mécanisme celui qui l'acheta ? Un rat affamé qui courait dans une roue ! Que Cagliostro soit une canaille ne fait aucun doute. Mais qu'il soit universellement réputé pour tel parmi tous les vrais adeptes, le baron refuse de l'entendre. »

Dans mon innocence, je prenais au mot ma mère quand elle m'assurait que le baron devait être pardonné pour ses « limites », d'autant plus quand elle ajoutait avec un soupçon de commisération conjugale : « C'est un homme, après tout. » Car rien, dans mes études, n'était souligné avec autant de force que le fait que j'apprenais une sagesse de *femme*. Cependant, si ravissantes que fussent, selon moi, les illustrations du *Livre de la Rose*, le texte était tellement obscur que mon cerveau de femme s'engourdissait en essayant de réfléchir à son sens. Je lisais :

> Torture l'Aigle jusqu'à ce qu'elle pleure, et que le Lion faiblisse et se vide de son sang. Le sang du Lion mêlé aux larmes de l'Aigle est le trésor de la Terre.

Mais même quand je compris que l'aigle était l'emblème de la vertu suprême et du processus *chimique* appelé sublimation, et que le lion était le symbole de la pierre philosophale, et de l'or, et du soleil... je ne pus distinguer le comment du pourquoi de cet enseignement.

« Tu dois persévérer, mon enfant, insistait ma mère. En dépit de la grande profondeur de ces questions, la Raison est faite pour les saisir. Souviens-toi du temps où tu vagabondais dans les montagnes avec Victor et où tu te tenais au bord du précipice, les yeux plongés dedans ? Imagine que tu te tiens à présent au bord d'un grand gouffre ; songe que si tu t'élances au-dessus de lui, tu glisseras comme un grand faucon sur le vent ascendant. Sois assurée que ton esprit aussi a des ailes. »

Avec la curiosité exaltée de la jeune fille, j'étais beaucoup plus attirée par tout ce que le *Livre de la Rose* disait du mariage (et plus particulièrement de ce qui s'ensuit dans la chambre nuptiale) que par ce qui se disait des lions, des loups et des dragons symboliques.

> Voyez ! [lisais-je !] La plus belle des pucelles s'approchait, parée de damas broché et de soie, avec le plus beau des jouvenceaux, vêtu d'une robe d'écarlate. Ils marchaient en se donnant le bras vers la roseraie, des roses parfumées dans les mains. Alors, devant les invités de la noce qui les attendaient, la jeune vierge dit : « Voici mon époux bien-aimé. Et à présent nous devons quitter ce suave jardin et nous hâter vers la chambre à coucher pour assouvir notre passion. »

Était alors représenté le couple amoureux sur la couche nuptiale, tous deux dépouillés de leurs atours et fiévreusement enlacés.

Et en un autre endroit, je lisais :

> En ce jour, ce jour, ce jour, les noces du Roi ont lieu. Si par la naissance vous êtes destiné à y prendre part, allez sur la montagne, la montagne aux trois temples et de là-haut, assistez aux rites.

L'on pouvait voir ainsi le roi et sa belle épousée, renversés sous une charmille, lui étant profondément enfoncé dans sa vulve et émettant une riche fontaine de semence. Et je voulais, je voulais...

Mais toutes les images qui représentent le jeune homme faisant sa cour et le mariage ne sont pas aussi charmantes. Une autre raconte une histoire répugnante. Un beau prince s'approche d'une délicieuse damoiselle à laquelle il est promis. Il tend la main pour la caresser, mais glisse à la place un crapaud chargé de poison dans son corsage. La damoiselle regarde, les yeux exorbités, le batracien s'emparer de son sein et sucer goulûment. Sous l'illustration, la légende indique : « Placez un crapaud venimeux sur la poitrine d'une femme pour qu'il puisse se nourrir. La femme mourra, et le crapaud engraissera de son lait. Avec lui, vous pourrez fabriquer une potion noble qui chassera le poison du cœur et sauvera tout de la destruction. »

J'ignorais ce que cela voulait dire ; en fait, je trouvai l'image si repoussante que je pris l'habitude de sauter la page sans la regarder quand je feuilletais le livre. Quelle surprise ce fut donc pour moi de tomber sur la même image grotesque en un lieu où je m'y attendais le moins : dans la peinture de ma mère ! Car c'est cela qu'elle posa sur ma main vide : cette affreuse petite bête. Elle me représenta baissant un regard presque affectueux sur la chose, pressant mon sein contre les minces lèvres vertes comme si elle était un nourrisson à la mamelle.

Quelle était la signification de cela ? Ma mère m'avait dit plusieurs fois de me voir comme la femme sur les images ; la reine, la sœur, l'épouse. Mais ici la dame donnait le sein à un affreux crapaud, qui la tuait. Cela voulait-il dire que les femmes couraient un risque en étudiant l'alchimie ? « Tout au contraire », me répondit ma mère avec quelque inquiétude, et elle s'approcha aussitôt de son étagère pour y prendre un gros parchemin. Elle le déroula sur la table pour me faire voir une représentation fabuleusement complexe du cosmos, un cercle dans un cercle dans un cercle, le monde dans le monde dans le monde. « Regarde ici, m'expliqua-t-elle. Voici une image du Grand Univers comme aucun philosophe naturaliste ne le verra jamais sous sa forme totale et parfaite. Pense à cela comme à une vision étroite de l'esprit de Dieu. Et là, reliant tous les niveaux de l'existence, il y a une chaîne d'or qui parcourt la totalité du temps et de l'espace de son point le plus haut au plus bas. L'exercice de la Raison est d'escalader cette chaîne et de monter jusqu'à la source divine de laquelle jaillit toute chose pour que nous puissions voir comment Dieu voit. Le crapaud à la mamelle de la damoiselle est le symbole de la matière de base que tu vois ici sur le point le plus bas du cosmos. Mais si éloigné de Dieu que soit ce point, il peut devenir sacré, lui aussi. Le lait de la femme dont parle le *Livre de la Rose* est la pierre philosophale, qui peut purifier la matière et transmuer les métaux vils en or. Cela signifie que les femmes peuvent aussi jouer un rôle de rédemptrices, comme le Christ, Zoroastre ou Hermès Trismégiste. »

Elle retourna vers son étagère et en descendit un volume relié de cuir qu'elle posa dans mes mains. « Ce livre, dans l'esprit de bien des hommes, contient l'avenir entre ses pages. Je te demande de l'étudier avec les autres ouvrages que je t'ai donnés. C'est l'écrit d'un grand philosophe alchimique, bien que dans ce livre, il se soit égaré dans d'autres domaines de moindre importance. D'après moi, c'est une de ses œuvres mineures, bien que tenue en très haute estime par beaucoup. Si tu as des difficultés à comprendre, Victor peut t'aider. Lis avec soin ; apprends par là comment les hommes passent au crible les secrets de la nature. »

Je compris peu de choses à ce que ma mère me dit de ces grands personnages, mais quand elle me parlait ainsi, je savais qu'elle avait de grands desseins pour moi. Je voyais pourquoi elle m'avait peinte comme elle l'avait fait sur la grande toile, une femme qui s'inscrit dans un flot de femmes qui remontent de plus en plus loin dans le temps, vers un savoir aussi antique que la terre. Mais je me sentais aussi portée *en avant* par ce flot grâce à la force de toutes les femmes qui m'avaient précédée. Ma mère considérait l'époque où nous vivions comme un croisement dans le temps. Parfois, quand elle parlait de ces choses, elle prenait un ton presque prophétique comme quelqu'un dont le regard franchit le temps et les distances : semblable à une prophétesse... bien que sa modestie lui eût interdit des prétentions aussi élevées. Néanmoins, il y avait dans tout ce qu'elle disait de notre œuvre un sentiment d'urgence qui donnait au moindre de nos actes une importance suprême, au point que j'aurais pu aisément vouloir me dérober tant je m'en sentais indigne. Mais elle ne l'aurait pas permis.

Quand je retournais dans ma chambre, je feuilletais avec ardeur le volume qu'elle m'avait donné. Je n'y trouvais pas d'images, seulement des chiffres et des croquis qui se révélèrent encore plus obsédants que les images du Grand Œuvre. Je pouvais interpréter certains des chiffres ; je reconnaissais en eux maintes formes géométriques et théorèmes que j'avais appris avec le *signor* Giordani, mais ils allaient bien au-delà de mon entendement. Quand je demandai à Victor de m'aider à les comprendre, il éclata de rire et demanda, étonné :

« Mère t'a donné ça à lire ?

– Elle a dit que tu m'aiderais à comprendre. »

Son amusement grandit.

« Tu vois combien c'est mathématique. Cela peut ressembler à la géométrie, mais c'est du calcul, que peu de gens peuvent lire.

– Notre mère l'a lu.

– Oui, mais c'est une femme extraordinaire.

– Et pas moi ?

– Pas de la même façon, ma mie. Et, en tout cas, tu n'es pas encore une femme. » Puis, baissant la voix comme si notre mère pouvait écouter, il ajouta : « Je vais te raconter une histoire sur notre mère. Une fois où mon père était à dîner à Ferney, M. Voltaire parla de son ancienne compagne, la remarquable Mme du Châtelet. Peut-être en as-tu entendu parler ? » Je dis que non. « Elle a écrit sur la science de Newton, qu'elle comprenait de façon surprenante. Elle était totalement l'égale de Voltaire à tous égards. Cela conduisit Voltaire à dire que Mme du Châtelet était « un grand homme dont la seule erreur était d'être né femme... » Mon père crut que si Voltaire avait connu notre mère, il aurait dit d'elle la même chose. Tu ne dois pas dire à notre mère que je t'ai raconté cela. »

Malgré les propos décourageants de Victor, je fis tout mon possible pour lire attentivement le livre que ma mère m'avait confié, même si ce que je saisissais me semblait aussi aride que la poussière, manquant de couleur et de vitalité. Je le laissai bientôt de côté.

Il s'intitulait *Philosophiae naturalis principia mathematica*. L'auteur s'appelait sir Isaac Newton.

Je deviens la sœur mystique de Victor

Je suis accrochée à la terre, il s'élève dans l'azur.
J'explore les fonds, il chevauche le vent.
La joie me vient de ce qui est rare et obscur
De l'infini des cieux il prend la mesure.

D'en bas, je le regardai s'élancer
Alors, parmi les étoiles, il put marcher.
Je craignais que mon amour ne fût oublié
Quand si loin de moi, il eut volé

Quand il revint, le monde lui parut bien piètre
Il lui sembla dépourvu de valeur.
Mais les racines et les sources sont mes maîtres
Et lient à la terre bénie mon cœur.

Quand je dis à ma mère que je trouvais le grand livre de Newton d'un ennui mortel, elle sourit avec satisfaction : « C'est bien mon avis ! Cet homme tragique nous a transmis une bien curieuse manière de comprendre l'univers ; pas comme l'œil le voit, ni comme la main le touche, ni comme le cœur l'aime, mais seulement comme les chiffres le mesurent. N'a-t-il pas dépouillé nos vies de toute couleur et substance sans lesquelles il ne peut y avoir d'humanité ? Il fait appel à la force de l'abstraction, une sorte de sainteté mathématique fort prisée parmi les philosophes naturalistes. Et pour quel résultat ? Hélas ! Je crains que nous n'en ayons une démonstration demain soir. »

L'événement auquel ma mère faisait allusion devait être une des grandes *soirées** de Belrive. Ce serait aussi l'occasion d'une des disputes les plus mémorables entre elle et le baron.

L'objet de la soirée était de présenter un éminent visiteur de Paris, le docteur Du Puy de l'Académie royale des sciences. Son domaine particulier était la pneumatique, science de l'atmosphère. Il voyageait pour enseigner celle-ci dans toutes les universités. Le docteur passait par Genève pour regagner l'Italie, où les habiles verriers de Venise avaient fabriqué à sa demande un nouvel instrument remarquable : un gigantesque dôme de verre dont on me dit qu'il était presque aussi haut que moi. Cette invention délicate exigeait le transport le plus attentif avec des haltes fréquentes. *En route** pour Paris, le docteur passa plusieurs jours au château, où, sur l'insistance du baron, il accepta de se livrer à une démonstration.

Le soir en question, à l'issue d'un somptueux banquet, la cloche fut montée sur un socle au centre du salon : à l'intérieur, le docteur Du Puy plaça un canari, qui se mit à voler furieusement contre les parois de cette étrange prison de verre. Le savant fixa alors un tuyau de cuir à une ouverture au sommet du cylindre, de façon à la fermer hermétiquement. Cela étant fait, il présenta l'appareil que beaucoup tenaient pour une merveille du monde : sa pompe atmosphérique, une machine qui peut aspirer l'air d'un espace clos et de la sorte, créer un vide. Cette pompe, qu'il fixa à la cloche de verre, faisait sa fierté ; il se répandit sans fin sur son excellence. Quelques secondes après que la pompe eut commencé à fonctionner, le canari battit des ailes mais fut incapable de voler ; il ne pouvait que se débattre sur le sol de l'habitacle. La malheureuse créature n'avait plus assez d'air pour la porter ; le docteur Du Puy l'avait entièrement aspiré. Tandis que le pauvre petit oiseau se débattait sur le sol du dôme, le docteur Du Puy expliqua pourquoi cette expérience à laquelle nous avions le privilège d'assister était une chose merveilleuse. Car dans le milieu des savants de la pneumatique, la création d'un vide aussi pur était considérée comme un vrai prodige. Pour autant que je pusse en juger, son vide était simplement un grand rien. Et bien sûr, le canari qui habitait ce rien n'avait plus rien à respirer. Aussi, après quelques instants d'une agonie futile, il ne lui resta qu'à mourir et cela, sans autre raison que de prouver le grand génie du docteur Du Puy. Le trépas du volatile fut cependant salué par de nombreux applaudissements de l'auditoire, sauf, il est vrai, de la part de ma mère, dont je voyais le visage pétrifié de l'autre côté de la salle, et de la mienne.

Des éloges aussi enthousiastes incitèrent le docteur Du Puy à bisser sa prestation ; il plaça un pinson sous la cloche de verre et renouvela l'expérience avec le même résultat. Le pinson battit des ailes, tomba par terre et mourut étouffé par le vide splendide. Une approbation encore plus grande s'ensuivit ; aussi le docteur Du Puy remplaça-t-il le pinson par un corbeau, puis le corbeau par une jeune chouette. Le résultat était toujours le même. Chacune des créatures expira dans le vide. Ensuite, avec la bénédiction de l'assistance, le docteur Du Puy introduisit un lapin sous la cloche, puis une souris, puis un chaton, comme si prouver le pouvoir mortel du vide tout-puissant ne connaîtrait pas de fin. Tous expiraient après quelques instants de supplice. La mort sous la cloche était totalement démocratique ; elle aurait frappé tout homme placé dessous. Bientôt, le sol aux pieds du docteur Du Puy fut jonché des corps inanimés de ses spécimens.

À ce moment, ma mère ne put davantage se contenir. Interpellant le docteur Du Puy de l'autre bout de la pièce, elle demanda : « Et que croyez-vous avoir prouvé, monsieur, par cette démonstration remarquable ? »

Sur le coup, le docteur fut interloqué par la question. Puis, voyant qu'elle provenait de la maîtresse de maison, il répondit avec la plus extrême courtoisie :

« Cela prouve, madame, la capacité d'une pompe de bonne facture à créer un vide parfait.

– Vous vous trompez, monsieur, eut-elle l'audace de répliquer. Elle démontre la cruauté de votre science et le danger qu'elle représente pour l'humanité. En effet, regardez à vos pieds, monsieur. Vous avez les guêtres couvertes de morts. »

Et elle le supplia de cesser. Cet emportement se révéla extrêmement irritant pour les invités du baron qui, semblait-il, étaient prêts à voir le règne animal tout entier se faire massacrer par la pompe diabolique. Le baron fut fort embarrassé ; plus tard dans la soirée, ce fut la seule et unique fois où il daigna réprimander ma mère pour son manque de courtoisie. Mais elle refusa de manifester le moindre repentir ; elle lui dit carrément que la mort d'aucun être n'était justifiée par l'obsession du docteur Du Puy pour les pompes de bonne facture.

Cependant, en dépit de la peine que ma mère éprouvait pour les pauvres bêtes, celles-ci n'étaient pas son principal souci. Son inquiétude première concernait Victor, au côté duquel je m'étais tenue toute la soirée. Comme ma mère, j'avais observé l'intérêt avide qu'il avait témoigné pour la démonstration. Son visage rayonnait d'étonnement. Ma mère ne pouvait s'empêcher de lui faire connaître la force de ses sentiments. Mais son influence ne devait pas l'emporter. Le lendemain, Victor resta enfermé avec le docteur Du Puy pour apprendre comment préparer des spécimens pour l'étude. Mon père promit avec empressement de lui fournir une pompe aspirante, la meilleure pour étouffer les animaux à la pelle.

« Je ne pouvais assister à cela en silence, me dit ma mère quand nous nous retrouvâmes dans ses appartements. Je désirais qu'il connût mon sentiment. Mais peut-être aurais-je dû tenir ma langue.

– Je suis heureuse que vous ayez parlé, dis-je. Je ne crois pas que je pourrai jamais faire preuve de la même audace devant une assemblée aussi auguste. »

Ma mère éclata de rire.

« Le docteur Du Puy a témoigné d'une indulgence polie. Il s'est excusé par la suite en disant que sa démonstration était parfaitement inappropriée devant les dames. Sur quoi j'ai osé lui repartir que, dans ce cas, notre monde reposait entre les mains du mauvais sexe. La nature se réjouirait sûrement si les femmes héritaient de la terre, car elles s'intéresseraient aux animaux plus qu'aux machines.

– Cela l'a-t-il fâché ?

– Point du tout ! Qu'importe, après tout, ce que peut penser une simple femme ? Je suis sûre que le docteur Du Puy a attribué tout ce que j'ai dit aux vapeurs utérines qui sont supposées embrumer le cerveau de la femme. »

La *soirée** du docteur Du Puy devait avoir des conséquences d'une portée considérable. Aux yeux de ma mère, la démonstration du vide meurtrier de ce soir-là éveillait une fascination malsaine, qui figurait au nombre des nombreuses fascinations qu'elle avait vues agir sur Victor.

« La présomption est le grand péché de notre siècle, me dit-elle un soir où elle était venue à mon chevet. C'est une tentation corruptrice, surtout pour un esprit doué. Là où elle s'enracine, il est dur de l'arracher. » Ayant parlé, elle me présenta un livre qu'elle posa entre mes mains. Il n'était pas aussi grand que le *Livre de la Rose* ni aussi élégamment relié ; mais elle me le présenta avec un air de grande importance... et une certaine appréhension. « Te souviens-tu quand je t'ai dit que rien de ce qui est lié au Grand Œuvre n'est ce qu'il paraît être à un regard profane ? Tout est soi, *et* quelque chose en sus. Espérons que tu as étudié suffisamment pour appliquer cette leçon ailleurs. Car tu trouveras ici de quoi t'inciter à vouloir découvrir ce qui n'est pas totalement montré. » Puis après s'être penchée pour déposer un baiser sur mon front, elle me laissa avec le livre. « Tu es encore si jeune, mon enfant, remarqua-t-elle avec le même air égaré. Je n'avais pas envisagé de commencer si tôt, mais je crains que nous n'ayons pas le choix. »

Le *Livre Lavande*, ainsi nommé en raison de la couleur de sa couverture de vélin, ne portait pas de titre ni de nom d'auteur. Celui-là aussi était écrit en latin, mais le texte était mince. Même sans la traduction que ma mère me donna avec le volume, je n'aurais eu aucun mal à suivre la majeure partie de ce que disait l'ouvrage, qui équivalait à guère plus que des légendes pour les multiples images qui remplissaient le livre. Celles-ci n'étaient pas aussi jolies que celles du *Livre de la Rose*, mais elles étaient beaucoup plus saisissantes. Elles se présentaient comme autant de séries, une image après l'autre, l'ensemble paraissant raconter une histoire. Comme je le découvris bientôt, les histoires étaient également censées être instructives.

Un an plus tôt, j'aurais été effarée par l'intention de ma mère de me faire découvrir ce que le monde entier considère comme une œuvre inconvenante. À présent, j'étais beaucoup plus étonnée par ma propre nonchalance pendant que j'examinais un livre qui montrait, une page après l'autre, un homme et une femme se retrouvant dans le but de faire l'amour et de façons infiniment plus inhabituelles que cela n'était représenté dans le *Livre de la Rose*. En fait, le couple s'ébattait dans des positions curieusement obliques, parfois acrobatiques, qui me causaient plus de curiosité que d'embarras. Était-ce ainsi, me demandais-je, que les gens d'une autre race faisaient l'amour ? L'homme et la femme étaient, après tout, un couple oriental – lui, un prince indien, elle, une de ses innombrables courtisanes. J'étais surtout frappée par l'effronterie de ces femmes. Elles se comportaient sans honte ni scrupule, souvent avec des manières qui dénotaient des appétits effrénés. Le livre montrait en détail comment elles paraient, peignaient et parfumaient leurs corps, comment elles se rendaient aussi séduisantes que possible, et par-dessus tout, combien elles procuraient de délices aux hommes en cédant à chacun de leurs caprices. Des positions étaient représentées dont je doutais que je pusse jamais les prendre ; à vrai dire, même si je l'avais pu, j'étais sûre que je les aurais trouvées comiques. S'il fallait en croire ce livre, il n'y avait pas une partie du corps de la femme qui ne pût être utilisée pour satisfaire le plaisir de l'homme qui était son maître. Comme je lisais attentivement les pages, je me rendis compte à quel point les pratiques sexuelles des braves chrétiens parmi lesquels je vivais étaient terriblement restreintes. S'ils abordaient un tant soit peu ces questions, c'était de façon laconique ; et ce qu'ils faisaient, dans la mesure où j'en savais quelque chose, se résumait à un acte précipité que peu de femmes, me semblait-il, trouvaient plaisant. Cela dit, les femmes que je voyais dans le livre étaient des prostituées, des femmes de l'espèce la plus basse, qui n'étaient que les esclaves des hommes. Voulait-on m'inciter à suivre leur exemple ?

Quand je demandai à ma mère de m'aider à comprendre, elle me complimenta pour l'intérêt dont je témoignais. « Tes questions sont astucieuses. Je ne t'aurais pas donné le livre si je n'avais été sûre que tu étais suffisamment femme pour le regarder d'un œil critique. Malheureusement, tu as tout à fait raison. Les femmes que tu vois ici ont reçu une formation de concubines ; elles étaient traitées comme moins que des êtres humains justement parce qu'elles se vendaient aux hommes. Les hommes, bien sûr, n'encouraient pour leur part aucun reproche dans cette transaction. Non, Elizabeth, ce n'est pas la prostitution que je veux que tu apprennes de ces femmes. Ces images viennent d'un autre monde et d'un autre temps, quand un maître royal pouvait soumettre à ses désirs autant de femmes qu'il lui plaisait. Dans ce monde, il fallait qu'une femme fût une catin et négociât ses faveurs pour pouvoir pleinement jouir des plaisirs de son corps. Il est triste que le Grand Œuvre se soit laissé empêtrer dans cette époque honteuse. En étudiant ces livres, nous devons veiller à exercer notre jugement de femmes ; il est nécessaire pour nous de trouver notre propre entendement de ces enseignements. Il y a un paradoxe ici, mon enfant. Tant que la nature physique de la femme ne sera pas respectée, sa nature spirituelle ne sera pas vraiment honorée. Aussi longtemps que nous serons jugées trop "pures" pour avoir quelque chose d'animal en nous, nous serons traitées comme des enfants innocentes et serons négligées.

– Mais cela veut-il dire que je dois imiter ce que je vois sur ces images ?

– Un rôle t'échoit dans le Grand Œuvre. C'est celui de la *Soror Mystica*, la "sœur mystique". Il n'est pas aisé d'expliquer ce rôle puisqu'il n'a pas d'équivalent dans notre monde. Il se peut que Seraphina te demande d'imiter certaines choses que tu vois sur ces dessins, mais elle veillera à ce que cela soit fait dans un esprit approprié. Tu lui fais confiance ?

– Oui, mais je crois que Victor va me prendre pour une prostituée si je me conduis comme le font ces femmes.

– Victor a été soigneusement éduqué à penser autrement des femmes que le font les autres hommes. Il sait que ce que tu trouves dans les livres a un sens *ultérieur*. Tiens, laisse-moi te donner une petite leçon. Tu vois l'homme et la femme sur cette image ? Comme ils s'accouplent, nous les considérons comme deux êtres, rapprochés par le plaisir physique. Mais songe maintenant à l'image comme à celle d'un *seul* esprit divisé entre deux êtres. Ainsi, ces deux amants ne sont pas des êtres séparés mais des parties de nous cherchant l'union parfaite. Le grand Platon a enseigné que chacun de nous n'est qu'une moitié d'un être entier. Ce que nous appelons amour est notre faim de trouver la complétude en un autre. Ainsi, tu vois, même le désir de la prostituée peut dénoter une passion plus élevée. Avant que tu aies accompli l'Œuvre, tu connaîtras beaucoup de ces choses mieux que moi, car, pour ma part, je n'ai pas eu de compagnon masculin. »

NOTE DE L'ÉDITEUR

La fonction de la Soror Mystica *dans le mariage chimique*

Par son étude du *Livre Lavande*, Elizabeth Frankenstein était minutieusement préparée au rôle de la *sœur mystique* du Grand Œuvre alchimique. Cette étrange fonction féminine, qui ne trouve aucune correspondance dans les enseignements religieux de notre société, fit l'objet d'une étude particulière de ma part au cours des nombreuses années que j'ai consacrées à l'étude de ce mémoire. Il figura parmi les problèmes les plus difficiles auxquels j'eus à faire face.

Dans les traités d'alchimie, des personnages féminins apparaissent souvent dans les illustrations, habituellement sous la forme d'êtres mythiques, peut-être des divinités de la nature, des reines ou des signes astrologiques. Mais dans les commentaires qui accompagnent ces illustrations, la femme apparaît, semble-t-il, comme à travers du verre, obscurcie. La parole écrite est presque totalement dominée par le sage, qu'on s'accorde universellement à considérer de sexe masculin. Immanquablement, c'est un homme érudit, qui travaille seul dans son laboratoire. Mais dès le troisième siècle après Jésus-Christ, nous notons un subtil changement. Nous tombons sur des allusions passagères à « *femina* » ou, plus rarement, « *puella* ». Ces appellations font référence à une assistante qui possède clairement une connaissance intime de l'atelier et de ses activités. Par exemple, dans les *Manipulationes* de Zosime le Panapolitain, nous trouvons l'ordre suivant : « Fais placer les objets par une femme sur le côté nord du foyer et psalmodie le chant requis. » Ou : « Fais préparer la teinture par la femme et chauffe-la au premier degré. » Les mêmes références occasionnelles peuvent se rencontrer dans les textes arabes des VIIe et VIIIe siècles, où, de nouveau, la femme, par ailleurs obscure, est créditée d'un savoir-faire considérable. Dans les illustrations d'une période plus tardive, une femme peut apparaître dans l'atelier et offrir ses services à l'initié. Arnauld de Villeneuve (dit Arnaldus de Vilanova) et Raymond Lulle désignent celle-ci sous le nom de « *soror* » et présument clairement que l'adepte dépend de sa présence et de ses tâches. Les illustrations représentent invariablement une femme modeste, habituellement jeune et jolie, le corps pudiquement couvert, parfois montrée dans l'attitude de la prière au côté de son maître. Dans un cas au moins, celui de l'éminent alchimiste hollandais Helvetius, le rôle de la *Soror* était joué par sa fidèle femme, dont on disait qu'elle était aussi instruite dans cet art que lui-même. En tout cela, nous pouvons trouver de quoi susciter quelque curiosité quant à la fonction exacte de la femme ; mais il n'y a pas là de quoi éveiller d'inquiétude morale.

Aussi, combien fut-il troublant pour moi d'apprendre que les illustrations alchimiques lubriques, dans lesquelles on représente sans vergogne l'acte sexuel et des perversions, n'étaient pas censées être de simples symboles ! Au contraire, elles décrivaient de manière scrupuleuse des pratiques à entreprendre par l'élève alchimiste. Il est à présent évident pour moi qu'à chaque étape de cette pratique occulte, le sage alchimique devait être assisté d'une femme dont la participation à l'Œuvre, bien qu'assumée pour un rôle accessoire, était entendue comme essentielle. Comme nous le voyons clairement dans le récit d'Elizabeth Frankenstein, l'emploi du fluide vaginal et du sang menstruel dans l'atelier de l'alchimiste était courant. La femme devait permettre au sage de récolter ces substances fraîches sur sa personne. Si une femme accommodante n'était pas disponible pour recueillir les fluides nécessaires, le sage pouvait user des services d'une simple prostituée. En fait, d'après certains textes, plus le statut moral de la femme était bas, plus elle était censée convenir à cette fonction, pour bien souligner le vil niveau à partir duquel le Grand Œuvre trouve son commencement. De temps en temps, la pierre du philosophe était elle-même comparée à la menstruation de la prostituée ! Et cette référence n'était pas censée être simplement métaphorique. Dans les écrits de Philalèthe d'Alexandrie, la mystérieuse *Soror Mystica* est comparée aux prostituées du temple chez les Chaldéens ; et ce qu'il nomme « le rubis céleste » n'est pas la pierre, mais l'organe sexuel de la prostituée dans son état sanguinolent, dont il fait alors un usage direct et physique. Par moments, on rougit presque du lyrisme extravagant avec lequel Philalèthe fait l'éloge du vagin, qu'il traite pratiquement comme un objet de culte. Que ces passages impliquent une adoration de la pratique cunnilinguale et de l'hématophagie ne laisse aucun doute. Les actes sont presque entièrement décrits ; il suffit de comprendre où tracer la ligne, dans de pareils textes, entre le littéral et le figuratif.

Cependant, le rôle de la femme allait bien au-delà de la production d'émanations corporelles. Comme le montre clairement le *Livre Lavande*, à l'apogée de l'Œuvre alchimique, la femme, après avoir entrepris de faire un étalage extravagant de séduction physique, était censée se livrer à une union sexuelle avec son maître mâle de manières si nombreuses et déréglées que cela en est saisissant. Une fonction érotique particulière est assignée à chaque doigt des mains de la courtisane ; des chapitres entiers sont consacrés à des formes de rapports au moyen des seins et des fesses. D'autres s'étendent sur une diversité de rapports oraux qui incluent l'usage expérimenté des lèvres, de la langue et de la gorge. Le but paraît n'être rien de moins que l'érotisation totale de l'anatomie féminine.

Ces rites étaient, bien sûr, enveloppés d'une rhétorique religieuse, mais les pratiques étaient clairement orgiaques. Certains de ces actes sont évoqués dans ces mémoires ; d'autres sont représentés graphiquement dans le *Livre Lavande*. Ce sont des descriptions qui me conduisirent, dans ma quête d'un savoir solide, vers le Levant, dont des savants et des missionnaires européens ont récemment commencé à nous transmettre une profusion de textes antiques. Parmi ceux-ci se trouvent des œuvres associées avec l'école nébuleuse de l'hindouisme appelée « la voie de la main gauche du tantra » , qui encourage des formes dépravées de la licence sexuelle, prétendument comme moyen de libérer l'adepte des dernières entraves imposées par la contrainte sociale. On suppose que l'union avec le divin ne peut être accomplie que par ceux qui sont parvenus à un état de liberté antinomique. On trouve les mêmes pratiques florissantes dans certaines écoles chinoises de mysticisme physiologique qui remontent à une époque antérieure à Confucius. Dans les œuvres issues de ces deux traditions, on trouve des illustrations d'actes sexuels qui copient exactement ceux du *Livre Lavande*.

Par quels errements des pratiques de cette nature, en contradiction si flagrante avec la morale chrétienne, ont-elles réussi à s'introduire dans les écoles d'alchimie en Europe, cela reste affaire de suppositions ; dans le brouillard de l'Antiquité, aucun lien n'apparaît clairement. Cependant, nous pouvons dire avec certitude que les cités du Proche-Orient furent le berceau des premiers adeptes de l'art, et c'est là que nous trouvons les premières références à la *Soror Mystica*. Durant la période chrétienne, bien sûr, de pareilles pratiques sexuelles devaient par nécessité rester clandestines et ont dû se transmettre uniquement par le bouche-à-oreille ; cela explique sans doute l'extrême obscurité des textes.

Ainsi, nous pouvons conclure que c'est à ladite Seraphina, dont les ancêtres étaient originaires de la côte sud de l'Inde où la voie de la main gauche du tantra a jadis prospéré, que l'on doit d'avoir imposé cette influence malsaine aux traditions qu'elle transmettait à ses disciples féminines. Si la baronne Frankenstein et elle avaient atteint leur but, je crois que le résultat n'aurait été rien de moins que la subversion radicale des *mœurs* sexuelles chrétiennes. Les relations les plus intimes entre l'homme et la femme auraient été bouleversées ; des actes longtemps considérés comme des perversions et des obscénités seraient devenus pratique courante ; une tradition qui attribuait une vertu transcendante à ces actes aurait été portée au pinacle. Et pourquoi ? Parce qu'il existait aux yeux de ces femmes têtues et visiblement déséquilibrées un rapport profond entre l'érotisme et le spirituel qui échappe totalement aux catégories de la pensée religieuse et philosophique européenne.

Jusqu'où cette influence a-t-elle pu s'exercer par-delà la maison des Frankenstein, il est impossible d'en juger ; on peut seulement espérer que le climat culturel de l'Europe, si longtemps imprégné d'un air chrétien purificateur, se sera finalement révélé inhospitalier à un greffage aussi étranger. Assurément, la perspective de la femme occidentale poursuivant des formes perverses de gratification sexuelle encouragée par de pareilles doctrines n'est guère plaisante.

Le sang et la semence

Le... janvier 178...

Homme qui n'est pas homme,
Je te désire,
Femme qui n'est pas femme,
À cela j'aspire,
Pierre qui n'est pas pierre,
Je te convoite,
Mort qui n'est pas la mort,
Ô viens à moi !

L'Œuvre se poursuit. Je rêve, je rêve, quels rêves je fais !

Je rêve du fin fond de la Terre embrasée par une lumière intérieure, je rêve des feux minéraux qu'elle cache en son sein. Les métaux ne sont pas ce que croient les hommes, un matériau insensible qu'on doit arracher brutalement au sous-sol, chauffer et forger. Ils sont la substance vivante des étoiles ; ils sont l'or du Soleil, l'argent de la Lune ; ils sont le cuivre et le fer, la signature cachée de Vénus et de Mars ; ils sont le plomb et l'étain, d'une grande valeur pour Saturne et Jupiter. Comme ils chantent gaiement ! Et les pierres précieuses se joignent au chœur ; opale et améthyste, rubis et turquoise, cornaline et saphir, jaspe et jade, cristal miroitant et diamant grandiose. Toute la Terre exulte !

Seraphina demande : « Pourquoi une telle beauté est-elle dissimulée au regard ? » Parce qu'elle nous enseigne la profusion des merveilles du monde, elle nous enseigne que nous n'aurons jamais fini de nous émerveiller. Quelle que soit l'étendue de notre raison, au-delà se trouve encore davantage pour nous surprendre. Sous nos pieds, à chaque pas que nous faisons, nous foulons un tapis de merveilles.

« J'ai une demande spéciale à t'adresser, m'annonce Seraphina quand nous nous retrouvons ce soir-là dans sa chaumière. C'est une pratique qui nous aidera à progresser plus vite. La baronne Caroline et moi avons décidé qu'il était temps d'aller de l'avant dans vos études. »

Sur l'ordre de Seraphina, nous nous dévêtons et procédons à nos ablutions habituelles. Puis elle me demande de m'allonger devant le feu pendant qu'elle allume l'encens qui donne l'impression que votre esprit flotte. Elle nous montre deux petits bols en terre ; elle se met par terre à côté de moi. « Je vais tracer une forme sur ton corps, Elizabeth », me dit-elle. Elle retire une bourse qu'elle portait autour du cou, dont elle sort ce qui ressemble au croc d'une bête. La plongeant dans un des bols, puis dans l'autre, elle s'en sert comme d'un stylet pour dessiner une forme sur mon abdomen en entourant le mont de Vénus. Elle le fait avec la plus grande délicatesse, sans cesser de psalmodier un chant. Les deux bols contiennent des substances différentes, l'une blanche, l'autre rouge. Elle s'en sert pour dessiner un cercle composé de deux serpents entrecroisés, un de chaque couleur. « Rouge et blanc, le soufre et le mercure, mâle et femelle, Victor et Elizabeth. Je désire maintenant que Victor concentre ses pensées sur cette image ; et toi, Elizabeth, j'aimerais que tu fixes ton regard sur Victor, comme si tu pouvais voir l'image par ses yeux. Laissez une paix profonde gagner votre esprit. Je vous rappellerai, mes enfants, qu'un mariage chimique est un acte d'amour qui fait de la mariée et du marié une seule nature. Un mariage vulgaire ne saurait être que le reflet de cette union ; or, ce que nous recherchons dans le Grand Œuvre n'est pas le reflet, mais l'original, qui est une affaire de l'esprit. Je vous demande de penser à cette chose comme s'il s'agissait d'un enfant qui grandit dans le corps d'Elizabeth, le fruit de votre amour. » Elle montre à Victor comment poser ses mains de sorte qu'elles planent juste au-dessus du double serpent, ses pouces réunis là où mes cuisses se joignent. Ainsi, ses doigts dessinent un triangle qui encadre la forme triangulaire de mon sexe. « Maintenant pensez que vous êtes frère et sœur, amant et amante, homme et femme. Pensez à l'union que vous recherchez comme à l'enfant que votre amour fera un jour venir au monde. Tel est l'or véritable que nous recherchons. »

Elle s'empare alors du petit tambour qu'elle utilise parfois pour accompagner nos méditations. Elle le frappe doucement, produisant un son qui pourrait être celui du cœur d'un enfant en moi. Je scrute le visage de Victor. Voyant ses yeux fixés sur mon sexe, je m'échauffe de plus en plus ; c'est comme si je connaissais son désir de l'intérieur de ses propres pensées. Nos esprits tournent en cercle : celui qui voit et celle qui est vue fusionnent en moi. La proximité de ses doigts au-dessus de mon sexe devient une tentation intolérable ; je veux qu'il me touche. Je m'entends crier en pensée : « Touche-moi ! » mais je sais qu'il ne le fera pas. Peu à peu, je perçois une chaleur inquiétante qui s'élève de ma chair, une douce fièvre qui s'évanouirait si Victor faisait davantage que me contempler. Je sens mon corps s'embraser, gagné par une lumière dorée ; et dans cette chaleur éthérée, nos deux esprits se fondent en un. Je me vois transformée en un être étrange, magnifique : une femme, non ? Ou un jeune garçon... un garçon avec les seins d'une jeune fille, qui plane en apesanteur au-dessus de nous. Je sais que je suis lui, je suis elle, je suis une forme de lumière. Pour un instant – mais combien de temps dure cet instant ? – il n'y a plus de Victor ni d'Elizabeth ; il n'y a que cet Autre, qui est nous deux.

« J'ai été une autre espèce d'être, me dit Victor plus tard. J'étais toi et moi, garçon et fille. J'avais l'impression de flotter dans l'air tel un esprit. »

Je lui dis que j'ai éprouvé la même sensation, mais n'ai pu m'y tenir. Cela s'était échappé de mon esprit. « J'ai éprouvé ton désir pour moi, Victor. Je l'ai vécu. Je ne douterai jamais de la force de ton désir. »

Le... février 178...

Enfin, le rythme de mes saignements coïncide avec la lune croissante et décroissante. Seraphina a cherché à me préparer à cet événement. « Tu as appris à rester discrète concernant tes menstruations, me dit-elle. C'est ainsi que cela doit être. Mais maintenant, je vais te demander quelque chose que tu ne vas pas trouver facile. Tu dois laisser un homme voir l'écoulement. Je veux que tu te découvres devant Victor. Es-tu disposée à le faire ? »

Je ne suis pas du tout disposée à cela, mais je me souviens que j'ai promis à ma mère d'avoir confiance et d'obéir à tout ce que le Grand Œuvre requerra de moi. « Oui », dis-je, mais Seraphina perçoit l'hésitation dans ma voix.

« Dis-toi bien que cela n'a pour but que l'éducation de Victor. Notre Œuvre ne peut continuer s'il ne sait pas quelque chose de nos mystères, et pas seulement ce qu'il peut apprendre par des mots. »

Cette nuit-là, nous nous retrouvons dans la prairie sous un ciel clair et froid, constellé d'étoiles. Tandis que nous attendons que la lune parvienne à son zénith, Seraphina charge Victor de ramasser des branches pour faire quatre feux afin de chasser le froid. Elle étale une étoffe brodée sur le sol pour que je m'y allonge ; elle est de sa propre fabrication et tissée de signes que je ne comprends pas. Quand les feux crépitent, Seraphina et Victor se dévêtent ; je ne me défais que jusqu'à la taille.

Seraphina me demande de répandre des feuilles mortes et des pétales, tous provenant de fleurs différentes, sur le feu. Ces éléments, nous dit-elle, correspondent aux organes vitaux du corps, et brûlent avec une chaleur au second degré. Le feu qui sera à ma tête, je l'alimente avec des pieds-de-loup, le feu sur ma gauche, avec de la gentiane, le feu sur ma droite, des herbes de Saint-Laurent et le feu à mes pieds, des joncs. Les flammes emplissent la prairie d'un mélange de douces senteurs de fleurs. Quand enfin la lune brille directement au-dessus de nous, Seraphina prononce une brève incantation dans sa langue maternelle au-dessus de chaque feu. Puis elle prend dans sa bourse une fiole de cristal, qu'elle tend à Victor.

« J'ai une mission à te confier, mon enfant, déclare-t-elle. Je désire que tu recueilles toi-même le sang dont nous avons besoin. Elizabeth va se dénuder et s'ouvrir pour toi. C'est un geste d'amour et de confiance de sa part. Tu dois à ton tour faire preuve d'amour et de confiance dans chacun de tes gestes. »

Seraphina s'installe derrière moi et prend ma tête sur ses genoux. Elle me caresse le front et fredonne à voix basse un chant mélodieux pour me détendre ; mais cet étrange rituel laisse mes pensées cruellement divisées. Je ne suis pas gênée que Victor puisse me voir ; en fait, j'aimerais qu'il sache que, aussi petite et fluette que je paraisse quand je me tiens auprès de lui, je suis une femme faite. Mais j'ai peur qu'il n'éprouve de la répugnance pour ce que Seraphina lui demande de faire ; et je crains qu'il ne me prenne pour une catin de me produire devant lui de cette manière. Cependant, je sais qu'il est aussi désireux que moi de poursuivre l'Œuvre et d'apprendre ce que Seraphina a à nous enseigner. Enfin, je trouve le courage de m'ouvrir devant ses yeux, au début un petit peu, puis totalement ; je laisse ma tendre chair intérieure s'épanouir sous ses yeux. Je sens presque son regard sur moi. Sous la conduite de Seraphina, Victor s'agenouille entre mes cuisses complaisantes ; mais je vois qu'il ne peut se résoudre à me toucher. Je compatis avec son embarras ; je me tourne vers Seraphina et l'interroge des yeux : devons-nous continuer ? Elle a un sourire rassurant, mais refuse de se laisser fléchir.

« Le sang et la semence. Nous devons les avoir l'un et l'autre. Il est essentiel que Victor apprenne cela, comme tout adepte avant lui. Il souhaite étudier la Nature, n'est-ce pas ? La Nature est ici, devant lui, une vision qu'il peut même assurer trouver désirable. Ah, mais non ! Je le vois tout comme toi. Trouves-tu répugnant ce que je te demande, Victor ? Sois franc.

– Oui, j'en conviens.

– Tu es choqué par le corps d'Elizabeth quand reviennent ces journées de son cycle, n'en est-il pas ainsi ?

– Un peu.

– "Un peu" seulement ? Peut-être même beaucoup. Mais pourquoi ?

– À cause du sang.

– Le sang, bien sûr ! Mais n'as-tu pas répandu le sang d'animaux au cours de tes recherches ? Les souris, les oiseaux... n'as-tu pas ouvert leur tendre corps ? N'as-tu pas découpé leur cœur et senti leur sang couler sur tes mains ? »

Victor fronce les sourcils en s'entendant ainsi interpeller.

« Si.

– Et as-tu trouvé cela dégoûtant ?

– Non...

– Pourquoi ?

– Je ne me suis pas permis...

– Qu'as-tu ressenti ? Avais-tu l'impression d'apprendre les secrets de la Nature ?

– Oui.

– Comment se fait-il alors que ceci soit différent ? Tu as ici l'occasion de découvrir les mystères du corps de la femme. »

Je vois que les questions de Seraphina le fâchent.

« Non ! répond Victor. Ceci est différent.

– Et comment ! Ce sang-là n'est pas comme les autres. Ce n'est pas le sang provenant d'une maladie ou d'une blessure. Ce n'est pas le sang de quelque chose qui meurt. C'est la blessure qui se cicatrise. Le sang jaillit de lui-même ; il a son propre cycle, comme la lune là-haut. Ce sang est un signe de fertilité que les femmes partagent avec la terre. Ce sang est un miracle, Victor, et cependant, en même temps – prête attention à ce que je dis –, ce n'est que du sang, un fluide inoffensif, comme toute femme le sait. » Brusquement, Seraphina se penche par-dessus mon corps pour passer les doigts sur ma chair fendue. Une image surgit dans ma tête ; un fruit rouge mûr qui s'ouvre, exprimant son jus. Sa main revient, couverte d'un film cramoisi. « Je te vois reculer. Pourtant quel geste simple à faire ! Tu ne vas pas te souiller. Ou souhaites-tu, quand Elizabeth est ainsi, qu'elle ne s'en ouvre pas, comme si elle avait quelque chose à cacher ?

– Oui, peut-être.

– Entends-tu cela, Elizabeth ? Comprends-tu à présent pourquoi les femmes sont honteuses ? Te rappelles-tu que tu as trouvé toi-même que le saignement était une chose honteuse ? »

Je m'en souviens. Et je ressens un soupçon de colère contre Victor pour avoir rappelé ce souvenir.

« Elizabeth a appris – par d'autres femmes – que le Mal n'habite pas notre corps, explique-t-elle à Victor. Tout homme doit engendrer ses petits par le corps de la femme ; cependant, ce corps est traité avec mépris ; et davantage encore au moment où il nous rappelle le plus visiblement sa fécondité. Juge par toi-même. Voici Elizabeth que tu aimes comme une sœur et peut-être plus qu'une sœur. Mais quand il y a du sang, tu ne veux pas la voir. Quand il y a du sang, tu ne veux pas la toucher. Le sang est la substance de la vie, autant que ta propre semence. Que connaîtras-tu de la vie si tu trouves impur le sang de la femme ? Connais-tu une sorte de vie meilleure, plus "pure", qui ne provienne pas du sang et du sperme ?

– Non.

– La femme doit toucher le sang pour prendre soin de son corps. N'es-tu pas disposé à en faire autant, ne serait-ce qu'une fois dans ta vie ? »

Victor essaie une fois encore de faire ce que Seraphina lui demande. Je le regarde faiblir devant la tâche. Je lui parle silencieusement en espérant qu'il m'entendra : *Cela s'appelle le « vagin ». C'est un mot charmant, un mot doux, un mot-fleur. Songe à mon vagin comme à une chose mûre et chaude. Il s'enfonce profondément en moi, c'est un passage vers un endroit obscur, fertile. Je me rends, Victor. Je t'en prie, ne me crains pas ! Ne me méprise pas !* Mais à nouveau, il échoue ; il ne peut avancer la main pour me toucher. J'ai presque pitié de la honte qu'il manifeste ; mais ma colère est plus forte. Au début, j'avais ressenti de la timidité à m'ouvrir devant Victor. À présent, je ressens exactement l'inverse. *Qu'il me voie ! Qu'il sache ! Je ne serai pas son amie aimante s'il me trouve impure !*

Pour finir, Seraphina se laisse fléchir et lui reprend la fiole. « Ce serait mieux si tu pouvais faire cela tout seul, Victor. Mais nous ne devons pas laisser passer cette occasion. Nous devons prendre le sang ce soir. Je vais seulement te demander de m'aider. Voilà, pose ta main sur la mienne. » Victor fait ce qu'elle demande ; Seraphina passe à nouveau ses doigts sur les lèvres de mon sexe, en retire doucement le sang qu'elle y trouve. Puis elle le fait glisser de ses doigts dans le flacon.

« Je ne désire nullement te mettre dans l'embarras, Victor, précise Seraphina avec douceur. Seulement t'enseigner. Sonde tes véritables sentiments. Demande-toi pourquoi tu n'as pu faire comme je te le demandais. Ce sang que tu n'as pu te résoudre à toucher... pourquoi te paraît-il si repoussant ? Parce que c'est laid ? Non, je ne le crois pas. C'est la peur qui arrête ta main. La peur du pouvoir de la femme, le seul pouvoir qu'on ne peut lui retirer. Bien que tu dises aimer Elizabeth, il y a de la peur mêlée à cet amour... comme dans tout amour de l'homme pour la femme. Nous n'irons pas loin dans nos leçons tant que la peur ne t'aura pas quitté pour que seule reste la véritable affection. »

Plus tard, Victor vient me trouver pour s'excuser, sachant qu'il m'a blessée.

« Seraphina a raison, lui dis-je. Tu y accordes trop d'importance mais aussi, pas assez. Ce sang n'est pas plus répugnant que celui que tu touches quand tu découpes un animal. Pourquoi t'en détourner comme tu le fais ?

– Mais c'est différent, comme le dit Seraphina. J'ai peur d'y toucher. Je sens que je n'ai pas le droit d'être aussi près de ces choses-là.

– Mais je t'y autorise. Je ne veux pas que tu restes à l'écart ou que tu te détournes. Tu dois connaître mon corps ; sinon tu me fais me sentir honteuse, Victor... comme si je devais me cacher. »

Je vois que je ne suis pas dans la bonne disposition d'esprit pour le lui faire comprendre. Il s'excuse à nouveau et affirme qu'il a agi par égard pour moi ; mais je ne crois pas à ses excuses. Je crois que c'est un tour que les hommes jouent aux femmes. Ils professent un grand respect, mais ce respect devient une cage pour nous enfermer.

L'Empereur endormi

Le... mars 178...

Mon sein contre ton sein, chaque nuit enlacés,
Toucher sans toucher, dans un chaste plaisir.
Nous nous consumons mais sans vil désir
Cette flamme est un feu, un brasier.

La passion domine mais de nulle honte accablée,
Amitié est, pour elle, un nom différent.
Ma vertu je confie à ta volonté
Et reste vierge cependant.

Il est de l'esprit une sainteté
Que trouvent les véritables amants.
Il est un mariage de l'âme pourtant
Qui forme un tout du cœur divisé.

Nous sommes dans la chaumière de Seraphina. Dehors, la neige tombe lourdement du ciel obscur, couvrant le monde d'un blanc linceul. Seraphina empile plusieurs autres fagots sur le feu pour nous réchauffer au cours de la soirée. Nous savons pourquoi nous nous retrouvons ce soir ; le moment est venu de recueillir la semence. « La pure semence, l'appelle Seraphina. Librement sacrifiée et non souillée par l'appétit animal. Nous donneras-tu ce que nous te réclamons, Victor ? »

Victor affirme virilement qu'il le fera. Il s'est préparé à ce qu'on attend de lui, suivant les directives de Seraphina avec le dernier soin. Pendant plusieurs nuits d'affilée, il a pris un bouillon dans lequel Seraphina a trempé une petite boulette écarlate. Elle dit que la boulette est composée d'une mesure de cinabre purifié si infime qu'une balance ne saurait la mesurer. Elle doit, d'après elle, renforcer son suc et le rendre plus fertile.

Seraphina demande à Victor de s'allonger sur le dos près de l'âtre, la tête entre ses genoux. Son corps mince, droit, se déploie, laissant voir son membre à l'abandon. Seraphina pose ses doigts noueux sur les tempes de Victor et le caresse doucement. Se penchant sur lui, elle place ses lèvres près de son oreille et psalmodie d'une voix si basse que je ne puis saisir un mot de ce qu'elle dit. En alerte et dressée sur son perchoir, étirant le cou pour voir, Alou ne perd rien de ce qui se passe dans la pièce et manifeste un intérêt très soutenu. Du fond de sa gorge, elle fait écho au chant de Seraphina. Le son qu'elle produit habituellement est un caquètement rauque ; mais j'ai découvert qu'il y a un autre son qu'elle émet parfois quand elle converse avec Seraphina ; un doux murmure qui ressemble à un chuchotement secret. Alou prend ce ton rêveur pour chanter avec Seraphina, dont les tresses grises sont tombées sur le visage de Victor tel un voile qui le cache aux regards. On croirait qu'elle a emporté Victor avec elle en un lieu secret. Après qu'elle a chuchoté à son oreille pendant plusieurs minutes, Victor paraît sombrer dans un rêve éveillé ; je vois les muscles de son corps, qui étaient bien dessinés, se détendre. Son souffle adopte un rythme régulier, profond. Seraphina continue à murmurer à son oreille. Parfois, sa voix prend un ton étrange, une sonorité voilée donnant l'impression qu'elle provient des profondeurs d'une cave. Quand elle chantonne ainsi, ma tête s'embrume ; j'ai l'impression d'être transportée au loin ; des images confuses me traversent l'esprit. Ce sont les images des femmes dans les livres, mais maintenant je suis parmi elles et je fais ce qu'elles font, m'apprêtant moi aussi à recevoir mon seigneur, à veiller à son plaisir. Je m'observe comme si j'étais une comédienne sur la scène de mon esprit, me demandant d'où me vient ce savoir. Mon corps est devenu voluptueux ; j'ai les seins des femmes du *Livre Lavande* et des hanches magnifiques. J'imagine que je suis devenue aussi belle que Francine. Je m'enroule tel un serpent autour de l'amant qui m'attend. Seraphina se penche à nouveau pour chuchoter à l'oreille de Victor ; cette fois, elle fredonne une berceuse orientale, une musique rauque, sensuelle, dans laquelle j'ai appris à reconnaître celle de son peuple lointain. Peu à peu, sa voix change ; elle devient plus légère, plus fluide, plus mélodieuse. Le ton devient légèrement espiègle, avec un rire câlin. Je secoue l'engourdissement qui s'emparait de moi pour regarder et je vois : est-ce toujours Seraphina que j'entends ? La voix a pris un accent séducteur, comme si c'était une autre jeune femme chuchotant amoureusement à l'oreille de son amant. J'aimerais voir son visage maintenant ; est-ce bien la même ? Mais le voile de ses cheveux, qui semble plus sombre, plus brillant, presque une soie noire, me la cache à nouveau.

Après un long moment, je vois l'organe viril de Victor s'animer et commencer à bouger. Un moment encore et il est totalement raidi. À l'intérieur, dans le tréfonds de mon ventre, je sens répondre en moi un doux spasme. C'est un langage muet du corps qui circule de plus en plus entre Victor et moi.

Cette nuit-là, pour la première fois, j'exécutai le Rituel de l'Empereur endormi tel que je l'avais appris dans le *Livre Lavande.*

Combien de temps suis-je occupée par ce que je fais, je ne puis le dire. Je perds toute notion de temps tandis que j'exécute les étapes de ce rituel. J'ai l'impression d'être portée par une vague d'extase, jusqu'à ce que Seraphina me ramène au présent. Je l'entends m'appeler à mi-voix : « Elizabeth... » Je reviens à moi et m'aperçois que je suis penchée sur Victor et tiens fermement son membre dans mes mains au bord de mes lèvres. Je lève les yeux pour voir Seraphina qui me tend le flacon en cristal. « Victor est prêt. Mets cela ici sous lui, puis fais bien attention. Nous ne devons pas perdre ne serait-ce qu'une goutte. »

Je fais comme il m'est dit, prends la fiole de ma main libre et la tiens prête à recueillir le liquide. Le souffle de Victor se prend dans sa gorge ; ses membres sont parcourus d'un frisson ; je sens son pouls dans ma main... et, brusquement, un fluide soyeux jaillit de son organe. « Vite ! » me presse Seraphina à voix basse, me rappelant à ma tâche. Il est temps que le Dragon aille nager dans le Nil ; j'apaise la bête comme Seraphina me l'a enseigné jusqu'à ce que le royaume ait reçu une crue abondante. Combien cela m'excite de voir Victor vider sa semence de cette manière ! C'est une chose secrète à voir, un mystère du corps de l'homme censé arriver dans l'obscurité et à l'abri des regards. En murmurant l'un de ses chants, Seraphina lève la fiole au-dessus de sa tête et fait lentement tourner le sperme et les caillots de sang pour mêler les deux.

Pendant un certain temps, Victor reste immobile, comme en transe. Quand il bouge, il voit Seraphina penchée sur lui... « Ne te l'ai-je pas dit ? lui demande-t-elle avec un sourire entendu. Que tu désirerais la vieille ? » Il cille des yeux, surpris, et, se redressant brusquement, la fixe d'un regard effaré. Elle lui effleure le front. « Le sang et la semence ne concevront pas, nous dit-elle. Pas comme ils le feraient dans le sein de la femme. Car ce sont des substances mortes dans le flacon. Cependant, ils ont une autre force, mes enfants. Ils vous permettront de plonger le regard jusqu'au tréfonds de la Nature même. Mais vous devez être patients. Vous ne possédez pas encore la faculté de voir les entrailles du monde. Cela viendra en temps voulu. »

Entre-temps, Seraphina a transféré la mixture dans un vase de cristal – le vase d'Hermès, parfois appelé l'œuf du philosophe – où elle doit être maintenue hermétiquement close. Elle range celui-ci dans un placard pour une étude ultérieure.

Victor se rend-il compte de ce qui s'est passé ? Plus tard, quand je le lui dis, il s'efforce de reconstituer ses souvenirs. Tout ce dont il se souvient, c'est un rêve troublant qu'il a du mal à raconter. Il se souvient d'une femme voilée. Bien qu'il ne pût voir son visage, il savait qu'elle était suprêmement belle. Elle lui dit : « Beaucoup ont péri en accomplissant notre œuvre ; mais aie confiance en moi et tu trouveras ton chemin sans risque. » Puis elle le prit contre sa poitrine et l'enlaça comme une amante.

« Au début, avoue Victor d'une voix plaintive, je croyais que c'était notre mère ! Cela m'a tellement troublé que j'ai bien failli me réveiller. Mais la femme semblait régir mon sommeil et m'empêcha de me réveiller. "Je vais devoir soulever mon voile si je veux t'embrasser", dit-elle. Là-dessus, je l'implorai de conserver le visage couvert car j'avais peur d'apprendre qui elle était. "Alors, dans ce cas, tu dois déposer un baiser ici, insista-t-elle, car nous devons avoir ta semence." Et elle écarta sa robe et se découvrit. » Il passa la main sur mes seins pour me montrer où. « Elle était si plaisante à voir... je n'ai pu me retenir de faire ce qu'elle voulait. » À présent, la voix de Victor n'était plus qu'un murmure. « Mais quand je pris le bout de son sein dans ma bouche, je pus l'entrevoir un peu sous le voile. Et je vis que c'était Seraphina ! Pas celle que nous connaissons aujourd'hui, mais telle qu'elle fut probablement jadis, jeune et d'une sombre beauté. Non, ce n'est pas vrai. Pas jeune. Sans âge. Quelqu'un qui pouvait être fille et mère, les deux. Elle me tenait si serré contre ses seins que je pouvais à peine respirer. Et alors, je m'en souviens, j'eus la sensation que tout mon corps vibrait du goût du miel. C'était une sensation merveilleuse ! Ensuite, j'éprouvai un grand calme et que je fusse mort ou vif, peu m'importait alors.

– Cela t'ennuie que j'aie recueilli ton sperme de cette manière ? »

Il s'empourpra brièvement.

« Si l'Œuvre l'exige... Mais j'aurais préféré être éveillé. J'aurais préféré être éveillé et que tu me tiennes comme Seraphina m'a tenu dans mon rêve. »

NOTE DE L'ÉDITEUR
Le Rituel de l'Empereur endormi

Elizabeth Frankenstein fait référence à un rituel décrit dans le *Livre Lavande*. C'est là que nous trouvons le récit d'un empereur légendaire qui était tombé grièvement malade. Le symbole du roi malade est fréquent dans la tradition alchimique ; il s'interprète de différentes façons. En langage alchimique, c'est l'étape de l'Œuvre appelée « solution » ou le stade « noir », quand la matière est censée être tombée dans un degré de corruption rare. Pas même la puissante « poudre de projection » (le mercure en poudre) ne peut restituer un élément aussi dégradé : d'où l'utilisation de symboles qui évoquent la mort, la putréfaction, la morbidité, etc. Théologiquement, cette phase est parfois entendue comme la chute de l'homme par le péché originel.

En raison de l'infirmité qui l'afflige, l'Empereur est incapable d'accomplir ses devoirs ; son royaume dépérit et l'infortune s'ensuit. Une sécheresse frappe, qui dure dix ans, suivie par la peste, qui dure encore dix ans. La terre devient stérile ; le peuple affamé. Enfin, l'Impératrice, au désespoir, est contrainte d'agir. Elle se rend compte que seul le sperme royal a le pouvoir de rendre au royaume sa fertilité. Toutefois, la maladie a privé l'Empereur de sa virilité ; il ne peut procréer. Mais l'Impératrice, qui a étudié avec les matrones, connaît la solution. Durant plusieurs nuits, elle fait entrer l'Empereur dans un sommeil de plus en plus profond, jusqu'à ce que son souffle soit aussi calme que celui d'un fœtus. Puis elle fait venir la plus jeune et la plus belle des concubines de l'Empereur dans la chambre royale pour l'aider à accomplir son dessein. La concubine, qui est encore vierge, n'ayant pas encore été initiée par l'Empereur impotent, est placée entre les jambes de son royal maître et reçoit l'ordre de vénérer son organe sexuel. Elle le baigne, l'oint de parfum, le caresse et lui offre une stimulation orale. L'Empereur donne enfin des signes d'éveil. La concubine apprend alors à masser les testicules de son maître d'une manière subtile et enjôleuse. Le texte donne des instructions explicites pour cet acte et précise que l'index de la jeune fille doit être posé sur l'urètre à un point situé juste sous les bourses. L'objectif est de freiner l'émission le plus longtemps possible. Pendant ce temps, l'Impératrice berce son époux endormi dans ses bras et lui chuchote à l'oreille des plaisirs transcendants. Dans ses rêves, l'Empereur vit une succession infinie d'orgasmes, mais sans qu'il lui soit permis d'éjaculer. À la fin, après une période prolongée de stimulation minutieuse, les testicules de l'Empereur sont gonflés de sperme. La concubine reçoit enfin l'ordre d'autoriser l'éjaculation ; le résultat est une véritable rivière de semence royale qu'on voit se répandre pour apporter la fertilité à la terre dévastée. La libération longtemps repoussée du sperme est appelée « le dragon nage dans le Nil », le dragon apparaissant ici comme le symbole alchimique de la virilité. « Apaiser la bête » concerne une technique, décrite amplement dans le traité, consistant à caresser le membre dressé afin de prolonger l'émission.

L'histoire de l'Empereur endormi rappelle vaguement les contes médiévaux tardifs du roi-poisson, dont la blessure incurable amène la calamité à son royaume ; la version alchimique, bien sûr, revêt un aspect largement plus érotique. Dans le cas de Victor, le rôle de l'Impératrice est joué par Seraphina et celui de la concubine virginale est confié à Elizabeth. Nous devons supposer, d'après son récit de l'épisode, que Victor, dans sa somnolence, fut conduit à l'éjaculation par des moyens similaires, de sorte que Seraphina pût recueillir tout le sperme qu'elle voulait.

Si exigeant que puisse paraître le rite de l'Empereur endormi, il y avait un stade encore plus élevé dans la discipline des adeptes. Il impliquait la renonciation totale à l'émission séminale, même dans les conditions les plus provocantes.

L'adepte pouvait, par exemple, copuler avec une série de femmes dont la fraîcheur garantissait une excitation illimitée, mais ne jamais s'autoriser à atteindre l'orgasme. « Dans le commerce avec une femme, dit le révéré sage chinois Ko Tsu Chung, abstiens-toi aussi souvent que possible de toute émission afin que le sperme retourne par le canal vertébral nourrir le cerveau. » Contenu de cette façon, le sperme devint le légendaire élixir de vie.

Il est clair désormais qu'il a longtemps existé une tradition alchimique souterraine dans laquelle ces disciplines grotesques ont survécu. Ainsi, un texte alexandrin tardif attribué à Olympiodore de Thèbes et étroitement basé sur une source tantrique, encourage à procéder à un examen très attentif de l'anatomie de la femme. Chaque pli et repli du corps féminin, chaque pore et chaque poil, chaque odeur et texture doit être scruté et recevoir un hommage amoureux. Le moindre défaut physique doit être recherché et exploité comme stimulant érotique. Un passage typique recommande à l'adepte ce qui suit :

> « Recherche le divin dans l'imperfection de l'Aimée, car là il brillera plus fort par contraste. Recherche le haut dans le bas, le pur dans le vil. Compte chaque poil de l'Aimée comme l'occasion d'être éclairé. Amène l'Aimée par tes supplications les plus ferventes à s'ouvrir devant ton regard adorateur pour qu'elle puisse être sondée et admirée en ses lieux les plus secrets. Enseigne à l'Aimée le véritable but de ses charmes charnels, qui sont la porte de l'Ineffable. »

Ce n'est qu'après avoir passé des années à étudier des textes comme celui-là et les pratiques rituelles qui s'y associaient que je saisis pleinement ce que la baronne Frankenstein espérait accomplir en remettant à l'honneur le mariage chimique. C'était quelque chose d'encore plus insidieux que la subversion de la morale sexuelle chrétienne. Je pense qu'elle espérait amener l'*émasculation de la science européenne.* Rappelez-vous toutes les fois où cette femme a avoué son hostilité envers le progrès scientifique et la jalousie qu'elle entretenait à l'égard des hommes qui en traçaient la route. Manifestement, elle entendait faire plus que se lamenter et jurer. Elle entendait envahir l'espace scientifique avec des formes de badinage érotique qui en saperaient la rigueur essentiellement et nécessairement masculine. Le *Livre de la Rose* et le *Livre Lavande* sont mieux compris si on les voit comme un chant de sirène dont le but était de faire entrer les sciences naturelles dans une chambre de délices amollissantes.

Je suis prêt à concéder que, à mes yeux du moins, les motifs de la baronne Caroline étaient sincères ; elle peut avoir voulu exercer une influence salutaire sur son temps. La bonté qu'elle exprimait pour les animaux inférieurs est touchante. Mais sa compréhension rudimentaire des sciences naturelles nous est démontrée par le fait qu'elle s'imagine que le savoir discrédité des adeptes de l'alchimie pourrait avoir encore quelque chance de freiner les progrès de la société contre l'ignorance et la superstition. Il y a ici un tel salmigondis ! L'imagination et les faits, les symboles et la substance, l'illusion et la vérité... tout coule ensemble en un seul courant sans démarcation rationnelle. L'univers alchimique était le royaume de l'hallucination et non un vrai savoir. Je n'ai pas le moindre doute que si le curieux projet de Caroline avait réussi à s'implanter dans notre culture, il se serait répandu telle une mauvaise herbe toxique, empoisonnant les sources de notre force morale.

La salamandre

La rose domine par sa beauté
Le cœur par l'amour dirigé,
De bon gré asservi
Ici-bas à Là-haut obéit.

Je marche parmi les lions fiers
L'un doré et l'autre vert.
J'erre au cœur des forêts
Où nul œil humain n'a pénétré.

Les mâchoires du lion sont cramoisies
De sang pourpre elles ruissellent.
Je marche en confiance malgré elles
Et leur rugissement me réjouit.

La loi qui tient les mondes liés
Est d'une suave harmonie.
Les étoiles entre elles enchaînées
Par une tendre tyrannie.

Le... mars 178...

Seraphina nous enseigne à Nourrir les Lions.

Nous nous sommes attardés, Victor et moi, sur la description de cette pratique dans le *Livre Lavande*. Je me suis demandé plusieurs fois s'il nous serait jamais demandé de tenir ces rôles.

« Ton attention doit rester vive durant la longue nuit, dit Seraphina à Victor. Cela t'aidera à garder l'esprit aussi clair que le cristal. » Elle lui prépare une forte infusion, additionnée de chicorée sauvage. La première nuit, Seraphina prend elle-même le rôle de la femme ; elle me demande seulement de regarder. « Souvenez-vous, nous met-elle en garde, vous apprenez à voir au-delà de ce que l'œil voit au premier abord. Si vous avez la conviction qu'il y a davantage, vous trouverez davantage. » À présent, Victor sait regarder Seraphina autrement que comme la vieille sorcière qu'elle paraît être ; il connaît sa puissance féminine. Au bout d'une heure, il est perdu dans sa contemplation, son regard est aussi absorbé que s'il fixait les yeux sur la plus ravissante des femmes. Et Seraphina aussi. Elle paraît être également dans un état somnambulique pendant qu'elle joue son rôle. Pendant que j'observe, je me demande si je serai capable de rester aussi calme et patiente qu'elle. Quand je lui pose la question, elle m'adresse un sourire rassurant.

« N'aie nulle crainte, mon enfant. Je te donnerai quelque chose pour t'aider à garder ta contenance. Plus tard, tu n'auras besoin d'aucun secours extérieur pour calmer tes esprits. La pensée de Victor deviendra ta pensée ; vous serez unis d'une manière que je ne puis expliquer. La nuit passera en un instant pour vous deux. Songe seulement que Victor t'offre l'attachement du véritable jeune marié, un amour qui exalte l'aimée. »

Trois autres fois au cours des deux semaines qui suivirent, Victor et moi retournons Nourrir les Lions pendant que Seraphina nous observe. La liqueur qu'elle me sert me donne l'impression que je flotte au-dessus de la terre ; elle me rend aussi d'une sensibilité extrême. Je *sens* sur moi les yeux de Victor comme s'il caressait ma chair et pas toujours avec autant de douceur que je pourrais le désirer. Il est parfois trop ardent, trop vigoureux. Une fois encore, je me rends compte à quel point une femme est sans défense quand elle ouvre son corps. Mais confiante en Victor, je cède à cette vulnérabilité et éprouve une impression non pas menaçante mais exaltante. Il y a une attente dans l'air, née de l'étrange chasteté de ce que nous faisons : ses yeux sont posés sur moi avec intensité, mais sans que nous nous touchions jamais. Au début, j'aurais dit que je jouais le rôle d'une séductrice éhontée ; je n'éprouvais rien que de la lubricité dans ce qu'il m'était demandé de faire. Mais avec le temps, tandis que les nuits passent, je commence à avoir une autre perception de la chose : cette lubricité pourrait être une porte étroite par laquelle nous passons ; au-delà, il y a un royaume plus vaste, un plaisir plus serein, plus beau, exaltant.

Le... juin 178...

À chaque fois, après que l'on avait Nourri les Lions, Seraphina demandait ce qui occupait notre esprit. Au début, je n'étais pas disposée à le lui confier, et Victor non plus. Nos esprits sont remplis si souvent d'images lubriques que nous répugnons à avouer nos pensées. Elle ne nous pousse pas à répondre, mais repose la même question chaque nuit. Enfin, Victor a l'audace de répondre.

« J'imagine que je la touche, dit-il. J'ai envie de la toucher.

– Où veux-tu la toucher ? » demande Seraphina, une note coquine dans la voix. Victor est trop timide pour le dire. « Ici ? demande Seraphina en passant lentement la main sur mon corps depuis mes seins jusqu'à mon sexe. Ou ici ? Tu aimerais faire ce que je fais en ce moment ?

– Oui, reconnaît-il en rougissant malgré lui.

– Et pourquoi ? » demande Seraphina.

Victor est décontenancé par sa question. « Cela paraît contre nature de ne pas le faire. Sa vue... m'enflamme. »

Une note de compassion sincère entre dans la voix de Seraphina. « Oui, je te fais brûler pour elle. C'est "naturel" que tu brûles, jeune et ardent comme tu l'es. Et toi, Elizabeth ? Qu'as-tu à l'esprit ? »

Ce que Victor a dit me pousse à parler.

« Je veux que Victor me tienne en véritable amant.

– Qu'il te tienne seulement ?

– Non ! Qu'il me *pénètre* ! Je le désire chaque jour davantage. Je l'imagine, j'en suis folle, j'en rêve. »

Ces mots jaillissent de moi, relevés d'une impudique colère. Je proteste contre la difficulté de ce qu'elle exige de nous. Mais avant d'avoir exprimé ma colère, je ne m'étais pas rendu compte de sa force ni à quel point mon désir était grand.

« Tu me trouves méchante, me répond-elle, d'une voix triste mais sans chercher à s'excuser. Pourtant, il y a une raison à ce que je fais. Je t'enseigne la faim, ma petite. Je la fais grandir à l'intérieur de toi. Quand un homme et une femme se hâtent de satisfaire leur faim, ils ne sauront jamais jusqu'où elle peut grandir et quel plus grand appétit peut être assouvi. Ils ne découvriront pas ce que leur union signifie. Le plaisir passe vite et ils ne savent jamais qu'il existe un autre plaisir tapi derrière le premier. Avec le temps, vous verrez que ce second plaisir dont je parle se situe dans l'embrasement ; l'embrasement deviendra vos ailes et vous transportera vers le ciel. Maintenant, voyons si ce moment est proche. »

Là-dessus, elle m'envoie chercher le vase qui contient le sang et la semence ; elle le place devant nous sur le sol. Nous avons étudié maintes fois le récipient ; il nous a été dit que ce que nous y voyons est la saison noire du *nigredo*. Elle a marié toutes les substances dans l'amalgame – des plantes, des perles broyées, le sulfure d'antimoine – et réchauffé le tout dans du crottin de jument gravide. Elles pourrissent et infusent dans le contenant scellé, et deviennent fétides au cours du processus de putréfaction.

Cette fois, alors que nous sommes assis pour contempler le vase, Seraphina nous donne à boire la préparation ; elle a le goût amer de la queue-de-lion que j'ai bue lors des rites des femmes, mais plus puissamment infusée.

Cela apportera de nouveaux pouvoirs à l'œil, nous dit-elle. Puis, en attendant que la potion fasse son effet, elle fredonne doucement à voix basse un ténébreux chant de la nuit. « Soulevez le récipient dans vos mains, nous ordonne-t-elle au bout d'un moment en tenant le vase entre Victor et moi pour que nous regardions par-dessus. Remuez, agitez, puis regardez attentivement. »

Au début et pendant un long moment, je ne vois rien que le bouillon noir visqueux qui se trouve dans le fond. « Ah çà ! Regarde bien ! » chuchote Seraphina.

Et là, et là... Je crois voir un scintillement de lumière colorée. Un autre et un autre. L'intérieur du récipient a pris feu ! La lumière jaillit de la matière morte et parcourt à toute vitesse les parois intérieures du vase. Je vois les flammes qui filtrent hors du vase et se tordent pareilles à des serpents qui s'enroulent autour des bras et des épaules de Seraphina. Je suis tellement prise au dépourvu que je tressaille comme si les flammes pouvaient sauter sur moi.

« Dis-moi ! m'ordonne-t-elle en grondant, presque dans un grognement.

– Je vois du *feu*.

– De quelle couleur ? demande Seraphina avec empressement, la tresse flamboyante tourbillonnant encore autour d'elle.

– Bleu, répondis-je. Un feu bleu...

– Cela est de grande valeur, ma chérie. Nourris le feu. Éprouve-le tout au fond de toi. Laisse-le te chauffer de la tête aux pieds. N'aie pas peur de voir ! »

Brusquement, les mots jaillissent de moi. « Oh, mon Dieu ! *Il y a quelque chose qui bouge là-dedans !* »

Seraphina se penche vivement en avant en rapprochant encore le vase de mon visage.

« Regarde bien ! Dis-moi ce que tu vois.

– Je vois... je vois... »

Mais mes yeux me trahissent. La lumière est trop éblouissante ; la scène se brouille.

« Très bien, dit Seraphina. Cela suffit pour ce soir. Et toi, Victor, qu'as-tu vu ?

– Mais je n'ai rien vu », répond-il, ahuri.

Seraphina hoche la tête, judicieusement.

« Le temps viendra, le temps viendra. Chaque soir, nous pénétrerons un peu plus loin ce mystère. »

En effet. À chaque fois que nous avons fini de Nourrir les Lions, elle va chercher le vase. À chaque fois, je vois la même flamme bleue éclatante qui surgit à l'intérieur, toujours avec quelque chose qui se meut lentement à l'intérieur, une chose vivante, je pense. Mais qu'est-ce qui pourrait vivre dans un feu aussi terrible ? Puis, après plusieurs nuits, j'arrive à fixer mon regard ; il ne tressaille ni se brouille. Et je vois distinctement : « Une créature ! Un lézard ! » Car c'est ce qu'il y a là-dedans, une forme de reptile, la langue rapide, quêteuse et la queue qui bat l'air, le corps luisant et agile qui baigne dans la flamme.

« De quelle couleur ? » interroge Seraphina. Je perds la créature de vue ; elle se fond dans la clarté. Je regarde fixement jusqu'à ce que mes yeux se dessèchent et me brûlent. « Doucement, ma petite, m'exhorte Seraphina. Laisse tes yeux devenir doux et accueillants. Demande à cette chose de se montrer. »

Je fais ce qu'elle me dit. Au lieu de chercher à m'emparer de cette vision, je fais une petite prière pour inviter la chose dans la cruche à se laisser voir. Lentement, le lézard revient, sa carapace d'écailles devenue flamboyante ; il porte le feu comme un vêtement.

« Il a toutes les couleurs, dis-je. Rouge, argent, orange.

– Et quoi d'autre ?

– Il marche dans le feu mais ne brûle pas.

– Peux-tu dire s'il aime le feu ?

– Oui. Il se roule et s'amuse dedans. »

Seraphina rapproche le vase de Victor.

« Et maintenant, Victor. Vois-tu cette créature, toi aussi ? »

Mais l'œil de Victor n'est pas aussi astucieux que le mien. Bien qu'il regarde avec acharnement dans le vase, il ne voit que le sombre dépôt qui se désagrège dans le fond. « Je ne vois rien ! lance-t-il avec impatience. Il n'y a rien à voir à part les saletés que vous y avez mises.

– Peu importe, mon enfant, le rassure Seraphina. Le moment venu, tu verras. Cette bête est un signe spécial ; c'est la salamandre qui sort des scories. Aussi farouche que paraisse la bête, c'est notre guide fidèle. Elle est le signe que le *nigredo* approche de sa fin. La réitération commence, autant en toi que dans le vaisseau. Souviens-toi : tout ce que tu vois dans le monde doit d'abord exister en toi. Tu ne verras jamais le Grand Œuvre s'accomplir au-dehors tant qu'il ne se sera pas accompli au-dedans. Par-dessus tout, voyez comme le lézard se délecte dans les flammes. Le feu est son élément. Il savoure le feu comme tu finiras par le faire toi-même. Souviens-toi de ce que je t'ai dit : toutes les choses sont la signature de ce qui se trouve derrière elles. Que veut dire le fait qu'il existe l'homme et la femme ? Que veut dire le fait que l'homme pénètre la femme ? Qu'il pénètre *en* elle ? Pourquoi sommes-nous créés deux pour ensuite brûler du désir de devenir un ? C'est le *Un* qui compte. Et cela vaut la peine de brûler toute une vie.

– Ton œil est plus vif que le mien, me dit Victor plus tard. Je ne vois rien dans l'œuf. Fais-tu semblant ? » m'interroge-t-il, soupçonneux. C'est la première fois qu'il me parle avec méfiance.

« Je ne ferais jamais rien de tel ! Je ne chercherais pas à tromper Seraphina ; je ne le pourrais pas.

– Peut-être que vous vous liguez pour me duper ? »

Je suis surprise par ce qu'il vient de dire. « Pourquoi ferions-nous cela ? »

Il hausse les épaules et prend un air rancunier. « Parce que vous êtes des femmes et que vous voulez que ces choses soient à vous.

– Ce n'est pas vrai ! m'exclamé-je, indignée. Je partagerais tout ce que j'ai avec toi.

– Alors, pourquoi suis-je incapable de voir le lézard ? Je regarde si intensément que je pourrais voir à travers un mur de pierre.

– Peut-être parce que tu te donnes trop de mal ; tu veux trop bien faire. Laisse ton regard s'apaiser. Dis-toi que tu verras. »

Mais la nuit suivante et la suivante, quand Seraphina lui tend le vase, Victor ne voit rien et à chaque fois, il devient plus nerveux. Finalement, il s'arrête en protestant. « Je ne suis pas doué pour ça ! » et il refuse de continuer notre séance.

« Patience, Victor, lui dit Seraphina. Tu y parviendras autrement. Souvent c'est la *Soror* qui voit ces signes la première ; de cette façon, elle aide à faire preuve de prudence. »

Mais je vois que Victor est mécontent. La nuit suivante, afin de ménager sa susceptibilité, je prétends que je ne vois rien. Seraphina est déconcertée. « Es-tu sûre, mon enfant ? demande-t-elle.

– Non, rien... je ne vois rien. J'ai perdu de vue la créature ; c'est vrai.

– Comme c'est curieux. »

Je vois que ma réponse inquiète Seraphina. Je crois qu'elle sait ce que j'ai en tête. Je crois qu'elle sait que je mens. Mais je mens par amour pour Victor. Je refuse de le laisser à la traîne.

NOTE DE L'ÉDITEUR

Nourrir les Lions et de l'influence de la voie de la main gauche du tantra sur l'alchimie européenne

La dévotion érotique mystérieusement baptisée « Nourrir les Lions » a peut-être été pratiquée plus fréquemment par Victor et Elizabeth que tout autre exercice alchimique. Je n'hésiterais pas à appeler cela la plus formatrice et très probablement la plus corrosive des influences qui ont façonné leurs relations. La pratique est illustrée comme suit dans le *Livre Lavande* : un vieil alchimiste est représenté à genoux, comme en prière, devant une femme en travail. Elle est allongée sur un divan, sa forme bien éclairée par un double cercle de lampes, les cuisses effrontément écartées pour s'exposer aussi complètement que possible. Sur les dessins qui suivent, le soleil et la lune sont montrés en transit dans le ciel, indiquant le passage d'une nuit entière pendant laquelle l'alchimiste ne quitte jamais des yeux son *alter ego*. Son regard fouille chaque partie de l'anatomie féminine, fixé durant de longs moments sur ses parties les plus intimes.

À un moment donné dans le cours de la nuit, le sage commence à avoir des hallucinations. Le corps de la femme se transforme à ses yeux en une luxuriante forêt nimbée par la lune, ses arbres richement fleuris. Des yeux apparaissent entre les arbres ; une paire, puis une autre. Deux lions, un doré, un vert, émergent de la cavité ombreuse du vagin de la femme. Ils ont la gueule sanguinolente. Ils approchent de l'alchimiste, plongé dans sa contemplation. Même quand les lions le prennent dans leurs mâchoires, sa concentration demeure intacte. Un morceau après l'autre, les lions le dévorent sans laisser ne serait-ce qu'un os derrière eux. Ils retournent vers le corps de la femme, entrent aisément dans les profondes fissures de la vulve. Chacun porte un vestige sanglant de l'alchimiste entre les mâchoires. Il y a une image qui représente les lions à l'intérieur de l'abdomen de la femme, où ils s'allongent pour dormir. Vers le matin, comme le soleil levant éclaire le ciel au-dessus, les lions disparaissent : les restes de l'alchimiste, déposés dans la matrice de la femme, prennent la forme d'un fœtus. Sur le dernier dessin, la femme donne naissance à l'alchimiste, qui émerge d'elle adulte, rutilant et viril. Il se retourne, s'agenouille entre les genoux de la femme et dépose un baiser sur l'organe de celle-ci.

Les images de l'adepte qui se fait démembrer ou dévorer vivant apparaissent souvent dans la littérature alchimique. Ce sont clairement les symboles d'un supplice qui conduit à l'illumination par la mortification. Parmi les philosophes alchimiques, cette expérience était fréquemment représentée comme un *regressus ad uterum* : un retour vers la matrice. C'est pourquoi nous trouvons chez Paracelse : « Celui qui veut entrer dans le royaume de Dieu doit d'abord pénétrer avec son corps dans le corps de sa mère et mourir. » Dans les textes de la voie de la main gauche du tantra, cette mort rituelle est souvent associée avec l'étalage éhonté de l'érotisme féminin. Assez curieusement, il y a une certaine « chasteté » perverse, comme l'observe Elizabeth, dans ces pratiques puisqu'elles n'impliquent aucun contact physique entre les amants. Aussi, si nous pouvons croire les récits tels qu'ils nous sont présentés, l'objectif de ces pratiques était de transcender l'instinct charnel. Le résultat de cette titillation constante, exagérée, était finalement l'engourdissement du désir, la cessation de l'appétit. Comme nous le verrons plus tard dans ce récit lorsque nous aurons affaire au prétendu « Vol du Griffon », les dangers inhérents à ces pratiques, qui exigeaient toutes la plus grande autodiscipline, étaient grands.

La cockatrice

Le... octobre 178...

Une tournure des événements consternante...

Il y a trois nuits : nous sommes de nouveau rassemblés dans le chaumière de Seraphina pour exécuter le Rituel des Lions. Dès le départ, la *séance** ne se passe pas bien ; il y a un obstacle. Victor paraît irascible, incapable d'apaiser ses pensées. Dans ces moments-là, Seraphina nous dit d'imaginer qu'une bougie brûle au centre de notre esprit ; tout autour, les vents peuvent se déchaîner. Nous devons penser que nous protégeons la flamme de nos mains pour la tenir droite, inébranlable, un point de lumière éclatante.

Mais cette nuit, l'esprit de Victor est comme un feu battu par la tempête qui disperse des étincelles aux quatre vents. Même le calmant qu'elle prépare pour lui reste sans effet. Quand il est aussi agité, je m'aperçois qu'il m'est impossible de m'allonger en confiance sous son regard. Je le sens me dévorer du regard, impatient, pressant. Nos esprits sont à présent si intimement mêlés dans nos exercices que je puis détecter le moindre de ses mouvements d'humeur. Ce soir-là, comme d'autres, il me donne l'impression d'être une putain quand je m'allonge nue devant lui. Après un certain temps (je ne saurais dire combien ; il est difficile de juger de la durée de nos périodes de méditation), j'ai tellement honte que je suis sur le point de demander que nous arrêtions afin de me vêtir. Mais alors, je sens son humeur changer, ses pensées s'assombrir. Il ne me couvre plus d'un regard lubrique, mais me regarde d'un air si poignant qu'il me donne envie de pleurer. Des ondes de chagrin m'engloutissent.

Que se passe-t-il ?

Seraphina, qui paraît lire nos pensées comme si c'était les siennes, perçoit aussi le malaise de Victor. Quand mon esprit s'éclaircit et que je regarde autour de moi, je m'aperçois qu'elle est allée au côté de Victor ; elle le berce dans ses bras, le réconforte. Elle lui demande s'il veut lui dire ce qui le rend si malheureux, mais il ne répond rien... à part qu'il veut s'en aller.

Cette nuit-là, il se retire dans sa chambre sans me souhaiter une bonne nuit. Le lendemain, il part avant le petit déjeuner pour aller vagabonder du côté du mont Salève. Je ne le revois pas pendant deux jours ; quand il revient, il est de l'humeur la plus mélancolique qui soit et refuse de parler.

Puis arrive la nuit dernière. Je suis réveillée par le bruit de quelqu'un qui bouge dans ma chambre. « Qui est là ? » crié-je dans le noir, mais nulle réponse ne vient, seul le bruissement au pied de mon lit. Je fouille l'obscurité et tend l'oreille. « Qui est là ? » répété-je et la réponse que j'entends fige le sang dans mes veines. Il y a quelqu'un qui sanglote dans ma chambre. D'une main tremblante, je frotte à la hâte une pierre à briquet pour allumer la bougie et trouve Victor qui se tient nu à côté de mon lit. Il murmure tout bas quelque chose en parlant vite, mais il pleure si fort que je ne puis distinguer les mots. Quand je l'appelle, il ne m'entend pas. Est-ce vraiment Victor, me demandé-je, ou un fantôme qui lui ressemble ? Je me penche plus près et je vois qu'il a les yeux fermés ; il dort ! Je lui prends la main et l'installe doucement à côté de moi sur le lit. Malgré la clarté vacillante de la chandelle, je vois qu'il est blême et que les larmes ruissellent sur ses joues. Il est secoué de sanglots convulsifs. Je le prends dans mes bras et m'efforce de le consoler.

Après un bref moment, il se réveille, tout étonné de découvrir l'endroit où il se trouve.

« J'ai fait un rêve, me dit-il d'une voix étouffée entre deux hoquets. J'ai peur que si je ferme les yeux, il ne revienne. »

Je le prends dans le lit avec moi et le tiens serré jusqu'à ce qu'il ait repris contenance. Il s'agrippe à moi et enfouit son visage contre mon sein à la manière d'un enfant effrayé. Je le supplie de me dire quel était son rêve. Pendant un long moment, il ne le dit pas ; mais pressé de questions, il finit par céder.

« J'ai rêvé que tu portais un enfant, notre enfant. Tu étais si fière. Tu courais pour me dire que notre union était enfin consommée ; nous avions mené le Grand Œuvre à son terme. Oh, tu étais adorable à voir, Elizabeth ; l'air autour de toi scintillait d'une lumière dorée. Ton corps s'était merveilleusement arrondi : plein et mûr. Je savais que tu étais enfin devenue une vraie femme. Nous nous sommes précipités pour annoncer la nouvelle à notre mère ; mais elle n'était pas contente. "Elizabeth est trop jeune pour avoir cet enfant, déclara-t-elle. Je le porterai pour elle." Et aussitôt, par un tour de magie, le bébé fut retiré de ton corps et introduit dans le sien. Elle vit combien nous étions déconcertés et blessés par ce qu'elle avait fait, mais cela n'y changea rien. "Il a toujours été dans mes intentions que l'enfant serait mien, expliqua-t-elle. Elizabeth n'est pas faite pour consommer le mariage."

« Après quoi, les choses ont mal tourné. Notre mère tomba malade ; son isolement devint un supplice pour elle. Elle enfla avec l'enfant jusqu'à devenir affreusement bouffie. Il se passait une chose épouvantable. "Cela m'empoisonne !" criait-elle et elle me suppliait de la débarrasser du bébé. J'étais horrifié. Je lui dis que je ne le pouvais pas. Je dis : "Laissons faire Elizabeth. Elle sait comment mettre au monde les enfants." Mais notre mère soutint que moi seul pouvais l'aider. Elle refusa de te laisser approcher. "C'est ton œuvre ! te criait-elle. Tu es jalouse de moi, sale gitane !" Et elle t'intima l'ordre de quitter la chambre. Je me sentis pris d'une violente colère, mais ne pus me résoudre à m'élever contre elle. Je fis ce que je pus pour la préparer à donner le jour. Je l'entourai d'oreillers et commençai à la découvrir, mais j'étais trop lent à la tâche. "Hâte-toi !" m'ordonna-t-elle et elle déchira ses habits jusqu'à ce qu'elle se tînt nue devant moi et terriblement grosse en raison de l'enfant qu'elle portait. Cela semblait être une chose tellement contre nature que je ne pouvais m'empêcher de trembler de honte tandis que je me penchais sur elle. Nous attendîmes encore et encore. Le moment de la délivrance arriva, mais le bébé ne sortit pas. Je suppliai ma mère de le faire venir vite, mais elle n'y arrivait pas. Elle criait pour qu'on lui vînt en aide. "Retire-le-moi !" hurlait-elle et elle écartait les cuisses épouvantablement. Je plongeai mes mains dans son corps pour m'emparer de l'enfant ; c'était comme si mes mains étaient englouties dans la bouche d'une grosse bête aspirante ; mais ce que je sentis alors était une chose dure, couverte d'écailles, qui se tortillait pour m'échapper et se tapir au fond de ses entrailles. Ma mère en proie aux douleurs de l'enfantement se mit à hurler ; je savais que je devais extirper cette chose d'elle sinon elle mourrait. Et enfin, en bandant toutes mes forces, je plongeai mes deux mains en elle et réussis à faire sortir la chose qu'elle avait à l'intérieur. Mais ce que je tenais dans mes mains n'était pas un enfant humain ; c'était une sorte d'oiseau d'apparence maléfique, qui considéra d'un air furieux ce qui l'entourait. Il avait un bec meurtrier, le regard enfiévré et une longue queue pareille à celle d'un serpent qui battait l'air d'un côté et de l'autre. Il tourna son regard féroce vers notre mère et fit comme s'il allait se jeter sur elle ; mais je le tins fermement et ne le lâchai pas. Finalement, il se dégagea de mon emprise et s'envola vers le ciel en poussant des cris stridents. Quand je me retournai vers ma mère, je fus frappé de stupeur. Elle était couchée sur le lit, froide, grise et immobile. Je la touchai... elle était transformée en pierre. »

Et à nouveau, il se mit à trembler.

Je me rappelle que c'était la première fois que Victor me parlait de ses rêves. Un jour, il s'était vanté qu'il ne rêvait pas du tout et que si cela devait lui arriver, il apprendrait à effacer ce qu'il avait rêvé de sa mémoire comme si c'était une folle chimère. Mais je ne crois pas qu'il réussisse jamais à effacer ce rêve. Pour le reste de cette nuit-là, je le tiens serré contre moi. Nous n'avons pas partagé le même lit, Victor et moi, depuis des années, depuis que nous étions enfants. Je serais si heureuse de l'avoir ici à mon côté s'il n'était pas dans cet état, si malheureux et si effrayé. Vers l'aube, il tombe dans un sommeil agité ; le lendemain matin, il se réveille profondément honteux et s'en va en toute hâte.

Ce fut le début d'un grand changement chez Victor. Ou plutôt ce fut à cette occasion que je notai pour la première fois ce changement. Plus tard, en me retournant sur le passé, je pus voir parfaitement que depuis de nombreuses semaines, Victor avait perdu de son enthousiasme pour le Grand Œuvre L'impatience que j'avais remarquée quand il trouvait que nos études devenaient fastidieuses était le signe de courants plus profonds qui circulaient en lui. Pendant quelque temps, il prétendit ignorer son ennui et conserver son attention ; mais il luttait contre un mécontentement qu'il ne put longtemps écarter. Quelque chose dans sa nature se rebellait contre l'Œuvre... et, je crois, contre moi. Il y eut une période, au début de nos études, où il ne se passait pas de jour sans que Victor et moi parlions avec ardeur des leçons de Seraphina. Il nous était difficile d'attendre de nous retrouver seuls tous les deux pour découvrir ce que chacun avait appris. Mais à mesure que les mois passaient, nous en parlions de moins en moins. Quand nos études étaient finies ou interrompues pour une journée, Victor se retirait en lui-même ; il s'isolait dans les montagnes, sans jamais me demander de l'accompagner.

Ou il se réfugiait dans sa chambre en prétendant que nos exercices l'avaient fatigué.

Seraphina ne tarda pas à remarquer l'humeur rétive de Victor. À chaque fois que nous nous retrouvions, elle se donnait beaucoup de mal pour ménager ses sentiments. À son intention, elle passa plus de temps sur les substances brutes et lui montra comment elles s'amalgamaient, se liaient et se transformaient de façon magique. Elle appelait cela le travail secondaire, une activité d'une espèce visiblement plus ordinaire ; mais Victor manifestait un grand intérêt à cet égard. Il se mit aussitôt en devoir de s'aménager un petit atelier dans une des dépendances. Il construisit un fourneau de briques rudimentaire et commença à se procurer toutes sortes d'alambics et de cornues, de même que de curieuses substances à distiller dans ceux-ci. M. Oudard, un apothicaire de Lausanne, lui-même fervent spagyriste (encore que de l'espèce bassement matérialiste), lui permit d'avoir de nombreuses fournitures, y compris un ancien athanor qu'il avait acquis à Alexandrie. Le laboratoire de Victor devint bientôt un lieu si crasseux et empuanti que je détestais y entrer et y séjourner. Mais inquiète de ce qui intéressait Victor, Seraphina insistait pour que nous y allions et, en effet, elle lui donnait des conseils avisés sur l'équipement qui lui serait nécessaire. Bien qu'elle considérât l'expérimentation avec les substances comme une forme inférieure du Grand Œuvre, elle possédait néanmoins une connaissance remarquable des transformations chimiques que Victor souhaitait explorer, ce qui lui valait un grand respect de la part de ce dernier.

Pendant trois cycles entiers de la lune – une période qu'elle avait compté utiliser autrement –, Seraphina passa son temps à nous enseigner les secrets de la flamme alchimique. « Tout feu a son âme propre, nous dit-elle, et doit être vénéré en tant que tel. Car le feu est un esprit têtu et pas facile à dompter. » Sous l'insistance obstinée de Victor, elle nous montra l'utilisation du feu sec et du feu humide, et comment apaiser le feu insaisissable de l'effusion. Elle nous apprit comment chauffer avec le charbon noir et le bleu, avec l'huile de camphre et le sel ammoniac, avec le charbon de bois et la tourbe. Nous apprîmes que chaque substance opère sa combustion sur un mode différent. Le bois d'if brûle vite, donne une forte chaleur et est utilisé quand l'adepte doit agir à la hâte ; le chêne est un individu capricieux et doit être cajolé pour brûler, mais une fois allumé, il s'enflamme avec obéissance selon vos besoins, tel un soldat romain répondant aux ordres, procurant une chaleur qui chauffe la préparation régulièrement durant la nuit la plus longue. Le bouleau est malicieux et souvent espiègle ; c'est pourquoi il ne sert à rien pour tout ce qui est plus délicat que la simple distillation ; le mélèze est le feu des Gémeaux, un danseur plein de vitalité dont on fera meilleur usage pour une cuisson délicate ; quant au cèdre, il a une flamme sacerdotale que l'adepte réservera à la solennité du rite. Seraphina nous enseigne aussi l'emploi des fèces de jument, qui donne la chaleur la plus délicate de toutes, capable de chauffer les substances les plus fragiles aussi longtemps qu'il le faut. Enfin, en prenant d'infinies précautions, Seraphina nous montra les comportements du salpêtre véhément, dont le tempérament explosif a coûté la vie ou un membre à maints expérimentateurs. Et pour chaque processus chimique, elle nous enseigne les prières et les incantations qui guident les éléments à travers l'odyssée du changement.

Je prêtais une oreille patiente à tout ce qu'elle nous enseignait, mais éprouvais peu d'intérêt pour ces recherches ; elles me paraissaient... lointaines. Elles n'avaient rien à voir avec les images et les correspondances de choses qui enflammaient mon imagination. Elles n'avaient pas d'âme. Néanmoins, c'était ce que Victor préférait ; il prenait plaisir à observer les moindres fluctuations de la vile matière, à la voir s'embraser, se dissoudre et se réduire sous la contrainte. Même quand il fallait entretenir le feu nuit et jour et dormir seulement par à-coups afin que la flamme pût rester stable sous la concoction frémissante, il faisait volontiers tout ce qui était exigé ; il passait la longue « nuit du philosophe » assis à observer fixement les éléments qui changeaient de couleur et de consistance. Il jubilait autant qu'un enfant de voir comment le cinabre, chauffé avec soin, se transformait en mercure liquide ; puis comment le vif-argent, combiné avec l'antimoine, « le féroce loup gris », se figeait en une masse noire ; et comment, enfin, quand ce déchet noirci avait été plusieurs fois mêlé avec la chaux vive, il explosait brusquement en une multitude de couleurs splendides qu'on appelle la queue de paon.

Victor était si désireux de découvrir ces merveilles qu'il devint impulsif, demandant plus aux substances qu'elles ne pouvaient produire. Seraphina veillait à lui dire que l'œuvre ne se réduisait pas à un simple exercice de trituration et de décoction. « C'est un art spirituel, lui rappelait-elle plus souvent qu'à son tour. Les modifications que tu vois dans la matière terrestre ne sont que la signature de leur signification philosophique. Tu dois savoir qu'au cours de ces veillées, nous sommes les gardiens du temps pour l'éternité. » Victor était apparemment respectueux de tout ce qu'elle disait, mais en son for intérieur, il accordait moins d'attention à son enseignement. « Mon esprit emprunte d'autres voies, m'avoua-t-il. Les chemins que prend Seraphina m'ennuient. Ces choses qu'elle appelle par leurs noms et prend tant de soin à invoquer par des incantations, je veux dire les métaux et les pierres... elles n'ont pas d'oreilles ; elles ne l'entendent pas leur parler. D'après moi, cela n'est que de la sorcellerie. »

Comme je protestais devant son impatience, il s'excusa aussitôt en m'expliquant :

« Je crains de n'avoir aucun talent pour les "mystères des femmes". » Mais quand je le pressai d'accorder plus de confiance à Seraphina, il me lança avec vivacité : « Je ne crois pas que Seraphina comprenne la véritable importance du Grand Œuvre. S'il est possible de changer le vil métal en or, je veux maîtriser ce savoir.

– Pourquoi ? L'or est-il si important pour toi ?

– Nullement ! L'or n'a aucune importance. Pour ma part, je transformerais aussi bien l'or en plomb que l'inverse. Mais comprendre la *force* qui produit cette altération, tu ne le vois donc pas ? La question est là. Cela voudrait dire que toute substance est une seule chose dans sa nature invisible. Si on maîtrise cela, on peut refaire le monde de ses propres mains. Nous pourrions transformer le sable du désert en un sol fertile et les pierres en pain pour nourrir les affamés. Nous pourrions chasser la maladie du corps humain et rendre l'homme invulnérable à la mort. Nous pourrions évoquer des puissances inconnues et les amener à labourer et bêcher et bâtir pour nous. Nous n'aurions plus jamais à travailler à la sueur de notre front. Peut-être est-ce le travail que Dieu nous a laissé : créer une race d'hommes excellents et heureux. »

Je gardai le silence sur le mécontentement de Victor ; mais avant que l'été fût fini, les événements prirent une curieuse tournure qui interrompit nos études.

Victor m'avait fait jurer que je ne parlerais à personne de son rêve. Je promis ; néanmoins le secret se révéla au grand jour. La façon dont notre mère s'était comportée dans le rêve de Victor – si possessive et tyrannique, et si dure dans les paroles qu'elle m'avait adressées – hantait mes pensées. Sans cesse, je devais me répéter que c'était seulement le produit de l'imagination nocturne de Victor. Malgré tout, je me sentais parfois devenir plus froide, plus distante de ma mère. Perspicace comme elle l'était, elle ne put manquer de percevoir ce soupçon de méfiance en moi ; mais elle ne m'interrogea à ce sujet que plusieurs semaines après que Victor fut venu me rejoindre dans la nuit.

J'avais retrouvé ma mère dans son atelier pour mes leçons de peinture. Elle n'avait guère fait que mettre quelques coups de pinceau sur la toile quand, de façon très délibérée, elle reposa ses outils. « Couvre-toi, Elizabeth, dit-elle, et viens t'asseoir ici près de moi. »

Pendant un moment, elle resta assise à tresser pensivement ses cheveux pendant qu'elle rassemblait ses pensées. « Dis-moi, as-tu été inquiétée récemment dans tes études ? me demanda-t-elle.

– En quel sens ?

– Je pense à Victor. T'a-t-il parlé de ce qu'il éprouvait ?

– Oui, nous en discutons souvent.

– A-t-il exprimé des objections ? »

J'étais réticente à l'idée de répondre à cela, mais je savais que je devais dire la vérité.

« Il se plaint parfois de la lenteur avec laquelle nous progressons. Il est impatient.

– Manifeste-t-il de l'impatience envers toi... quand vous convoquez les lions ? Se montre-t-il insensible ?

– Parfois. Il ne veut pas me manquer de respect, j'en suis sûre.

– Il te fait mal ?

– Je sais qu'il ne me veut pas de mal.

– Trouves-tu difficile de t'unir à lui dans tes pensées ? »

Là, j'avançai à tâtons. En fait, il était vrai qu'à chaque fois que Victor et moi retournions Nourrir les Lions, je me sentais de moins en moins à l'aise sous son regard. Comme Seraphina l'avait prédit, nos pensées devenaient de plus en plus inséparables ; je commençais à me sentir étroitement liée à la rêverie de Victor. Mais cette union des esprits n'était pas ce à quoi je m'étais attendue. La lubricité que nous étions censés dépasser adhérait aux pensées de Victor, et s'imposait à moi de plus en plus avec une insistance que je trouvais dérangeante.

« Je suis sûre que Victor ne me voit pas toujours comme je pense qu'il est censé me voir.

– Et comment cela ?

– Il est censé me voir comme une sœur.

– Et ce n'est pas le cas ?

– Non. Il me voit d'une autre manière.

– Cela te dérange-t-il ? »

J'étais gênée de répondre à cela. « Non. Car je n'ai pas toujours envie qu'il pense à moi comme à une sœur. »

Elle s'autorisa une longue pause avant de poursuivre.

« Seraphina est soucieuse. Elle sent que Victor s'éloigne de nous. Elle craint qu'il ne puisse... convenir pour notre œuvre. Crois-tu que cela se pourrait ? »

Aussitôt, ce fut comme si l'air autour de nous était devenu cassant : un mot mal choisi pouvait le briser. Je scrutai ma mère avec attention avant de parler. Bien qu'elle eût cherché à poser sa question avec désinvolture, l'inquiétude dans sa voix ne faisait aucun doute. Je compris qu'elle abordait là une question importante, à laquelle je devais répondre avec tout le tact possible. Cela serait la cause d'une grande affliction si je disais que moi aussi, je sentais que Victor était incapable de poursuivre nos études. « Victor m'a dit qu'il avait l'impression que l'Œuvre convenait mieux aux femmes qu'aux hommes. Je ne puis dire pourquoi il a cette impression. J'ai parfois essayé de me retenir durant nos leçons pour ne pas lui donner l'impression que je le dépassais. »

Elle resta assise un long moment à méditer ce que je venais de dire. Finalement, plus pour elle-même que pour moi, elle déclara : « Cela ne va pas. » Puis, répétant cela à voix basse deux autres fois, elle se leva et traversa lentement la pièce jusqu'à la fenêtre et resta à regarder dehors, le front profondément plissé. Une expression de chagrin lui voila le visage. Je savais que se déroulait sous mes yeux un difficile moment de sa vie. Pendant longtemps, elle ne parla pas... pendant si longtemps que je me demandai si je devais m'excuser et l'abandonner à ses pensées. Mais il y avait une question que je devais poser ; je m'étais retenue pendant des semaines. Je pris un morceau de fusain sur la table et fis une esquisse sur un bloc de papier à dessin. C'était un oiseau féroce avec une queue de serpent.

« Mère... quelle est cette bête ? » demandai-je.

Elle vint regarder et la reconnut immédiatement.

« C'est la cockatrice ou, comme certains l'appellent, le basilic.

– Qu'est-ce que cela signifie ?

– C'est un signe funeste. Un triste présage. Cela signifie que l'Œuvre a pris mauvaise tournure. Pourquoi me poses-tu la question ? As-tu vu cette chose-là ?

– Non. Je suis tombée dessus dans un des livres.

– Oh ? Je me demande lequel. La cockatrice est un signe si malfaisant qu'il est rarement représenté. »

Après cela, il se passa tout un mois avant que Seraphina nous revoie. Cette fois, nous nous retrouvâmes à l'aube dans la prairie. Le matin était frais et limpide, le début d'une belle journée. Victor et moi savions que Seraphina et notre mère s'étaient parlé plusieurs fois ; je savais que leurs conversations avaient porté sur Victor, mais je répugnais à le lui dire. Pour sa part, Victor était trop absorbé dans son atelier pour penser à autre chose en dehors des « peines et des épreuves de la Nature », comme il appelait ses études. Mais quand Seraphina nous fit savoir à nouveau qu'elle nous attendait, il sut que c'était pour nous dire adieu. « Elle n'est pas satisfaite de mes progrès, me dit-il. Elle ne me veut plus pour élève. »

Seraphina fit tout ce qui était en son pouvoir pour le convaincre que tel n'était pas le cas. Quand nous nous retrouvâmes, ce matin-là, elle dit, plus à Victor qu'à moi-même : « Ne va pas croire que je suis mécontente de toi. Pense plutôt que j'aimerais que tu prennes plus de temps pour réfléchir à nos études. Elles sont une forme d'art subtil, pour certains l'œuvre d'une vie. » Bien qu'elle eût voulu prendre un air enjoué, elle était manifestement autre que celle que nous avions connue. Si vieille fût-elle, elle paraissait encore vieillie ; elle semblait d'humeur plus sombre et plus humble. « La baronne Caroline croit que nous avons besoin d'un répit. Je pense qu'elle a raison. Vous avez travaillé dur et vous êtes si jeunes. Vous aurez tout le temps de reprendre vos leçons plus tard. Surtout, votre vieux professeur a besoin de repos. »

Au-dessus de nous, posée sur la branche d'un vieux mélèze, Alou observait la scène d'un œil perçant. Je ne me souvenais pas l'avoir vue regarder avec autant d'attention, comme si elle savait aussi que c'était une occasion particulière et ne voulait pas manquer un mot.

Seraphina nous dit qu'il y avait des femmes qui l'honoraient aux quatre coins du monde et attendaient chaque année sa venue ; elle demeurerait avec elles quelque temps. Elle avait coutume, en hiver, de s'arrêter au passage chez ces amies quand elle s'en retournait dans sa terre natale, la Sicile. Elle préférait y séjourner quelque temps, pour vivre plus près de la nature, au grand air et à proximité de la mer. « Je suis parfois plus chez moi dans les régions sauvages que parmi les hommes. Je trouve que cela nous purifie de vivre avec les bêtes. Ensuite, au prochain printemps, je reviendrai et nous nous remettrons au travail. » Mais qu'allions-nous faire pendant son absence ? « Vous aurez vos livres pour étudier. Caroline lira avec vous. C'est mon étudiante la plus douée et elle saura être un bon professeur pour vous. Et toi, Victor, tu voudras poursuivre tes expériences, n'est-il pas vrai ? Je te laisserai des traités qui seront pour toi d'un intérêt particulier. Le grand Van Helmont a écrit plusieurs récits sur la fabrication de la poudre de projection. Tu te plairas à exercer ta curiosité avec ces écrits, car de pareilles aventures avec la *prima materia* font également partie de l'œuvre. Mais n'oublie jamais que notre travail est avant tout une quête philosophique. C'est ici que doit intervenir le grand changement ; ensuite toutes les puissances suivront. Pense à l'Œuvre, si tu peux, non pas comme à quelque chose qu'il faut faire ou fabriquer ou trouver, mais à quelque chose qui doit naître de ton esprit, d'accord ? »

Puis elle se tourna vers sa besace, dont elle sortit plusieurs objets, qu'elle disposa soigneusement par terre devant nous. Elle étala d'abord une couverture décorée sur laquelle étaient brodés plusieurs signes et mots occultes dans un alphabet torsadé que nous ne reconnûmes pas. Sur le tissu, elle posa ses deux couteaux ; c'étaient des lames anciennes, mais soigneusement polies, l'une avec un manche de corne noire et l'autre avec un manche d'os blanc. « Elizabeth, me dit-elle, as-tu apporté tes couteaux, comme je te l'ai demandé ? Alors mets-les là, avec les pointes qui touchent les miennes. » Je m'exécutai, formant ainsi un carré là où les extrémités des lames étaient posées les unes contre les autres. Dans cet espace, Seraphina posa un petit bol en terre cuite, dont elle aspergea l'intérieur avec une décoction de plantes. Se tournant vers Victor, elle ajouta : « C'est un rituel de bénédiction qui est pratiqué entre les femmes quand elles doivent se séparer. Les hommes ne sont pas dans le secret ; mais tu es différent, Victor. Nous voulons que tu connaisses nos enseignements et nos cérémonies. »

Elle frappa un silex et mit à réduire des plantes. Elles produisirent une odeur suave, plaisante. Puis, à l'aide d'une plume de faucon, elle poussa la fumée en direction de chacun de nous et de sa propre poitrine. « Maintenant on se prend par la main », ordonna-t-elle et elle entonna une douce incantation. Au-dessus de nos têtes, dans la ramure, Alou déploya ses ailes et l'accompagna d'un lamento qu'elle modulait dans son gosier, comme si cet air lui était familier. On n'eût su imaginer chant d'oiseau plus mélancolique.

Béni soit-il et qu'il passe, le chagrin du départ
Béni soit-il et qu'il passe, le temps de la douleur
Bénis soient-ils et qu'ils passent, les jours qui nous séparent

Bénie soit-elle et qu'elle passe, la tristesse dans mon cœur
Bénie soit elle et qu'elle passe, jusqu'à ce que l'amour nous inonde
Bénie soit-elle et qu'elle passe, jusqu'à ce que la joie abonde
Que Hathor protège
Et maintienne ce sortilège.

Pendant un long moment, nous restâmes assis en silence. Quand, enfin, elle lâcha nos mains, Victor sortit de sa poche une breloque que je reconnus aussitôt. C'était un petit prisme à peu près de la taille de la paume de sa main. J'avais vu Victor l'employer maintes fois lors de ses expériences, mais ce n'était pas ce qui le rendait aussi précieux à ses yeux. Pour l'anniversaire de ses dix ans, il avait reçu ce présent de la part de M. de Saussure, qui lui avait enseigné comment l'utiliser pour une étude approfondie de la lumière. Victor l'avait attaché à une chaîne d'argent et souhaitait à présent l'offrir comme cadeau d'adieu à Seraphina. Elle examina longuement ce souvenir, le tournant dans un sens et dans l'autre pour capter les reflets de l'arc-en-ciel. « Le cristal est un des anciens esprits de la lumière. Cette roche est la mère de l'arc-en-ciel. Voyez comme elle fait naître les couleurs ; ce sont ses enfants aimants. Je vois que cela t'amuse que je parle de cette manière, Victor. Mais j'espère que tu as appris au moins cela au cours de nos travaux : que les choses ont en elles une âme tout comme nous, qu'elles peuvent souffrir et pleurer et engendrer la beauté. C'est ce que le Grand Œuvre nous enseigne : le monde entier se meut avec volonté et esprit. Rien n'est mort, pas même la Mort. Tout parle. » Elle lui tendit le prisme. « C'est un beau cadeau. Je le conserverai précieusement. Veux-tu me l'accrocher autour du cou ? »

Ce qu'il fit. Puis, se soulevant avec l'aide de sa canne, elle nous adressa un dernier adieu. « Au printemps prochain ! » lança-t-elle et elle s'enfonça d'un pas traînant dans les bois vers le sud ; elle avançait si lentement qu'il était difficile de croire qu'elle arriverait à parcourir ne serait-ce qu'une lieue. Alou la suivait d'en haut, battant avec grâce ses grandes ailes tandis qu'elle volait de branche en branche ; et pour finir, elles se perdirent toutes deux entre les arbres. Mais plus tard dans la journée, en regardant vers les Voirons avec ma lunette d'approche, j'eus la conviction que je distinguais Alou dans le lointain, minuscule tache noire tournoyant dans le ciel au-dessus de sa maîtresse.

Pendant les jours qui suivirent, nous nous sentîmes perdus, Victor et moi. En dépit de toutes ses récriminations contre les façons de faire de Seraphina, Victor ressentait aussi vivement que moi son absence. Il régnait entre eux une certaine tension vivifiante qui était pour Victor une plaisante mise à l'épreuve. Après tout, je pense que, presque malgré lui, il admirait l'étrangeté qui l'enveloppait. Car elle était un esprit magique.

Comme Seraphina nous en avait informés, notre mère prit la place de notre professeur, promettant de lire avec nous et de nous expliquer le sens profond des livres. Ensemble, nous lûmes, Victor, elle et moi, les sages écrits des maîtres de l'alchimie. Nous étudiâmes les visions impressionnantes de Paracelse et Robert Fludd et Basil Valentine, nous attardant sur chaque image et symbole illustrant la page, car l'œil pouvait toujours voir davantage si l'on cherchait avec soin.

Avec le retour du printemps, je sentais l'impatience grandissante de notre mère pendant qu'elle attendait le retour de Seraphina. Elle m'avait avoué que lorsqu'elles se séparaient, elle craignait que ce ne fût pour la dernière fois. « Elle est vieille et fragile, et pas aussi vigilante qu'autrefois. Je crains pour sa sécurité. » Une fois par mois, elle me faisait venir dans sa chambre à l'heure du coucher pour accomplir un petit rituel destiné à favoriser le retour sans encombre de Seraphina. Puis, un matin, je me réveillai en entendant un bruit familier. C'était le croassement rauque d'Alou. Je me précipitai à la fenêtre, regardai de toutes parts, mais sans rien voir de ce côté du château. Aussitôt, je me précipitai dans l'escalier et courus dans la pièce du petit déjeuner. Là, j'aperçus ma mère devant la fenêtre, agenouillée sur la pelouse, le visage enfoui dans les mains. Je ne l'avais jamais vue dans une pareille posture et je courus aussitôt vers elle. Elle pleurait, le corps secoué avec violence ; Alou s'était posée juste au-dessus d'elle dans un des ormes. L'oiseau s'égosillait comme s'il avait un couteau planté dans le corps, poussant des cris perçants et des gloussements déchirants.

« Où est Seraphina ? demandai-je.

– Alou est venue seule », articula ma mère entre ses larmes.

Presque furieusement, je criai en direction de l'oiseau bredouillant : « Où est Seraphina ? Où ? Où ? » Je remarquai alors qu'Alou portait quelque chose accroché autour du cou. Au bout d'un moment, comme s'il avait livré son message, l'oiseau cessa sa clameur et vint se poser sur la pelouse à côté de ma mère. Sans attendre d'y être invitée, Alou prit finalement sa place sur le bras de ma mère comme elle l'avait fait sur le bras de Seraphina. L'oiselle gloussa à l'oreille de ma mère, qui demeura sans réaction ; elle resta assise, aussi froide et silencieuse qu'une statue et ne prononça pas un mot pour le reste du jour.

Les matrones semblaient évoluer à l'intérieur d'un tissu de savoir invisible et vivant. Le récit de leurs aventures pouvait franchir des centaines de kilomètres, transmis d'un village à l'autre comme si leurs paroles étaient écrites sur le vent. Certaines disaient que les oiseaux transportaient leurs messages, d'autres que les femmes pouvaient s'entretenir à travers les racines des arbres d'un bout à l'autre d'un royaume. De la sorte, elles pouvaient apprendre les dangers et les catastrophes plus vite que la cour royale. Un maître aussi réputé que Seraphina, dont les élèves se comptaient par centaines à travers toute l'Europe, ne pouvait aller loin sans que cela se sache ; c'est ainsi qu'au début du printemps, lors d'une des assemblées dans la plaine, nous découvrîmes ce qu'il était advenu d'elle. Un mois plus tôt, elle avait été prise pour une sorcière non loin de sa maison en Sicile. Les inquisiteurs qui avaient été délégués pour enquêter sur l'île l'avaient interrogée au sujet d'une potion qu'elle avait donnée à une des femmes du pays. Elle avait été soumise au supplice de l'eau, condamnée et brûlée vive. Quatre femmes de bonne famille du village avaient tenté de la sauver, mais elles avaient également été arrêtées et emprisonnées. Plusieurs autres femmes avaient elles aussi péri sur le bûcher comme disciples de Seraphina. Il importait de mettre en garde les femmes partout en Italie et dans le sud de la France.

Cet odieux compte rendu pouvait-il être vrai ? Pour ma mère, le doute n'était pas permis. La présence d'Alou était une preuve suffisante. « L'oiselle n'aurait pas quitté Seraphina si celle-ci était en vie, dit-elle. Elle est venue vers moi comme Seraphina me l'avait dit : elle serait à moi après le décès de notre professeur. J'espérais ne jamais voir ce jour. »

Quelques semaines plus tard, à la pleine lune, les femmes se réunirent dans une plus grande agitation que jamais. Il régnait dans la prairie une ambiance assez tendue, faite de peur, de colère et de chagrin, qui nous laissait hébétées. Céleste récita à nouveau la liste des noms, la voix de plus en plus étranglée par les larmes quand elle approcha de la fin. C'est à peine si elle put finir. Après une pause pour rassembler ses forces, elle prononça le dernier nom : « Seraphina de Sicile. » S'ensuivit alors un long intervalle de pleurs et de mélopées funèbres parmi les femmes, qui se déchaînèrent de plus en plus fortement. Certaines se jetèrent sur le sol, où elles se roulèrent et se tordirent dans des transes, hurlant au malheur. Ma mère, Alou sur son épaule, resta assise en silence et comme pétrifiée au milieu de ce déferlement de souffrance ; elle s'était depuis longtemps vidée de ses larmes. À son côté, je m'efforçai de rester maîtresse du déluge de sensations en moi, mais en vain. Entourée par cet océan de lamentations débridées, je finis par oublier toute retenue et me mis à gémir avec les autres dans la nuit. Je tombai à genoux et frappai le sol jusqu'à être accablée par l'effort. Il y avait du chagrin dans mes pleurs, certes : mais la plus grande partie de ce que j'éprouvais était la rage de l'impuissance. Quelle brave femme amenée à comparaître devant un pouvoir aussi impitoyable pourrait jamais se faire entendre ? Quelqu'un avait-il plongé son regard dans le cœur de mon professeur et vu la sagesse et la douceur qui s'y trouvaient ? L'avaient-ils torturée pour leurs absurdes croyances – qu'elle volait dans les airs sur un manche à balai ou faisait tourner le lait des mères en vinaigre ? L'avaient-ils brûlée pour pouvoir continuer à dire que Dieu était *Il, Il, Il* ? Je m'imaginai livrée aux flammes du bûcher et frissonnai de terreur.

Victor n'était pas moins furieux que moi. Pris d'une colère froide, figée, il dit : « Notre père a raison. Ils doivent tous périr, ces tyrans de Dieu. Ce sont les ennemis de la vérité. N'est-ce pas étrange ? Que les sorcières et les hommes de sciences aient un ennemi commun ? »

Dans les jours qui suivirent, ma mère perdit le goût de l'étude. Sa vitalité déclina, sa constitution commença à faiblir. La phtisie qu'elle avait tenue en échec depuis des années revint en force ; elle dut maintes fois garder la chambre à cause de la fièvre et d'une toux convulsive. Victor se reprochait son affliction, car il savait qu'elle était découragée par son incapacité à accomplir l'œuvre. Il déposa tous nos livres devant elle et la supplia presque de lire de nouveau avec nous ; mais il était évident que, pour elle, la lumière avait fui ces écrits. Cela paraissait presque lui être une souffrance de lire des mystères dont elle savait qu'elle ne les verrait jamais se dévoiler. Maintenant qu'elle était accablée par la maladie, sa voix avait un ton de sombre désespoir pour parler de tout ce que nous faisions.

« J'attendais trop de lui », m'avoua-t-elle un soir comme je m'asseyais à son chevet en attendant que la fièvre diminue. La consomption l'avait terriblement éprouvée et son esprit vagabondait. « Peut-être que son intuition est bonne ; peut-être que le Grand Œuvre est bien un mystère de femmes. Néanmoins, l'union mystique ne peut être réalisée par la femme seule. » Elle se frotta le front avec effarement comme quelqu'un qui a vu l'œuvre de sa vie s'effondrer à jamais. « Que va-t-il advenir de nous ? En ce siècle nouveau, les femmes ne seront-elles plus rien, abandonnant le monde aux mains de mathématiciens sans âme ? »

Chaque mois qui passait la voyait devenir plus renfermée. Elle ne participait plus aux rites des femmes, où son absence était durement ressentie. Un signe encore plus éloquent de son abattement : son atelier était laissé à l'abandon. Ses toiles gisaient là comme autant de reliques d'une vie passée. Souvent, je me rendais dans ce sanctuaire solitaire, dont je trouvais jadis le désordre si odieux ; à présent, je voyais la pièce comme l'expression de l'âme de ma mère, un lieu de fascinations orientales baigné d'un éclat mystérieux. Même les odeurs rances qui flottaient dans l'air, les grains de poussière qui volaient nombreux dans les rayons de soleil, possédaient un charme que je chérissais. En franchissant la porte de cette pièce, j'avais accédé à un champ d'expérience plus élevé. C'était là que j'avais fait la découverte d'une autre science, dont le langage était celui des rêves et de l'imagination, et dont les symboles magnifiques, rayonnants qui remplissaient les peintures de ma mère étaient la meilleure représentation. Bien qu'elle ne m'eût pas autorisée à examiner ses tableaux, chaque fois que j'entrais dans son atelier, j'explorais une autre pile d'esquisses et de toiles. Comme le monde imaginaire de ma mère était étrange ! Il débordait d'études intimes de l'anatomie féminine et des plaisirs charnels auxquels les femmes sont censées ne pas aspirer. Je découvris une étagère de peintures qui montraient les grottes, les ravins et les cavernes des montagnes environnantes, et celles-ci aussi avaient été transmuées en des formes féminines : toutes étaient curieusement façonnées pour ressembler aux organes géniteurs des femmes. Mais il y avait aussi de multiples visions de mondes intérieurs, du ciel et de l'enfer de l'esprit. Surtout, parmi ces œuvres, figurait la grande toile à laquelle elle avait travaillé si longtemps et dont j'étais le personnage principal ; elle était installée, inachevée, sur le chevalet. Je ne pouvais jamais poser mes yeux dessus sans éprouver un terrible sentiment de vide. Je m'y voyais figée pour l'éternité, une femme-enfant en équilibre entre l'enfance et la maturité, tenue amoureusement dans les bras de ma mère, de Seraphina et de toutes les femmes qui étaient venues avant nous, remontant à l'infini dans le temps jusqu'aux premiers jours où, comme le croyait ma mère, l'homme et la femme avaient vécu ensemble en harmonie. Elle avait eu l'espoir suprême que le Grand Œuvre montrerait que nous pouvions retrouver le paradis perdu. J'avais fait partie quelque temps de cette grande aventure. Abandonnée, désormais ! Je ne pouvais que me demander quels délices de l'esprit et de l'âme m'attendaient un peu plus loin sur la route.

Et il y avait une toile morose sur laquelle je me souviens m'être souvent attardée. Quelque intuition prophétique était sans doute à l'œuvre dans la curiosité qui me poussait si souvent vers l'image que ma mère avait peinte de notre tragique sœur, la belle enchaînée dont j'allais bientôt partager le destin.

À chaque fois que nous rendions visite à notre mère, Victor en repartait d'autant plus mortifié qu'il n'avait su la servir quand elle le désirait le plus. « J'ai perdu son amour, me disait-il. L'Œuvre était ce qui lui importait le plus dans la vie et je l'ai déçue. J'ai été égoïste et aveugle ; je l'ai rendue malade à en mourir. » Il était vain de ma part d'essayer de le détourner de cette idée car, avec plus de certitude que lui encore, je savais que c'était vrai. À la fin, dans son désespoir de faire amende honorable, Victor proposa une démarche audacieuse : « Nous nous sommes arrêtés alors que nous touchions au but. Reprenons l'Œuvre par nous-mêmes. »

L'idée me surprit.

« Mais nous n'avons pas le don, protestai-je.

– Absurde ! Nous avons eu de bons maîtres. Et nous avons les livres. Quel présent ce serait pour notre mère si nous réussissions le mariage chimique. »

Il proposa cela avec une ardeur dont je me souviens parfaitement ; c'était la même passion que je l'avais entendu exprimer quand nous contemplions, enfants, les nuages d'orage fondant sur nous du haut des montagnes. Il avait dit – je me rappelle clairement ses paroles : « Je porterai la foudre comme une couronne. » J'adorais secrètement la ferveur rebelle qui surgissait en lui en de pareils moments. Bien que le danger fût clair, il y avait le frisson de la tentation dans ses paroles. Quelle que fût ma frayeur, je n'aurais pas un instant reculé si Victor l'avait voulu. Plus que tout au monde, je désirais qu'il sache que j'étais son égale dans cette entreprise.

Cette nuit-là, pour la première fois, nous exécutâmes le Rituel des Lions sans aucune présence pour nous guider. L'exercice n'avait jamais été plus délicieusement attirant ; et jamais nous n'avions connu un pareil triomphe que celui que nous éprouvâmes d'avoir su résister à la tentation. *Ainsi, Victor a raison,* me dis-je. *Nous pouvons sans crainte aller de l'avant.*

Le Vol du Griffon

À dater de cette nuit-là, une nouvelle euphorie accompagna le Grand Œuvre. Victor et moi étions enveloppés d'un secret plus profond que jamais. Tant que Seraphina avait été notre mentor, nos leçons étaient restées discrètes sans être véritablement secrètes ; nous n'éprouvions ni culpabilité ni crainte dans ce que nous faisions. Seraphina s'arrangeait pour que tout nous semblât être une innocente curiosité. Protégés par l'autorité de notre mère, nous ne redoutions pas des regards intrus. Même le baron, quand il était parmi nous, s'en remettait au jugement de sa femme et nous laissait poursuivre notre travail. Mais maintenant, nous dissimulions nos activités même à notre mère qui, nous le savions, ne nous aurait pas jugés prêts à poursuivre par nous-mêmes. Cette atmosphère même semblait faire de nous des praticiens plus authentiques de l'Œuvre, car nous étions entrés dans un état de clandestinité auquel les adeptes de l'alchimie avaient été cantonnés durant des siècles, redoutant la persécution de la part des autorités qui les considéraient comme des sorciers maléfiques. Je ne crois pas que la véritable étrangeté de l'Œuvre nous ait pénétrés tant que nous avions été des élèves étudiant sous la houlette de notre maître. Nos secrets se transformèrent alors en de *coupables* secrets et nos études en un geste d'audace, pour ne pas dire de défi.

Aussi palpitante que fût devenue notre aventure, je trouvai difficile de libérer mon esprit de ses réserves. Comment pouvions-nous être sûrs d'être sur la bonne voie ? Les livres étaient tellement sibyllins ; on ne pouvait s'appuyer fermement sur eux ; ils ne pouvaient nous enseigner les signes infimes et les jalons que Seraphina guettait. Cependant, Victor était extrêmement confiant, au point que je trouvais impossible de m'opposer ouvertement à sa certitude. Il était trop impétueux ; alors que j'hésitais et renâclais, il fonçait en avant, convaincu de connaître le véritable dessein de la philosophie chimique, et cela mieux encore que Seraphina ou notre mère. Il en parlait comme du « savoir le plus secret du monde ».

Comme nous étudiions ensemble les livres, Victor devint de plus en plus captivé par la curieuse image de l'homoncule qui illustrait nombre de textes alchimiques. « Voilà où le Grand Œuvre peut le mieux égaler Dieu », déclara-t-il avec fougue. L'homoncule, ou « petit homme », était un être vivant, simulacre de notre propre corps humain, capable de parler, de lire et d'apprendre, mais pas plus grand que la hauteur d'une main. Il était toujours représenté à l'intérieur du bocal scellé qui constituait tout son univers. Les livres disaient que cette petite créature avait été créée par des adeptes dans les temps passés. Paracelse, le génie incomparable de la chimie médicinale, affirmait l'avoir fait naître de fumier fermenté et d'esprit de mercure composé sous l'effet des étoiles favorables. « En cela, j'ai maintes fois échoué, notait le grand conteur dans son traité sur les compositions alchimiques, jusqu'à ce que, enfin, je découvrisse une façon de maintenir l'alambic à l'exact degré de chaleur d'un ventre de jument pendant quarante jours. » Victor doutait de ce récit, comme il avait tendance à le faire pour beaucoup de ce que les maîtres disaient. « Paracelse était un grand imposteur. Car s'il a créé l'homoncule, pourquoi ne l'a-t-il pas fait grandir afin qu'il devienne utile ? Pourquoi ne l'a-t-il pas livré au monde afin que nous ayons aujourd'hui une armée d'esclaves à nos ordres ? » Victor croyait-il donc que la quête de l'homoncule était futile ? Nullement. « Je suis certain que l'homoncule peut être créé, me dit-il, mais cela ne sera possible qu'avec l'usage de l'électricité. C'est sûrement le véritable agent vivifiant et qui peut mieux générer la vie que la chaleur d'un ventre, lequel n'est qu'un organe charnel et fragile. Avec l'aide du feu céleste, nous serons capables un jour de créer une nouvelle espèce humaine, qui sera inaccessible à la maladie, à la douleur et à la mort. » Mais ce grand projet exigeait qu'on capturât et domptât le fluide électrique, ce qui n'était pas chose aisée.

La fascination de Victor pour l'électricité avait une origine bien particulière. Au cours de l'année qui avait précédé mon arrivée au château, Victor avait assisté à un orage terrible et très violent. Celui-ci avait fondu de derrière le Jura et balayé le lac, surprenant Victor en plein air ; le tonnerre avait éclaté aussitôt avec une force effrayante de divers points du ciel. Tandis que tous couraient pour se mettre à l'abri, Victor était resté à observer la progression de la nuée avec curiosité et ravissement. Tout à coup, il avait vu un jet de feu jaillir d'un vieux chêne magnifique qui se dressait à une vingtaine de mètres du château ; et quand la lumière éblouissante s'était dissipée, le chêne s'était volatilisé ; il ne restait de lui qu'un moignon foudroyé. S'étant rendu sur les lieux le lendemain, Victor avoua qu'il n'avait jamais rien vu d'aussi totalement détruit.

À dater de ce jour, les lois de l'électricité devinrent sa préoccupation constante. Ce qui prêtait une aura de danger à ses recherches, car cela exigeait l'utilisation de la bouteille de Leyde géante que notre père avait rapportée de Londres quand Victor était encore enfant. Cet instrument me semblait effrayant ; je voyais en lui un pouvoir occulte formidable, comme s'il y avait à l'intérieur des djinns déchaînés, invisibles, emprisonnés dans le flacon. J'avais lu des comptes rendus d'expérimentateurs en l'électricité qui avaient généré des chocs d'une telle force que tout un bataillon de gardes suisses du Pape, qui tenaient un fil électrifié, avaient été secoués de convulsions. En Irlande, un physicien qui cherchait à renforcer l'étincelle envoyée par la bouteille avait été paralysé et à Francfort, un équipage de bœufs avait été tué par infusion électrique. Victor me réprimandait pour mes peurs, qu'il appelait des peurs de femme. Mais ma réticence ne tenait pas totalement à la peur ; il y avait aussi de la révulsion. Je détestais les expériences au cours desquelles Victor électrifiait des créatures vivantes. Il prétendait que les émanations électriques revigoraient la plante ou l'animal qui les recevait. Il avait électrifié les arbres et les voyait produire plus de fruits ; dans une solution électrifiée, les zoophytes proliféraient à merveille. Mais appliqué aux animaux – chats, bestiaux ou oiseaux –, le choc était manifestement douloureux. Une fois, Victor m'avait invitée à regarder pendant qu'il faisait passer le courant chez un des beagles de notre père ; quand je me récriai devant la cruauté du traitement infligé à la pauvre bête égarée, il se laissa fléchir, mais non sans un grognement de rancœur. « Un jour, le fluide électrique guérira toutes les maladies que nous connaissons et rendra la santé au monde entier. Un petit peu de douleur, ce n'est pas cher payé pour ça. »

Quelques jours après cet événement, il vint me trouver, l'air rusé. « J'ai inventé une expérience électrique dont tu vas penser, j'en suis sûr, le plus grand bien. Viens voir ! »

Quand nous atteignîmes son atelier, il nous fit nous tenir sur une plaque de verre plate à côté de la bouteille de Leyde. « Tiens ça », me dit-il en me tendant un fil et en en prenant un autre lui-même. Avec une certaine inquiétude, je pris ce qu'il me mettait dans la main. Puis, s'approchant de moi, il se pencha en avant. Mais juste avant que ses lèvres touchent les miennes, une vive étincelle vola entre nous et piqua ma lèvre supérieure. Je sursautai, fis un bond en arrière et faillis tomber, ce qui le fit éclater de rire. Ne trouvant pas cela drôle, je ne lui cachai pas ma colère. « Cela s'appelle le baiser électrique, m'expliqua-t-il sans présenter l'ombre d'un remords. Cela fait fureur dans les salons parisiens. Regarde ! » Et il me montra une illustration dans un journal. L'image montrait un homme et une femme se tenant à côté d'une machine électrique dont un opérateur assis tournait la manivelle. Ils s'embrassaient comme nous venions de le faire ; on voyait une minuscule étincelle s'envoler entre eux. « Il paraît que les Parisiennes trouvent que c'est une application admirable de la science électrique », ajouta Victor avec un sourire taquin. Je savais qu'il se moquait de moi ; Victor aimait prétendre que les femmes ne peuvent comprendre la science que sous ses aspects futiles. Mais avant que j'aie pu lui montrer mon déplaisir, il prit un air extrêmement sérieux d'une façon qui ne manquait jamais de me communiquer sa passion. Il ouvrit la revue à une autre page. « Ici, dans le même journal, on parle d'un médecin de Bologne appelé Galvani, qui a fait la chose la plus remarquable. Il a rendu le mouvement à la matière morte par électrisation ! Il peut par un choc rendre la vie aux membres de créatures trépassées. Tu vois ici le dessin des pattes de la grenouille ? Et cela, c'est l'instrument qu'il a inventé, une sorte de roue génératrice qui peut produire une cascade de chocs calibrés. N'est-ce pas merveilleux qu'un homme soit capable d'inventer une pareille machine ? Songe à ce que cela laisse présager ! Bientôt nous pourrons doter les parties morbides d'un cadavre de la chaleur vitale et les sauver au bénéfice des vivants. Nous serons capables de remplacer un organe blessé et continuer à vivre. Plus personne ne mourra ! C'est le véritable élixir de l'immortalité qui est évoqué dans les livres de Seraphina. Je donnerais toute ma fortune pour étudier avec Galvani ; cet homme est en train d'enlever la dernière citadelle de la nature. »

Si fasciné fût-il par l'expérimentation électrique, cela n'entravait pas son attrait pour la philosophie alchimique. Au contraire. Sa décision était prise de se consacrer à l'étude de la métaphysique et du paradigme mécaniste. Car il demeurait convaincu que tout ce que les adeptes de l'alchimie avaient recherché depuis l'époque d'Hermès Trismégiste se trouvait à la portée de l'homme, à condition de suivre la bonne voie ; et ce système, il en était certain, était maintenant tout proche. Dans son esprit, un formidable édifice philosophique prenait forme, lequel associait ingénieusement le passé et l'avenir, la piété des anciens adeptes et l'adresse des galvanistes. « Newton n'était-il pas le plus grand alchimiste de tous ? demandait-il souvent. Je ne fais que suivre ses pas. S'il avait connu toute la puissance de la matière électrique, je suis sûr qu'il l'aurait introduite dans ses recherches alchimiques. À présent, c'est à moi de le faire... ou plutôt, à nous. Car je ne veux pas te laisser en arrière, Elizabeth. Je crois que tout ce que Seraphina et notre mère nous ont enseigné est ceci : le mariage de nos âmes nous livrera le secret de l'or. »

Nous avions maintes fois étudié, Victor et moi, les images du *Livre Lavande* qui décrivaient le Rituel du Griffon, en nous demandant si Seraphina nous ferait un jour tenter un exercice aussi audacieux. Cela faisait partie des dernières questions que nous avions abordées avant qu'elle nous quitte. Ce ne fut pas une conversation aisée, plus proche de la dispute. Seraphina n'était pas disposée à parler du Griffon ; il fallut que Victor l'y poussât. Quel était le sens de cet exercice ? voulait-il savoir. Seraphina répondit qu'il y avait si peu en commun entre enfourcher le Griffon et réaliser le mariage chimique lui-même que nous devions nous montrer patients. Elle nous mit en garde : on se méprenait grandement sur le Vol du Griffon, même les adeptes les plus aguerris. « Voyez-vous, mes enfants, les livres que je vous donne à étudier sont de grands trésors, mais seulement s'ils sont abordés de façon judicieuse. Si l'on en fait un usage impropre, ils causeront beaucoup de mal. N'oubliez jamais ceci : nous avons affaire ici à une sagesse empruntée... c'est par bonté que je dis "empruntée" plutôt que "volée". Elle a été empruntée à ceux qui comprennent le véritable sens de l'œuvre et du rôle que la femme y tient. Il fut un temps où la femme était honorée pour son pouvoir de donner la vie. C'était considéré comme un grand mystère. C'est toujours un mystère ; mais maintenant, il y a des hommes qui pensent différemment et ainsi, la vénération qu'il convient de lui porter n'est plus présente. L'on m'a dit qu'il y a des écoles où les hommes ouvrent le corps des femmes pour voir comment la vie grandit au-dedans. Ils en sortent la matrice pour l'examiner avec des lentilles... »

M'entendant aspirer entre mes dents avec horreur devant les paroles de Seraphina, Victor se hâta de la reprendre.

« Ces femmes sont mortes. Ce sont des cadavres. Les corps morts n'éprouvent pas la souffrance.

– Certes. Et où les ont-ils trouvés, ces corps morts ?

– Ce sont de pauvres malheureuses qui ont trépassé dans les rues ou dans quelque hospice.

– Ou dont la tombe fut pillée la nuit, peut-être ? Tu ne sais pas que les docteurs font cela ?

– Ma foi, s'ils le font, pourquoi pas ? Sinon ces corps auraient pourri dans le sol et n'auraient servi à rien.

– Cela ne fait pas de différence pour toi que les corps aient été dérobés à la terre sacrée ? avait insisté Seraphina.

– Mais pourquoi ne devrait-on pas les disséquer ? Je l'ai fait avec mes spécimens.

– Tu ne vois pas pourquoi le corps d'un homme ou d'une femme ne devrait pas être traité avec un plus grand respect que celui d'un spécimen ?

– Nullement ! s'insurgea Victor. Comment apprendrions-nous, sinon, ce qui est à l'intérieur du corps et son fonctionnement ?

– Et après avoir regardé à l'intérieur pour voir comme fonctionne le corps de la femme, sais-tu ce que ces hommes érudits ont conclu ? poursuivit Seraphina. Ils croient que la vie qui grandit là provient de leur semence et de leur semence uniquement. Ils croient que la femme n'est qu'un réceptacle qui porte la vie que les hommes ont mise en elle. Ils disent qu'il y a une personne minuscule tout entière qui se cache dans la graine de l'homme et attend d'être déposée dans la matrice. » À ce moment, elle eut un gloussement rauque qui fit sursauter Victor. « Tu t'imagines ! Les hommes qui n'ont jamais vu naître un bébé inventent ces choses et les écrivent dans des livres pour que d'autres hommes les lisent. Et cela devient un "savoir" ! Ce sont des hommes comme ça, dans leur orgueil démesuré, qui ont réécrit les livres des femmes comme si ceux-ci étaient aussi leur création. C'est pourquoi, comme Elizabeth l'a déjà vu, les femmes qui apparaissent dans ces pages sont de viles courtisanes et des esclaves, des gens de peu d'importance. Ici, dans le *Livre Lavande*, la *Soror* est seulement la concubine du grand seigneur. Elle n'a pas de nom, pas de fonction, pas d'âme. Elle pourrait être n'importe quelle femme, une étrangère qui vient et repart la même nuit après avoir accompli la volonté de son maître, comme n'importe quelle prostituée le ferait. Mais cela est totalement faux. L'Œuvre ne sera correctement accomplie que par un homme et une femme qui se connaissent profondément ; ils doivent se rejoindre avec amour et se prêter serment l'un à l'autre. Ils doivent s'élever au-dessus du désir charnel qui les a réunis, de sorte qu'ils puissent voir son but plus élevé. Tu n'es pas encore prêt pour cela, Victor, ce serait un grand danger de t'enseigner le Griffon avant que le moment soit venu. Tu sauras un jour ce que j'entends quand je dis que l'homme et la femme doivent partager les rênes de la bête, que sinon tout ira de travers... au grand détriment de la *Soror*, qui a beaucoup à perdre.

– Je ne ferais jamais une chose pareille, protesta Victor en laissant voir sa colère.

– C'est ce que tu dis maintenant, mon garçon. Mais le Griffon n'est pas facile à dompter. Au moment du désir, oh ! il volera avec toi ! Il est aussi féroce que l'aigle chasseur, aussi intrépide que le lion. Il peut être le plus implacable de tous les animaux. Il fendra et déchirera et dévorera ceux qui ne pourront le soumettre. Nous avons affaire ici à des passions fougueuses, Victor. D'un côté, l'amour, de l'autre, la luxure ; d'un côté, la sagesse, de l'autre, des désirs lubriques. Il n'est pas facile pour les hommes de distinguer l'un de l'autre. Même toi, Victor, tu pourrais faiblir sur cette voie. Cela tient à un effet de ta nature d'homme. C'est pourquoi je prends mon temps pour t'enseigner ; il y a beaucoup en toi à désapprendre. » Puis, comme pour ne pas heurter sa susceptibilité, elle ajouta : « En fait, Elizabeth non plus n'est pas prête à tenter ce rite. Mais pour des motifs différents. Je te dirai pourquoi.

« Dans les régions où le Vol du Griffon se pratique, les femmes apprennent une forme de danse qui rend leur ventre aussi robuste que le fer, et cependant souple et agile. Cette danse est aussi ancienne que les temples de Babylone. Celles qui y excellent peuvent mouvoir leur corps avec la grâce et la vigueur du serpent. De cette façon, elles durcissent les muscles ici, tout au fond de leur sexe, de sorte qu'ils deviennent puissants et doux. C'est un talent que peu de femmes acquièrent, car il exige une longue pratique. Dans de nombreux pays, seules les prostituées connaissent encore ces choses ; mais jadis, elles étaient de notoriété publique et enseignées à toutes les femmes. Tiens, je vais te montrer. »

Elle prit la main de Victor et la plaça contre son ventre, posant le bout de ses doigts sur sa peau. « Maintenant appuie, dit-elle. Appuie autant que tu peux. Vois jusqu'où tu peux enfoncer tes doigts dans ma chair. »

Victor la considéra avec stupéfaction. Il fallut qu'elle reformulât sa demande pour qu'il fît comme elle le lui ordonnait. Il pressa doucement au début, puis plus fort. Pour finir, il rassembla toutes ses forces pour pousser, mais sans résultat. Le ventre de Seraphina était aussi ferme qu'un roc.

« Tu vois, dit-elle, je suis une vieille femme. Mais ces muscles sont si bien entraînés que la main d'aucun homme ne peut aller de l'avant. Et en dedans, Victor, je pourrais encore tenir l'organe d'un homme comme s'il était dans un étau. Ou le caresser aussi doucement qu'une mère caresse la joue de son nouveau-né. Je peux amener un homme à faire ce que je veux. Elizabeth n'a pas cette faculté. Elle n'a pas encore le pouvoir de gouverner l'homme. Elle et moi avons discuté de cela ; elle comprend mieux que toi, Victor, les dangers du Griffon. »

Je vis que Victor était piqué au vif par les remontrances de Seraphina. Par la suite, il se lamenta sur l'ignorance de celle-ci, selon lui. « Cette femme ne connaît rien à la science ; c'est une vieille sorcière superstitieuse. Elle calomnie les bienfaits de l'anatomie qui nous enseigne ce que nous savons sur le corps humain. Et comment sait-elle avec tant de certitude que la graine mâle ne contient pas l'enfant en miniature ? Van Leeuwenhoek le pensait ; croit-elle savoir mieux que lui ? Ce n'est pas de toute façon à une matrone de remettre en cause ce que disent les docteurs comme si elle connaissait mieux ces affaires. »

Tant que Seraphina continua à travailler avec nous, Victor promit à contrecœur d'attendre ses conseils en se préparant pour le rite. Mais maintenant, après son départ, il se sentait délié de sa promesse. « Pourquoi attendrions-nous plus longtemps ? demanda-t-il. Nous en savons plus qu'il n'en faut pour un exercice aussi simple. »

Je protestai que l'exercice ne semblait pas « simple » du tout. Mais, comme toujours, Victor mourait d'envie d'avancer sur un terrain inexploré. Je me souviens qu'une fois, il m'a dit que l'ignorance lui infligeait une souffrance pareille à une brûlure qu'il devait faire disparaître ; alors que le savoir agissait sur lui comme le laudanum, une drogue apaisante qui chassait la douleur. Je lui avouai que l'image même du Griffon, sans parler du rituel qui portait son nom, me paraissait effrayante. Je ne pouvais voir aucun rapport entre un acte d'amour et cette créature monstrueuse avec ses griffes et ses crocs de prédateur. N'était-ce pas clairement un avertissement que le rite présentait des dangers dont nous n'étions pas avertis ? Sinon, pourquoi y avait-il des images de Griffon dévorant les amants ?

« C'est seulement pour décourager les âmes sensibles, insista Victor. Les adeptes souhaitent garder leur savoir secret. Ils l'entourent de lutins et de sorcellerie. Il faut de l'audace pour apprendre des choses nouvelles. »

Néanmoins, ce rite continuait de me paraître effrayant pour des raisons que Victor ne pouvait comprendre. Mon corps s'en trouverait changé ; je ne serais plus vierge. Je n'avais pas pensé à cela jusqu'à ce que Victor commençât à me presser avec tant d'insistance pour que je me joigne à lui dans cet exercice. Maintenant je me rendais compte qu'il y avait une barrière qu'il me répugnait de franchir à la hâte et par pure curiosité. Il me fallait une femme pour me conforter dans ma décision et il n'y avait personne vers qui me tourner. Je savais que Victor me trouverait sotte de reculer pour cette raison ; il dirait que je n'étais qu'une « femmelette », mot qu'il utilisait quand il voulait rejeter quelque chose. Et je savais qu'avec le temps, je finirais par céder à ses désirs.

NOTE DE L'ÉDITEUR
Voler avec le Griffon

Dans la tradition alchimique, le Griffon est un symbole duel. Tel le gardien légendaire du Trésor caché, il représente le secret et souligne ainsi la nature nécessairement occulte de l'œuvre alchimique. Le Griffon représente aussi l'attraction charnelle, vue comme une passion animale incontrôlée. Prises ensemble, les deux facettes de cet animal fabuleux sont un avertissement que les exercices sexuels exécutés par les adeptes sont un profond secret qui doit être bien gardé, de peur qu'ils ne soient utilisés à mauvais escient.

La pratique appelée ici « Voler avec le Griffon » est illustrée en détail dans le *Livre Lavande* ; elle prend la forme d'une série de postures sexuelles élaborées qui guident les partenaires mâle et femelle dans un état d'union génitale en suspens qui peut durer jusqu'à une nuit entière. L'homme et la femme traversent différentes étapes de l'accouplement, qui sont supposées être en parallèle avec la réaction des substances chimiques, le soufre (chaud/sec/mâle) et le mercure (froid/humide/femelle), dans la cornue tandis que ces éléments évoluent pour devenir la pierre philosophale.

La scène reproduite dans les illustrations est un jardin de plaisirs luxuriant, avec des arbres fruitiers en fleurs et une multitude d'oiseaux chanteurs ; à l'arrière-plan des dessins, l'on voit le coucher du soleil, le passage de la lune, indiquant que le rituel est supposé durer une pleine nuit ou, du moins, de longues heures. Comme toujours dans le livre, le mâle est beau, a la peau mate, et il s'approche du jardin vêtu d'une toilette princière sous une voûte multicolore et escorté d'une cour d'odalisques. Celle qui attend sa venue est une concubine orientale typique ; les formes voluptueuses, richement costumée et parée de bijoux, elle attend sous un arbre en fleur somptueux au milieu du jardin. Elle et son époux princier se saluent avec affection et sont dévêtus par les concubines ; le harem reste de service pendant que les partenaires accomplissent la cérémonie prescrite, leur apportant par moments de la nourriture au cours de la longue nuit. Ces rapports sont présentés comme une discipline astreignante, hautement ritualisée. L'homme doit garder le membre totalement durci et inséré dans la femme pendant plusieurs heures ; son rôle est de rester largement immobile, subissant plus qu'il n'agit. Le rôle de la femme, symbolisant le caractère particulièrement actif du vif-argent dans le processus alchimique, est très exigeant. Il lui est demandé de disposer son torse et ses membres dans une variété de positions provocantes, permettant à son partenaire de ne pas perdre sa tumescence ni d'atteindre l'orgasme. Quand la nuit est passée, si la femme a bien réussi sa mission, le désir de l'homme doit se calmer et un état supérieur de félicité non charnelle doit s'ensuivre. Le mâle est alors autorisé à rester dans un état de transe pendant plusieurs heures supplémentaires. Les illustrations donnent à penser que son esprit est devenu aussi vaste et informe qu'un océan de lumière. Il communie avec le divin ; les femmes baignent et parfument la courtisane ; celle-ci attend consciencieusement au côté de son maître qu'il revienne de ses voyages éthérés.

Alors qu'il ne peut y avoir de doute que ces dessins ont servi à diriger des générations d'alchimistes qui comprenaient leur sens secret, les relations entre Victor et Elizabeth s'écartèrent notablement du modèle conventionnel. Par suite de l'influence singulière de leur mentor, il n'y avait pas une once de la soumission féminine que l'on remarque chez les courtisanes qui couvrent les pages du *Livre Lavande*. Nul doute que ce soit le sens de ce qui se trouve derrière l'expression : « partager les rênes ». Dans les textes tantriques qui ont été traduits récemment, l'on trouve des allusions à la pratique appelée « servir la déesse ». Ces passages décrivent des techniques assurant l'excitation et la gratification prolongées de la femme, mais là encore, celles qui se soumettaient à ces pratiques étaient vraisemblablement des prostituées. Ainsi, les exigences de Seraphina à l'égard de ses élèves devaient avoir une autre origine, qui s'écartait de la tradition alchimique telle qu'elle a survécu dans les documents qu'il m'a été donné d'étudier.

Comme le disait Seraphina, les rites qu'elle enseignait descendaient d'une lointaine époque de matriarcat durant laquelle les pouvoirs procréateurs des femmes étaient nimbés de magie. Cette construction historique fantaisiste porte tous les signes caractéristiques d'un conte de bonne femme. Il serait bon de noter, toutefois, que les voyageurs dans certaines régions reculées des mers du Sud et de l'intérieur de l'Afrique ont signalé la découverte de tribus chez lesquelles la reproduction est à ce jour entourée d'une telle ignorance que les hommes sont censés ne jouer aucun rôle dans le processus. Dans quelle mesure une origine de cette espèce peut-elle s'identifier à la tradition alchimique ? Jusqu'où remonte-t-elle dans le temps ? Seules de futures recherches nous le diront.

Comment tout a mal tourné

Le... avril 178...

Cela m'inquiète que Victor se montre aussi obstiné avec moi ; son impétuosité ébranle ma confiance. Tant de choses dépendent de ses capacités à se dominer. Cependant, il me presse constamment d'entreprendre le Griffon. Il me dit qu'il a utilisé une mixture de cinabre que Seraphina nous a laissée et qu'on peut se fier à elle pour maîtriser ses émissions. Mais je crois que le risque est trop grand. Je le supplie d'attendre que l'écoulement du sang soit proche, quand les risques de pratiquer le rite seront moins grands. Il y consent... mais il est impatient.

Le... avril 178...

Je demande à Victor s'il m'aimera moins quand je cesserai d'être pucelle. Il me retourne la question : « M'aimeras-tu moins quand je ne serai plus puceau ?

– Ce n'est pas pareil pour l'homme, lui dis-je.

– Seulement parce que les hommes sont moins prompts à la peur.

– Les hommes prennent ; les femmes sont prises. C'est ce qu'on apprend aux filles.

– Je ne te "prendrai" rien. Je ne suis pas un vil séducteur... est-ce ainsi que tu me vois ? »

Il m'assure qu'il trouve en moi une pureté qui ne saurait être souillée, une vertu plus grande que l'état de mon corps. Je lui demande s'il veillera à ne point me faire mal. Je veux qu'il connaisse mes frayeurs. Il me promet de prendre un soin extrême ; je le crois, mais sa véhémence me fait frémir.

Le... avril 178...

Cette nuit, tout semblait être comme il le fallait... mais je suis réticente à sauter le pas. Je sens monter en moi une sorte de panique qui me rend malade... J'interromps l'exercice et supplie Victor de patienter encore un jour. Il accepte... mais de mauvaise grâce.

Le... avril 178...

À nouveau, je recule.

Le... mai 178...

Victor m'en veut de tant tarder. Il se retire dans son atelier pour toute la journée et travaille seul. « Tu crois que je suis poussé par un désir lubrique, me dit-il plus tard. Tu ne crois pas à mon amour. » Je proteste que ce n'est pas vrai ; je parierais ma vie sur son amour... mais l'amour ne saurait suffire à nous protéger contre le danger que je redoute.

Le... mai 178...

Mon mauvais rêve est revenu. Je me réveille la nuit pour découvrir que je pleure en dormant. Je me vois de nouveau me débattre pour venir au monde... Je ne puis trouver mon souffle. Je vois l'homme-oiseau qui allonge sa serre. Quand je me réveille, je cours à la fenêtre et je l'ouvre avec violence comme si la chambre manquait d'air.

« Pense au Grand Œuvre comme à une chose qui veut naître de ton âme », disait Seraphina.

Le... mai 178...

De nouveau, je refuse. Victor dit que je manque d'audace. « C'est pourquoi l'Œuvre prend autant de temps à atteindre son but, me dit-il. Il dépend des caprices de la femme. Ma mère dit que la femme doit participer ; mais si elle ne le veut pas ? Si elle a trop peur ? Comment l'Œuvre pourrait-il aller de l'avant ? »

Il est injuste, mais je sais que c'est la déception qui le rend ainsi. Il brûle d'envie d'apprendre ce que le Griffon a à nous enseigner et moi, par ma prudence, je le tiens à l'écart de cette connaissance. Victor demande donc à juste titre : comment le mariage chimique peut-il s'accomplir ?

Je ne le saurais dire.

Francine m'a confié un jour que ma mère l'avait choisie pour être la *Soror* de Victor. Que ferait-elle à présent ? Chevaucherait-elle le Griffon ? Ferait-elle confiance à Victor ? Si seulement je pouvais l'interroger ! Mais Victor et moi sommes convenus d'étudier en secret.

Le... mai 178...

Je me rends dans l'atelier de ma mère et m'attarde devant l'image de la jeune vierge enchaînée. Était-elle pressée par l'homme de la même manière que Victor me presse ? Finit-elle par céder par amour ou par lassitude ? Craignait-elle de passer pour une lâche... comme moi ?

Si seulement je pouvais parler à notre mère... mais Victor a raison. Si j'allais la trouver, elle nous interdirait de poursuivre. Victor dirait que je l'ai trahi.

Il ne sait pas combien il m'est dur de choisir. Il ne me veut pas de mal. Il me demande d'être sa compagne. Je dois être aussi brave qu'il l'attend de moi[7].

*

7. À la suite de cette entrée, deux pages ont été arrachées au livre. L'entrée suivante ne porte pas de date. RW.

Mais les ai-je prononcés, ces mots ? Ou avais-je seulement l'intention de les dire ? Et m'a-t-il entendue ? Ou ne voulait-il pas m'entendre ? Je ne puis me souvenir. Je me rappelle seulement la panique animale qui s'est abattue sur moi. Et la douleur cruelle. Et mon étonnement, plus cruel encore. Et après un moment d'égarement qui fut une miséricorde, la conviction que nous nous étions fourvoyés.

Voilà ce qu'il me souvient de cette nuit-là, plusieurs semaines s'étant à présent écoulées.

Pendant des heures, nous restâmes allongés ensemble, lovés dans les bras l'un de l'autre. Je le laissai passer la main sur ma nudité encore et encore, pour qu'il me détendît ; je le laissai me toucher partout. Il m'explora avec fougue, me préparant à être pénétrée. Je devins eau, une eau argentée qui cède au passage, et il devint feu, un feu pourpre dévorant. Il était si magnifiquement raidi, tendu jusqu'à l'explosion ; je pris plaisir à son excitation. Je voulais la goûter sur mes lèvres. Je voulais me vêtir de son excitation et la faire mienne. Éprouvait-il la même chose ? Voulait-il lui aussi nourrir mon ardeur ? Maintenant je voyais combien il était aisé de faire ce que les femmes faisaient sur les images, conduisant l'homme aux confins mêmes du désir. Combien il était délicieux de se tenir avec lui si près du bord, la tentation de la chute ! Un moment de plus et nous allions prendre notre envol et fendre l'air, partageant les rênes de la bête.

Je m'installai conformément aux instructions représentées, nos yeux rivés l'un à l'autre. Je laissai une jambe allongée sur le sol et passai l'autre autour de lui au niveau de la taille pour le tenir serré contre moi. Mes seins étaient placés de manière que le bout effleurât sa poitrine. Nous attendîmes jusqu'à ce que nous pussions sentir les battements de cœur l'un de l'autre, jusqu'à ce que la cadence de sa respiration eût rejoint la mienne. Il approcha la main pour m'écarter et me préparer. Puis il attendit comme les images le montraient, me touchant juste là où je m'ouvre. Il attendit pendant que je le rendais humide. La fièvre entre nous brûlait avec autant d'ardeur qu'un fourneau d'alchimiste. Je me serrai plus près ; mes seins se pressèrent contre lui. Il me pénétra.

Nous en étions si proches... Il y avait une faim grandissante, et une peur grandissante, les deux furieusement mêlées. Je savourais les deux. Je voulais cela encore, ce moment de liberté avant le moment irrévocable. Je voulais et ne voulais pas.

Et enfin, quand il parut qu'il n'était plus temps de reculer, je lui chuchotai à l'oreille : *pas encore, mon amour. Attends avec moi, laisse passer une autre nuit. Laisse-moi conserver ce corps de pucelle une autre nuit.*

Note de l'éditeur

Le Destin de la belle enchaînée

Par amour elle se donna, éperdue, insensée,
Par amour dépassa ce que la chair peut endurer,
Elle pleura près de l'onde qui sa tombe deviendrait,
La belle enchaînée dont je partage la destinée.

À aucun moment de mon travail éditorial, il ne me parut plus nécessaire de jouer au détective littéraire que pour résoudre le mystère de la belle enchaînée inconnue. Le poème que je cite ci-dessus, dans lequel elle apparaît de façon anonyme, m'est parvenu sous la forme d'une page volante qui venait détachée avec les mémoires d'Elizabeth Frankenstein ; il ne me restait de ce fait aucun moyen de savoir où il allait ou quand il avait pu être écrit. Pendant des années, je l'ai gardé, collé à l'intérieur de la couverture de ce document en attendant de lui trouver une place appropriée dans la chronique des événements. Ce n'est que lorsque je récupérai les peintures de Caroline Frankenstein chez M. de Rollinat en 1816 que l'énigme commença à s'éclaircir.

J'ai déjà mentionné le quatrième et plus petit des tableaux dont je fis l'acquisition chez M. de Rollinat : je rappellerai au lecteur qu'il s'agissait de la représentation d'une femme entourée de chaînes et se noyant. Dès que j'eus posé les yeux dessus, le mystérieux poème résonna dans ma mémoire. La belle enchaînée s'appelait donc Rosalba, nom que je trouvai griffonné au revers de la toile.

Mais qui était Rosalba et en quel sens Elizabeth Frankenstein prétendait-elle partager son destin ?

Comme il arrive souvent dans le cours des recherches savantes, c'est par le plus grand des hasards que je trouvai la réponse à cette question. Durant l'hiver de 1831, alors que je poursuivais mes travaux sur la tradition alchimique, je tombai sur un article du dernier numéro des *Transactions of Ashmolean Society,* par sir Almroth Crosland. Intitulé « *Mysterium Conjunctionis* : Allusions alchimiques dans les derniers écrits de sir Isaac Newton », l'article de sir Almroth laissait entendre discrètement les mêmes conclusions auxquelles j'étais entre-temps parvenu par moi-même : à savoir que les rites alchimiques masquaient fréquemment un dessein érotique sous-jacent. Dans son étude, sir Almroth s'intéressait à la possibilité (improbable, à mon sens) qu'Isaac Newton ait tâté de certaines formes de sodomie dans le cadre de ses expériences alchimiques. Cela expliquerait, selon sir Almroth, les graves accès de coupable mélancolie qui assaillirent le grand savant au cours de ses dernières années. Sir Almroth notait au passage : « Ce que ces pratiques comportent de risques pour l'esprit et l'âme est bien attesté par le cas dc l'infortunée Rosalba di Gozzi, qui peut servir de sévère mise en garde pour la non-initiée. On peut trouver l'histoire complète dans les *Mémoires historiques* de Louise Isabeau de Damville, en 1647. » Comment pourrais-je douter que cette

Rosalba, mentionnée par sir Almroth à propos d'une recherche alchimique, était bien la même femme que celle du tableau que je voyais à chaque fois que je levais les yeux sur le mur de mon bureau qui me faisait face ?

Cependant, la source sur laquelle s'appuyait sir Almroth se révéla être un document inaccessible. Je ne consacrai pas moins de trois ans à suivre la piste des mémoires de Mme de Damville. Entre-temps, je découvris que leur auteur, une femme cultivée, maîtresse du dauphin de France, passait elle-même pour être une sorte d'adepte de l'alchimie. Lorsque je réussis enfin à mettre la main sur un des rares exemplaires survivants de son œuvre, je pus constater que la quête en valait la chandelle. L'histoire de la dame rendait tout d'une clarté saisissante, même si la vérité qu'elle mettait au jour était troublante à l'extrême.

Rosalba di Gozzi, objet de l'énigmatique toile de la baronne Caroline, était la plus jeune fille d'Alessandro di Gozzi, doge de Venise au début du XVIIe siècle et responsable du célèbre Conseil des Dix. Faisant office de confesseur de la famille Gozzi, il y avait un jeune moine dominicain nommé Lorenzo Querini, lui-même descendant d'une famille vénitienne de haut rang. Querini pratiquait les arts alchimiques, dont il avait entrepris l'étude sous Sendivoge à Byzance ; sa réputation s'accompagnait de rumeurs qui lui prêtaient d'avoir découvert le secret de la pierre philosophale et d'avoir publiquement transformé les métaux. Sa formation alchimique attira l'attention de la signora di Gozzi, elle-même avide d'apprendre les arts spagyriques. Il est difficile de juger du véritable sens moral de Querini ; Mme de Damville laisse entendre que le moine a pu entretenir des amours adultères avec la femme du Doge. En raison de cette ambiguïté, il est impossible de déterminer s'il avait des vues sur Rosalba qui, bien qu'elle n'eût que quinze ans, se joignit à sa mère en devenant l'élève du moine. Le résultat fut à la fois scandaleux et tragique.

Un matin de l'automne 1647, la maison Gozzi découvrit à son réveil que Querini et Rosalba avaient disparu. La signora di Gozzi révéla qu'ils avaient fait une fugue. Les agents du Conseil des Dix partirent sur leurs traces, mais on ne retrouva que Querini. Quinze jours après qu'il se fut enfui, il fut rattrapé, à demi mort de faim, se cachant dans une grotte du sud de l'Italie. Ce qui s'ensuivit fut une sorte de vengeance primitive, typique chez les Italiens de cette époque. Il n'eut droit à aucun procès ; il fut mutilé et émasculé par les hommes de main du Doge avant d'être condamné au garrot. Juste avant de rendre l'âme, Querini libéra sa conscience en avouant qu'il était coupable d'un crime beaucoup plus noir que la fugue ; il avait violé la jeune pucelle confiée à sa garde. Mais il ne pouvait dire où l'on retrouverait Rosalba ; pas même la torture la plus experte ne put lui arracher une réponse. Il prétendit qu'il avait fui Venise chassé par la honte en la laissant derrière lui. Pour sa défense, il affirma qu'il avait été tenté au-delà du supportable par certains rites alchimiques et que, dans un accès de folie, il avait été conduit à commettre son crime. Inutile de dire que sa plaidoirie ne réussit pas à le sauver du supplice. Ce fut seulement deux mois plus tard que l'on découvrit toute l'histoire.

La dépouille de Rosalba fut retrouvée un matin par un gondolier ; elle fut retirée des profondeurs d'un canal, entourée de chaînes. Au début, on soupçonna Querini de l'avoir assassinée ; mais un message dans un médaillon trouvé sur son corps dénudé révéla en termes explicites qu'elle s'était suicidée. Elle avouait dans ce message qu'elle avait bien été déshonorée avec violence par Querini et ne pouvait supporter de vivre dans la honte. Mais elle cherchait à absoudre son amant de toute la faute en assurant que c'était « le Griffon » qui était à blâmer. Seuls, les plus instruits des adeptes de l'alchimie pouvaient comprendre ce que cette confession signifiait. Quand je tombai dessus, j'avais appris à connaître tous les détails du rite qui était associé au Vol du Griffon par d'autres sources, en particulier celles portant sur la voie de la main gauche du tantra. Le Griffon, avais-je appris, était le plus exigeant des yogas sexuels, il était rare qu'on le tentât et plus rare encore que l'on sût le mener à terme. Le rite échouait si souvent que certains n'y voyaient guère qu'une séduction chimérique sans véritable force spirituelle. Mme de Damville n'apporte aucun détail sur le sujet, mais elle donne cette énigmatique mise en garde :

> Que les femmes qui voudraient devenir élèves de l'œuvre prennent garde. Toutes leurs sœurs qui ont séjourné sur le terrain ténébreux des arts spagyriques savent fort bien que la fidèle *Soror* met sa personne à la disposition du mariage chimique au risque de son honneur... et, à vrai dire, de sa vie. Le fait que ces périls ne figurent pas en toute honnêteté dans les livres est une trahison à l'égard des expérimentateurs. Que l'on sache bien que je parle du fait d'une pénible expérience personnelle. En particulier, dans ce rite, le rôle de la femme est suprêmement dangereux, même quand le partenaire mâle est un proche digne de confiance. Car nous avons affaire ici aux passions sur lesquelles même les plus vertueux des hommes exercent un empire fragile. Je recommande fermement qu'aucune femme n'entreprenne le Vol du Griffon (ni même d'autres rites qui sont moins extrêmes) hors de la surveillance attentive d'une autre femme.

Les événements qui conduisirent Rosalba à la mort expliquent la représentation scabreuse que la baronne Caroline en donne sur sa toile, qu'elle entendait sans doute comme un avertissement pour toutes les femmes qui tenteraient d'entreprendre le voyage en vue du mariage chimique. Le sang vaginal qui teinte de pourpre les flots témoignait du viol de la jeune vierge confiante. La bête ailée qui apparaît dans le ciel de la peinture de Caroline est manifestement le Griffon ; il n'y a pas de doute que le corps inanimé que la bête tient entre ses mâchoires est celui du moine condamné. Ainsi, pièce par pièce, j'avais rassemblé toute l'histoire. Après ma longue quête, j'avais réussi à comprendre le parallèle historique qu'Elizabeth Frankenstein établissait entre elle et la belle enchaînée. Et je saisissais enfin toute la mesure de la turpitude de Victor Frankenstein.

Troisième partie

La lettre

Je m'abstiendrai de toute remarque sur ton comportement et d'en appeler au monde. Que mes torts reposent avec moi ! Bientôt, très bientôt, je trouverai le repos. Quand tu recevras cela, mon front brûlant sera froid. Plus jamais...

Plutôt affronter mille morts qu'une autre nuit comme la dernière. Ta façon de me traiter a précipité mon esprit dans le chaos ; cependant je suis sereine. Je pars trouver le réconfort dans l'unique...

Si j'avais vécu cette horreur entre les mains d'un étranger qui n'eût cherché que le plaisir qu'un homme peut dérober à une femme, j'aurais sombré au plus profond de la honte. Mais que celui que j'aime tant ait usé de moi dans un rite solennel réduit tout à néant...

Dieu te bénisse ! Puisses-tu ne jamais connaître d'expérience ce que tu m'as fait... Si ta sensibilité s'éveille un jour, le remords trouvera son chemin jusqu'à ton cœur ; et, au milieu de... et des plaisirs sensuels, j'apparaîtrai devant toi, *victime de ta... et de ton manquement à la rectitude morale*[8].

L'écriture de cette lettre, recommencée maintes et maintes fois, m'a occupée la plus grande partie de la

8. Elizabeth Frankenstein décida de ne pas recopier cette lettre, mais de la conserver dans ses mémoires sous une forme détériorée qui laisse plusieurs passages presque illisibles. Visiblement, elle avait été écrite à la hâte. Le papier, une feuille arrachée sans ménagement, est froissée en plusieurs endroits, donnant à penser qu'elle a été chiffonnée maintes fois ; l'encre porte des taches d'eau et, par endroits, est totalement délavée. Étant donné son importance, il va de soi que cette missive doit être reproduite ici ; cependant, je n'ai reconstitué que les parties dont le sens me semblait raisonnablement assuré. RW.

nuit suivante. Derrière la croisée, tandis que j'écrivais, une pluie diluvienne provenant du lac martelait sans cesse le carreau ; elle ne se calma qu'au point du jour. Quand je ne pus plus écrire, je pliai la page dans un portefeuille et quittai la maison, après une nuit blanche. C'était une aube tourmentée par l'orage, traversée par de fréquentes ondées ; les éclairs dansaient une folle gigue sur les montagnes à l'est, balayées par la pluie. Quand je parvins sur le quai, ma robe était trempée et je frissonnais de froid. Les pêcheurs n'avaient pas encore entamé leur journée de travail. Détachant une barque délabrée, amarrée dans le port, je m'éloignai à la rame. L'embarcation résisterait-elle assez longtemps pour me transporter au-delà des zones peu profondes ? Une heure plus tard, apaisée par le balancement tranquille de l'eau, je m'aperçus que j'avais dérivé jusqu'à Hermance et étais tombée dans une sorte de stupeur. Entre-temps, les cieux s'étaient dégagés ; dans le lointain, le mont Blanc qui, tel le Dieu des Hébreux, cache si souvent sa face majestueuse dans la nuée, se dressa, brusquement révélé, immobile et serein, coiffé de neiges éternelles, une pyramide teintée de rose étincelant sous le soleil matinal. Ô beauté consolatrice ! « Tu vois, il reste encore tant de splendeur à contempler », chuchota une voix à mon oreille.

Et mon cœur répondit : oui !

Une heure plus tard, je réussis à ramener mon frêle esquif jusqu'au rivage et entrepris la longue marche du retour. Un chariot se rendant à Belrive pour charger du foin s'arrêta au virage et me ramena au château. Céleste était juste en train de préparer le petit déjeuner ; consternée de me voir dans cet état d'égarement, elle me fit entrer en toute hâte à la cuisine, m'apporta une couverture et me servit un café brûlant. Elle m'assiégea de questions, mais je restai muette. Je me réchauffai près du feu, puis, retournant dans ma chambre, retirai mes vêtements gorgés d'eau. Ce n'est que des semaines plus tard que je retrouvai le portefeuille contenant cette lettre. À ce moment-là, ce que je lus me parut être les mots d'une autre, une jeune fille que j'avais connue jadis. Je conservai le pli comme s'il avait été écrit par une main étrangère.

Une période passée sous silence

Quelle activité étrange que de tenir un journal qui rend compte de la vie plutôt que de la succession des jours. Ce sont les annales de la dimension mentale du temps. Un fugitif instant d'espérance, de joie ou de peur peut déclencher un torrent de mots ; des livres entiers ne suffiraient pas à inscrire ce qu'on glane d'un unique instant d'étonnement. Mais il peut s'ensuivre des semaines ou des mois sans incidents, qui se réduiront à quelques pauvres lignes, un temps mort quand il ne survient rien d'important. Et puis, il y a les pages qui importent le plus, celles régies par le silence ; les chapitres qui ne seront jamais relatés parce que la volonté d'écrire – peut-être la volonté même de vivre – s'est envolée. L'histoire s'arrête quand l'expérience dépasse les mots, quand le chagrin, la souffrance ou la honte vous envahit au point que vous désespérez de l'avenir. Cependant, durant ces intervalles de vie voués au néant, il peut se produire des changements qui façonnent l'âme pour le reste de vos jours.

Si l'importance de telles périodes passées sous silence devait se mesurer en pages, il s'ensuivrait à présent dans mon journal des volumes entiers... entièrement vides. Pendant des mois je ne consignai rien, n'eus aucune envie d'écrire, ne pus m'amener à écrire ne serait-ce qu'un mot ; la plume pesait dans ma main telle une montagne que je n'avais nul espoir de faire bouger. En vérité, mon esprit était aussi vide que la feuille devant moi ; le choc m'avait laissée hébétée, dans un état d'abrutissement muet, semblable à un soldat qui, frappé par le souffle du canon, quitte en vacillant le champ de bataille sans plus savoir où il se trouve.

Après cette nuit-là, rien ne pouvait être pareil. Nous n'étions pas ennemis, Victor et moi. Notre situation était pire encore. Nous étions les fragments d'une union amoureuse qui avait volé en éclats sous l'effet de la pire des trahisons. Il n'y avait pas de haine entre nous ; la haine apporte au moins la chaleur d'une passion entre les antagonistes. Mais pour nous, il n'y avait que le froid d'une défiance totale et un désespoir incommensurable Nous nous rencontrions, nous parlions – de façon circonspecte, minimale – par-delà le désert glacial du remords. Nous savions tous deux que ce qui avait été brisé ne saurait être réparé. Victor ne parvenait pas même à me demander pardon. Il prenait sans doute ma réticence pour le signe que la colère rendait mon esprit inaccessible à toute supplique de sa part ; mais, en vérité, mon humeur aurait mieux été décrite comme un état de *surprise,* une surprise stupéfiée qui laissait mes facultés en suspens. Je vivais dans un état d'hébétude. Si nous parlions, mon attention s'égarait ; une seule question brûlante occupait mes esprits : *que signifiait le fait que Victor avait usé de moi de la sorte ?*

Et m'étant demandé cela, j'étais hantée par la terrible crainte qu'il n'eût jamais éprouvé de véritable affection pour moi, n'eût jamais vu en moi qu'une dévergondée. Se pouvait-il que malgré toutes ces années où il avait prétendu être mon frère affectionné, il n'ait eu en tête que de s'en prendre à ma vertu ? Ce qui se révélait ici était-il pire que l'infamie d'un homme ? J'en vins à la pensée la plus sombre de toutes : et si son amour avait été aussi réel qu'il le professait ; et si l'amour, même réel, était une chose si fragile que nul ne pouvait s'y fier ? Notre nature est-elle si perverse que l'impulsion malfaisante d'un instant peut déchirer même le lien le plus authentique ? Le remords que je voyais gravé sur les traits de Victor me disait que cela devait être le cas. Il se sentait concerné ; il avait du chagrin ; il aurait donné sa vie pour se racheter. Il était victime de la même horreur que celle qui m'avait frappée ; une passion folle, aveugle, si forte qu'il ne pouvait lui résister. Malgré cela, je ne pouvais lui accorder mon pardon. Ma pitié, peut-être... mais pas mon pardon.

Tandis que ces doutes tournaient en rond dans mon esprit, ma vitalité déclina ; je perdis tout appétit, devins sans énergie et errai dans la maison tel un spectre, l'esprit dans la plus grande confusion. Certains jours, je gardais la chambre du matin au soir. Chacun remarqua avec inquiétude que ma santé déclinait ; ils crurent que j'étais tombée malade, ce qui à la vérité fut bientôt le cas. Car il y avait une épidémie, cette année-là. La fièvre scarlatine, qui progressait inexorablement vers l'ouest à partir du levant, arriva à Lyon ce printemps-là, puis gagna tel un fantôme en maraude les villages du Rhône. Quand le mot circula que la contagion conquérante avait étendu son périmètre mortel jusqu'aux confins de Genève, j'allai me coucher chaque nuit en priant le ciel pour qu'elle me frappât bientôt. *Je ne voulais plus être avec lui ! Je ne souhaitais pas me souvenir !* Mais en même temps, je savais qu'il m'était impossible d'en éviter le souvenir. Chaque soir quand je me dévêtais, je voyais les marques qu'il avait laissées dans sa folie. Avec le temps, elles guériraient et s'atténueraient ; mais il y avait d'autres blessures, plus profondes, que je portais en moi. Je remarquais celles-ci à chaque fois que je me regardais dans une glace et voyais cette ombre morne qui me voilait les yeux.

D'autres pouvaient attribuer ma mélancolie à la maladie, mais il y avait quelqu'un qui ne pouvait se laisser duper ; la fine intuition de ma mère lui dit qu'il y avait davantage dans mon affliction que je ne l'avais révélé. Elle me prit à part et me demanda ce qui me troublait. Cela concernait-il Victor ? me demanda-t-elle, sachant parfaitement qu'il ne pouvait en être autrement. Elle me supplia de lui répondre ; je conservai le silence, mais son obstination rendait toute dérobade difficile. Pour cette raison aussi, j'espérais que la fièvre m'emporterait. Je serais alors mise en quarantaine et autorisée à vivre comme une recluse. Et peut-être qu'enfin...

La belle enchaînée dont je partage la destinée...

Je n'avais jamais compris comment quelqu'un d'aussi jeune avait pu de la sorte renoncer à la vie. Mais maintenant, l'abattement que j'éprouvais dès mon réveil m'apprenait combien l'existence pouvait être un fardeau. Quand la fièvre s'empara enfin de moi, je rendis grâces au ciel pour sa miséricorde, en espérant que sa main invisible m'apporterait la paix dont je n'aurais jamais eu le courage de m'emparer. Alors que je gisais proche de la mort, j'espérais secrètement que le feu qui brûlait dans mes veines serait mes chaînes, l'étang où j'irais me noyer, ma délivrance. Mais ma mère ne voulut pas que cela arrive. Malgré sa faiblesse, elle tint à être ma garde-malade. Il y eut nombre de discussions pour la dissuader de me prodiguer ses soins ; mon père en vint pratiquement à camper devant ma porte pour lui en barrer l'accès. Mais quand on lui dit que la vie de sa fille était menacée, elle ne put vaincre plus longtemps son anxiété. Elle s'obstina à demeurer à mon chevet jour et nuit, baignant mon front et me nourrissant de sa propre main. Ses soins vigilants triomphèrent enfin de la maladie ; je fus sauvée, mais les conséquences furent fatales pour celle qui s'était dévouée. Une semaine après que la fièvre fut retombée, ma mère succomba à son tour. Sa maladie s'accompagna des symptômes les plus alarmants ; bientôt, les médecins que mon père avaient fait venir nous laissèrent présager le pire. « Nous allons la perdre », annonça ce dernier après que les docteurs l'eurent examinée, et sans aucune honte, il fondit en larmes.

Dans ses derniers jours, la force d'âme de cette femme, la meilleure de toutes, ne l'abandonna pas sur son lit de mort. Bien que la fièvre eût apparemment épuisé sa dernière once d'énergie, elle me demanda si elle pouvait effectuer une esquisse de moi afin de faire passer les heures interminables. Bien entendu, j'acquiesçai et m'assis à son chevet tandis qu'elle exécutait un dessin miniature, soigneusement penchée sur sa tâche jusqu'à ce que ses forces eussent décliné ou que la lumière du jour eût baissé à la fenêtre. Ce projet divertissant lui soutint quelque temps le moral. « Comme tu es affligée, mon enfant, soupira-t-elle en scrutant mon visage de son œil aigu d'artiste. Toute l'inquiétude que je vois ici ne peut venir de moi. Je vois de la colère et de la douleur ; je ne t'en demanderai pas la cause, car j'espère que ce sont des humeurs passagères qui s'envoleront bientôt. Tu comprendras que je les omette dans mon dessin. Je veux te dessiner dans toute ta fierté et ta force, la femme que j'aimerais que tu sois quand je ne serai plus là, une femme qui sera son propre maître. »

Ce qu'elle fit, exécutant une œuvre d'aussi belle facture que par le passé. Je considérai le résultat comme si je regardais un miroir magique montrant l'identité idéale cachée derrière les malheurs de la vie. Mais quand elle eut fini, ce n'est pas à moi qu'elle donna la miniature, mais à Victor, en lui demandant d'y voir la sœur-épouse dont elle avait souhaité qu'elle fût son plus beau cadeau. « Mes enfants, dit-elle en joignant nos mains quand elle sentit que la fin était proche, j'avais placé mon plus ferme espoir de bonheur dans votre future union. Cette espérance sera désormais la consolation de votre père. Pour l'amour de moi, je vous en prie, ne le privez pas de cette bénédiction. Elizabeth, mon amour, tu devras me remplacer dans la maison. Hélas, je regrette plus que tout dc t'abandonner, mon enfant. Car tu es l'esprit radieux sur lequel je fondais mes plus chers espoirs. Ta destinée en ce monde obscur reste inaccomplie. Cependant, comme tu me parais merveilleuse ! Heureuse et aimée comme je l'ai été, qu'il est dur de vous quitter tous ! » Elle sombra dans un calme profond. À son chevet, je me penchai pour écouter si elle avait autre chose à dire, car je voyais ses lèvres bouger. Ses dernières paroles, répétées encore et encore, furent : « Un peu de patience et tout sera fini. »

Elle expira paisiblement ; son visage exprimait l'affection jusque dans la mort. Jusqu'à la fin, elle tint serré le brin de verdure qui ne la quittait jamais ; même dans la mort, elle refusa de le lâcher au point que je dus ouvrir ses doigts de force. Je ne pouvais m'imaginer subir un plus grand malheur durant le reste de mes jours ; cependant, je reconnais qu'une partie de moi fut assez lâche pour éprouver du soulagement dans sa mort. Elle ne risquait plus d'apprendre la vérité au sujet de Victor et de moi. Je n'aurais jamais à lui révéler que l'union qu'elle appelait de ses vœux au seuil de la mort ne se ferait jamais, que celle-ci avait été extirpée de nos vies jusques aux racines.

Moins de deux semaines après les funérailles de notre mère et sans attendre plus qu'il ne le fallait pour satisfaire aux règles minimales de la bienséance, Victor annonça qu'il partait pour Ingolstadt afin d'entreprendre ses études à l'université. D'un seul coup, cela réglait la question de son avenir qui avait longtemps divisé la famille. Notre père n'avait jamais approuvé de voir Victor devenir l'élève de Seraphina ; il considérait la science alchimique comme une intolérable perte de temps. Je l'avais maintes fois entendu presser Victor de porter son attention vers « le système moderne de la science », comme il disait. « La philosophie newtonienne, soutenait-il, possède des pouvoirs infiniment plus grands que celle des anciens qui étaient tristement accablés par de folles chimères. Agrippa, Paracelse, Albert le Grand... ils ont tous été, avec le temps, mis au rebut. Ils ne méritent pas ton génie. » Peut-être que si mon père avait été à la maison plus souvent, il aurait pu tenter de s'opposer aux études de Victor avec Seraphina. Mais en son absence, les désirs de notre mère l'emportaient et les adeptes alchimiques restèrent pour un temps les grands maîtres de l'imagination de Victor. Désormais, notre mère n'étant plus de ce monde, le baron pouvait agir à sa guise. Victor fut d'accord, ou plutôt insista pour s'en aller. Ses raisons, comme je ne le savais que trop, n'étaient pas entièrement d'ordre intellectuel. L'université était pour lui un moyen d'évasion, une chance d'être hors de ma vue, de partir loin de mon regard hostile et de la condamnation qu'il y lisait chaque jour. Seules ma maladie et la mort de notre mère avaient retardé aussi longtemps son départ.

À peine une semaine plus tard, Victor s'en alla, me quittant après avoir pris brièvement congé, beaucoup trop honteux pour soutenir mon regard plus de quelques instants, et cependant plein de ressentiment que je ne lui eusse adressé aucun signe de pardon. De cette rancune, je vis une petite flamme de défiance jaillir, comme pour me faire savoir qu'il ne renoncerait pas à ses espérances à cause d'un seul geste barbare qu'il avait commis. Nous n'échangeâmes pas un baiser ; nous n'échangeâmes pas une étreinte. Ma main dans la sienne sur le seuil était molle, mon regard froid. Je n'étais pas seule à lui faire un adieu glacial ; Alou vint se poser sur mon épaule et fixa Victor d'un air maussade. Après un rapide coup d'œil à l'oiseau, il parut devenir plus honteux sous le regard scrutateur de celui-ci que sous le mien et eut tôt fait de tourner les talons. Je l'envoyai de par le vaste monde, l'ayant jugé et condamné : ce n'était plus mon frère, mon amant, mon ami. Il ne serait sans doute pas de retour avant Noël et ne promit pas même cela. Toute la nuit, je sanglotai convulsivement à cause de ma rigueur inflexible. Mais je n'aurais pu... je n'aurais *su* lui pardonner !

La semaine suivante, notre père, toujours en proie à la profonde mélancolie causée par le grand malheur qui nous avait frappés, s'apprêta à repartir en voyage. Il ne souhaitait pas s'en aller et s'excusa abondamment de me quitter si vite après la disparition de ma mère. Mais il sentait que son chagrin personnel était dépassé par les affaires du monde. Cette fois, il devait se rendre à Paris, où des événements décisifs prenaient tournure. L'état des finances du roi Louis avait atteint le comble de la déconfiture. Alors même que notre mère était à l'agonie, une succession de courriers étaient arrivés de Versailles pour remettre des dépêches implorantes au principal banquier de Genève ; finalement, un ministre de la Couronne avait rapidement franchi les Alpes pour supplier mon père de prêter son concours. On lui donna à comprendre que, s'il ne faisait pas le nécessaire immédiatement pour qu'on lui consentît un prêt, le roi se verrait forcé de convoquer les états généraux et de supplier qu'on lui accordât une subvention, ce qu'il n'osait faire ; car que serait-il advenu alors, nul ne le savait. Mon père accepta en grommelant, alors même qu'il prenait ses dispositions pour répondre aux sommations. « Cet âne royal mériterait que toute sa maison décrépite lui tombe sur le crâne. À l'exception de Necker qui veille sur le Trésor vide, il est entouré de fripons et de sots. Tout ce que je lui prêterai maintenant sera du bon argent jeté après le mauvais ; mais que puis-je faire ? Quand un roi devient votre débiteur pour la coquette somme de quatre cent mille *livres**, autant le considérer comme votre frère de sang. »

Alors que je regardais le cabriolet de mon père disparaître sur la route de Genève, je me rendis compte, pour la première fois depuis mon arrivée au château, que je n'avais plus de famille. Je me trouvais à nouveau orpheline. Seul Ernest, avec son esprit lent et sa pénible réserve, restait avec moi ; mais personne ne pouvait m'être une compagnie moins réconfortante que lui. Chaque année qui passait, il se donnait moins de mal pour masquer combien il m'en voulait d'avoir détourné à mon profit l'affection de notre mère. À présent, celle-ci n'étant plus de ce monde, il se sentait libre d'exprimer ouvertement son dégoût pour « la bâtarde bohémienne ». Aussi nous donnions-nous beaucoup de mal pour nous éviter. J'aurais toute la solitude nécessaire pour méditer sur le sombre tournant que ma vie avait pris.

J'espérais que Francine viendrait me voir et resterait ; je craignais que mon cauchemar ne revînt, comme cela se produisait souvent quand j'avais l'esprit agité, et qu'il n'y eût personne vers qui me tourner pour me consoler. Mais de plus en plus souvent, Francine était obligée de jouer son rôle de femme de pasteur et d'accompagner Charles là où ses responsabilités grandissantes l'appelaient. Son travail dans le monde le conduisant dans des assemblées très éloignées, lui et Francine pouvaient s'absenter pendant des mois d'affilée. Une fois où elle trouva l'occasion de rester la journée, j'essayai de lui ouvrir mon cœur, mais je découvris que je ne pouvais exprimer mon chagrin. Elle s'aperçut aussitôt que j'étais affligée, mais quand je ne pus rien lui dire de la cause, elle attribua ma mélancolie au deuil et m'assura que mon abattement serait passager. *Ne puis-je pas même ouvrir mon cœur à ma plus chère amie en ce bas monde ?* me lamentai-je en moi-même. Et je me rendis compte que j'étais accablée de honte pour Victor. Quand, lors de son départ, il avait levé les yeux pour croiser brièvement mon regard, j'y avais lu ce message muet : *N'en parle jamais !* Et jamais je ne le ferais ; je ne pouvais donc me séparer du déshonneur qui le frappait. Il n'y avait plus guère que cela, un lien ténu d'humiliation partagée, qui survivait entre nous.

Seule une bonne partie de la journée, je me dis que je devais concentrer mes pensées et faire passer le temps de façon productive ; mais je me trouvais toute retournée, incapable d'entreprendre une tâche exigeant de l'application. Avec Alou qui me suivait entre les arbres – car elle avait choisi de devenir ma compagne –, j'errais à travers la montagne, vagabondais souvent pendant des jours entiers dans les alpages. Ou, si le temps se gâtait, j'écrivais de la poésie ou pratiquais le clavecin. Je prenais un livre après l'autre dans la bibliothèque, mais mon attention s'égarait invariablement loin de la page. Je rassemblai mes vêtements à repriser, cependant j'avais les doigts trop nerveux pour faire de la couture, et finis par écarter tout cela, qui me paraissait trop fastidieux. Rien ne fixait mon attention sinon de façon éphémère. Cependant, mon esprit semblait curieusement en éveil et dans une expectative fébrile, comme si j'attendais d'entendre un signal... quelque chose, mais quoi, je l'ignorais.

Un matin de la deuxième semaine après le départ de mon père, je m'éveillai, malade à en mourir. Mes draps étaient mouillés de transpiration et la nausée s'empara de moi avec violence comme si la main d'un ogre essayait de m'arracher les entrailles. Une rechute, me dis-je aussitôt, et je craignis que la fièvre ne revînt en force. Je gardai la chambre la plus grande partie de la journée, m'étant mise à la diète, buvant à peine un peu d'eau ; malgré cela, quand je n'eus plus rien à l'intérieur de moi, j'eus des haut-le-cœur et des hoquets si violents que les muscles de mon ventre devinrent douloureux. Le lendemain matin ne m'apporta nul répit, ni le suivant ; j'étais incapable de quitter mon lit tellement j'étais affaiblie. Finalement, le majordome, Joseph, envoya quérir le docteur Montreaux, qui arriva en fin d'après-midi par un jour d'orage. C'était un homme d'allure très sévère, que je trouvais intimidant. Il m'avait soignée à plusieurs reprises dans le passé, principalement pour des maladies infantiles pour lesquelles il n'avait guère eu qu'à me prendre le pouls et à examiner ma gorge ; mais cette fois, il m'ausculta beaucoup plus attentivement et me demanda de me dévêtir. Je m'exécutai, obéissant passivement à sa requête. Comme il allumait des bougies sur le bureau pour donner plus de clarté dans la chambre obscurcie, je me disposai sur mon lit et, à sa demande, m'ouvris. Avant de se pencher au-dessus de moi, il me couvrit le visage d'un mouchoir de fil comme le font les docteurs quand ils examinent les parties inférieures de la femme. Je me disais : *Quelle sottise est-ce là de me couvrir le visage alors que toute ma personne est totalement dénudée ! De cette manière, nos yeux ne peuvent se croiser ; mais est-ce pour m'épargner l'embarras de montrer que je rougis, ou au docteur Montreaux l'inconfort de me voir rougir ?* Il agissait avec le détachement qu'il convient, mais son toucher était d'une brutalité déplaisante tandis qu'il explorait tout au fond de moi. Durant tout le temps où il s'activa, j'observai sous un coin du mouchoir le contrevent lugubre au-dessus de mon lit, sur lequel la pluie s'écoulait en ruisseaux tortueux telles des larmes tombant d'un ciel en pleurs. Des pensées vagabondes tournaient dans ma tête enfiévrée : qu'il était étrange qu'un homme eût la licence de voir les femmes dans toute leur vérité alors qu'aucune femme n'a pareillement la licence d'observer les hommes. Pourquoi cela était-il permis ? Bien entendu, parce que c'était un homme de science qui explorait mon corps d'un œil froid, anatomique. Il ne trouvait en rien la vue de mon intimité excitante, du moins devais-je le croire. Je me rappelai avoir dit à ma mère comme je rougirais de poser nue pour un homme qui désirerait me peindre. Cependant un peintre ne me toucherait ni ne me sonderait comme le faisait ce médecin. Je me souvins comment Victor me fixait quand nous procédions à Nourrir les Lions, laissant délibérément mon corps exciter sa nature jouisseuse. Mais il ne m'avait pas touchée alors, pas encore. De combien de façons un homme peut-il contempler une femme ? En artiste, en médecin, en amant. Curieusement, je trouvai que le plus sûr était le médecin ; car je n'étais pour lui qu'un automate inanimé qu'il pouvait démonter et remonter. Les médecins apprennent le corps en étudiant les morts ; peut-être que le docteur Montreaux avait appris à considérer le corps féminin comme s'il était un cadavre allongé devant lui ? Mais, en vérité, il auscultait plus que mon physique. Un examen aussi approfondi lui permit de plonger son regard jusqu'au fond de ma nature morale. L'honneur d'une femme est gravé dans son corps. Il allait sûrement découvrir que je n'étais plus pucelle ; il pourrait même croire que j'étais une prostituée. Et comment allais-je me disculper ? Comprendrait-il si je lui parlais du rite du Griffon ? Admettrait-il ce qu'on attend de la Sœur mystique ? Ferait-il...

Et puis, il eut terminé. Il me recouvrit de la courtepointe et me dit d'un ton grave mais non sans douceur : « Ce n'est pas la fièvre, ma chère petite. Vous attendez un enfant. »

Le docteur passa la nuit au château tandis que la fièvre montait et que les douleurs empiraient. Il ne voulait pas rentrer à cheval à Genève par les routes obscures, détrempées par la pluie, et sonner aux portes de la ville. Le lendemain matin, il partit en promettant de venir me voir chaque jour jusqu'à ce que la crise fût passée. Quand il vint le jour suivant, il trouva Céleste à mon chevet. Elle avait deviné mon état avant même que le docteur Montreaux m'eût auscultée, et restait à présent pour baigner mon front et me serrer contre elle quand j'étais parcourue de frissons. Je perdis bientôt toute notion du temps, mais je savais vaguement, quand Céleste venait me donner du bouillon et du pain, qu'un autre jour était passé. Je ne gardais rien de ce que je mangeais ; j'étais assaillie de vomissements convulsifs. Mes souffrances étaient souvent pires que ce que je pouvais supporter sans défaillir, alors ma lucidité d'esprit allait et venait, me laissant parfois perdue au milieu d'hallucinations cruelles. L'homme-oiseau, qui ressemblait à présent au docteur Montreaux, venait me trouver dans mes rêves chaque fois que je fermais les paupières, de sorte que je craignais de me reposer. Quand je m'éveillais, je suppliais Céleste : « Ne le laissez pas se servir de la griffe ! »

Connaissant mes frayeurs, comme jadis ma mère, elle se hâtait de me rassurer : « Jamais, jamais, mon enfant !

J'ai envoyé chercher Christina. Elle est en chemin et s'occupera de toi aussi longtemps qu'il le faudra.

– Le docteur va l'autoriser à rester ?

– C'est un brave homme et il comprendra. Rassure-toi, je lui ferai comprendre ce que tu veux. »

Christina était la matrone la plus respectée du pays , elle avait appris son métier directement avec Seraphina bien des années auparavant. Malgré mes douleurs, je fus réconfortée de savoir qu'elle serait bientôt présente. Mais comme les spasmes allaient et venaient avec une férocité de plus en plus grande, je sentis mon courage m'abandonner. « Je porte un enfant, Céleste », dis-je en plongeant mon visage dans le tablier de son ample poitrine tandis que je pleurais sur mon sort. Bien qu'elle fût imprégnée des arômes épicés de la cuisine, la Céleste à laquelle je m'accrochais dans mon dénuement n'était pas la cuisinière, mais la « femme rusée » qui pouvait réciter dix siècles de noms de martyres quand les femmes se retrouvaient dans la clairière. Douce, sage et courageuse Céleste ! Qu'il était bon d'être dans ses bras. Je savais que je n'étais pas en bon état ; l'enfant que je portais dans mon sein ne saurait se développer correctement jusqu'à la naissance ; la fièvre avait rendu mon corps inhospitalier. Dans ma faiblesse, je craignais de souffrir le sort de ma mère : mourir en couches, bien que mon enfant ne fût encore qu'une vie à peine formée.

Il m'est impossible de savoir combien de temps je souffris ainsi avant que le bébé fût expulsé. Maintes fois je m'éveillai pour trouver Christina penchée sur moi, attendant patiemment. Une fois, elle s'approcha pour me chuchoter à l'oreille : « Quand *il* sera sorti, je te donnerai un remède contre la douleur. » Ce qu'elle fit, une préparation de plantes qui m'assomma et m'engourdit et fit sombrer mon esprit déchaîné dans un sommeil sans rêves. À d'autres moments, le docteur Montreaux était là, l'air encore plus grave. « Le pire sera bientôt passé », était la plus grande consolation qu'il pouvait m'apporter. En une occasion, comme il s'apprêtait à partir, je l'entendis dire à Céleste dans mon demi-sommeil d'envoyer un mot à Victor et au baron. Cela me tira brusquement de ma torpeur. Quand il fut parti, j'appelai anxieusement Céleste et la suppliai de n'en rien faire.

« Promettez-le-moi ! insistai-je.

– Mais ils devront bien le savoir un jour, mon enfant.

– Pourquoi devraient-ils le savoir ?

– Parce que Victor est le père. Il doit agir de façon honorable.

– Vous vous trompez. Victor n'est pas le père. Vous êtes une impertinente de dire cela.

– Que dis-tu, mon enfant ? Qui d'autre serait le père ?

– C'est à moi de le savoir, non pas à mes domestiques... »

Je dis cela en essayant de paraître aussi hautaine que ma mère quand elle voulait n'en faire qu'à sa tête.

« N'aie aucune crainte, poursuivit Céleste. Victor t'épousera, comme il convient.

– Jamais ! Je ne désire nullement épouser Victor. » Dans mon désespoir, je commençai à bredouiller fiévreusement. « Je ne souhaite aucunement le voir. Il n'est pas le père, non ! Beaucoup d'hommes vont et viennent sous ce toit. Ce sont tous de vils séducteurs, comme vous le savez bien, Céleste. Ne vous ai-je pas entendue mettre en garde les servantes à propos des invités du baron ? Vous leur dites de bien attacher leurs jupes autour des chevilles quand elles ont à faire auprès des beaux messieurs. Des beaux messieurs ? Des chats de gouttière, plutôt ! C'est ainsi que mon père les nomme. Il dit qu'ils ne seraient pas considérés comme des supérieurs par les animaux de la basse-cour. Ne vous souvenez-vous pas que le marquis de Chastelneuf est passé en... juin. Oui, c'était en juin. Il passe pour entretenir quatre maîtresses de mon âge, voire plus jeunes. Lui... ou peut-être Pietro della Valle, le poète, qui est venu nous voir avant cela. Mais comment dirais-je lequel, lequel, lequel ? Il y en a eu tant, comment pouvez-vous espérer que je sache ? Quand la comtesse Landseer vient nous voir, elle laisse la porte de sa chambre ouverte, au vu et au su de son mari. Elle a reçu la visite de trois amants lors de sa dernière visite. Pourquoi attendrait-on de moi que je donne le nom du père de mon bébé quand on dit que la comtesse ne saurait répondre du nom d'aucun de ses enfants ? Pourquoi avez-vous l'air scandalisée ? Vous me prenez pour un ange ; mais vous ne me connaissez pas vraiment. Souvenez-vous que j'ai grandi parmi les gitans. Je vis selon une autre loi. Toutes les filles de gitans sont des putains. Ma sœur Tamara était une putain, avec son propre père...

– Mon enfant, mon enfant, tu divagues, dit-elle en me berçant dans ses bras. Laisse-toi guider par mes paroles. Nous devons informer Victor... »

Là-dessus, malgré ma faiblesse, j'élevai la voix pour lui couper sans ménagement la parole.

« Je suis la maîtresse de cette maison. Tu feras ce que je te dis. Je ne veux pas que Victor vienne. Tu n'enverras personne le chercher. Le baron non plus ; il a un travail important qui l'attend. Ce serait folie de le distraire pour une affaire qui doit suivre son cours indépendamment de ce qu'il voudrait. Je t'en supplie ! Veux-tu me voir déshonorée aux yeux de mon père ? Je ne te le pardonnerais jamais ! Tu serais mon ennemie. » Là-dessus, je fondis en sanglots et m'accrochai à Céleste en quête de quelque réconfort tout en lui administrant des coups aussi faibles que ceux d'un enfant car je voulais la haïr à jamais si elle faisait fi de ma volonté. « Promets-moi de faire ce que je te dis ! Oh, puisque tu es ma sœur, jure comme tu le ferais sur les couteaux ! »

Elle jura. Mais il n'était nul besoin d'exiger ce serment. Le lendemain matin à l'aube, je me réveillai en sursaut et sus que le moment critique était tout proche.

Je souffrais comme si une lance enflammée était enfoncée dans mon sexe. Il y avait du sang partout : les draps, les couvertures, tout baignait dans le sang. Je hurlai et, brusquement, une grande forme sombre fut sur moi. *L'homme-oiseau,* me dis-je aussitôt. Mais non ; c'était le docteur Montreaux qui se penchait pour s'emparer de moi et me clouer au lit de peur que je ne me jette par terre. « Vous devez rester tranquille, m'ordonna-t-il. Nous devons nous assurer que tout a été expulsé. » Libérant une de ses mains, le docteur Montreaux la plongea dans sa poche dont il sortit une sorte de tenaille. Il s'en servit pour fouiller dans le magma sanglant qui gisait entre mes cuisses, inspectant rapidement ce qu'il avait trouvé. « Je crois que tout n'est pas là, dit-il. Il faut attendre.

– Donnez-moi ma potion ! » criai-je. Je voulais parler de la mixture calmante qui se trouvait à côté de moi sur la table. Je voulus la prendre, mais le docteur m'immobilisait les bras.

« Absurde, dit-il. Cela n'a aucun effet.

– Si, c'est utile... cela réduit la douleur.

– Ce n'est pas possible. Ce n'est pas un remède sérieux. C'est une potion de bonne femme. » Sur ces mots, il débarrassa la fiole de la table et s'empara de nouveau de moi. « Soyez forte, Elizabeth, m'ordonna-t-il. Il n'y a rien que l'on puisse faire. Vous devez supporter la souffrance comme toutes les femmes le font. »

Pendant le reste de la journée, je restai couchée en proie à la douleur ; puis, vers le soir, les spasmes déclinèrent et j'eus quelques heures de paix. Quand le docteur Montreaux quitta la chambre, Christina se faufila furtivement à mon chevet pour m'apporter sa potion. Je bus avec avidité et me sentis enfin suffisamment étourdie pour dormir. Mais dans la nuit, les contractions déchirantes reprirent et de nouveau, il y eut un flot de sang suffisamment fort pour que je me pâme. Dans le temps qui suivit, je sus que le jour et la nuit passaient, mais sans avoir une notion exacte des heures. Plusieurs autres fois, mon corps languissant chercha à se débarrasser de ce que mon ventre retenait jalousement. Enfin, après que je me fus encore une fois tordue de douleur, le docteur Montreaux décida qu'on ne pouvait plus attendre. Je l'entendis dire : « Elle va être saignée à blanc si nous ne nettoyons pas. » Alors, se penchant sur moi en me disant que je devais être brave, il rejeta ma robe de nuit ensanglantée et poussa sa main dans mon sexe, l'écartant de force. Utilisant son instrument en forme de tenaille, il s'affaira au-dedans de moi, grattant et tirant. L'angoisse me faisait tourner la tête. « Voilà, je crois que tout est là », déclara-t-il. En baissant les yeux, je vis mes jambes ouvertes séparées par une mare de sang et, entre mes cuisses, un amas coagulé de tissus écarlates, une vision qui ne pouvait que vous retourner l'estomac. Cependant, je savais que les vestiges informes de mon bébé, l'enfant de Victor et le mien, gisaient là. Puis, tirant sans ménagement sur le drap où j'étais couchée, le docteur s'en servit pour envelopper ce tas sanguinolent. Il se tourna pour crier un ordre : « Vieille femme ! Emporte cela ! Ensevelis-le là où les animaux ne le trouveront pas. »

Pour la première fois, je me rendis compte que Christina et Céleste étaient dans la chambre, se tenant à l'écart, et observaient attentivement ; obéissante, Christina s'avança pour l'emporter. Il dit à Céleste : « Tu peux faire sa toilette, maintenant. C'est fini. Elle a de la chance d'être encore en vie. Qu'on lui apporte du bouillon de viande quand elle pourra prendre quelque nourriture ; nous devons lui redonner du sang. » Il se pencha pour écarter mes cheveux de mon front brûlant. « C'est mieux ainsi, ma petite. L'enfant aurait sûrement été difforme ; il n'aurait pu vivre. Nous ne parlerons de cela à personne, je vous le promets. Il n'en est pas besoin. Je pense que vous avez compris la leçon désormais. Priez, et ne péchez plus. »

Je perdis conscience avant qu'il eût fini de parler.

Quand je me réveillai, je trouvai la chambre remplie d'une douce et bonne odeur. Dans un plat à côté de moi, des herbes infusaient, faisant monter vers moi une fine volute de vapeur. Mais quand je fus pleinement réveillée, j'eus l'impression d'avoir perdu la moitié de mon corps. J'avais à peine un semblant de sensation depuis la poitrine jusqu'aux pieds. En baissant les yeux, je vis qu'on m'avait lavée et habillée ; Christina était là, occupée à enduire doucement d'huile mes membres épuisés, massant précautionneusement mes jambes. L'huile réduisait la conscience au minimum, ce qui était une vraie miséricorde. « Je regrette de n'avoir pu t'aider, murmura-t-elle. Il a refusé de me laisser m'approcher du lit. Il ne sait pas comment faire disparaître la douleur ; c'est si simple, mais il n'a pas ce savoir. Et il ne t'a pas lavée. Il t'a laissée avec une blessure qui se serait sûrement infectée. Mais je t'ai nettoyée avec un baume qui empêche la purulence ; il aidera les chairs à cicatriser. Viens, nous devons utiliser aussi la vapeur. »

Doucement, elle m'aida à me mettre sur un tabouret près du lit et me fit lever ma chemise jusqu'à la taille. Quand elle retira le bandage qui me couvrait, tout entre mes cuisses apparut à vif et horriblement gonflé ; il y avait encore un ruisseau de sang qui coulait. Christina tira une bouilloire frémissante de l'âtre qu'elle plaça entre mes jambes écartées. Une odeur âcre, familière partout où les matrones venaient accoucher, sortait du bec : marrube et vinaigre. Tandis que la vapeur cicatrisante se répandait sur mes cuisses, Christina l'éventait pour la faire pénétrer dans mon corps avec une plume de faucon et passait ses mains sur mon ventre et mes reins.

« J'ai perdu le bébé, me lamentai-je.

– Oui. Mais en cela, cet homme disait juste. L'enfant n'était pas viable. Il était probablement mort à l'intérieur de toi et répandait sa pourriture. La fièvre l'aura tué.

– Était-il malformé, comme il l'a dit ?

– Personne ne pourrait le savoir. C'est à peine plus qu'une tache blanche. Mais c'est une bonne chose qu'il soit mort ; tu n'es guère toi-même qu'une enfant, nullement prête à être mère.

– Ce n'est pas juste de souffrir autant pour rien. »

Elle sourit sagement : « Quand tu auras recouvré tes forces, tu pourras lui faire tes adieux. »

Ma vie dans la forêt commence

Nous étions dix rassemblées de bon matin dans la clairière, principalement des mères qui avaient perdu leur bébé. Le ciel était couvert, menaçant. C'était un mois après que j'avais perdu l'enfant : je n'avais encore que la peau sur les os, mais j'étais assez forte pour retrouver mon chemin dans le monde. Comme la cérémonie avait lieu en plein jour – c'était une des rares prescrites à ce moment du jour –, nous devions veiller à rester en nombre restreint et à nous disperser promptement, de peur d'être remarquées. Christina avait apporté les restes de mon enfant qui n'avait pas vu le jour, préservés dans une peau de chamois liée avec de la vigne. Cela formait un paquet plus petit que sa main ; cependant, c'était le commencement d'une vie et son bref passage devait être honoré.

J'avais participé plusieurs fois à cette cérémonie, car beaucoup d'enfants mouraient sans voir la lumière du monde ; la nature cruelle nous donne de nombreux bébés à ensevelir et souvent leurs mères avec eux. Les matrones sont sans doute plus douces et plus adroites pour la délivrance que les médecins ; cependant, elles aussi perdent de nombreux petits. Mais, contrairement aux hommes, elles marquent l'événement avec solennité ; elles préservent soigneusement le fœtus pour que la mère puisse le pleurer avant qu'il aille sous la terre. Même si l'enfant est mort du fait d'un avortement, son trépas est célébré. De cette façon, l'enfant part dignement et la mère peut soulager son chagrin.

Ce matin-là, à nouveau, il y eut les coups lents du tambour, les cymbales et la flûte émettant un chant funèbre doux et plaintif. Et, de nouveau, comme dans le passé, Christina psalmodia la simple mélopée, faisant signe à toutes les autres de joindre leur voix à la sienne. Mais, cette fois, ce fut à moi qu'il incomba d'ajouter le refrain de l'affligée.

Christina dit :

Nulle naissance n'est plus dure à vivre pour une femme
Que la naissance qui s'achève dans la mort.
Mère, parle une dernière fois à ton enfant qui n'a pas vu le jour.

Et je dis :

Mon petit
Mon sans-nom
Je te rends, je te rends

Et les femmes dirent :

Toi dont les yeux ne s'ouvrirent jamais à la lumière du jour ni de la lune

MOI : *Je te rends, je te rends*

ELLES : *Toi dont les lèvres n'ont jamais goûté la douceur ni l'amertume de la vie.*

MOI : *Je te rends, je te rends*

ELLES : *Toi dont les oreilles n'ont jamais entendu le chant des oiseaux*

MOI : *Je te rends, je te rends*

ELLES : *À qui fut épargnée la souffrance, déniée la joie*

MOI : *Je te rends, je te rends*

ELLES : *Une vie non vécue*

MOI : *Je te rends, je te rends,*

ELLES : *Un nom jamais prononcé*

MOI : *Une partie de mon cœur part avec toi*

ELLES : *Une partie de notre cœur part avec toi*

Puis la minuscule forme, enveloppée, me fut restituée. Chaque femme me donna l'étreinte d'une sœur et recula. Je savais que, désormais, j'étais livrée à moi-même. Aussi leur prodiguai-je mes remerciements et leur dis-je de s'en aller. J'avais apporté ce qu'il fallait pour passer la journée en plein air : une couverture et quelques provisions. Si le temps se gâtait, il y avait une cabane que les femmes avaient construite, où je pourrais m'abriter. Je devais passer le reste de la matinée avec mon petit enfant mort et puis l'enterrer. Seule Alou m'accompagnait ; mais elle-même resta ce jour-là à une distance respectable, demeurant très haut dans la ramure et ne jetant que de temps à autre un regard dans ma direction, afin que je pusse pleurer aussi longtemps que je le désirerais : brièvement ou jusqu'au cœur de la nuit.

J'empruntai un chemin qui m'était familier jusqu'à ce qu'il aboutît dans la rocaille, puis m'enfonçai dans les bois. Ce n'était pas sans danger, je le savais, aussi devais-je être prudente. Les loups erraient dans certaines parties de la forêt en altitude, et les ours aussi. Mais je me sentais curieusement détachée, comme si je savais qu'aucun ne me ferait du mal. À l'orée des alpages, au bord d'un étang miroitant, je m'arrêtai pour me reposer et fis alors mes adieux à l'enfant sans nom que je tenais dans ma main. Je ne pus m'empêcher de déplier la peau de chamois pour contempler ce qu'elle contenait. À l'intérieur, il y avait des feuilles de cèdre et de camphrier odorantes et, entre elles, une tache de sang séché. Je trouvai un minuscule nodule de tissus blanchâtres et je compris que c'était cela le commencement de la vie, si petit et indistinct que nul œil ne pouvait le remarquer. Rien de plus. Cependant, de ce rien apparent, tout un être humain est destiné à grandir et à se frayer son chemin dans le monde. L'enfant était-il vraiment malformé, me demandai-je, comme le docteur l'avait dit ? Ou eût-il vécu, aurait-il pu devenir aussi beau que Victor, le visage angélique et le regard vif ? Je fixai d'aussi près que je pus la petite tache informe jusqu'à ce qu'elle flottât devant mes yeux... et brusquement, je crus voir une forme floue, un visage qui paraissait lever les yeux vers moi sous la surface d'un bassin : des yeux, un nez, une mâchoire. Je scrutai plus attentivement et le visage se précisa. Puis je faillis laisser la chose choir de ma main, car le visage que je voyais était une horreur grimaçante. Ce n'était pas le visage d'un enfant ; ce n'était pas même un visage mais plutôt une monstruosité lubrique qui tenait plus du cadavre que d'un être vivant. Mais ses yeux étaient ouverts et me regardaient fixement. Était-ce ce que mon enfant serait devenu s'il avait vécu ? Alors oui, mieux valait, et de loin, qu'il eût rendu son dernier soupir.

Je me hâtai d'achever la cérémonie. Je repliai à nouveau les feuilles et me mis en quête d'un endroit où je pourrais donner le repos à mon enfant qui n'était pas né. Je choisis le pied d'un vieil épicéa ; ayant apporté mes deux couteaux avec moi, j'utilisai le noir pour creuser un espace profond parmi les racines sous l'arbre et enfouir le paquet en peau de chamois aussi profondément que la hauteur de mon coude. L'odeur de camphre et de cèdre le protégerait contre les animaux jusqu'à ce que la terre l'ait repris. Je recouvris le trou et répandis dessus des rameaux fleuris provenant d'un bouquet que les femmes m'avaient donné.

Comme cela m'avait été indiqué, je m'assis près de la tombe secrète et psalmodiai : « Je te rends, je te rends », attendant que les mots me pénètrent l'esprit afin que je pusse quitter ce lieu, le cœur allégé. Mais après avoir chanté un long moment, je n'éprouvai aucun répit. Au contraire, ma poitrine bouillonnait d'émotion. J'aspirais à être libérée du deuil de mon enfant mort, mais ne le pouvais. Je demeurais aussi agitée et égarée qu'avant que la cérémonie commence. Pourquoi ? me demandais-je. Qu'est-ce qui me tenait ainsi, repliée sur moi-même et troublée ?

Au bout d'un certain temps, je marchai vers un étang proche et plongeai mes mains dans l'eau fraîche pour les laver. Le soleil avait surgi, éclatant et chaud dans le ciel, et scintillait à la surface de l'eau, produisant des ondes de lumière qui retenaient mon regard. Pendant un long moment, je restai assise au bord de l'eau comme envoûtée par la lumière chatoyante. Avec le temps, l'eau s'immobilisa et devint aussi limpide qu'un miroir où je pus contempler mon visage. Comme j'avais l'air étrange ! Ce n'était plus le visage d'une jeune fille, mais celui d'une femme adulte. Je paraissais terriblement lasse et assombrie. Et pourquoi ne l'aurais-je pas été ? J'avais vécu de nombreuses années en l'espace de peu de temps. Deux fois au cours des derniers mois, la mort m'avait frôlée. Et j'étais devenue mère – ou presque –, endurant plus de souffrances pour mettre au monde ce début d'enfant mort que nombre de femmes pour donner le jour à un enfant bien formé et en bonne santé. Je vis l'inquiétude et le chagrin sur le visage qui me renvoyait mon regard du fond de l'eau ; mais plus encore, je vis de la colère. Je vis le visage que j'affiche quand la colère brûle au fond de moi. La position de la mâchoire, l'expression dure du regard. J'étais une femme en colère. La colère m'étouffait et m'empêchait de pleurer le bébé comme il fallait. Victor... Victor était la source de cette colère. Il m'avait infligé une odieuse blessure, il m'avait trahie, par un seul geste aveugle. Il m'avait tenue et m'avait forcée à la façon dont j'imaginais que les femmes captives étaient forcées par les soldats conquérants. Et il ne m'avait pas rendu ma liberté tant qu'il n'avait pas pris son plaisir et m'avait ainsi chargée du fardeau d'un enfant que je ne désirais pas.

Sans réfléchir, je levai les mains et frappai la terre, encore et encore ; puis je rejetai la tête loin en arrière et ouvrit la gorge. Un long gémissement sortit, un cri si puissant que je fus étonnée qu'il émanât de moi. Non, pas un cri, mais un hurlement de rage qui se propagea sur des lieues à la ronde à travers les montagnes. Alou, prenant peur, s'éleva vers le ciel dans un battement d'ailes, abandonnant son perchoir dans un pin de haute taille avec des croassements inquiets. Quel bien cela me fit de pousser ce cri ! Il disait tout. Le hurlement exprimait plus de moi-même que tout ce que j'avais pu prononcer entre des murs ou parmi des gens. J'attendis avec enthousiasme d'entendre l'écho le répercuter à travers monts et vallées. Et en écoutant, je pensai que, pour la première fois, je m'entendais. C'était *Elizabeth* qui parlait. Et l'écho me renvoya mon cri, sous la forme d'un appel qui m'invitait : *Viens ! Viens !*

Durant le reste du jour, je marchai, profondément enfouie dans mes pensées, au bord de l'étang, jusqu'à ce que le disque incomplet de la lune émergeât dans le ciel vespéral. Puis, à contrecœur, je pris le chemin du retour, ayant clairement arrêté ma résolution. *Je ne pourrais rester longtemps dans le monde des hommes.* Je devais aller où je pourrais laisser mon âme crier aussi farouchement et librement qu'il me plairait, sans demander nulle permission, sans respecter de convenances, sans craindre le jugement de quiconque. Je retournerais séjourner en pleine nature où je pourrais vivre comme une créature sauvage sans être régie par les lois de l'homme plus que l'élan ou l'aigle, le ruisseau qui coule ou le glacier qui se brise. Cela serait ma nouvelle maison, sans que je pusse dire pour combien de temps : une semaine, un mois, plus peut-être. Je pourrais vivre comme Seraphina avait vécu, ou comme je m'imaginais qu'elle avait vécu, une « femme rusée » vagabondant à sa guise, tenant plus de discours avec les ruisseaux et les astres qu'avec le genre humain. Ma mère m'avait enjoint d'être mon propre maître. Où une femme pouvait-elle être son propre maître si ce n'est en pleine nature, cette nature que les hommes ne gouvernent pas ?

Au cours des jours suivants, j'établis soigneusement les plans de ce que j'entendais faire. Je choisis ce qu'il me fallait et mis de côté chaque chose : des vêtements chauds, de bonnes bottes, une couverture, des silex et une pierre à briquet pour allumer le feu, des bougies, une lanterne, des objets cérémoniels, mes deux couteaux, mon journal. Malgré mon organisation, une chose se dérobait à moi et retardait mon départ ; je ne trouvais pas de mensonge qui me libérerait de l'inquiétude des miens. Car je savais que mon projet se heurterait à leur résistance. Quiconque pensait avoir quelque autorité sur ma personne dirait que je devais sortir ce projet fou de mon esprit. Une femme, dirait-on, n'a pas le droit ni la capacité de vagabonder librement. Ce que tout homme pouvait faire – et que Victor avait fait maintes fois –, l'on me dirait que je ne le devais pas. Si mon père avait été à la maison pour le dire, j'aurais pu céder. Mais il n'y avait que les serviteurs pour me retenir.

Pour finir, j'énonçai simplement et hardiment la vérité, sans me soucier du qu'en-dira-t-on, et me sentis d'autant plus forte d'avoir eu tant de franchise. Je m'armai de courage et informai chacun de mes intentions de partir en excursion dans les montagnes, comme si cela était la chose la plus ordinaire du monde. Mais bien sûr, il n'en était rien ; c'était une déclaration stupéfiante. Joseph était particulièrement bouleversé ; en l'absence du baron, le pauvre vieil homme se sentait investi de l'autorité paternelle pour toute la maison, et plus spécialement les femmes. « Peut-être pour une quinzaine de jours, répondis-je avec désinvolture quand il me demanda combien de temps je comptais m'absenter. Peut-être davantage. » Mais en pensée, je songeais : Peut-être pour toujours ! Il fronça les sourcils d'un air désapprobateur et me mit en garde contre cette entreprise. Mais quand il menaça de me l'interdire, je le grondai gentiment en lui rappelant que je n'étais pas son enfant, mais la maîtresse de maison. S'il avait l'intention de m'empêcher de partir, il devrait me mettre sous les verrous, car j'irais mon chemin dès la première occasion. Voyant que je restais indifférente à ses menaces, il insista ensuite pour que je fusse accompagnée de l'un de nos serviteurs. Ce que je refusai aussi, à sa grande consternation.

Je comprenais ses craintes ; elles concernaient moins les dangers de la nature que les vagabonds qui erraient à présent dans la contrée. La campagne alentour grouillait de gens dans la détresse, beaucoup étant poussés à la dernière extrémité : des soldats allant nu-pieds, des laissés-pour-compte de la guerre, des *émigrés** fuyant les troubles qui agitaient la France. À cette époque, on pouvait voir des familles expropriées entières s'en aller par les chemins avec leurs derniers biens sur le dos, cherchant un havre loin des bouleversements révolutionnaires du temps. Beaucoup se cachaient dans la forêt et devenaient des hommes des bois ; d'autres, dans une situation extrême, se livraient au brigandage. Le siècle de la Raison et de la Loi naturelle nous avait apporté une époque d'anarchie et de sauvagerie sans précédent.

Mais je ne craignais rien de cela ; je connaissais bien la forêt environnante ; j'y avais séjourné et campé avec Victor et notre père. Je savais où dormir en sécurité et où trouver un abri contre les éléments ou tout péril présenté par les hommes. Surtout, j'avais une grande confiance en mon habileté et mon agilité car la santé me revenait vite. En outre, je ne serais pas seule dans la sylve. J'aurais avec moi la compagne la plus digne de confiance. Alou serait là, qui avait servi de guide à Seraphina durant toute sa vie. Sous son œil vigilant, je me sentais plus en sécurité que si j'avais eu un mastiff avec moi. Et ultime précaution : je comptais me déguiser afin de paraître aussi pauvre que la plus indigente des mendiantes que j'avais vues. Qui se soucierait alors de m'importuner ?

Céleste n'était pas convaincue par mon projet. « Peu importe combien une femme paraît pauvre, m'avertit-elle sombrement, elle a toujours cette chose qu'un homme n'hésitera pas à lui voler. »

J'écartai ses craintes d'un haussement d'épaules. « Alors je m'habillerai en garçon de même qu'en mendiant. Et je porterai un gros bâton, dont je sais faire bon usage. Et une dose de civette rance avec laquelle m'arroser si l'on m'accoste. »

Ce fut par un jour d'août, de bon matin, que je me lançai dans mon aventure. J'avais tout emballé la veille au soir et je me glissai en dehors du château avant que la lune eût disparu dans le ciel. Je trouvai ma route sans hésitation : vers les hauteurs des Voirons au levant, puis longeai le ravin de l'Arve en direction de la vallée de Chamonix. Ensuite... mon humeur guiderait mes pas.

La randonnée n'était pas facile à entreprendre à pied, surtout dès que l'on quittait les sentiers muletiers. Mon premier jour de marche me laissa encore loin des limites irrégulières à l'est de Belrive ; mon parcours du jour suivant m'épuisa avant que j'eusse atteint la Menoge. Manifestement, j'avais quelque peu surestimé mes forces. Mais devant les cimes imposantes et les précipices qui m'environnaient de tous côtés, le fracas de la rivière mugissant entre les roches et les cascades qui se précipitaient alentour, mon cœur s'allégea. Nulle part ailleurs je n'aurais pu espérer voir la nature déployer une telle magnificence. Comme je continuais de grimper dans les pinèdes, les vallées prirent un air de splendeur. Des châteaux en ruine suspendus au bord de falaises couvertes de pins, l'Arve impétueuse en contrebas, les glaciers déchiquetés fumant sous le soleil formaient des scènes d'une force singulière. Et tout cela était accru et rendu sublime par les Alpes puissantes, dont les blanches pyramides étincelantes qui dominaient tout semblaient appartenir à un autre monde.

N'ayant aucun but défini, je déambulai au hasard, effectuant de nombreux détours en me dirigeant généralement vers le sud d'un pas tranquille. Pendant les premiers jours de mon voyage, je ne fus jamais hors de portée des chalets et des étables qui parsemaient le paysage pastoral. Chaque jour, j'avais l'occasion de regarder les bouviers conduire leurs troupeaux sur les chemins, l'air, sur des kilomètres à la ronde, résonnant tout le jour du bruit des lourdes clarines. Les gens rudes qui s'occupaient des bêtes m'invitaient de bon cœur, m'offrant généreusement le boire et le manger. Quand le temps changea et que la pluie tomba à verse, ils m'invitèrent chez eux à partager la chaleur de la cheminée. Les *pâtres** m'acceptèrent en toute confiance comme le jeune vagabond pour lequel je voulais me faire passer. Mon costume parlait pour moi ; leur tempérament taciturne m'épargna le besoin de tergiverser longuement. En fait, il n'était guère probable qu'ils soupçonnassent la présence d'une femme de bonne famille sous mon costume : celui d'un jeune chemineau seul sur la route. Ils me laissaient me reposer la nuit dans leurs cabanes et les remises, et je partais le matin avec une boisson chaude dans l'estomac et des provisions fraîches. Immanquablement, je laissais une pièce derrière moi pour les dédommager, mais cachais un florin en un lieu où ils ne le découvriraient qu'après mon départ. Je ne désirais nullement me faire connaître pour autre chose que le mendiant dont j'avais emprunté l'apparence.

Finalement, mon errance me conduisit au-delà de ces ultimes pâturages habités et alors, pendant des jours entiers, il m'arriva de rester sans croiser âme qui vive. Alou, le bouquetin au pied agile et l'aigle majestueux qui surveille son empire aérien, étaient mes seuls compagnons. Il me semblait marcher sur les ruines du monde, seul être humain réchappé du cataclysme ; je pouvais à peine me convaincre que je n'étais pas seule sur la terre. J'accueillais avec soulagement la solitude que les hauteurs limpides et glacées m'apportaient ; mais je savais que je courais à présent les périls du voyageur solitaire. Les bannis et les contrebandiers parcouraient ces montagnes. Chaque nuit, je choisissais mon abri avec soin, prenant la peine de mettre mon feu de camp sous la protection d'un *couvercle** et de le garder allumé juste le temps nécessaire pour préparer un bref repas et jeter quelques notes dans mon journal. Je m'en remettais à Alou pour faire le guet ; en ces occasions où elle m'avertissait de l'approche de voyageurs, j'éteignais mon feu et m'abritais dans les rochers. Je mangeais avec parcimonie les provisions que je transportais, me nourrissant quand je le pouvais de baies et de noisettes glanées en chemin. Mon frugal dîner achevé, je faisais mon lit en prenant soin de me cacher pour éviter d'être découverte par le lynx, le loup ou l'homme. Je ne saurais dire lequel je redoutais le plus. Je recherchais les escarpements dans la montagne où je pouvais me pelotonner loin des regards, rassemblant souvent des branchages pour me recouvrir.

Après quinze jours de marche d'un pas tranquille, je pénétrai dans la vallée de Servoz ; et trois jours plus tard, je franchis le pont de Pélissier, où le ravin s'ouvrait devant moi et j'entrepris l'ascension de la montagne qui le dominait. Bientôt, j'entrai dans la vallée de Chamonix. Les hautes montagnes couronnées de neige en marquaient les abords immédiats ; je ne voyais plus de champs fertiles. Tout était dénudé, sauvage et sublime. D'immenses glaciers, vastes mers de glace éblouissantes, s'accrochaient au bord des chemins où je marchais. Dans le lointain, seuls, le tonnerre retentissant de l'avalanche, la fumée blanche de son passage, l'écho de roches se précipitant du haut des cimes aériennes, ponctuaient mes journées. Du fond de l'horizon, le mont Blanc s'élevait entre les *aiguilles** aiguës et désolées, son dôme prodigieux dominant la vallée telle la tête d'un géant. Je n'avais pas revu la montagne d'aussi près depuis des lustres et j'avais oublié sa terrible splendeur. Je ne traversai pas la vallée ce jour-là, mais enjoignis à Alou de flâner avec moi encore une nuit avant de me frayer un passage à travers la mer de Glace.

J'avais pris désormais l'habitude de converser avec mon oiselle, comme si elle comprenait chacune de mes paroles. Comme je regrettais de ne pas comprendre son langage ! Car j'étais certaine de son intelligence et n'eusse pas été surprise si elle m'avait clairement exprimé son conseil quand je le lui demandais. « La beauté de ces lieux te parle-t-elle, Alou ? demandai-je. Ou toi et ceux de ton espèce faites-vous partie de cette beauté, en faites-vous partie intrinsèque au point de ne pouvoir distinguer ce qui est vous de ce qui ne l'est pas ? Peut-être est-ce le rôle de l'homme de réfléchir à nos sensibilités différentes. »

Je trouvai asile pendant des heures ce jour-là dans une futaie, m'émerveillant de la vue, lui permettant d'élever mon âme au-dessus de sentiments mesquins d'appréhension. Quel réconfort je puisai dans le spectacle impersonnel et rude de la nature et dans son indifférence hautaine pour les fugitives préoccupations des hommes ! Ce soir-là, sans idée claire de la date – ni du jour ni du mois –, je repris mon journal[9].

9. Les entrées du journal qui suivent apparaissent dans les mémoires comme maculées et déchirées, écrites à la va-vite, manifestement dans des conditions qui furent loin d'être idéales. De nombreux passages étaient illisibles et ont de ce fait été omis. R.W.

Je retourne à la vie sauvage

Une belle et chaude journée. Je passe un col balayé par les vents à l'est de Chamonix. Au-delà se trouve une obscure région de brume et de nuages.

Je reviens sans cesse sur le Grand Œuvre. Il occupe mes pensées chaque nuit quand je me couche pour dormir. Les moments éclatants et brûlants de la joyeuse découverte et les sombres moments de la déception se bousculent dans ma mémoire. Par-dessus tout, je pense à ma mère. Elle avait consacré tant d'espoir à cette entreprise. « De grandes choses s'agitent tout autour de nous dans le monde », m'avait-elle dit. Je me souviens de ses paroles avec tant de force. « Les hommes défient les lois éternelles du ciel. Mais les femmes aussi ont un rôle à jouer ici, nous qui partageons le sexe et le rythme de la nature et portons la fertilité de la terre dans notre corps. »

Ma mère avait voulu faire de son fils l'Isaac Newton de l'alchimie, un esprit qui élèverait cet âge révolutionnaire vers de nouveaux sommets spirituels. Comment cette femme si sage et si profonde avait-elle pu ainsi s'abuser ? À noter : nul n'avait été plus soigneusement formé pour l'œuvre que Victor, et aucun n'avait été plus passionné dans sa quête du mariage chimique ; et cependant il n'avait pas pu résister – pas même *lui* – à la tentation du Griffon. Et n'avais-je pas fait tout ce qu'on attendait de la *Soror* ? ? Malgré cela, Victor avait outrepassé les limites, comme d'autres hommes les avaient outrepassées. Car je sais que je ne suis pas la première sœur à avoir été ainsi abusée par son consort. Se peut-il que ma mère eût tort et que le rôle de la femme dans l'Œuvre fût à jamais voué à être celui de la putain qui ne saurait exiger ni respect, ni amour, ni amitié, et qui devait tout endurer pour le bien de l'homme ? Les adeptes exigent-ils des hommes ce que nul homme ne saurait donner : le désir véritable de l'union de deux égaux ? Il y avait en Victor une soif ardente de la connaissance ; et celle-ci ferma son esprit à ma détresse. Quand je le suppliai d'entendre ma volonté, il resta sourd à mon appel. Mais ce n'était pas le désir charnel qui le conduisit au paroxysme de nos transports ; je suis convaincue de cela. C'était son désir prédominant de *savoir* : savoir ce qui se trouvait à la fin du Vol du Griffon, le savoir à tout prix. J'avais entendu dire que les philosophes cartésiens effectuaient des dissections sur des spécimens vivants en écartant leurs cris d'angoisse comme de simples « élancements » mécaniques. « Des horloges », tel est le nom qu'il donnent aux animaux. J'ai entendu dire qu'ils clouaient les chats et les chiens sur des planches et qu'ils les découpaient et les battaient pour étudier leurs réactions. Je sais combien souffrent ces pauvres créatures ; j'ai goûté de leur humiliation. J'ai été la bête qu'on cloue au mur.

Je ne vois plus le monde et ses œuvres tels qu'ils m'apparaissaient naguère. Avant, je considérais les récits du vice et de l'injustice que je lisais dans les livres ou que j'apprenais des autres comme des contes du temps jadis ; au moins, ils étaient éloignés et plus proches de la Raison que de l'imagination ; mais à présent, la souffrance m'apparaît dans toute son horreur et les hommes me semblent être des monstres. J'ai l'impression de marcher au bord d'un précipice et qu'ils sont des milliers qui se rassemblent et s'efforcent de me faire plonger vers l'abîme.

Réveillée par une brise froide. La pluie, qui a menacé toute la matinée, tombe enfin dans l'après-midi. Je me réfugie dans une mine de cristal.

Le monde est un enseignement écrit dans un code secret ; le Grand Œuvre permet de déchiffrer ce code. C'est ce que Seraphina m'a enseigné. Aujourd'hui, comme je me baignais nue dans un torrent, je cherchai à appliquer cet enseignement à ma propre personne. Disons, par exemple, que ces organes de reproduction qui nous divisent en hommes et femmes sont également un code. Quelle est leur lecture appropriée ? Que vois-je quand j'étudie cette tendre fente vaginale ? C'est un passage, un tunnel, une fenêtre ouverte, un portail sans barreaux... c'est un panier, un calice, un réceptacle. Elle est façonnée pour s'ouvrir et laisser entrer, retenir et protéger. Une fois, lors d'un des rites, Victor a dit qu'elle évoquait pour lui une bouche dévoreuse ; ce qui nous fit rire, Seraphina et moi, car ce n'est assurément rien de la sorte. J'y vois plutôt l'image d'une maison, d'une grotte, d'un abri. Je vois la maison première de l'enfant. Et mes seins, qui se sont tellement arrondis ? Ils me font penser à un fruit nourricier.

Et maintenant, considérons l'homme. Il est conçu pour pousser et pénétrer. La semence jaillit de lui. Victor appelait son organe un « pic », un objet dur fait pour le combat. Un bélier, une lance, une trique. La nature nous a-t-elle assigné des rôles aussi différents ? Celui qui donne et celui qui prend, le vainqueur et le vaincu ? L'Œuvre propose d'unir ce qui a été divisé, faisant Un de Deux. *Et si cela était faux* ? Si le Deux avait à jamais supplanté le Un ? Si le temps avait fait cette différence et que le temps ne revînt pas en arrière ? Et si le temps, qui a façonné ces corps, était plus réel que les adeptes ne le croient ?

Je perds le compte des jours et découvre que je savoure la liberté provenant de cette ignorance. Je ne suis plus liée aux horloges ni aux calendriers. J'ai adopté le temps qui est celui d'Alou, avec seulement la lune pour suivre les jours et le soleil pour suivre la saison – ceux-ci et les rythmes de mon corps. Mais quel temps est-il plus vrai que celui-là ? Le temps que donnent les pendules est un artifice des hommes calculateurs ; il n'est de plante ni d'animal pour le respecter, ni de sphère céleste. C'est la cage dans laquelle les hommes voudraient enfermer le monde. Je vis de plus en plus dans l'expérience immédiate comme les bêtes, laissant nécessité faire loi pour mes occupations. Je m'éveille et dors comme la fatigue l'ordonne ; je m'allonge où il me plaît et mange comme l'appétit me le dicte ; je passe mes journées à récolter de la nourriture, goûtant des feuilles, des baies, des plantes ; je guette les signes annonciateurs du temps. Je me soulage dans les fourrés : je passe la nuit dans des grottes ou nichée dans les arbres ; les étoiles au firmament sont la dernière chose que je vois avant de fermer mes paupières. Pendant des jours d'affilée, je ne trouve aucune raison de parler : peut-être oublierai-je l'art de la parole. Je ne donne pas de nom aux choses, ni aux fleurs ni aux animaux ni aux montagnes ; aucun n'a besoin d'être nommé par moi. C'est Adam qui a nommé les animaux dans le jardin d'Éden. *Adam*. Pas Ève.

Je me baigne dans le torrent dont j'endure le froid cinglant. Ensuite, je vagabonde pendant des heures, dévêtue, dans les bois, ne gardant sur moi que mon couteau et me délectant de ma nudité malgré l'air vif. Je cours entre les arbres jusqu'à ce que je défaille d'épuisement. Je me délecte de l'extravagance de ma conduite et n'éprouve nulle crainte. Comme l'usage civilisé nous quitte aisément ! Les facultés animales attendent, tapies en dessous. Je peux marcher silencieusement sur le sol : mon ouïe est fine ; je saisis l'odeur des choses dans le vent ; je me meus au besoin aussi furtive et gracieuse qu'un félin. La froidure m'endurcit. Je suis devenue couleur noisette à force de m'allonger sans vêture sous le soleil, exposant fièrement mon corps sous le ciel. Ma peau claire, douce, m'a été arrachée ; je laisse mes cheveux pousser comme il leur plaît et former une crinière agitée par le vent.

Si l'on venait à m'observer aujourd'hui, je serais considérée comme une sauvage et l'on me donnerait la chasse. J'ai lu des récits disant que dans le Nouveau Monde, il y a de telles femmes dans les forêts. Mais elles sont nées sauvages. En est-il qui furent formées à tenir salon, vivre dans des palais et s'asseoir à la table de gens d'esprit ? En est-il parmi elles qui *tournèrent le dos* aux lois de l'homme pour retourner à la forêt primitive ? Je crois être la seule de la sorte.

Je suis grisée par la liberté de mon état. Rousseau avait parfaitement raison. La civilisation est une cote mal taillée. Mais il n'aurait pu imaginer celle que je suis devenue : la femme des bois, la femme-animal, une enfant de la Nature.

Jamais je ne retournerai à la société !

Je file entre les arbres, aussi rapide que la biche que je poursuis – du moins me semble-t-il, jusqu'à ce que mes forces faiblissent et qu'elle me distance, bondissant par-dessus un fourré, et disparaisse à ma vue. Je tombe par terre, hors d'haleine, fixant l'azur incandescent jusqu'à ce que la tête me tourne au point que je me pâme. Je ne crains pas les bêtes ; je suis leur semblable, aussi sauvage qu'elles. Car désormais, je sais que je puis tuer avec innocence, tel le félin ou le rapace.

Ce matin, marchant dans un ruisseau, je cherche des poissons. Mon œil est inaccoutumé à la tâche, mais Alou semble savoir ce qui m'occupe et, sautillant sur la berge, crie bientôt pour me dire qu'elle a repéré notre proie, une truite de montagne, qui a surgi de sous une roche. J'ai vu l'adroite Alou embrocher un poisson d'un coup de bec. Mais cette fois, elle attend patiemment comme pour voir si je puis pourvoir à mes besoins. Le couteau à la main, je frappe ! Le poisson jaillit, battant l'air à la pointe de ma lame. Je laisse son sang couler sur ma main pendant que je le regarde expirer. Je suis si affamée que je le mange sans attendre d'en cuire la chair en donnant des morceaux à Alu, qui glousse de satisfaction.

Quelle égoïste je fais de rester si longtemps à errer dans les bois ! Je sais que les miens se tourmentent à mon sujet. Ils doivent penser à présent que je suis morte, victime de brigands ou dévorée par les loups. Mais je n'ai nul désir de rentrer ! Pas encore. Je ne suis pas encore mon propre maître.

Matin d'orage, grêle et pluie. Ensuite, journée chaude et ensoleillée.

Durant la nuit, les paysans essaient de protéger leurs récoltes des gelées dans les hautes vallées en allumant une rangée de feux au milieu du champ et en envoyant de la fumée. La barrière des feux, disposés tels des fanaux le long du ravin, offre un spectacle fantastique dans la nuit. Les feux transpercent de taches écarlates et de colonnes de fumée noire le rideau de brume argentée qui tapit la vallée. Au-dessus des sommets dégagés par le vent, de grosses étoiles brillent dans le ciel glacé. Ces pics altiers, qui projettent sur la ligne d'horizon une ombre d'un noir dense jusqu'au firmament, font paraître les astres plus brillants. L'ardente Aldébaran se lève au-dessus d'une cime obscure qui a l'air d'un cratère dont cette étincelle infernale aurait jailli.

Le lendemain matin, je trouve des oiseaux morts sur le sol durci, victimes du gel précoce. Je les ramasse comme des fruits mûrs, les plume et les cuis sur un feu de camp. Alou surveille, sans marquer de désapprobation ; mais elle refuse de partager la chair.

Pendant des jours, je ne vois pas un être humain ni le toit d'un chalet. Deux parois de falaises tombant à pic et couvertes de conifères qui paraissent jaillir les uns des autres me cernent, me pressent et, par leurs innombrables détours, semblent me pousser en avant, en m'enfermant dans des solitudes inextricables. Je parviens aux ruines d'un ancien ermitage, où je passe la nuit ; plus rien n'en marque les abords hormis quelques arcades élégantes à demi ensevelies sous les éboulements sur lesquels l'herbe et les fleurs sauvages poussent à nouveau. Ici, il n'y a ni perspectives, ni contrastes ; seulement des pentes herbues, d'un vert uniforme et splendides, et la profondeur de la forêt sans fin et sans la moindre faille pour l'œil ou la pensée. Au loin, de chaque gouffre dans la roche, la vapeur monte pour saluer le soleil tels des esprits ressuscités le jour du Jugement dernier. Des brumes perpétuelles, des sapins de toutes parts, des prairies et des sylves étroites qui montent à l'assaut du rempart invincible des montagnes. À nouveau, à mon réveil, je salue le mont Blanc, forteresse des neiges éternelles, et vois à mes pieds le sol de la vallée, vaste tapis multicolore.

Miracles et prodiges... il suffit de voir cette beauté. Qu'ai-je besoin de savoir d'autre que cela ?

Plusieurs jours se sont écoulés depuis la dernière fois où j'ai écrit dans mon journal. Mon esprit était trop préoccupé pour écrire. Non pas par le remords... j'insiste, pas par le remords ! Mais par une exubérance qui me rend trop libre et agitée pour noter mes pensées.

L'ours en maraude se soucie-t-il d'enregistrer ses faits et gestes, ou l'aigle chasseur ? Marquent-ils leur passage par des monuments ?

La réflexion est une sotte habitude humaine, le fruit d'une conscience coupable. La liberté animale consiste à vivre l'instant présent.

J'étais parvenue à la fin d'une rude journée de marche. Mon frugal repas terminé, je restai à contempler le jeu des éclairs blafards au-dessus des montagnes jusqu'à ce que la lassitude eût raison de moi. Dans le défilé lointain, le tumulte de la cascade avait l'effet d'une berceuse sur mes sensations exacerbées ; à peine mes paupières tombèrent-elles qu'une douce fatigue m'envahit à l'endroit même où je me trouvais, et je sombrai dans le sommeil pour la nuit, sans même me protéger contre le froid.

Je crus que c'était le froid qui m'avait réveillée, car j'étais gelée jusqu'à la moelle quand mes yeux s'ouvrirent et vis la lune de givre au-dessus de moi. Mais c'était le bruit des voix qui avait pénétré dans mon sommeil : des voix d'hommes peu distantes, au ton strident et revêche. En tendant l'oreille, je reconnus qu'ils parlaient italien, le bas dialecte de la région où j'avais passé mon enfance. Je comptai deux voix, puis une troisième ; chacune paraissait plus discordante et plus ivre que la précédente. Ils souillaient la nuit de leurs affreux jurons. Sur ma gauche, la lueur d'un feu de bivouac scintillait entre les arbres. Je cherchai Alou dans les arbres, mais ne pus la distinguer. Me traînant en avant pour regarder entre les fourrés, je discernai trois hommes à environ vingt pas en contrebas sur la pente ; ils faisaient rôtir leur gibier sur la flamme et une bouteille d'alcool passait de main en main. Des soldats, à en juger par leur mise, mais manifestement des irréguliers, dont la mise débraillée indiquait qu'ils étaient des mercenaires ou des déserteurs. À moins qu'ils ne fussent des contrebandiers se préparant à franchir la frontière nuitamment. Je saisis quelques bribes de leurs conversations emportées par la brise ; ils parlaient d'une campagne survenue dans la région ; ils avaient pillé le champ après la bataille. Peu désireuse d'en entendre davantage, je rassemblai mes affaires en silence et me disposai à partir furtivement.

Me tenant à distance respectueuse de leur campement, je les contournai à travers les fourrés en direction du sentier muletier. Je tenais à la main un de mes couteaux, que j'avais tiré à la hâte de mon baluchon. J'aurais à peine su comment m'en servir pour me défendre ; mais il me donnait un sentiment de sécurité. Avançant à tâtons dans l'obscurité, je trébuchai à maintes reprises, faisant bruisser les taillis ou brisant une branche sous mon pied ; le bruit que je faisais interrompait les hommes dans leur conversation tandis qu'ils regardaient alentour pour voir si un ours s'avançait vers eux. Je pouvais encore voir leur feu quand j'aperçus une autre lumière juste devant moi entre les arbres. Un autre campement me barrait le passage. Là, deux hommes en uniforme, encore plus débraillés, se prélassaient sur un tronc d'arbre, avec un rire d'ivrogne en échangeant des plaisanteries grivoises ; paraissant plus ivres encore que les premiers, ils avaient plus de mal à articuler et leur langage était plus grossier. Mais d'autres formes apparaissaient près du feu, qui restaient muettes ; elles étaient recroquevillées en silence. Un groupe de femmes ; j'en comptai trois, dont deux toutes jeunes, la dernière en âge d'être leur mère. Leurs vêtements n'étaient guère que des haillons, à peine suffisants pour les couvrir. Elles étaient blotties les unes contre les autres sur le sol dans une posture totalement anormale. Puis je vis qu'elles étaient ligotées ensemble aux chevilles et retenues au sol. Elles étaient tenues captives par les soldats, peut-être contre rançon – c'est du moins ce que je crus, jusqu'à ce que, brusquement, un troisième larron surgît des buissons de l'autre côté du feu, traînant derrière lui une silhouette qui poussait des cris aigus : une femme, qui sanglotait violemment, les yeux exorbités par la peur, la robe déchirée sur la poitrine. L'homme la jeta sur le sol et se mit en devoir de l'attacher avec les autres femmes, tout en l'injuriant copieusement. Quand il leva la main pour la frapper, elle se tassa sur elle-même et cria dans un patois français, l'implorant de ne plus lui faire de mal. Il lui concéda la grâce de lui cracher dessus et de s'éloigner en titubant.

En rejoignant ses camarades de l'autre côté du feu, il éleva la voix pour crier dans la nuit en direction du premier groupe. « Eh, c'est à toi, cria-t-il. Tu y vas ou on laisse roupiller les gueuses ? » Une voix bourrue rugit, provenant de l'autre feu de camp. « Ça vient, ça vient. » Avant que j'aie compris de quel côté me tourner, un homme me dépassa en traînant les pieds, allant d'un groupe à l'autre. Il avança tout juste à quelques pas de l'endroit où j'étais accroupie au pied d'un arbre. Il parvint tant bien que mal au groupe des femmes, hésita un moment, vacillant sur ses pieds, fit le tour du petit groupe puis, se penchant en avant, commença à détacher la femme qu'on venait de ramener. Je voyais à présent que c'était une toute jeune fille, à peine plus âgée que moi. De l'autre côté du feu, un des hommes vociféra : « Laisse-la. Prends-en une nouvelle. Cette salope s'est déjà enfilé une douzaine de gaillards. Prends la vieille : la nuit, tous les chats sont gris. » Son compatriote partit d'un éclat de rire mauvais. « C'est pas du savon. Ça s'use pas. » Détachant la jeune fille et la tirant brutalement derrière lui, il fonça tout droit sur l'endroit où j'étais cachée dans l'obscurité au-delà du cercle de lumière. J'eus tout juste le temps de reculer de quelques pas avant qu'il parvînt au pied de l'arbre où je m'étais réfugiée. Tout près de moi, il plaqua brutalement la fille sur le sol et lui ordonna de se découvrir pendant qu'il se débattait avec son pantalon. En sanglotant pitoyablement, la pauvre enfant releva ses jupes jusqu'à la taille et s'allongea pour subir son sort. Un instant plus tard, l'homme s'était débarrassé de ses bottes et de son vêtement et se dressait à demi nu au-dessus d'elle, frottant vigoureusement son organe jusqu'à ce qu'il formât sur sa main comme une trique. Pour finir, il cracha dessus, puis se jeta sur elle pareil à une bête en maraude et, sourd à ses cris de protestation, il la pénétra sauvagement.

À la lueur distante du feu, j'assistai à toute la scène ; et j'observais, refusant de tourner la tête pour m'épargner ce spectacle. Je pouvais entendre leurs respirations haletantes et les obscénités qu'il marmonnait à l'oreille de la jeune fille. « Jouis, ma poulette ! lançait-il avec hargne. Ça te plaît, c'est bon, hein ? T'aimes ça. Tu pourrais t'envoyer un bataillon entier, hein ? Vas-y, fais-moi entendre combien que t'aimes ça ! » Et il lui frappait les flancs encore et encore. « Supplie-moi ! Je veux t'entendre ! » La jeune fille ne faisait que gémir et pleurer. « Ma salope ! Ça va clapoter là-dedans toute la nuit ! » Si j'avais tendu mon bras sur deux fois sa longueur, j'aurais pu toucher la main de la malheureuse enfant tellement j'en étais proche. Si effrayée que je fusse d'être repérée, je mourais d'envie d'aller à sa rescousse. Mais qu'aurais-je pu faire ? Me jeter sur son agresseur et le rouer de coups ? Le frapper avec une pierre ? Je savais que ce serait inutile. Cependant, j'arrivais à peine à empêcher la rage qui bouillonnait en moi d'étouffer toute prudence. Car je connaissais cette chose qui lui arrivait ! J'en avais enfoui le souvenir dans l'oubli aussi profondément que possible ; j'avais essayé de le laisser derrière quand j'étais venue dans les bois. Mais maintenant il revenait à moi : le moment où j'avais été allongée comme elle, impuissante et suppliante, et avais subi la même humiliation. Ma chair se souvenait de la brutalité déchirante. Mais l'homme qui m'avait traitée ainsi n'était pas un étranger ivre ni un ennemi de guerre : il n'avait pas même cette excuse. Je pouvais voir son visage rouge de plaisir au-dessus de moi, se délectant de mon angoisse plus qu'il n'eût joui d'un plaisir que je lui aurais librement consenti. Même à travers mes larmes, j'avais vu que c'était la joie de prendre qu'il voulait, pas celle de recevoir.

La colère qui montait en moi était comme une ivresse qui brouillait mes sens. Un seul bruit m'emplissait les oreilles : le gémissement pathétique de la jeune fille – ma sœur, me disais-je – couchée à moins de six pas de moi, soumise à pareille déchéance. L'idée que je devais l'aider submergeait mon esprit, balayant tout le reste. À nouveau, je sentis un hurlement de rage monter en moi – un cri à ébranler les montagnes, suffisant pour déclencher une avalanche. Un moment plus tard, je me rendis compte qu'il n'y avait pas eu de cri. Mais comme si un morceau de ma vie avait été élagué, je me trouvais transportée ailleurs dans le temps. Ma rage était satisfaite, mais je n'avais rien articulé, aucun son. En fait, dans ma fureur, j'avais donné un coup ; j'avais frappé aveuglément, instinctivement – telle une bête enragée. Mais qu'avais-je fait ? Je ne pus le dire avant de voir mon couteau planté dans le cou de l'homme, plongé si profondément que s'il avait essayé d'appeler, ma lame aurait fait rentrer ses cris dans sa gorge. Mais il n'appela pas ; il eut seulement un bref toussotement étranglé. Et il ne se débattit pas ; seul un spasme le fit frémir. Après quoi, son cadavre resta étendu sur le corps de la fille. J'avais commis cet acte avant qu'aucune volonté claire se fût formée dans mon esprit.

Aussitôt, je fis curieusement preuve d'une grande vivacité. Je me précipitai pour faire rouler le corps au bas de la malheureuse et la libérer. « Tais-toi ! chuchotai-je à son oreille. Il est mort. Vite maintenant ! Sauve-toi ! Car ils croiront que c'est toi qui l'as tué. » Au début, la pauvre créature abasourdie ne sut que penser. Que devait-elle croire en voyant une étrange silhouette qui avait bondi sur elle en sortant de l'ombre ? Étais-je un autre ravisseur venu redoubler son supplice ? Mais ce n'était pas une nigaude ; dès qu'elle vit la lame plantée dans le dos de son assaillant, elle comprit ce que je lui signifiais et partit aussitôt en chancelant dans la forêt, serrant ses vêtements déchirés contre elle. Elle n'avait pas plus idée que moi de la direction où trouver son salut ; toutefois, le bruit qu'elle fit en s'engageant dans les fourrés servit à effrayer les hommes qui crurent qu'un animal en fuite se ruait sur eux et coururent se mettre à couvert. Cela me donna la possibilité de m'échapper ; mais d'abord, me penchant sur le mort, je cherchai à dégager ma lame. Je découvris qu'elle s'était enfoncée dans l'os et ne pus la dégager. Je regardais, stupéfaite ; je ne comprenais pas comment j'avais pu donner un coup aussi puissant. Ne pouvant faire autrement que le laisser sur place, je rassemblai mes possessions et rampai furtivement dans les fourrés, avançant dans la direction opposée à celle de la jeune fille en fuite.

Terrorisée et hors d'haleine, l'estomac bouillonnant, j'avançai à tâtons centimètre par centimètre dans la nuit. Ne sachant de quel côté me tourner, je me heurtais de toutes parts à des obstacles, me lacérais le visage et les mains. Derrière moi, je voyais les brandons se mouvoir rapidement entre les arbres et entendais les voix des hommes qui criaient le nom de leur camarade mort – puis des cris de surprise horrifiée qui révélaient la macabre découverte. Je me sauvai plus vite, empruntant toutes les voies qui semblaient s'ouvrir, pour m'apercevoir finalement que j'avais tourné en rond. Les flammes se trouvèrent soudain devant moi ! Je courais vers elles. Un homme se posta sur mon chemin, pointant sa torche vers moi. « Halte ! cria-t-il. Qui va là ? » Il s'empara maladroitement de son mousqueton. Paniquée, je fis demi-tour pour fuir dans l'autre sens. Aussitôt, il y eut des hommes derrière moi qui criaient, couraient vite. Je n'arriverais jamais à tous les distancer.

Brusquement, j'entendis un bruit familier. C'était Alou qui poussait des cris au-dessus de ma tête, plus stridents que jamais. J'entendis ses ailes battre au-dessus de ma tête et les hurlements de peur des hommes. Alou volait à la rencontre de mes poursuivants, se jetant sur leur visage comme je l'avais déjà vue le faire avec les chiens. « Un démon ! » cria un des hommes tandis que la bande se disséminait dans la forêt en quête d'un abri. Des coups de feu retentirent. Longtemps après que je fus hors de portée de leurs voix, le croassement rauque d'Alou planant au-dessus des arbres me parvint, se répétant encore et encore tel un esprit vengeur. En effet, celui-ci semblait être une voix sortie de l'enfer.

Bien que je fusse à présent bien éloignée du secteur, je continuai de courir comme si j'étais poursuivie. À maintes reprises, je trébuchai contre le sol inégal et tombai à genoux. Le peu que je pouvais voir devant moi à la clarté de la lune était brouillé par les larmes. Mais mes larmes étaient des larmes triomphantes ; je riais presque tout haut tandis que je courais dans les bois enténébrés. J'avais le cœur gai et léger jusqu'au vertige. *Qu'il était bon d'avoir versé ce sang !* Je me délectais de l'acte que j'avais commis, d'avoir tué cette brute qui avait représenté toutes les brutes, tous les violeurs de femmes. Jamais je ne regretterai ce geste. Même quand je fus à une demi-lieue ou plus de l'horrible scène, je croyais encore entendre encore les cris pitoyables des femmes, dont le supplice n'était pas terminé. Cela me renforçait encore dans ma conviction d'avoir bien agi. *Si seulement j'avais pu les tuer tous !*

Enfin, quand les forces me manquèrent, je me laissai tomber sous un arbre et enfouis mon visage contre la terre. Je me répétais sans cesse : « J'ai bien fait ! Ce n'était pas un crime », jusqu'à ce que je succombe à l'épuisement. Et dans mon sommeil, une grande miséricorde me fut accordée. L'horreur à laquelle j'avais pris part s'effaça de mes pensées ; pendant que mes paupières étaient scellées par le sommeil, des scènes sublimes se rassemblèrent autour de moi. Quand je m'éveillai, la matinée était déjà fort avancée. La première chose qui s'offrit à mes regards, dès que j'eus séché le dernier vestige de mes larmes, fut une scène prodigieuse, de celles qui élèvent l'esprit et qui fut pour moi telle une médecine de l'âme. De l'autre côté de la vallée se trouvait le puissant Montanvert traversé par des abîmes effroyables et des anfractuosités glacées. Sur le pourtour de l'immense glacier fumant se dressaient les fières montagnes escarpées, les torrents immobiles et les cataractes silencieuses, un empire de glace implacable.

Je ne l'avais pas remarqué avant que mon regard eût embrassé la vue : mes mains portaient des taches, séchées et incrustées autour des ongles. N'était-ce pas du sang ? M'étais-je blessée ? Avant que je pusse y réfléchir, une branche chargée de baies tomba à côté de moi. Au-dessus de moi dans l'arbre, j'entendis Alou claquer du bec. « Merci, Alou », criai-je et je cherchai dans mon ballot ce dont je disposais pour mon petit déjeuner. Je trouvai à l'intérieur un de mes deux couteaux : le blanc.

C'est alors que je me souvins d'où venait le sang.

Et où était le remords ? Nulle part. Je fus stupéfaite de découvrir à quel point tuer m'avait purifiée. Non seulement je me sentais « justifiée », comme pourrait en juger une cour de justice, mais *purifiée*. Ce sang m'avait rendue plus pure ; il m'avait purgée de ma fureur et de mon dépit comme si j'avais rétabli l'équilibre du monde. J'avais fait justice de ma propre main, une main de *femme* ! Quand cela était-il permis ? Aux yeux des hommes, le viol du corps de la femme couvre la femme de honte ; elle ne doit point en parler : le crime reste impuni. Mais j'avais rectifié cela d'un seul coup mortel.

Non loin du lieu où je m'étais éveillée, je trouvai un filet d'eau glacée suintant d'un rocher. J'en recueillis suffisamment pour nettoyer le sang sur mes mains. Quand j'eus frotté les taches, dans ce qui aurait pu être un geste de prière spontané, je levai les mains vers le soleil. La pureté que je ressentais était plus qu'une simple question de toilette. Et presque aussitôt, je me tournai vers ma nourriture et mangeai avec un appétit vorace, car j'étais très affamée.

Une belle matinée pénétrante. Neige sur les sommets. Je trouve peu de nourriture dans mon baluchon : du poisson séché et du fromage racorni. Je dois fureter en quête de noix et de champignons.

Dans la nature il y a des bêtes qui chassent pour tuer ; il y a aussi l'avalanche qui emporte toute vie sur son passage et la plonge dans l'oubli. Et malgré tout, la nature est bonne. Car rien dans la nature n'est malintentionné, rien n'est porté au mal ; rien de trompeur, la nature se contente d'être simplement ce qu'elle est censée être. Toutes les créatures vivent comme de simples prières offertes à la magnificence éternelle des choses, respectant ses lois. Alors comment, en présence d'une pareille splendeur, l'homme seul, dont la Raison divine englobe la nature, peut-il devenir si vil ? Quel rapport y a-t-il entre la splendeur grandiose de ces montagnes, qui me saluent chaque matin, et les cruautés que l'homme inflige à ses semblables ?

Mais pourquoi dis-je « l'homme » quand je veux dire « les hommes » ? Pourquoi accepté-je si généreusement que les femmes portent une partie de la honte ? Qui sont les pilleurs des villes et fauteurs de guerre ? Qui massacrent l'innocent et écrasent le visage du pauvre ? Qui sont les esclavagistes, les pirates et les vandales ? Qui sont les chasseurs de sorcières, les inquisiteurs et les bourreaux ? Je ne peux pas les nommer tous ; mais je sais cela : quels que soient leurs noms, ce ne sont pas des noms de femmes. Si je traverse un village brûlé, jonché de corps, je peux ne pas connaître la race ou la nation de ceux qui ont commis ce crime ; mais ai-je besoin de m'enquérir de leur sexe ?

Je médite trop longuement sur la mort et l'horreur ; je ne puis dire pourquoi. En présence de ces cimes couronnées de neiges éternelles, de telles pensées ne sont pas de mise. Qu'y a-t-il de pire en l'homme ? Son insignifiance. Qu'il ne puisse surmonter une dérisoire fidélité à des croyances et des coutumes. Un seul code compte : la loi de Nature, qui est gravée sur ces hauteurs et inscrite dans nos cœurs. Mon père croyait que le livre de la Nature était écrit dans la langue des mathématiques. Je dis que non. Il est écrit dans la langue du sentiment, connue de tout enfant illettré.

Je me réveille en entendant Alou crier. Au-dessus de moi, je vois trois vautours planer dans le ciel : hormis ma compagne, ce sont les seuls êtres vivants que j'aie vus depuis des jours. Les chemins sont verglacés ce matin ; ils ralentissent mon pas. Vers midi, une rafale de neige souffle depuis l'escarpement. J'arrive à une cabane de berger où je trouve refuge pour le reste du jour. Ma main est trop froide pour écrire plus longtemps.

Juste avant que le disque du soleil entame sa descente, j'observe une colonne de fumée qui monte au-dessus du sommet le plus proche. Une heure plus tard, après avoir déambulé par des sentiers détournés, je découvre un hospice religieux dont la cheminée fume. Je sonne à la porte. Un des moines, un homme corpulent, jovial, m'accueille et m'invite à entrer. C'est un monastère de capucins, chaleureux et bien entretenu. Pendant que j'attends dans le ravelin, je retire mon bonnet, comme il se doit, mais je veille à fourrer mes cheveux dans mon col relevé en espérant ainsi me faire passer pour le jeune garçon que je prétends être. L'on me conduit à la cuisine, où l'on me sert de la soupe à l'oignon, du pain, une assiette de légumes bouillis et du vin rouge, la nourriture la plus substantielle que j'aie eue depuis des semaines. Ce soir-là, j'assiste aux vêpres, puis me retire sur une paillasse au grenier. Cette nuit-là, je dors comme une souche. Le matin, je reprends ma route, ma besace bien garnie. Comme ces hommes de Dieu seraient affligés d'apprendre qu'une femme a passé la nuit sous leur toit, une femme qui a dormi assez près pour les entendre ronfler !

Chaque jour, le temps se refroidit. Ce matin, il règne un froid tranchant sur les pentes abruptes ; le sol glisse partout où je pose le pied. Un vent vif. Là où le soleil n'arrive pas, les ruisseaux forment de la glace. Alou m'apporte de la nourriture, bien que ce ne soit pas toujours mangeable. Je la remercie pour les larves et les mouches qu'elle dégorge à mes pieds, mais je les laisse intactes. Je trouve moins de baies sur les buissons ; à midi, je suis grandement affamée et fais une décoction d'écorce de tremble et de tiges de rhododendron ; cela ne suffit guère à me rassasier. Je n'ai plus assez de noisettes pour tenir une autre semaine. Je trouve des champignons des prés qui poussent juste à la limite des neiges éternelles. Bien qu'ils soient très abîmés, je les ramasse ; ils me feront un léger bouillon. Cependant, c'est un jour clair et joyeux ; je ne voudrais être nulle part ailleurs. Mais pourrai-je tenir l'hiver ?

Je me réveille dans la nuit, l'estomac noué. La tête me tourne. Furieusement malade. Je crois voir tous les glaciers en feu dans la nuit pareils à des bougies sur un autel. Quel dieu vénère-t-on dans ce désert stérile ? me demandé-je. Une chouette s'installe à l'entrée de ma grotte ; je l'entends parler avec Alou dans la langue commune des oiseaux, que je comprends à présent. La chouette signale qu'elle a vu des machines dans le ciel, des roues et une mécanique en fer. Elle dit à Alou que je dois rentrer et donner l'alerte. Enfin, vers le matin, je vomis ce qui m'empoisonne. Je suis trop faible pour cheminer aujourd'hui. Alou m'apporte ce qu'elle trouve, des baies gelées et de l'écorce tendre.

Les formes des nuages se meuvent lentement. En passant au-dessus des montagnes, ils paraissent presque vivants, un troupeau à la pâture. Des oiseaux invisibles chantent dans la brume. La nuit dernière, l'air vif comme le cristal entourait la lune d'un arc-en-ciel qui retenait deux étoiles à l'intérieur. Toujours trop faible pour reprendre mon périple. Je ne trouve rien que des miettes dans mon sac. Je devrai me rendre dans une ferme écartée, sinon je vais mourir de faim.

Je m'éveille aux cris d'Alou. Je tends l'oreille et j'entends le tintement lointain de cloches dans l'air. En regardant entre les nuages chassés par le vent, j'aperçois, tout en contrebas, une rangée d'hommes et de mules qui se faufilent le long des parois du ravin ; ils s'acheminent vers le col que j'ai en vue. Alou les suit d'en haut, me montrant le raccourci pour aller de l'avant. Malgré ma faiblesse, je me hâte pour arrêter les hommes au passage et mendier de la nourriture, en me faisant passer pour un pauvre hère. Ce sont des cantonniers envoyés par les villages de la vallée afin qu'ils dégagent la passe pour les colporteurs. Ils se montrent généreux et me donnent suffisamment de bœuf séché, de fromage et de pain pour tenir trois jours. Je partage ce que j'ai avec Alou, qui ne prend que quelques becquées de pain, me laissant tout le reste.

J'ai erré au-delà de toutes les vallées que je puis nommer. Le mont Blanc se situe à présent loin vers le couchant, presque disparu de ma vue. Je m'éveille dans la nuit sous un froid pénétrant ; au-dessus de moi, je vois la lune courir entre les nuages qui filent. Chaque pointe et chaque saillie de roche est visible. Et juste au-dessus de moi, un affleurement qui a la forme d'un géant se détache contre le ciel d'argent noirci.

Je m'éveille d'un rêve charmant, un rêve d'enfant, dans lequel j'entends Anna Greta m'appeler pour prendre le petit déjeuner, comme elle le faisait si souvent quand j'arrivais au château ; je crois sentir l'odeur du pain et des gâteaux. Je me précipite dans la cuisine et là, Céleste m'attend avec un plateau de chocolats et de biscuits. Je m'éveille en riant que mon estomac puisse me jouer de tels tours dans mon sommeil. Le pauvre ! Il réclame de la nourriture et la nourriture devient de plus en plus dure à trouver. Je dois retourner dans la vallée et chercher refuge auprès des *pâtres**.

En fin d'après-midi, après des heures d'errance, je trouve un étang et m'allonge sur le ventre pour boire. Alou émet un bref cri aigu pour m'avertir. Je relève la tête et regarde les parois rocheuses qui se mirent dans l'eau, et sur une saillie à ma gauche, j'aperçois quelque chose qui bouge. En me retournant, je comprends que c'est un lynx, ses yeux jaunes incandescents fixés sur moi ! Il a rampé jusque-là et s'est accroupi, prêt à bondir. Je n'ai pas le temps de courir. Alou s'est placée au-dessus du félin et attend de voir s'il va bondir. Je reste couchée immobile à ma place et fixe l'animal droit dans les yeux. Les secondes durent une éternité pendant que nous nous toisons. Le temps se fige. Mon cœur qui s'était emballé s'est ralenti ; brusquement, je n'ai plus peur. Mes yeux disent à la bête quelque chose que je ne pourrais dire avec des mots, et elle comprend. Lentement, elle se lève, se pourlèche une fois les lèvres et gagne d'un bond agile le rebord supérieur. En un instant, elle a disparu.

Je suis reconnue. Il est temps de rentrer.

Ferme les portes, verrouille les grilles,
Où que tu te caches, la nature t'attend.
Au grand air ou dans les rues de la ville,
La nature sauvage un jour te surprend.

Par l'autel de pierre et la sainte croix
La nature saura réclamer son lot.
Sous ton crâne, sous ta peau
La nature demeure tout au fond de toi.

Dresse des murailles hautes et fières
Pour tenir la nature rugissante à l'écart !
La nature possède la meilleure part
Car elle domine ton âme tout entière.

NOTE DE L'ÉDITEUR

Un point de vue sur le retour d'Elizabeth Frankenstein à la vie sauvage

Les nombreuses semaines qu'Elizabeth Frankenstein prétend avoir passées en pleine nature présentent un problème éditorial insoluble. Même en faisant un gros effort d'imagination, on ne saurait souscrire à tout ce qu'elle narre. Nous avons affaire ici à la fantaisie et à l'illusion. Mais où devons-nous établir la limite entre le réel et l'imagination ? Sans aucun doute, le meurtre qu'elle affirme avoir commis est une chimère ; une jeune femme fluette, non entraînée à l'usage des armes et de la plus haute naissance ne possède pas les ressources physiques ni affectives pour commettre un acte aussi brutal. Le fait même qu'elle puisse inventer une scène aussi effroyable et la mettre par écrit témoigne de la faiblesse de son état moral. Cela, de même qu'une grande partie de ce qu'elle transcrit dans cette partie de ses mémoires, doit certainement être attribué à la fatigue nerveuse qu'elle a subie durant sa maladie et sa fausse couche presque fatale. Comme les pages suivantes le montrent clairement, cette illusion de culpabilité était associée dans son esprit à la rancœur bien légitime qu'elle portait à Victor. Elle en vint elle-même à considérer que ce meurtre imaginaire était né d'une rancune qu'il lui était trop douloureux de reconnaître.

Si l'authenticité matérielle de l'épisode doit être considérée comme quasiment nulle, nous pouvons tirer au moins un élément biographique de ces pages : nous avons ici l'indication indubitable de la fragilité affective croissante de la jeune femme. C'est à partir de ce moment de sa vie qu'Elizabeth Frankenstein va présenter des signes de plus en plus nombreux d'aberration mentale. L'image de la « femme sauvage » qu'elle invente pour elle-même est une tentative poignante pour retrouver l'innocence et la sécurité de l'enfance qu'elle avait à jamais laissées derrière elle. Des esprits plus avisés que le sien ont recherché pareilles consolations illusoires. L'état de nature imaginé par Rousseau a fourni à nombre de poètes et de philosophes le rêve d'une vie libre et heureuse dans un paysage arcadien. Dans le cas d'Elizabeth Frankenstein, cette même aspiration philosophique devint manifestement plus qu'un exercice intellectuel ; dans son désespoir, elle en fit un répit hallucinatoire contre la douloureuse réalité. Si seulement cet épisode lui avait apporté la consolation dont elle avait tant besoin pour recouvrer solidement ses esprits !

La nouvelle vie de Victor à Ingolstadt

Et que me restait-il dans la vie quand je rentrai de mon excursion dans la forêt ? Je ne présentai ni excuses ni explications pour ma longue absence , je fis savoir à chacun que je considérais cela comme mon droit. Malgré mes réticences, je fus pardonnée par mon père, par Joseph, par Céleste, qui s'étaient tous fait du souci pour moi jour et nuit. Ils étaient soulagés par mon retour, cherchant à comprendre à leur manière ce qui leur semblait être une conduite démente. « C'est la digne fille de sa mère », déclara Anna Greta à une des servantes. Voilà donc comment ils me voyaient : une femme qui, du fait de son éducation, avait en elle depuis l'enfance une tendance à l'extravagance. En un sens, elles avaient raison ; à cause de ma mère, je n'étais pas comme les autres femmes. J'avais appris à vivre avec le loup et le lynx en dehors des lois des hommes – et j'en tirais de la fierté. Peut-être qu'un jour, je remercierais Victor de m'avoir poussée à oser cet acte d'indépendance. Peut-être... Mais, pour le moment, la froide rancune qui se dressait entre nous demeurait inchangée. C'était l'homme qui m'avait appris la traîtrise des hommes – et qui osait prendre ombrage du fait que je n'offrais pas de réconfort à sa conscience.

« Ingolstadt a ouvert pour moi un nouveau monde de l'imagination... »

Ainsi commençait la première lettre de Victor. Elle était arrivée quelques jours seulement après que j'eus quitté le château pour mon excursion dans la solitude des montagnes ; mon père me l'avait gardée pour que je la lise attentivement, de même qu'il avait conservé toutes les lettres qui avaient suivi. En effet, il insista pour rester auprès de moi pendant que je lisais, me demandant même de répéter à plusieurs reprises les paroles de son fils. Les lettres de Victor ne m'étaient jamais adressées, bien qu'il sût fort bien que chaque parole qu'il écrivait me passerait sous les yeux. Cependant, il prétendait écrire exclusivement à notre père, sans tenir compte de mon existence, comme pour élargir notre séparation par une distance des sentiments qui serait encore plus grande que la distance des kilomètres séparant Genève d'Ingolstadt. Qu'il était difficile pour moi de lire ces lettres tout haut à notre père, comme il me réclamait invariablement de le faire ! Le pauvre homme, ce veuf au cœur brisé, éprouvait une telle joie à chacune des paroles que Victor écrivait de l'université ; à ses yeux, ce fils volontaire pouvait enfin n'en faire qu'à sa guise. Je n'aurais su assombrir le bonheur de celui à qui je devais tant. Je ne pouvais que faire écho à son allégresse. Il n'aurait pu deviner que j'étais le public visé par ces lettres dans lesquelles Victor se vantait de ses exploits. Il n'aurait pu savoir non plus à quel point j'avais le cœur brisé d'entendre ce qu'il ne pouvait entendre : les allusions à ses souffrances, son ressentiment et l'apitoiement sur son sort, que je percevais derrière chaque mot que je lisais. Je voyais le faux entrain de Victor comme rien de moins qu'une déclaration enflammée de culpabilité. Tout ce qu'il écrivait dans ses lettres, quelle que fût la rhétorique dont il le revêtait, était censé être une riposte cinglante à la femme qu'il avait humiliée. Il souhaitait que je sache qu'il s'était lancé dans le grand monde pour y apposer sa marque et qu'il n'était pas prêt à laisser son crime contre moi y faire obstacle[10].

10. Les lettres qui suivent étaient grossièrement collées aux pages suivantes du journal. Je puis attester qu'elles étaient de la main de Victor Frankenstein. Quelques-unes font écho aux paroles que Frankenstein en personne me dicta sur son lit de mort, mais celles-ci prennent un sens nouveau si, comme l'indique Elizabeth Frankenstein, elles lui étaient destinées au premier chef. R.W.

Ingolstadt, le... septembre 178...

Mon cher père,

Ingolstadt a ouvert pour moi un nouveau monde de l'imagination. Mais contrairement à la nature sauvage américaine, ce monde est l'Utopie du rêve de Voltaire, le véritable El Dorado que toute l'humanité recherche. J'ai découvert ici l'or du savoir jonchant les rues et la promesse du bonheur temporel poussant de tous côtés comme des fruits mûrs sur l'arbre.

Mon premier jour de cours, je me mis à la recherche du professeur Waldman, pour lequel vous m'aviez confié une lettre de recommandation. À mon grand désappointement, j'appris qu'il était absent, et qu'il ne devait pas être de retour avant la fin du trimestre. Il est remplacé dans le programme par un professeur Krempe, au cours duquel j'assiste. Au début, il m'apparaît comme un personnage fruste : trapu et le dos voûté, la voix bourrue, la mine repoussante, et du mordant dans la conversation. Il enseigne à un rythme enfiévré, ne s'arrêtant pour donner aucun éclaircissement, mais se moque férocement de ses étudiants quand ils donnent une réponse erronée. Et de ses collègues aussi : il se divertit cruellement aux dépens de ceux avec lesquels il est en désaccord comme s'ils étaient des idiots. Il a l'air d'un lutin – ou plutôt d'un troll malicieux –, ce qui me donne la certitude que je n'ai rien à apprendre de lui. Mais comme j'ai tort ! Dans son premier cours, ce petit homme caustique, tel un prophète de la Bible, fait tomber les écailles de mes yeux et m'ouvre la vue sur des trônes et des empires. Il parle de la science électrique, qu'il loue comme l'onde en marche des sciences naturelles. Quand il pose des questions sur le sujet, je me révèle grandement en avance sur mes condisciples. Je vois que le professeur Krempe est impressionné ; je remarque qu'il m'observe fréquemment pendant qu'il parle. Malgré tout, je reste réticent à l'approcher en dehors du cours ; mais à la fin, je le fais, suivant en cela votre conseil que je dois montrer de l'audace avec mes maîtres et exiger une attention convenable.

Le professeur Krempe, bien sûr, reconnaît notre nom de famille et se montre empressé quand je lui rends visite. Il me pose plusieurs questions concernant mes progrès dans les différentes branches de la science. Je mentionne imprudemment le nom des alchimistes comme étant les principaux auteurs que j'ai étudiés. Il me fixe d'un regard incrédule : « Avez-vous réellement passé votre temps à étudier de pareilles inepties ? » Un peu penaud, je réponds par l'affirmative. « Chaque minute, reprend-il avec chaleur, chaque instant que vous avez consacré à ces livres a été totalement gaspillé. Vous avez chargé votre mémoire de systèmes condamnés. Sapristi ! Dans quel désert avez-vous vécu, pour que personne n'ait eu la bonté de vous informer que ces fantaisies, dont vous êtes pénétré avec autant de feu, étaient vieilles de mille ans et aussi moisies qu'anciennes ? Je ne m'attendais guère à parler, dans ce siècle des Lumières, avec un disciple d'Albert le Grand. Mon jeune monsieur, vous devez entièrement recommencer vos études. »

Ce disant, il s'écarte de moi et me dresse une liste de livres traitant des véritables sciences naturelles, qu'il désire me voir étudier ; puis il me congédie après avoir mentionné qu'au cours de la semaine suivante, il a l'intention de commencer une série de conférences sur l'influence nerveuse de l'électricité animale dans toutes ses relations mystérieuses avec les sensations et les mouvements de la chimie organique. Les découvertes les plus récentes de Volta, Galvani, Valli et Morgan seront abordées, de même que les recherches de Herr Krempe sur l'électrification du tissu musculaire opiacé. Il glousse ouvertement quand il voit mon air ahuri. « Allons, jeune Paracelse, m'admoneste-t-il, êtes-vous prêt à sortir du bois ? »

Il me faut vous remercier, père, d'avoir enfin le bonheur de me griser de l'air pur de la science véritable. Mon esprit n'a jamais été plus vivant que dans ce monastère de l'intelligence, où je vis jour et nuit dans une fraternité vivifiante. Ici j'échange de rudes critiques avec mes compagnons au cours de chaque repas et continue dans un combat érudit jusqu'à ce que la flamme de la dernière chandelle vacille et s'éteigne au point du jour. Le gîte et le couvert sont spartiates, mais cela permet de tenir à l'écart ce qui n'est pas essentiel. Je passe des journées sans me préoccuper de tailler ma barbe ou changer mon linge. Je me soucie peu de ce que je mange et des autres satisfactions de la chair, moins encore des distractions sociales que l'on trouve à mener une vie conjugale. Je vis en effet comme si j'étais une intelligence désincarnée dont le seul propos chaque jour est de forcer Dame Nature à arracher le voile d'un autre de ses précieux secrets. Je suis indiciblement heureux !

Votre fils reconnaissant,
Victor

Ingolstadt, le... novembre 178...

Mon cher père,

Pour avoir le privilège d'étudier avec le professeur Krempe, je n'aurais su comment vous remercier suffisamment ; mais j'ai fait enfin la connaissance du professeur Waldman, votre vieux camarade de classe. Brusquement, Krempe, en dépit de son génie, est devenu saint Jean-Baptiste envoyé pour annoncer la venue du vrai Messie. Le professeur Waldman est rentré à Ingolstadt cette semaine et aussitôt, je suis allé assister à son cours. Il est fort différent de son collègue. Alors que Krempe est caustique à l'excès, en homme qui prend un vif intérêt dans les estocades du débat, Waldman est la générosité et la culture personnifiées. Sa voix est la plus douce et la plus mélodieuse que j'aie jamais entendue, son attitude exprime la plus grande bienveillance. Il commence sa conférence par une récapitulation de l'histoire de la chimie et des progrès effectués par les hommes de science, en particulier les inventeurs les plus distingués. Sur l'œuvre de Van Helmont,

Scheele et Priestley, il s'attarde avec le plus grand soin ; mais en arrivant à Lavoisier, ses louanges atteignent des sommets dithyrambiques. « Avec son analyse de la combustion, déclare Waldman, nous éclairons chaque coin où la superstition pourrait trouver refuge ; nous en avons fini avec le régime des fluides spectraux et des hypostases éthérées. L'époque de la philosophie rationnelle commence. » Il survole alors à la hâte l'état actuel des sciences pour conclure par un panégyrique de la chimie moderne, que je garderai dans ma mémoire.

« Les anciens maîtres de cette science, ou plutôt de son prédécesseur abortif appelé l'alchimie, promettaient des choses impossibles et n'accomplissaient rien. Les maîtres modernes promettent fort peu ; ils savent que les métaux ne peuvent se transmuter et que l'élixir de vie est une chimère. Mais ces philosophes, dont les mains semblent faites seulement pour fouiller dans la saleté et les yeux pour se pencher sur le microscope ou le creuset, ont cependant accompli des miracles. Sans s'abriter derrière une cérémonie fallacieuse tel un soupirant timoré derrière la grille de sa bien-aimée, ils ouvrent hardiment les recoins de la Nature afin de trouver ce qu'elle cache en ses parties intimes. Ils ont découvert la circulation du sang et la nature de l'air que nous respirons. Ils ont acquis des pouvoirs nouveaux et presque illimités. Ils peuvent commander au tonnerre dans les cieux, imiter le tremblement de terre et même duper le monde invisible avec ses propres ombres. C'est dans cette grande entreprise que je vous invite, jeunes gens, à me rejoindre. »

Je sus immédiatement que cet homme devait devenir mon mentor et ne pus attendre de l'aller voir. Ses manières en privé étaient plus amènes et plus attractives qu'en public, car il affichait durant ses cours une certaine solennité dans sa contenance qui faisait place dans sa maison à la plus grande affabilité. Je lui exposai mes précédentes études comme je m'en étais ouvert au professeur Krempe. Je le vis sourire avec une indulgence pleine de bonté au nom de Paracelse et de Valentine ; il ne manifesta pas le mépris de Herr Krempe. Au contraire, il fit preuve de générosité. « C'est au zèle de ces hommes, dit-il, que les philosophes modernes doivent les fonda-

tions de leur savoir. Nous pouvons rendre hommage à leurs noms, même si nous devons laisser leurs systèmes en repos. Mais permettez-moi de vous demander, Herr Frankenstein, si ma conférence a eu quelque effet pour dissiper vos préjugés contre la chimie moderne ? » Je me hâtai de le lui confirmer et requis immédiatement son avis au sujet des livres que je devais me procurer. « Dans ce cas, je suis heureux d'avoir fait un disciple, poursuivit-il, car Herr Kempe m'a déjà fait savoir qu'il plaçait en vous de grandes espérances. La chimie est la branche des sciences naturelles où l'on a accompli les plus grands progrès. Je la recommande à votre attention. Mais si vous voulez être un véritable homme de sciences et pas tout bonnement un empirique borné, je vous conseille de vous pencher sur chaque branche des sciences naturelles, et tout particulièrement sur les mathématiques. »

Dans l'ensemble, nous parlâmes moins d'une heure, mais ses paroles ont changé le cours de ma vie. Cette nuit-là, il me sembla que mon âme luttait avec un ennemi palpable ; une à une, les diverses touches qui forment le mécanisme de mon être furent effleurées, l'une après l'autre chaque corde résonna et bientôt, mon esprit fut rempli d'une seule pensée, une seule idée, un seul propos. Tant de choses ont été réalisées, *entendis-je mon âme s'exclamer.* J'accomplirai plus, infiniment plus. En plaçant mes pas dans les pas de ceux qui m'ont précédé, j'ouvrirai une voie nouvelle et dévoilerai les plus profonds mystères de la création !

Je vous prie de rappeler mon souvenir au reste de la maison. J'espère que vous comprendrez que je me trouve dans l'incapacité de passer les vacances chez nous. Mes études consomment chaque heure de veille ; souvent les étoiles ont disparu dans la lumière du matin alors que je suis encore occupé dans le laboratoire. Comprenez donc qu'il me faille retarder le plaisir de votre compagnie jusqu'au printemps.

Votre fils très affectionné,
Victor

Ingolstadt, le... janvier 178..

Mon cher père,

J'ai trouvé chez le professeur Waldman non seulement le modèle du savant, mais un véritable ami. Sa douceur ne se teinte jamais de dogmatisme, ses instructions sont données avec un air de franchise et de bonne humeur qui exclut toute pédanterie. Il m'a permis de faire usage de son laboratoire privé, qui est mieux pourvu pour l'étude des fluides électrochimiques que celui de l'université. Quand nous travaillons ensemble, ma vision de l'énergie électrique devient plus globale. Ce n'est plus la science misérable telle qu'on se la figurait jadis. Quoiqu'elle soit encore balbutiante, elle se révèle être intimement liée à toutes les opérations du magnétisme, à la lumière et au calorique, aux processus biologiques à chaque niveau. Elle est vraisemblablement une propriété de toute matière, et elle parcourt peut-être l'espace d'un soleil à l'autre et d'une planète à l'autre. Fort probablement, elle est la cause seconde de chaque évolution du système animal, minéral, végétal et gazeux. Actuellement, le professeur Waldman envoie des décharges électriques dans l'albumine, à la suite de quoi les globules de la matière émergent. Sa théorie, c'est que le premier pas vers la création de la vie sur la Terre a été une opération similaire par laquelle de simples vésicules germinales furent stimulées à la vitalité à partir de l'eau de mer peu profonde. Est-il possible, donc, que ce soit le secret même de la vie ?

Je suis vite devenu l'étudiant favori du professeur Waldman ; il partage chaque conjecture avec moi. En sa présence, sous l'effet de son ineffable force de persuasion, je découvre que toute ma perspective se modifie. Je songe avec dépit que j'ai pu considérer les théories spagyriques comme autre chose que de la simple littérature. Que je me sois délivré de ces absurdités antédiluviennes représente l'événement le plus heureux de ma vie, cela a laissé à mon esprit la liberté de penser à son niveau maximum d'efficacité. Lord Bacon a parlé de façon prophétique d'un âge où nous assisterions à « une naissance masculine du Temps ».

En paroles, en pensée et en actes, j'ai vécu une telle naissance sous la tutelle du professeur Waldman. Comme j'ai été stupide de perdre mon temps à vouloir tirer les esprits de la matière inerte ! Et plus stupide encore de croire que d'autres avaient effectivement réussi à voir des apparitions dans les éléments. Car qu'y a-t-il à trouver dans la substance chimique hormis les atomes ? Apprenez les atomes, m'ordonne le professeur Krempe ; ils répondent à tous les besoins. Les éléments et les forces de la Nature ne sont pas des personnages que l'on peut apaiser ou invoquer ; ce sont des constellations de la matière brute que nous conquérons par prédiction. Vus sous cet angle, ils deviennent des esclaves à nos ordres et le champ de notre véritable empire.

Votre fils dévoué,
Victor

Ingolstadt, le... mai 178...

Mon cher père,

J'ai le regret de vous dire que je ne pourrai pas rentrer à la maison pour l'été, bien que vous me manquiez beaucoup. Je sais que vous comprendrez quand je vous dirai que mon travail avec le professeur Waldman est arrivé à un point crucial. L'excitation de la découverte remplit tellement ma vie que je ne puis m'en arracher. Seuls ceux qui les ont éprouvées peuvent concevoir les séductions de la science. La découverte est *la science ! Elle part faire la guerre à l'inconnu, mettre à sac les villes qui reposent dans le confort de l'ignorance. Je pourrais être l'un des aigles clairvoyants des sciences naturelles, toujours en vol et m'élevant vers les sommets. Ceux qui se contentent de moins sont des bêtes de somme, de simples mules à la démarche lourde, chargées de systèmes vieillots et de certitudes défraîchies.*

Mon travail avec le professeur Waldman se prolonge au-delà de toutes les frontières de la philosophie traditionnelle. Il est à la fois chimique, biologique et médical. Pour expliquer cela briève-

ment : j'ai appris que les chiens peuvent être maintenus en vie avec un régime sévèrement réduit par une infusion quotidienne d'électricité. Des charges mesurées de fluide électrique peuvent remplacer toute forme de nourriture ; la durée de survie la plus longue a été jusqu'ici de vingt-quatre jours. Si l'eau est fournie séparément en quantité normale, la bête peut être maintenue en vie pendant plus de deux mois. C'est là l'indication la plus claire à ce jour que l'énergie électrique participe à la force vitale et peut être assimilée par la matière vivante. Jusqu'où peut-on étendre ce processus ? C'est ce que nous cherchons à établir. Il est dans notre intention d'achever la série d'expériences que nous avons entreprises puis de rendre compte de nos recherches ; le professeur Waldman a promis de me laisser me présenter comme l'auteur de nos découvertes et d'appuyer la publication de mes recherches. Vous pouvez imaginer ma jubilation !

Votre fils affectionné,
Victor

Le... septembre 178...

Mon cher père,

Une journée stupéfiante : ma première expérience en tant qu'assistant du docteur von Troeltsch avec des spécimens humains dans la salle de dissection, un honneur habituellement réservé aux étudiants chevronnés. J'ai prouvé depuis longtemps ma connaissance avancée des dissections d'animaux. Von Troeltsch le sait et m'a demandé de l'assister dans sa démonstration ; il m'a considéré comme le mieux préparé malgré mon jeune âge.

Quel contraste dans cette salle d'opération entre les ténèbres gothiques qu'elle a héritées du passé et l'usage éclairé qu'en font les hommes de sciences ! La pièce pourrait être un cachot : murs et sols de pierre, quelques fenêtres étroites, des bougies vacillantes au-dessus de nos têtes. L'air empeste la décomposition ;

cette antique puanteur à peine compensée par les produits chimiques tonifiants que nous employons dans notre travail. Les pierres sont rarement frottées ici ; cela ne servirait de rien. Le sang et la bile de générations ont à présent imprégné le vieux carrelage. Néanmoins, si froide et fétide que soit la salle d'opération, nous lançons d'ici l'équivalent des grands voyages d'exploration, non plus à travers les océans, mais vers le bas, vers les grandes profondeurs cachées de l'organisme. Von Troeltsch dirige son cours avec sa combinaison unique de discipline prussienne et d'esprit sarcastique en exigeant une concentration absolue, un silence absolu. Il ordonne qu'on apporte le premier cadavre et soulève la toile avec le geste ample d'un Monsieur Loyal et révèle... une femme, qui a séjourné si longtemps dans la chaux et le salpêtre qu'elle est devenue bleue de la tête aux pieds, transformée en une créature étrange. L'inclinaison bizarre du cou nous dit qu'elle a été pendue, à la suite de quoi le crâne a été broyé et rendu sans valeur pour l'étude. « Nous commençons par éliminer ce qui n'est pas utilisable », déclare von Troeltsch. Sur quoi, sans un moment d'hésitation, il tranche la gorge et, séparant la tête du tronc, la brandit très haut au-dessus de la table. « Pour les femmes, ajoute-t-il, cela ne change rien. Nous ne trouverions rien à l'intérieur, de toute façon. » Cela déclenche un concert d'éclats de rire bruyants chez les étudiants. « Et qui va me débarrasser de ce détritus ? » demande von Troeltsch dont le regard fait rapidement le tour de la salle. Il repère un nouvel étudiant, un jeune homme nerveux, à l'autre extrémité de la table, qui lutte pour garder la maîtrise de son estomac. Sans prévenir, von Troeltsch lui lance hardiment le crâne fracassé en plein dessus, lequel laisse sur son passage un léger jet des fluides restants. Le malheureux ne peut faire autrement que l'attraper, et il se tient horrifié avec cette chose dans les mains. En un instant, il a franchi la porte avec elle et nous l'entendons vomir dans l'entrée. La salle éclate de rire tandis que chacun de nous est bien résolu à ne pas faire preuve de la même faiblesse. Si insensible que puisse paraître cette plaisanterie, elle sert un but méritoire. Après qu'un garçon a fait preuve de lâcheté, les autres décident d'être d'autant plus virils. De cette façon, le docteur von Troeltsch « saigne » ses élèves, séparant les cœurs vaillants des délicats.

Il se retourne pour considérer le spécimen à présent décapité. Plaçant avec désinvolture la lame sous un mamelon, il remarque : « Êtes-vous d'accord, Herr Frankenstein ? N'est-ce pas là le modèle parfait de la femme ? Du cou jusqu'en bas, toutes les parties nécessaires et agréables demeurent ; le cerveau de souris, la bouche jacassante... partis. La femme parfaite pour un docteur ! » De nouveau, la salle hurle de rire.

Malgré son humour grivois, quand il s'agit de dissection, von Troeltsch est un maître : il parvient à conserver intact chaque organe. Même le foie disgracieux reste en un seul morceau. Il laisse tomber adroitement chacun dans une jarre à « macérer », selon ses termes. Tandis qu'il arrache chaque partie du cadavre, il fait des mots d'esprit de mauvais goût ; il y a une raison à cela. Son but est d'anéantir l'effroi qui enveloppe invariablement le corps humain chez les nouveaux étudiants. Même quand le cadavre est celui d'un criminel ou d'un indigent, beaucoup ont scrupule à couper, comme si la carcasse pouvait sentir la lame. De telles superstitions ont la vie dure. Il m'a dit en privé que le premier propos du professeur est d'endurcir ces garçons en vue de ce que leur profession exigera d'eux.

Il passe rapidement en revue l'anatomie à partir de la gorge, en nommant les parties, et détermine la structure interne. Puis vient un dividende inattendu. Quand il retire l'utérus, il découvre que la jeune femme portait un enfant. J'ai déjà vu cela. Souvent les cadavres de femmes arrivent des prisons porteurs d'enfants ; les geôliers traitent ces catins comme leur harem particulier. Von Troeltsch fend aussitôt la poche pour nous en montrer le contenu. L'embryon est dans son troisième mois. « Jeune sotte ! commente-t-il. Elle aurait pu invoquer son ventre pour sauver son cou. Mais chut ! Ne dites rien au bourreau, il voudra qu'on le paie le double. »

On me remet le fœtus pour que je fasse le tour de la salle. Je me dis : quel être monstrueux je tiens entre mes mains...

une chose qui ressemble plus à un poisson qu'à un être humain. *Heureusement que notre origine détestable est dissimulée à la vue. Car même le plus bel Adonis commence son existence telle une gargouille.*

Nous travaillons d'une main ferme tout l'après-midi jusqu'à ce que la lumière faiblisse derrière les fenêtres. Quand nous partons, quelle bande morbide nous formons, les chaussures enfouies dans les abats, nos tabliers maculés de sang. Lorsque nous ressortons dans la lumière de la cour, nous entonnons la Chanson de l'Asticot, *le cri de ralliement du dissecteur.*

Songez le pas de géant qu'une seule séance comme celle-ci nous fait accomplir dans l'histoire ! En ces quelques heures, mes compagnons d'études et moi-même avons appris davantage concernant nos mécanismes internes que n'en ont su Platon, Aristote ou Moïse. Franchement, je ne puis comprendre comment l'humanité a pu vivre si longtemps dans une pareille ignorance. Juste sous notre peau, un monde attendait d'être découvert. Mais ce n'est que lorsque nous avons eu l'audace d'appliquer le scalpel que nous sommes sortis des ténèbres. Nous voyons clairement maintenant que l'intérieur de la chose vivante n'est pas différent de l'intérieur de l'un de vos automates, père. Au lieu de rouages et d'engrenages, nous avons des muscles, des tendons et des articulations. Néanmoins, c'est un ordre mathématique des parties, c'est tout, et chaque fois que nous coupons, nous découvrons une chose de plus concernant cet ordre et comment le rendre supérieur.

Je ferai tout ce qui est en mon pouvoir pour rentrer cette année à la maison pour les vacances. Au moins, ce voyage me donnera enfin une raison pour me laver et me faire raser par le barbier. Vous ne sauriez imaginer quel rebut de l'humanité votre fils est devenu. J'aime vivre en ermite dans une maison faite de livres. Quand je rentrerai, je me plongerai pendant trois jours entiers dans le plus grand baquet du château, et demanderai aux servantes de m'apporter de l'eau chaude sans relâche.

Votre fils à jamais reconnaissant,
Victor

La soirée

Les lettres de Victor arrivaient en un mince filet, jamais moins d'une chaque mois, parfois jusqu'à trois. Toutes faisaient état de ses triomphes universitaires et de son enthousiasme croissant pour les études de chimie. Cela devint le prétexte pour son absence continue. Une année passa et la plus grande partie d'une autre avant qu'il fît une première allusion discrète à ma personne. « Transmettez mon bon souvenir à ma sœur », ajoutait-il avec désinvolture comme si cela lui était venu après réflexion, avant de mettre fin à une lettre détaillant par ailleurs des conférences et des expériences. *Ma sœur.* Il savait parfaitement combien ce titre me glacerait, sous la plume de celui qui avait été mon amant, et le seul que j'aurais sans doute jamais. Cependant, cela présageait un curieux changement. J'existais de nouveau à ses yeux ! Celle avec laquelle il avait pratiqué les hauts rites du mariage chimique avait droit à présent à la réalité que sa conscience coupable avait voulu nier. Pourquoi ? Était-ce un vague espoir de *rapprochement* ? En lisant plus attentivement, il m'apparut que non. Il y avait là quelque chose de plus inquiétant : un cœur d'airain qui prêtait à cet homme une innocence imméritée, une innocence à laquelle il prétendait comme s'il ne se souciait plus de ce que son accusatrice pouvait penser. Je notai que les lettres dans lesquelles j'étais mentionnée avec autant de légèreté reflétaient autre chose : un appétit d'indépendance croissant, de sa part, face aux professeurs qui avaient façonné son esprit. Au cours de sa deuxième année à Ingolstadt, même ses rapports avec son cher professeur Waldman devinrent plus distants. Il se plaignait d'avoir épuisé tout le savoir que ses maîtres pouvaient lui apporter. En conséquence, il songeait à élire domicile en dehors de l'université. Depuis qu'il avait mentionné cela conjointement avec son intention de retourner à Genève à la fin du trimestre, mon père et moi supposions qu'il partagerait à nouveau notre toit. Mais il n'en fut rien. Comme les lettres suivantes nous l'apprirent clairement, il entendait faire une brève halte chez nous en ne séjournant à Belrive que comme un invité de passage.

« Absurde ! s'exclama mon père, voyant dans le comportement de Victor un excès de modestie. Je ne mettrai pas le talent de mon fils sous le boisseau. Écris-lui. Dis-lui que nous allons fêter dignement son retour. Il est temps que Belrive reprenne vie. »

Consciencieusement, mais avec une froideur extrême, j'écrivis à Victor pour lui dire que notre père comptait l'accueillir chez nous en organisant une grande *soirée** au château. À quoi Victor fit une réponse si sèche que je m'abstins de montrer sa lettre à notre père. « Je te supplie de faire tout ton possible pour m'épargner cette épreuve ! Rien ne saurait m'indisposer davantage qu'une soirée de badinage stupide avec un troupeau ignorant de mauvaises langues et d'esprits superficiels. Mon travail se situe au-delà de la communication avec quiconque hormis des hommes de science et même alors, seulement au niveau le plus avancé. Je consentirais, si notre père insiste, à rencontrer un groupe de mes pairs triés sur le volet pour me livrer à une petite démonstration. Mais tu dois comprendre qu'une grande partie de mon travail en est encore au stade expérimental ; il y a beaucoup de choses que je ne suis pas prêt à révéler. »

Loin d'être déçu par cette réaction, notre père se montra encore plus désireux d'accueillir l'assemblée choisie que lui suggérait Victor. « Assurément ! s'exclama-t-il avec enthousiasme. Nous aurons une assemblée de notables à laquelle Victor s'adressera. Toutes les écoles devront être représentées. »

Mais qui arrangerait l'illustre événement ? Il m'appartint, en tant que nouvelle maîtresse du château, de dresser la liste des convives et d'émettre les invitations. Cette tâche extrêmement désagréable est devenue ma première mission de dame de Belrive. En une semaine, j'avais envoyé un courrier à l'Académie de Genève et aux universités de Berne et de Lausanne, invitant une douzaine de naturalistes et de physiciens de renom parmi les connaissances de mon père à se rassembler à Belrive lors de l'arrivée de Victor. Chaque matin au petit déjeuner, mon père me pressait de questions sur les préparatifs pour la *soirée**. Combien avaient accepté notre invitation ? désirait-il savoir. Combien d'entre eux serait-il nécessaire d'héberger au château ? Avais-je envisagé avec Céleste d'engager des aides supplémentaires à la cuisine ? L'orgueil que mon père éprouvait à l'idée de présenter son fils devant une aussi auguste assemblée avait l'effet d'un baume apaisant sur son esprit abattu. Pour ma part, en revanche, la pensée du retour de Victor me remplissait d'agitation. Des semaines à l'avance, je commençai à me préparer – ou dirais-je à m'armer ? – pour la circonstance. Je fis tout sauf répéter mon rôle comme une actrice attendant dans les coulisses le signal de son entrée en scène. Je m'habillerais sobrement, presque comme quelqu'un qui porte le deuil. Je resterais distante, ne daignant pas même peut-être sortir de ma chambre le premier jour. Je parlerais peu et seulement avec une politesse glaciale. Je ne lui demanderais rien sur son travail ni sur ses projets, et ne témoignerais d'aucun intérêt quand il en parlerait. Il devrait savoir par le ton même de ma voix et par mes gestes qu'il n'était pas pardonné. Mais j'accepterais, s'il en faisait la demande, de parler en privé avec lui et livrerais alors mes sentiments.

Hélas ! Je me préparais à une rencontre qui n'aurait jamais lieu car celui auquel mon rôle me destinait n'existait plus. Le Victor qui descendit du cabriolet et franchit notre seuil cet été-là ne ressemblait en rien à ce que j'attendais. Plus exactement c'était une sorte de tempête humaine qui gravit d'un bond les marches du perron et pénétra dans le ravelin en se plaignant, au milieu d'une bordée de jurons, de l'inconfort intolérable de son voyage. Il entra, enveloppé d'une cape noire à haut col qui le faisait apparaître aussi inquiétant qu'un bandit de grands chemins : un silhouette sombre, troublante, qui arpentait le hall avec impatience, attendant d'être reçu. Ce n'était visiblement pas un élève de retour chez lui pour les vacances ; c'était un homme du monde qui ne se souciait nullement de l'opinion d'autrui.

J'avais toujours trouvé que Victor était bel homme ; au point que je ne pouvais imaginer qu'un homme pût présenter une mine plus plaisante au regard d'une femme. À présent, s'il n'était pas plus beau qu'avant, il était plus puissant – suffisamment pour ébranler les défenses que j'avais si soigneusement érigées. Il y avait une force indubitable en lui que je pus sentir dès l'instant où je le regardai du haut de l'escalier. Il s'était laissé pousser la moustache et une courte barbe en pointe qui lui donnait un air canaille. Ses cheveux formaient une crinière plus ébouriffée que jamais, peut-être plus épaisse et plus bouclée qu'avant ; mais son visage avait minci et pris une expression plus intense, portant la marque de l'ascète. Quand j'approchai, il lança un bref regard, interrogateur, dans ma direction : un œil inquisiteur sous un sourcil arqué. Il n'y avait pas l'ombre d'une demande d'excuse dans son attitude. « Alors, ma sœur, m'interpella-t-il hardiment. Avez-vous pris les dispositions nécessaires pour me donner en spectacle ? Je vous mets en garde : il se peut fort bien que ma prestation ne soit point de votre goût. »

Sans attendre de réponse, il me tourna le dos afin de saluer notre père, qui arrivait pour serrer son fils sur son cœur. Ce fut la dernière fois que je le vis jusqu'au dîner, durant lequel sa conversation fut froide et distante.

Relativement aux deux ans passés, il parla sans retenue et en termes grandioses de ses études à Ingolstadt. Il décrivit les personnalités remarquables qu'il avait rencontrées à l'école et la façon dont il avait épuisé leurs ressources intellectuelles. Il s'exprimait par moments comme un général conquérant qui avait terrassé chacun de ses ennemis et s'était approprié ses richesses. Mais concernant l'avenir, il n'évoqua ses plans que de manière indirecte. Il avait pris un logement aux abords d'Ingolstadt, où il continuait de fréquenter l'université et de recourir aux conseils du professeur Waldman, mais en disposant d'une beaucoup plus grande liberté et, pardessus tout, de son intimité. Il s'attendait à être totalement absorbé dans ses nouvelles études pour la majeure partie de l'année, mais en quoi consistaient lesdites études, il n'en donna aucune indication. Pourquoi, alors, s'était-il donné la peine de rentrer à Belrive ? me demandais-je. Ce qui trouva bientôt une réponse. Victor avait un pressant besoin d'argent. Il avait un atelier à meubler et du matériel à acheter. « Quand j'aurai fini, j'aurai un laboratoire encore plus somptueux que celui du professeur Waldman, se vanta-t-il. L'appareil électrique surpassera tout en dehors des universités italiennes. » Il présenta sa demande à mon père en l'appelant un prêt ; mais bien sûr, mon père lui accorda la somme requise sans conditions. Et nul n'aurait pu être plus empressé à donner ce qui lui était demandé.

« Tu auras tout ce que tu veux, n'aie crainte ! déclara aussitôt mon père comme Victor devait s'y attendre. Aie de l'audace dans ce que tu entreprends et dépense sans compter. »

La dernière pensée de Victor avant de quitter la table fut de s'enquérir de la *soirée**, qui était prévue pour le lendemain soir. À nouveau, le ton de sa voix révéla le déplaisir manifeste qu'il en éprouvait.

« C'était le vœu de notre père, m'empressai-je de lui dire. Je n'ai fait qu'agir en son nom.

– Et qui avez-vous invité ?

– Vous souhaitiez une réunion avec vos pairs.

– Certes... Saussure, j'espère.

– Assurément, le professeur de Saussure. » Je me hâtai de citer quelques autres noms.

Il haussa les épaules.

« Du gâchis. Seul de Saussure importe. Et vous, ma sœur. J'espère que vous y assisterez.

– Comme un de vos pairs ?

– Non, comme mon invitée. »

C'est ainsi que je devins la seule femme de cette auguste assemblée où le travail de Victor fut révélé pour la première fois. Ce soir-là, tandis que le baron présidait fièrement à un riche banquet, une profusion d'expérimentations scientifiques fut passée en revue. Les expériences du docteur Erasmus Darwin, dont le dernier écrit rapportait comment il avait conservé sous globe un bout de vermicelle jusqu'à ce que par quelque moyen extraordinaire, celui-ci commençât à se mouvoir de façon volontaire. « Mais ce n'est pas ainsi que la vie sera rendue aux tissus morts », pontifia Victor avec assurance. L'électricité, soutenait-il, est le secret de la réanimation. Après quoi, la conversation tourna sur ses propres études. Il parla longuement de la visite que Galvani avait faite à Ingolstadt et comment il avait examiné les expériences de Victor. « Je fus surpris d'apprendre que j'avais trouvé mon chemin vers des principes que Galvani ne connaissait pas lui-même, déclara Victor avec une autosatisfaction non déguisée. Cet homme n'a même jamais disséqué une anguille pour examiner comment les nerfs acheminent les impulsions électriques ! »

Durant la soirée, je restai une auditrice fervente mais muette. Je me sentis emportée par l'ardeur communicative que Victor mettait dans la conversation. Et je n'étais pas la seule à être fascinée par tout ce qu'il disait ; en regardant autour de la table à ma droite et à ma gauche, j'observai une concentration respectueuse sur tous les visages. La pièce était électrisée par l'excitation de la découverte et Victor en était le centre vibrant. Aucun saint en extase de l'ancien temps n'aurait su égaler la ferveur qui brûlait en Victor quand il parlait de ses recherches. Cependant, à mon admiration se mêlait une mélancolie croissante, car je me rendais compte que j'avais été totalement supplantée dans son affection par sa nouvelle vocation. La connaissance était devenue sa seule et unique maîtresse.

« Et que pouvez-vous nous montrer sur votre travail, Victor ? lui demanda enfin le professeur de Saussure.

– Trop peu, je le crains, répondit Victor en manifestant un semblant de modestie. Je n'en suis qu'au début de mes recherches. Au mieux, je ne puis que vous montrer un infime témoignage de mes travaux en cours. »

Tel un acteur se précipitant pour placer sa réplique, le baron bondit sur ses pieds :

« Messieurs – et toi aussi, bien sûr, ma chère Elizabeth –, voulez-vous que nous passions à la bibliothèque, où, me semble-t-il, mon fils a préparé une démonstration à votre intention ? » proposa-t-il.

Il étincelait presque de fierté tandis qu'il jouait le rôle du directeur de tournée de Victor.

Toute la journée, Victor avait été occupé à la bibliothèque, dont il avait gardé la porte close pour tous les habitants du château, y compris le baron et moi-même. Les bagages qu'il avait apportés d'Ingolstad avaient été transportés à l'intérieur par les valets de pied peu après son arrivée, mais aucun n'avait été autorisé à les déballer. Une grande malle avait exigé la force de trois hommes pour être hissée jusque dans la maison. Les regardant se débattre, je n'imaginais pas ce qui pouvait expliquer un tel poids. Quand, ce soir-là, Victor ouvrit les portes de la bibliothèque, nous vîmes qu'il avait transformé la pièce en un petit atelier encombré d'une multitude d'appareils étranges. Sur le sol, à côté de la table centrale, se trouvaient deux grandes pyramides disgracieuses de plaques de métal ; celles-ci expliquaient grandement le poids de la malle de Victor. Les entassements métalliques étaient recouverts de tous côtés d'une myriade de fils qui rejoignaient, à travers divers compteurs et jauges, les appareils sur la table ; là, entourées d'un cercle de bougies, reposaient deux formes mystérieuses recouvertes d'étoffes comme s'il s'agissait d'objets sacramentels sur un autel. Entre elles se trouvait une curieuse machine composée d'une roue et d'un globe en verre. Nos invités, s'approchant de la table, fixèrent immédiatement leur attention sur ce dispositif. Victor utilisa une manivelle pour remonter la roue, qui était positionnée pour frotter contre un cercle de perles d'ambre. Immédiatement, un flot de petites étincelles bleues jaillirent à l'intérieur de la sphère. Il expliqua que la machine était une nouvelle sorte de bouteille de Leyde, copiée sur un dessin d'un électrophysicien anglais, James Graham. Elle était capable de générer un courant électrique modéré tant que la roue conservait un mouvement régulier.

« Les piles voltaïques que vous voyez ici, expliqua Victor, sont en zinc et en cuivre, soixante plaques chacune. La puissance du fluide électrique est amplifiée quand il passe par les piles. Je ne puis vous dire quelle peut être la limite supérieure de la charge. Je ne puis que signaler, selon ma propre expérience, que l'arc électrique peut être suffisamment puissant à une distance de quatre pieds pour laisser l'expérimentateur inconscient pendant un quart d'heure... et grièvement brûlé. » Il releva sa manche pour montrer une affreuse zébrure sur son avant-bras. « Je vous prie donc, messieurs, de rester bien en retrait pendant que nous poursuivrons. »

Quand les hommes eurent satisfait leur curiosité concernant l'installation de Victor, celui-ci découvrit le premier et le plus petit des deux objets qui encadraient la roue. Sous l'étoffe se trouvait un bocal en verre rempli d'un liquide rouge opaque qui en masquait le contenu. À l'aide d'une paire de pinces, Victor alla à la pêche à l'intérieur et en sortit un objet mou et ridé que je ne parvins pas à reconnaître avant qu'il l'ait déposé sur la table. Ce qui se trouvait devant nous était une main humaine. Elle était retournée sur le dos, les doigts repliés, pareille à un petit animal mort. Je crois que je fus la seule dans la pièce à suffoquer, mais ma réaction passa inaperçue, couverte par les exclamations de son père au bout de la table. « Par Dieu ! » lâcha-t-il en se penchant pour voir plus commodément ; il semblait plus interloqué que moi. Furtivement, je dirigeai un regard interrogateur autour de la table. Étais-je la seule à éprouver un malaise aussi intense ? Si tel était le cas, je devais faire tout mon possible pour dissimuler mes sentiments.

Sans tenir compte des questions qui s'élevaient de toutes parts, Victor s'activait à tendre les fils entre le générateur et plusieurs pinces sortant du poignet de la main sectionnée, la retournant enfin pour qu'elle reposât sur les doigts. « Comme vous le voyez, dit Victor avec un petit rire rentré, mon assistant – ou ce qu'il en reste – était un marin. » Il indiqua une ancre marine qui était tatouée sur le dos de la main ; au-dessous de l'ancre, sur une bannière roulée, figuraient les mots : « Marie Rose. » « Son métier explique incontestablement la rudesse de la main. L'homme était également un ivrogne et un bagarreur, qui a mal fini. Il a été arrêté pour meurtre. J'ai assisté à son procès, escomptant la sentence. Ce qui explique ma présence sur les lieux. Après l'exécution, j'ai fait l'acquisition du corps et l'ai immédiatement remis à la salle de dissection. Le fluide d'embaumement, puis-je préciser, est un mélange d'huile de lavande, de nitre et de vermillon dénaturé. À cet égard, comme vous en avez la preuve sous les yeux, j'ai accompli des progrès considérables. » Pendant qu'il parlait, Victor passait nonchalamment les doigts sur les jointures de la main inanimée. « Aussi, je vous prie d'observer attentivement. »

Victor demanda au professeur de Saussure de tourner la roue du générateur électrique ; à nouveau, des étincelles produites par la roue qui tournait formèrent un pont spectral de luminescence bleutée traversant l'intérieur du globe de verre. Le silence tomba brusquement ; tous les yeux fixaient intensément le vestige ratatiné qui reposait dans une flaque de lumière jaune. Après plusieurs secondes, il y eut un léger mouvement du pouce, puis une saccade d'un autre doigt. La chair sur le dos de la main frémit ; brusquement, les doigts se déployèrent sur la surface de la table. Puis, refermant les doigts, la main parut essayer de se traîner en avant. Comme elle s'acharnait à trouver une prise sur la table, ses ongles cassés, décolorés, produisirent un horrible grattement sur le bois. Sortant un canif de sa poche, Victor piqua un doigt ; il tressaillit ; il avait incontestablement ressenti la blessure. De nouveau, Victor donna un coup à la main et, de nouveau, elle se rétracta, cette fois en relevant les doigts comme pour exprimer une menace. « Vous voyez les réactions instinctives, expliqua Victor en continuant à enfoncer la lame dans la main qui, à présent, portait plusieurs petites entailles dont s'écoulait un fluide pourpre. Manifestement, la main a conservé le souvenir de la douleur de toute une vie ; elle réagit à l'attaque et cherche à se protéger. »

Ayant pris une des bougies placées sur le pourtour de la table, Victor approcha la flamme d'un côté de la main sectionnée jusqu'à ce que la chaleur l'eût carbonisée ; comme si elle reconnaissait le danger du feu, la main fit de son mieux pour s'échapper. Mais comme une bête aveugle qui ne sait de quel côté trouver son salut, elle se précipita d'abord d'un côté, puis de l'autre, traînant derrière elle les fils emmêlés auxquels elle était attachée telle une queue brisée. Comme Victor brûlait la chose d'un côté et de l'autre, le spectacle devint pour moi insupportable. Détournant les yeux, je lui chuchotai à travers la table : « S'il te plaît, arrête ! »

Victor leva les yeux, surpris. « Allons, la preuve est faite, n'est-ce pas ? demanda-t-il. La partie reprend vie avec le souvenir du tout... au moins au niveau des réflexes primitifs. Une dernière démonstration. » Victor prit un petit bout de ficelle dans sa poche et le glissa sous la paume. La main recula sous la sensation, puis se referma sur la ficelle et la tint fermement. Victor la souleva de la table et la transporta dans sa boîte. Là, il débrancha les fils fixés au poignet ; la main lâcha la ficelle et glissa à nouveau dans le bain de conservation.

Le docteur Bertholon, membre de la faculté de médecine de l'Académie, fut le premier à prendre la parole :

« Bien entendu, docteur Frankenstein, vous ne prétendez pas que la main éprouve vraiment des sensations.

– Mais bien sûr que si, protesta Victor. Elle a été parfaitement préservée et est maintenant revitalisée par électrification.

– Je dirais que cela n'est rien de plus qu'une réaction musculaire passive, insista le docteur Bertholon. Le mouvement n'est pas signe de vie.

– Mais si ! insista Victor avec impatience. Elle vit. »

Le docteur Bertholon, affichant un scepticisme non déguisé, souleva une autre question.

« Si, comme vous le dites, la main est vivante, lui faut-il un apport de sang ?

– Avec le temps, certainement, répliqua Victor. Si l'on veut renouveler les tissus. Si l'organisme était entier, il se réapprovisionnerait en sang en mangeant et en digérant. C'est-à-dire à condition que les tissus aient été soigneusement préservés dans l'intervalle.

– Vous avez observé cela ?

– Assurément. Chez des animaux plus petits, comme des souris et une variété d'oiseaux. Après être sortis de l'embaumement et avoir été nourris, ils ont régénéré leur système circulatoire. L'organisme n'oublie pas sa capacité à fabriquer le sang.

– Vos découvertes sont tout à fait impressionnantes, convint le professeur de Saussure. Mais s'agissant de la vitalité du spécimen, comment pouvez-vous la connaître, Victor ? railla-t-il avec bienveillance. La main n'a pas de langue pour vous le dire.

– Certes, admit Victor. Mais la langue, quoique muette, est avec nous. »

Sur ces paroles, il retira le tissu qui couvrait le second objet voilé. Même à ce moment-là, ce qui me surprit le plus fut de constater à quel point j'étais peu troublée par ce que je voyais. Peut-être la vue de la main sectionnée avait-elle émoussé ma révulsion initiale en me préparant à de nouveaux développements encore plus macabres. Quoi qu'il en fût, je ne frémis nullement en voyant devant moi une tête humaine posée dans une cuvette remplie d'un liquide grisâtre qui entourait ce qu'il restait du cou. Elle était maintenue dans une position droite par une armature métallique qui enserrait le crâne rasé aux tempes et aux mâchoires. Au front, aux joues et à la base de la tête, des fils avaient été fixés qui passaient dans la cuvette puis conduisaient aux pyramides métalliques, sur le sol. Le visage n'était pas beau ; il était rude, le sourcil épais, de grosses bajoues et le nez plat. Cependant, avec les yeux fermés et les muscles faciaux au repos, il y avait une sorte de sérénité stoïque dans cet objet que je vis comme la contenance de quelqu'un ayant dépassé les affronts et indignités de cette vie. Ou peut-être le calme avec lequel j'accueillis cet horrible spectacle tenait-il à son air d'irréalité. Résultat du processus de l'embaumement, la chair du visage avait pris une translucidité bleutée qui lui prêtait l'apparence d'une effigie en porcelaine. J'espérais en effet qu'il s'agissait de quelque grotesque *objet d'art** plutôt que d'un vestige humain. Mais je n'allais pas tarder à être détrompée.

Trempant un tissu dans la cuvette qui contenait la tête, Victor se mit en devoir d'étaler le fluide terreux sur la face. C'était, nous dit-il, de l'alcali volatil, qui améliorerait la conductivité de la peau. « La main et la tête proviennent d'un même cadavre. J'ai eu la chance de pouvoir les prendre toutes les deux de même que d'autres parties restées intactes. » Puis, à nouveau, il se tourna vers son générateur électrique et commença à activer la manivelle. En quelques secondes, les paupières de l'homme mort frémirent, clignèrent brusquement et s'ouvrirent. Là, je ne fus pas seule à marquer de la surprise ; plusieurs autour de la table retinrent leur souffle, incrédules. « Professeur de Saussure, demanda Victor, auriez-vous la bonté de passer lentement la bougie juste devant les yeux ? »

Le professeur de Saussure fit comme on le lui demandait. Il fit aller et venir la flamme devant le visage impassible. À ce moment, pour la première fois, je sentis l'émotion m'envahir. Ce que j'éprouvais n'était pas du dégoût, mais un chagrin qui fit monter des sanglots à mes lèvres. Car jamais je n'avais vu chose plus pitoyable que les yeux qui se trouvaient à présent parfaitement révélés à la lueur de la bougie. Loin de paraître inexpressifs, ils avaient un air de détresse impuissante ; dans leurs orbites assombries, ils étaient plongés dans l'abîme du désespoir. Étais-je seule, me demandai-je, à voir ici de l'abattement ? Je ne pouvais me défaire de la conviction que c'était les yeux de quelqu'un qu'on avait arraché malgré lui à l'anéantissement des ténèbres et qui subissait à présent une forme hideuse de prise de conscience nébuleuse. Mais Victor ne s'intéressait nullement à des préoccupations de cette espèce ; au contraire, il ordonnait à chacun d'observer l'action des pupilles. Et, en effet, à la lueur de la bougie, on pouvait voir les iris se dilater et se contracter.

« Voyez-vous, expliqua Victor avec une légèreté croissante, les yeux réagissent à la lumière. Ils essaient d'accommoder. La réaction visuelle à la lumière est seulement le plus primitif des mécanismes ; elle se produit automatiquement. Toutefois, si l'on pouvait relier un cerveau en état de fonctionnement qui pût saisir les signaux sensoriels, ne serait-ce que le cerveau d'un animal inférieur... » Là, il s'interrompit dans son élan pour laisser échapper un soupir las de résignation. « Malheureusement, sur ce front des plus importants, je dois avouer que ma recherche est dans l'impasse. Les spécimens humains auxquels j'ai eu un accès *post mortem* immédiat étaient gravement endommagés. La pendaison, comme vous pouvez l'imaginer, détruit totalement les vertèbres cervicales. Le spécimen devant vous ne possède que les rudiments du tronc cérébral ; j'ai dû retirer le reste de peur que la décomposition ne se propage aux tissus adjacents. Avec les animaux, cependant, chez lesquels les organes peuvent être prélevés avant la mort, j'ai fait de grandes avancées en conservant le cerveau dans un état presque parfait. À présent, messieurs, observez ! »

Victor actionna un bouton à la base d'une roue et fit tourner son générateur encore plus vigoureusement. J'imaginai qu'il avait dirigé le courant vers un autre secteur de la tête, car à présent la chair des joues commençait à frémir comme sous l'effet de la douleur ; la mâchoire fonctionna, bougeant de gauche à droite ; et enfin, les lèvres se contractèrent et s'étirèrent pour dégager des dents jaunies et brisées plantées sur les gencives en arrière. Disparue, la placidité que présentait la tête auparavant. À la place il y avait une grimace bestiale ; on pouvait presque entendre le grognement censé accompagner la mine renfrognée. Pendant quelques secondes, comme Victor tournait la roue, les muscles du visage peinèrent et se tendirent, les yeux faisant saillie au point que l'on put craindre qu'ils ne jaillissent de leurs cavités. Ne désirant pas être à nouveau la seule voix qui s'élève pour protester, je détournai le regard jusqu'à ce que le grincement de la roue cessât. Quand je regardai à nouveau, le visage avait recouvré son état détendu du début. Victor tendait la main pour abaisser les paupières sur les yeux sans lumière, puis essuyait le front et les jours avec un chiffon. À nouveau, la tête était devenue un bibelot de porcelaine. Mais, en regardant plus attentivement quand les autres eurent tourné le dos, je fus certaine de voir une goutte d'humidité à la commissure inférieure d'une paupière, puis à l'autre. Les gouttes devinrent lourdes puis coulèrent sur les joues. Si ce n'était un reste de fluides, ce ne pouvait être que des larmes.

Sa démonstration achevée, Victor se tourna vers ses pairs pour connaître leur réaction. Le docteur Dupraz, un médecin genevois qui avait souvent soigné notre père, fut le premier à prendre la parole. « Je vous fais tous mes éloges pour votre maîtrise de la chimie de l'embaumement, Victor. Vous avez accompli un grand pas en avant dans la préservation des organes ; cela profitera assurément à nos recherches. Mais je crois franchement qu'il est prématuré d'interpréter les réflexes que nous avons observés comme des signes vitaux. Plus vraisemblablement, ce sont les mêmes contractions musculaires que l'on voit chez les grenouilles de Galvani, qui, comme nous le savons à présent, me semble-t-il, sont dues à la réactivation du fluide nerveux résiduel. » Il y eut un murmure d'approbation de tous côtés.

Victor n'était pas enchanté par ce jugement.

« Permettez-moi de ne pas partager ce point de vue. Ce que vous avez vu, ce sont davantage que des réflexes fortuits. Le mouvement de la main était visiblement causé par la douleur... et peut-être par la peur associée au feu.

– Comme vous dites : "peut-être", souligna le médecin. Mais comment savoir ? La douleur et la peur sont des sensations subjectives. En revanche, si la main était capable de nous écrire un message nous expliquant ce qu'elle ressent... »

La remarque était faite dans un esprit aimablement facétieux qui suscita un rire poli autour de la table.

Victor ne partagea pas cet amusement. « Malheureusement, il est probable que la main est aussi illettrée que l'homme qui la possédait naguère, railla-t-il. J'ai peut-être fait erreur en ne recherchant pas l'extrémité d'un spécimen mieux éduqué. »

Pressentant le déplaisir de Victor, le professeur de Saussure se hâta de mettre fin à la soirée. « Je crois que nous pouvons tous convenir que le travail de Victor apporte une contribution extraordinaire, commenta-t-il judicieusement, à notre étude en cours sur les fondements électriques de la vie. Il reste beaucoup à faire ; mais nous avons assisté ce soir à un début remarquable. »

Ses paroles furent applaudies ; cependant, j'étais sûre d'avoir détecté des signes de doute et de gêne dans la salle, bien que tous eussent assisté à la démonstration en brûlant de curiosité, moi-même autant que les autres. Moi aussi, j'avais assisté au spectacle comme ligotée sur mon fauteuil. La passion avec laquelle Victor présentait son travail m'avait emportée tel un flot impétueux. J'étais si charmée par la force de sa conviction que j'avais refoulé mon malaise. J'avoue aussi avoir cédé à la simple lâcheté : je ne voulais pas que la seule femme présente fût aussi la seule personne à manifester sa détresse. Cependant, maintenant que la démonstration était terminée, je réfléchissais de façon plus critique à ce que j'avais vu. Devant moi étaient posées la tête et la main d'un malheureux qui aurait dû se voir accorder le repos. Cependant, là gisaient ces parties de lui, utilisées pour prouver une théorie dans laquelle je n'aurais su voir rien de bon. Aussi irrationnel que ce fût, je me sentis honteuse d'avoir vu un homme aussi maltraité.

« Mais quelle utilité à cela ? » demandai-je soudainement. Les mots s'échappèrent de ma bouche avant que je les eusse pensés. Je n'avais nullement le désir d'amoindrir les louanges adressées à Victor, mais la question jaillit de moi de façon impulsive, exprimant spontanément ma perplexité. En explosant, j'avais interrompu un des hommes qui, avec une courtoisie exagérée, encourageait à présent Victor à « répondre à la question de notre charmante hôtesse ».

« Cette démonstration n'a aucune valeur à vos yeux ? s'inquiéta sincèrement Victor à mon endroit.

On sentait à sa voix qu'il était blessé.

« Quelle valeur peut-il y avoir dans une réalisation aussi macabre ?

– Et si mon travail – si répugnant qu'il puisse, malheureusement, paraître – rend possible le remplacement d'une main endommagée ou d'un œil rendu aveugle ? Et s'il rend possible la création de mains et d'yeux meilleurs que ceux que l'homme ait jamais connus ? Avec le temps, nous serons capables de créer une nouvelle espèce. Nous renouvellerons la vie alors que la mort voue aujourd'hui le corps à la corruption. »

La sincérité de Victor était évidente ; elle illuminait presque son visage et sa voix. Sa profession de foi me prit totalement au dépourvu.

« Vous croyez que cela sera ?

– J'en suis certain. Mon travail n'est pas une curiosité d'oisif... ni, au nom du ciel ! une distraction morbide. Il sera certainement du plus grand profit. »

J'attendis de voir si quelqu'un soutenait mon objection, mais nul ne le fit. J'avais parlé inconsidérément, permettant à ma trop grande sensiblerie de prendre le pas sur mon jugement. « Eh bien alors, balbutiai-je, si tel est le cas... » Aussitôt, je sentis tous les regards se tourner dans ma direction ; une vague de condescendance étouffantc m'entoura. Il m'apparut que je n'avais pas ma place en pareille compagnie. M'excusant à la hâte, je pris congé et me réfugiai dans ma chambre. Les paroles qui me suivirent à travers la porte étaient des expressions de gratitude pour la séance que j'avais organisée ;

mais j'avais perçu une note de soulagement dans leurs voix quand ils avaient appris que je me retirais.

En regardant de ma chambre dans la cour, je voyais le salon brillamment éclairé en contrebas, où Victor et ses invités – les hommes qu'il était fier d'appeler ses pairs – continuaient de parler. Peut-être que cela les autorisait à s'exprimer plus franchement à présent que la seule femme de l'assemblée les avait quittés. Mon esprit tourbillonnait sous l'effet du dégoût et de l'embarras. Victor avait-il vraiment découvert le secret de la vie ? me demandais-je. Certes, je n'étais pas incapable de mesurer un exploit aussi imposant. Néanmoins, je ne pouvais nier que cela me glaçait le sang de penser que ces parties sectionnées d'un homme mort pouvaient véritablement vivre et sentir et se souvenir ; mais n'autorisais-je pas la répugnance d'un cœur faible à obscurcir ma raison ? Après tout, qu'avait fait Victor si ce n'est préserver les restes physiques d'un pauvre hère – un criminel qui n'avait fait aucun bien autour de lui – afin de les étudier pour le bien des autres ? Je me demandai alors si, peut-être, je n'avais pas simplement parlé par dépit, comme une femme animée par la rancune.

Comme je me tenais à ma fenêtre, mes doigts retracèrent sans le vouloir le motif qui était taillé dans les volets de chêne. Je me tournai pour regarder le panneau sur lequel ma main était posée. Il portait le dessin de Tristan agonisant dans les bras de la reine Iseult. Avais-je oublié celui, qui, le premier, m'avait raconté ce récit et éveillé mon âme aux grandes histoires d'amour ?

Deux heures plus tard, la *soirée** de Victor s'acheva ; nos invités étaient partis ou s'étaient retirés dans leurs chambres. Belrive plongea dans le silence.

J'avais pour habitude, quand la nuit était claire, de me promener au jardin avant de me retirer. Mon propos était de rechercher les étoiles et de me souvenir ainsi de l'époque que j'avais passée dans les bois ; cette époque magique, extravagante, où j'avais perdu ma route et m'étais retrouvée. Dans cette région sauvage, quand « le jour eut dissipé ses feux ardents[11] », ma dernière vision avant de m'endormir était celle de ces étoiles au-dessus de moi. Elles étaient devenues mes compagnes... Cassiopée et Céphée, et les sept filles patientes d'Atlas. Elles scintillaient à présent dans le ciel limpide et sans nuages, dessins d'une lumière impérieuse, et Vénus, la plus brillante de toutes, telle une perle incandescente au-dessus du Jura. Cette nuit entre toutes les nuits, je souhaitais me tenir sous ces astres de feu froid et me rappeler comment j'avais affirmé mon indépendance. Mais ce soir, elles me rapportaient un autre souvenir qui était aussi doux qu'amer. C'était Victor qui m'avait enseigné les noms des étoiles quand j'étais arrivée, petite fille, au château ; et quand il m'eut appris tout ce qu'on peut apprendre à l'œil nu, il m'avait conduite au grand télescope de notre père pour que je voie les cieux plus distants, nouvellement découverts. Il m'avait montré les anneaux de Saturne, obsédants, et la double étoile d'Aldébaran, d'une splendeur telle que je n'aurais pu l'imaginer. Et il m'avait communiqué son émerveillement et sa passion. Combien j'avais admiré sa ferveur intellectuelle et souhaité lui ressembler ! Son esprit autant que sa figure avenante étaient devenus pour l'enfant que j'étais la norme de la beauté masculine ; j'étais tombée amoureuse de lui avant de savoir comment appeler cette émotion. Bien qu'il ne cherchât peut-être qu'à se faire valoir devant sa nouvelle sœur, tout ce qu'il me dit demeura inscrit en moi aussi vivement que si ses paroles avaient été prononcées la veille. Il m'avait fait don des étoiles, le seul don qui me restât quand il m'eut retiré tout le reste.

Maintenant qu'il était à nouveau sous ce toit, je me retrouvais à méditer sur le cours stupide de ma vie. Nulle femme n'avait plus de raisons de haïr un homme

11. *Jane Eyre*, de Charlotte Brontë, chapitre 23. *(N.d.T.)*

que moi de haïr Victor. Ce n'est qu'en le haïssant que je pouvais me respecter telle que je voulais être : libre, fière et honorable. Mais le haïr m'était aussi impossible que de tuer mon cœur et rester en vie. « Chacun de nous est la moitié d'un être complet, avait dit notre mère. Ce que nous appelons "amour" n'est autre que notre désir ardent de trouver notre achèvement en un autre. »

J'avais marché jusqu'au bas du verger noyé d'ombre, où les ténèbres se faisaient plus épaisses. Un souffle de vent parcourut le sentier des lauriers et fit frémir la longue allée de hêtres qui bordait le fond du jardin. J'entendis un rossignol chanter au loin, seule voix à cette heure nocturne. Je m'arrêtai pour écouter... puis, tout à coup, Victor fut auprès de moi ; il avait traversé à pas furtifs la pelouse pour que je n'entende pas ses pas sur le sentier. Au son de sa voix, un frisson de joie me parcourut le sang. *Il est là !* disait mon cœur. *Le seul homme que tu aimeras jamais se tient à tes côtés.*

« Sais-tu encore nommer ces étoiles ? » me demanda-t-il. Sa voix avait perdu son accent énergique et était devenue douce.

J'avais fort envie de m'enfuir, mais je n'en fis rien. Moi qui avais défié le lynx du regard, je n'allais pas prendre la fuite devant mon amant infidèle. Je restai sur place et répondis :

« Je me les rappelle comme au premier jour... chacune.

– Là, les trois étoiles juste au-dessus des montagnes... ?

– Le baudrier d'Orion, le puissant chasseur.

– Et la rouge, là-bas, près de son épaule droite ?

– Bételgeuse, dont les Arabes disent qu'elle est l'œil d'un esprit mauvais.

– Et là, juste au-dessus ?

– Andromède, enchaînée au rocher comme sacrifice au monstre.

– Et là-bas, l'étoile orange vif ?

– Aldébaran de la constellation du Taureau. Pas une étoile, mais deux.

– Et te souviens-tu pourquoi ces étoiles doubles sont importantes ?

– Parce que leur masse peut être calculée avec exactitude par la loi de Newton. C'est l'importance qu'un homme de science leur verra.

– Y a-t-il quelque autre importance ?

– Seulement que les binaires sont destinées à rester des compagnes de toute éternité... tels des amants contraints de poursuivre à jamais leur rotation en obéissant à la gravitation l'un de l'autre. Aldébaran, je crois, signifie "le suiveur". Aimer est une façon de suivre, ne crois-tu pas ? Un désir d'être avec. Mais aucun des binaires ne conduit. Les deux suivent.

– Comme cela te ressemble de trouver de la poésie dans le calcul des masses.

– Il m'a été enseigné que le monde fourmille de symboles plus profonds que la science de l'homme ne le soupçonne, des messages que seul notre cœur peut déchiffrer. »

Sans quitter les étoiles des yeux, il continua à parler pendant qu'il scrutait le firmament. Son profil se découpait sombrement sur le ciel ; le front haut et fier, et la mâchoire sculptée, surmontés d'un halo de cheveux indisciplinés, embrasés. Il était, me disais-je, plus beau que jamais.

« Souvent j'ai voulu t'écrire, dit-il.

– Mais tu l'as fait. Dans les lettres à notre père.

– Je veux dire à toi directement.

– Et je le dis à nouveau : tu l'as fait... dans les lettres à notre père. Chaque mot de celles-ci ne m'est-il pas destiné ? Je le suppose quand je les lis. Je les ai toutes lues, Victor. Je connais tous tes triomphes.

– Allons donc ! Je ne suis qu'un novice. Je n'ai connu aucun triomphe, pas encore.

– La modestie ne te sied pas. Elle sonne faux. Tu seras un grand homme un jour. Ton nom sera inscrit à côté de celui de Newton. J'espère le voir quand cela se produira.

– Mais tu n'as pas dit ce que tu pensais de ma démonstration de ce soir.

– T'importe-t-il de le savoir ?

– Ton opinion m'importe plus, Elizabeth, que celle de chacun des hommes rassemblés dans la pièce... fût-ce celle de De Saussure.

– Pourquoi cela serait-il ? Je ne suis pas de tes pairs.

– Je feins une certaine arrogance, je sais cela. Je trouve que cela m'aide à concentrer mes esprits de me conduire comme si je n'avais cure de l'opinion d'autrui hormis celle de mes pairs – et peut-être pas même de la leur. Mais je sais que je devrai finalement être jugé pour ce que je fais dans un monde plus vaste que celui des professeurs et des docteurs. Tu es ce que ce monde-là a de meilleur. Je voudrais savoir ce que tu penses.

– J'aurai la franchise de te dire que j'ai trouvé ta démonstration répugnante.

– Et néanmoins, tu es restée pour la voir jusqu'au bout... et, si je ne me trompe, avec autant de curiosité que quiconque se trouvant dans la pièce.

– Oui, je reconnais avoir éprouvé de la curiosité. Je désirais savoir ce qui avait occupé ton attention avec autant de force à Ingolstadt. Je vois que tu cherches toujours à créer une race d'hommes heureux et excellents.

– Combien cela paraît prétentieux !

– Ce sont tes propres paroles.

– Vraiment ? Je me laissais si facilement emporter... quand j'étais enfant.

– Il en est de même dans tes lettres. Ton ambition n'est pas moindre. Mais elle est à présent rendue plus forte par le savoir. Je prie pour que tu utilises ce pouvoir à bon escient.

– Pour le moment, je n'ai guère que le pouvoir de pratiquer les futiles tours de salon que tu as vus. Lesquels, comme je l'ai appris ce soir, sont sans effet pour convaincre le sceptique. Tu as vu leur condescendance. Ils me considèrent comme à peine plus qu'un étudiant. »

Un certain temps passa avant que nous reprenions la parole. Dans l'intervalle, j'éprouvai un vertige grandissant car c'était une épreuve pour moi de me tenir en sa présence, de lutter pour trouver le courage de vaincre mes sentiments et de livrer le fond de mon âme. Au cœur du silence, je pouvais sentir la progression des étoiles mouvantes tandis que la roue de la nuit tournait vers le matin. Savait-il la véhémence de l'émotion que le chagrin et l'amour agitaient en moi, cet homme qui m'avait appris une grande partie de ce que je savais du chagrin et tout ce que je connaissais de l'amour ?

« Il y a des questions dont nous devrions parler, dit-il enfin.

– Parler ? Combien de temps y a-t-il pour parler la nuit qui précède ton départ pour aller je ne sais où, pour faire je ne sais quoi ?

– Tu n'as nul besoin de t'intéresser à cela.

– Oh, Victor ! Tout ce que tu fais, que tu ressens et que tu rêves, tout ce que tu souffres et ce qui t'apporte de la joie... tout m'intéresse. »

Et il y avait ces mots qui se pressaient pour être dits, tout près d'être prononcés : *Qu'y a-t-il dans ma vie en dehors de toi* ? Mais, me mordant la langue, je les retins et dis : « Nous avons besoin du reste de notre vie pour parler et non de ces quelques heures misérables qui restent une fois que tu auras quémandé de l'argent auprès de notre père. Il nous resterait à peine le temps de feindre le remords et de prétendre le pardon.

– Je n'avais nulle idée de remords.

– Dans ce cas, peut-être le remords est-il mien, et c'est à toi qu'il appartient de m'accorder le pardon. Je m'inquiète souvent d'avoir perturbé le cours de ta vie et de t'avoir accablé de dépit. Je pense que beaucoup de ce que tu as fait est destiné à te venger de moi.

– Je serai de retour dans quelques mois... j'espère. Ce que je dois faire se sera alors révélé un échec ou un succès. Alors tu sauras tout. Je te le promets. Attendras-tu jusque-là ?

– Ai-je le choix ? Où irais-je, moi, une célibataire ? Irais-je chercher fortune ? Que puis-je faire d'autre que d'attendre là où un toit m'est pourvu ? Je suis la fille de mon père ou la femme de mon époux. Ou peut-être irai-je vivre dans les bois et m'étendre avec les bêtes sauvages ? Peux-tu imaginer pareille folie ? Pardonne-moi ; tu vas penser que je m'apitoie sur mon sort.

– Tu as lieu de t'apitoyer sur ton sort et d'exprimer de la colère.

– Certes. Mais croiras-tu que j'ai dépassé cela ? Tu me ferais un grand honneur si tu prêtais l'oreille pour entendre ce que j'ai de fort et heureux en moi. Je ne vis pas, je ne vis plus dans l'attente du sacrifice.

– Je m'en aperçois. Tu es ton propre maître, Elizabeth. »

Il tendit la main pour me toucher le bras ; je reculai d'un pas, hors d'atteinte.

« Alors laisse-moi dans cette certitude. Et reviens quand tu seras prêt à me rencontrer comme si c'était la première fois, non plus comme une sœur ni une amante ni une amie perdue depuis longtemps, mais comme une étrangère que tu devras prétendre ne pas connaître. Ne présume de rien. Alors nous parlerons durant plusieurs jours et plusieurs nuits. » Je m'éloignai après une dernière demande. « Attends ici. Laisse-moi regagner seule la maison. »

Il y consentit. Je passai devant lui en détournant le visage, craignant que malgré les ténèbres, il ne remarquât mon regard ébloui. Je parcourus à la hâte le sentier bordé de lauriers en espérant que les larmes attendraient que j'aie regagné le château. Une grâce infime : le vent se leva et, faisant bruisser les hêtres, recouvrit les sanglots que je ne voulais pas qu'il entendît. Car s'il les avait entendus, il n'aurait jamais su que c'étaient des larmes non pas de désolation mais de fierté et de triomphe. Je lui avais montré mon indépendance !

Le lendemain matin, j'attendis d'avoir entendu le départ de la chaise de poste avant de quitter ma chambre.

Il avait dit « deux mois ». Mais deux années devaient s'écouler pendant lesquelles les comptes rendus de Victor devinrent de plus en plus obscurs et succincts, parfois seulement quelques lignes rapidement griffonnées, dans lesquelles il présentait une nouvelle fois ses excuses pour son absence prolongée. Puis, durant les derniers six mois de cette période – le printemps et l'été mouvementés de 1792 –, nous ne reçûmes pas même une lettre. Nous supposâmes que cela devait être parce que le monde tournait à l'envers.

NOTE DE L'ÉDITEUR

Concernant les recherches de Victor Frankenstein

Nombre de lecteurs de mon récit initial ont exprimé de la perplexité et de la consternation à propos de la promptitude avec laquelle je passe sur le détail des recherches de Frankenstein. Des questions furent soulevées, en particulier sur la hâte avec laquelle j'expédie la formation de la créature. Ce manque de détails a conduit certains à considérer mon récit comme une invention évidente. Je suis prêt à présent à réparer cette faille, qui était due, je le confesse, à une censure délibérée de ma part. Frankenstein m'apporta bien davantage de renseignements sur ses travaux scientifiques ; cependant, je décidai de limiter *grosso modo* mon compte rendu aux caractéristiques générales de son récit. Ma justification pour cette décision est facile à formuler ; elle tient à un mélange de scepticisme et d'horreur morale.

Le lecteur doit comprendre qu'à l'époque où je notai les paroles de Frankenstein, celui-ci était fréquemment saisi de crises de désespoir et de récriminations contre lui-même ; il était par moments presque fou de remords quand il passait en revue les événements effroyables de sa vie. Je ne pouvais aisément distinguer où s'arrêtait le souvenir lucide et où commençait l'illusion ; le mémoire d'Elizabeth Frankenstein rend cette frontière beaucoup plus facile à établir. Elle assista à la seule circonstance publique durant laquelle Frankenstein discuta ouvertement de ses recherches ; son récit confirme les remarques qui me furent faites par l'homme lui-même au cours de ses réminiscences sur son lit de mort. C'est pourquoi je suis persuadé de faire taire tous les doutes. Voici donc dans leur intégralité les notes telles que je les recueillies des lèvres de Frankenstein.

Ce fut peu après sa visite à Belrive évoquée ci-dessus que Frankenstein installa son laboratoire dans les environs boisés d'Ingolstadt. L'endroit, « un atelier de création abominable », comme il le décrivit, était une tour de guet abandonnée ; à proximité coulait un ruisseau et, sur la berge, un moulin fournissait la force mécanique que ses labeurs réclamaient parfois. À une distance commode de l'université et de l'hôpital, il trouva l'isolement que ses recherches exigeaient. C'est donc là qu'il se mit à l'œuvre pour forcer les terribles secrets du corps humain.

« Comme je travaillais durement à ma tâche ! se souvenait-il. Il semblait que mon âme et mes sensations eussent entièrement disparu hormis cette seule poursuite. Dans mon exubérance, je me jurais de rendre ma création aussi joliment ouvrée que les exquises anatomies de Michel-Ange, dont la représentation d'Adam s'éveillant à la vie était le modèle que j'avais placé sur ma table. J'étais davantage un artiste qu'un savant tandis que je modelais la chair sur l'os et plongeais dans l'entrelacs de fibres, de veines et de muscles. Je fus si promptement emporté par la perspective du succès que je fus totalement aveugle aux défauts de mon œuvre. Dans la fièvre grisante de mon labeur, j'étais convaincu qu'avec le temps, je pourrais tirer parti de chaque revers et conduire le tout à une splendide conclusion : un être supérieur à toute créature née du ventre de la femme. »

Mais aussi remarquable qu'eût été le succès de Frankenstein pour préserver et revitaliser les vestiges anatomiques qu'il avait récoltés sur ses spécimens, il fut bientôt confronté à un obstacle tenace.

« Le cerveau était le plus grand problème, déclara-t-il. Je ne trouvais pas comment préserver ce fragile organe suffisamment longtemps pour le ramener à l'état de conscience à l'intérieur d'un nouveau corps. Comme vous pouvez le comprendre, Walton, je n'avais aucun moyen de prouver que j'avais réalisé la réanimation – et assurément aucun moyen de démontrer que j'avais rendu la sensation à un spécimen humain – à moins que les stimuli nerveux ne puissent passer par un cerveau vivant et être signalés par le spécimen en personne. Toute autre chose risquait d'être écartée comme une forme de réflexe musculaire *post mortem*.

« Aucun scrupule ne me freinait, que ce fût torturer un animal vivant ou insuffler la vie à la glèbe inanimée. Par conséquent, mes expériences au-dessous du niveau humain apportèrent des fruits prompts et encourageants ; je fus en mesure d'affirmer de façon probante que le cerveau d'un spécimen encore vivant d'un ordre aussi élevé que celui du chat pouvait être prélevé et préservé de telle façon qu'il recouvrerait sa fonction dès qu'il serait greffé sur un nouveau système nerveux. Mais de quelle façon cela serait-il démontré sur un sujet humain ? Même quand je prenais mes dispositions pour être de service au moment de la mort, il n'y avait nulle chance de retirer le cerveau avant que le défunt eût fait l'objet des rites funéraires habituels ; le temps que ceux-ci fussent achevés et les formalités nécessaires pour obtenir le corps accomplies – si tant est que l'autorisation vous fût en définitive accordée –, les tissus cérébraux avaient commencé leur décomposition. Par conséquent, je me tournais vers la morgue de la prison, où je pouvais être sur place quand une exécution était prévue. Mais la corde du bourreau causait invariablement à ces spécimens des dommages cérébraux que mes recherches ne pouvaient tolérer. Je vous avouerai que, plus d'une fois, dans mon impatience, je fus fortement tenté de franchir la barrière qui interdit la vivisection humaine. Imaginez que je tombe sur quelqu'un atteint d'une maladie incurable et dans le coma sur son lit de mort... la conscience me permettrait-elle de faire ce que le hasard rendait possible ?

« Enfin, par un tour de fortune, je trouvai un autre moyen.

« Il arrivait parfois que, parmi les cadavres qui étaient livrés à l'école de médecine en provenance du gibet ou de l'hospice, on découvrît une femme enceinte. Dans un cas où le corps de la femme arriva à toute allure, je trouvai l'embryon, en son cinquième mois de gestation, encore viable. Je le prélevai et le gardai en vie assez longtemps pour en extraire le cerveau. Malheureusement, je ne pus préserver les tissus plus que quelques jours avant que la décomposition fît son œuvre. Néanmoins, j'avais trouvé un moyen. Je me renseignai aussitôt auprès des matrones de la ville, demandant à être informé si l'une d'elles était mandée pour procéder à l'avortement d'un fœtus bien avancé. À ma surprise, plusieurs des femmes que j'approchai accueillirent ma proposition avec de sérieux soupçons et une horreur certaine ; elles refusèrent d'accéder à ma demande tant que je ne leur eus pas expliqué quelles étaient mes intentions. Ce qui m'obligea à avancer avec prudence. Ces harpies me prenaient pour un être dépravé ! Si une rumeur en ce sens se répandait au-dehors, je risquais d'être accusé de magie noire. C'est seulement lorsque je consentis à verser une coquette somme que je parvins à surmonter les scrupules d'au moins quelques-unes d'entre elles. Au cours du mois qui suivit, je fus averti qu'une des femmes dont la grossesse venait d'entrer dans son troisième terme allait au-devant d'une fausse couche. J'accompagnai la sage-femme et attendis dans l'allée jusqu'à ce que l'acte fût achevé ; le fœtus fut entre mes mains quelques minutes après sa délivrance. Je ne perdis pas de temps avant d'entreprendre la dissection ; elle fut faite dans la voiture même qui m'avait transporté sur place. Le cerveau fut aussitôt embaumé et préservé pendant trois semaines avant de montrer les premiers signes de décomposition.

« Entre-temps, je m'étais procuré par la même voie un autre spécimen – puis un autre, et pus ainsi accélérer mes travaux. À chaque occasion, je réussis à prolonger la durée de survie jusqu'à ce que, après un grand nombre de revers et d'échecs, je découvrisse une façon d'utiliser les propres eaux utérines de la mère en même temps que certains nutriments chimiques pour alimenter artificiellement le cerveau isolé, de sorte que son développement pût reprendre jusqu'au terme de la grossesse. Ou plutôt davantage ! Cette même technique, si elle était complétée par un bain subtil du cerveau dans une charge électrique ambiante, me permettait d'accélérer la croissance de l'organe jusqu'à ce qu'il correspondît en poids et complexité à la troisième année de développement post-natal.

« Voyez-vous la signification de cela, mon ami ? J'avais établi au-delà de toute contestation que le cerveau, le siège de notre intelligence divine, si on pouvait un jour le libérer de l'enveloppe crânienne, se développerait plus rapidement. J'avais vu cet organe des plus miraculeux s'épanouir sous mes yeux, sans trace des plissements et froncements que l'emprisonnement dans la boîte crânienne lui impose. Walton, c'était presque comme si la chose voulait être libérée de l'enfermement physique auquel le corps humain la condamne. Là se trouve peut-être la racine de l'antique conviction de l'homme que le corps et l'esprit sont des substances irréductibles. Et là résidait peut-être la solution à cette énigme métaphysique apparemment insoluble. J'avais conduit les tissus de l'intellect au bord du discours et du principe logique, les conservant intacts, dépourvus de vaines fantaisies et de puériles idées fausses... dépourvus aussi de toute distorsion que la gestation et la naissance auraient pu entraîner. Avais-je donc devant moi la véritable *tabula rasa* du philosophe : un esprit vierge attendant d'être formé de façon rationnelle et parfaitement éduqué – prêt à développer peut-être de nouvelles capacités inimaginables ? Vous comprenez pourquoi j'étais si tenté de croire que mon destin était de produire une nouvelle espèce qui me bénirait comme son créateur et sa source. »

Il avait narré ses découvertes avec une exubérance croissante, revivant l'excitation de l'aventure première. Mais brusquement, il se tut. Je levai les yeux et alors seulement, je compris avec quelle violence l'expression de mon visage devait trahir les doutes que j'éprouvais. Cependant, pour dire la vérité, la fascination qui soustendait mon aversion était tout aussi grande que la sienne. Se pouvait-il, me demandais-je, que le malheureux qui agonisait dans ma cabine eût en effet maîtrisé les secrets de la vie et de la mort ? Était-ce par un assaut si rude contre le caractère sacré de la vie humaine qu'il avait accompli cette découverte étonnante ? Ce récit était aussi fantastique qu'il était grotesque ; mais il y avait une ardeur dans sa voix qui prêtait à tout ce qu'il disait la force irrésistible de la vérité.

« Ah, Walton, je vois la répugnance gravée sur vos traits, soupira mon compagnon avec un désappointement sincère. Vous n'êtes toujours pas suffisamment un homme de science pour considérer mes efforts d'un œil froid. Ou peut-être ne suis-je plus suffisamment humain pour considérer mon geste avec toute l'horreur qu'il mérite. Vous avez raison de vous défier de moi. Comment puis-je espérer que vous fermiez les yeux sur les extrêmes auxquels je fus conduit par l'enthousiasme de mon premier succès ? J'avoue que, dans mes rares moments de lucidité morale, je reculai moi-même devant l'horreur des actes que j'avais commis. Il y eut certaines fois où j'eus l'impression d'être un druide sommé de sacrifier à un dieu cruel les nouveau-nés de la tribu. Je vous supplie de croire cela à tout le moins : je ne suis pas allé au-delà de l'utilisation de fœtus avortés, la vie qui n'avait aucune chance de survie, qui n'avait pas poussé un souffle en dehors du corps maternel. Je ne suis pas un meurtrier, mon ami ! Je vous jure que je n'ai fait que récupérer pour des expériences utiles ce qui sinon serait resté infructueux avant d'aller aux ordures. De cette façon seulement, il me fut possible de nourrir l'organe de la Raison jusqu'à une existence indépendante. »

Tels sont donc les aveux complets de Frankenstein ; voilà comment sa création contre nature reçut une vie intelligente. Tout ce qui manque à ce récit, c'est la formulation exacte de ces substances chimiques qui ont préservé et nourri si parfaitement les organes isolés ayant composé le corps de la créature. Cela aussi, Frankenstein promit de me le communiquer, car je le pressai avec insistance pour qu'il révélât les plus infimes détails de sa découverte. Mais avant que cela pût se faire, il avait rendu l'âme.

Je manquerais de franchise si je ne reconnaissais pas que, malgré le malaise que les paroles de Frankenstein suscitaient en moi, il y eut aussi, durant de nombreuses années après notre rencontre, une étincelle de jalousie enfouie en moi. Si je pouvais un jour m'autoriser à croire que son récit était véridique, je devrais accepter que cet homme avait plongé le regard dans les profondeurs les plus ténébreuses de l'inconnu ; qu'il avait dévoilé le mystère des mystères. Le projet qui m'avait conduit dans les solitudes glacées de l'Arctique – en fait, chacune des missions que je m'assignais pour juger de ma valeur – pâlissait comparé à cet exploit. Et si un but aussi intrépide devait se présenter un jour à mon imagination, aurais-je jamais le courage de faire ce qu'il avait fait ?

Le temps a émoussé l'admiration secrète que je nourrissais jadis à l'endroit de Frankenstein, remplaçant celle-ci, j'espère, par un jugement plus mesuré. Cependant, à ce jour, je me sens encore déchiré par des émotions contradictoires quand je me retourne sur ces années, sans savoir vraiment lesquelles témoignent du véritable savant en moi. Était-ce la jalousie que je nourrissais jadis pour l'audace de Frankenstein, ou bien la honte que j'éprouve à présent de m'être un jour abaissé à ce sentiment ?

Nuits agitées, rêves troublants

Cet été-là, la Révolution arriva à Genève.

Les Suisses, le plus réaliste des peuples, savaient, depuis que les troubles avaient commencé en France, que même nos montagnes à la frontière ne nous défendraient pas longtemps contre la tempête politique qui menaçait d'engloutir l'Europe. Tous savaient que c'était seulement une question de temps avant que la fureur qui s'était déchaînée contre l'*ancien régime** ne se répandît par-delà nos frontières, apportant le sang et la dévastation. Dès que la Bastille fut tombée, les *émigrés** révolutionnaires suisses confortablement installés à Paris commencèrent à comploter leur retour d'exil dans un esprit de vengeance. Le jour venu, la maison Frankenstein serait particulièrement exposée, car la logique absurde des événements faisait de nous les ennemis des deux parties dans cette lutte titanesque. Malgré sa fortune et sa position, le baron était connu depuis longtemps comme un champion de la doctrine libérale en Europe. Le rôle qu'il avait joué dans le soutien à la révolte des colonies américaines et aux Girondins en France était de notoriété publique. Si nobles que fussent ses intentions – et le siècle de la Raison n'avait pas produit de fils plus dévoué que lui –, son dévouement au parti de l'Humanité lui avait valu la haine de ses pairs aristocrates plongés dans l'ignorance. Incapable de faire la différence entre un républicain constitutionnel et un régicide convaincu, l'oligarchie suisse, effrayée et vindicative, l'accusa publiquement d'être un traître à sa classe. Quelle ironie de voir que, tandis que la Révolution partait de plus en plus à la dérive sous l'influence de ses éléments les plus radicaux, les forces mêmes de la liberté que notre père avait encouragées se retournaient à présent contre leur bienfaiteur comme s'il ne valait guère mieux qu'un autre aristocrate, objet de leur vindicte. En conséquence, il devint autant une cible pour les agitateurs fanatiques que pour les partisans de la réaction les plus zélés.

Mon admiration pour mon père ne fut jamais plus grande qu'en cette heure critique, où il se comporta si vaillamment, bravant ses ennemis des deux camps. Cependant, il avait eu la prudence de prendre quelques précautions. À partir de l'été 1792, tandis que la France sombrait dans le chaos, nous vivions avec une voiture et un train de mulets chargés et prêts à partir de chaque extrémité du domaine. La famille pouvait fuir instantanément au nord et à l'est en direction des États allemands et au sud, vers le Piémont. Une garde privée fut levée parmi les serviteurs et les journaliers, et formée à la hâte au maniement du mousquet et de la pique ; ils auraient pu difficilement assurer une vraie défense contre les bandes indisciplinées qui vagabondaient sur les routes, mais ils pourraient au moins permettre aux voitures de prendre la fuite.

En octobre, l'événement que nous redoutions plus que tout eut lieu. Nous apprîmes que les forces du général Montesquiou marchaient sur Genève. Rousseau y ayant vu le jour, la ville était considérée comme un berceau de la Révolution. Inspirés par l'approche des troupes françaises, des démagogues qui aimaient à s'appeler « patriotes » – disciples des effroyables Robespierre et Saint-Just – se dressèrent pour renverser le gouvernement de la ville et lancer une offensive en règle contre la propriété et les privilèges. Pendant des semaines, nous vécûmes dans la crainte d'une attaque de la part des radicaux, dont nous pouvions voir la nuit les feux de joie sur la grand-route et sur les places des villages de tous côtés. Chaque nuit, des bandes d'incendiaires étaient dépêchées à travers le canton de Vaud pour piller les demeures des riches et pendre leurs habitants ; mais avant que ces sauvages aient pu tourner leur attention vers Collonge et Belrive, un tremblement de terre se produisit. L'on apprit que le roi Louis avait été guillotiné. À présent, la terreur régnait sur Paris en se donnant le nom de République de la Vertu. Avec les Jacobins aux commandes, une France devenue folle fut bientôt attaquée sur tous les fronts par les forces de l'Europe civilisée ; la guerre allait se généraliser. L'armée de Montesquiou fut rappelée dans ses foyers et l'invasion de Genève abandonnée. Sur ce, la Révolution s'arrêta net en Suisse.

Je n'eus guère de mal à croire mon père quand il me dit que jamais encore dans les affaires humaines il n'y avait eu une telle époque de bouleversements. Le monde tremblait sur ses fondations ; aucun excès grotesque ne semblait inconcevable. Ce siècle, qui avait été salué par Newton et Locke comme l'aurore de la Raison, se retrouvait, au moment de son déclin, à l'ombre de l'échafaud.

C'est au milieu de ce tumulte que Victor rentra d'Ingolstadt.

Je m'étais préparée à l'accueillir avec la même indépendance farouche que j'avais témoignée lors de son départ deux ans plus tôt. Mais cette résolution fondit dès qu'il sortit du cabriolet. Je remarquai aussitôt en lui quelque chose de désespéré. Car ce n'était pas le Victor auquel j'avais dit si froidement adieu. Devant moi se tenait un être brisé, maigre, tremblant, au teint cireux, si visiblement accablé par le malheur qu'il semblait indifférent à toute autre infortune qui pourrait encore le frapper. Je fus stupéfiée par la pitié qui fit déborder spontanément mon cœur quand je vis la douleur inscrite sur toute sa personne. Où était passée la défiance qui était récemment mon seul sentiment à son égard ? Elle s'était envolée. Je ne voyais plus Victor comme un vil séducteur au cœur insensible ; non, je le voyais à présent comme l'épave pitoyable de toute l'exubérance enfantine que j'avais jadis aimée et admirée en lui. Je ne pus m'empêcher de penser qu'à l'instar de l'idéal révolutionnaire devenu monstrueux partout alentour, le feu prométhéen qui avait brûlé dans l'esprit de Victor s'était réduit en cendres. Et à vrai dire, bien que je ne le susse pas à l'époque, une autre sorte de terreur courait de par le monde, infiniment pire que le destin vers lequel les tombereaux conduisaient leurs victimes à travers les rues de Paris. L'homme qui se tenait devant moi en était le témoin prophétique , lui seul avait entrevu la sombre destinée du laboratoire.

Victor repoussa avec irritation toutes les questions concernant son état. Il prétendit qu'il ne souffrait de rien de plus que des séquelles d'une fièvre nerveuse ; mais son infirmité était clairement un état de l'esprit plus que du corps. Le chagrin et la honte se mêlaient sur son visage. À tout instant, il semblait avoir besoin qu'on lui pardonne... et pour un plus grand péché que celui dont je pouvais l'accuser. J'aurais aimé que nous fussions de nouveau amoureux pour pouvoir lui demander de me dire la vérité, mais il y avait désormais trop peu de confiance entre nous.

Aussi devais-je supporter l'ignorance dans laquelle il me tenait, et attendre impuissante, jour après jour, tandis qu'il ruminait son chagrin secret. La nuit, quand je rôdais devant la porte de sa chambre, je l'entendais arpenter le sol. Ses nuits étaient agitées, ses rêves troublés. Plus d'une fois, il réveilla la maison par un cri de terreur étranglé comme s'il avait été assailli dans son lit. Tous l'entendirent, mais Victor ne fournit aucune explication. Une fois, me levant par une nuit chaude pour ouvrir le battant de la fenêtre, je vis avec surprise la lumière d'une lanterne traverser le jardin. J'observai plus attentivement et discernai une silhouette revêtue d'un manteau qui traversait furtivement nos terres.

Était-ce un fantôme venu hanter notre demeure ? Non, c'était un homme armé d'une épée qui sondait les haies comme s'il pourchassait quelqu'un qui s'était tapi dans leur ombre. Je savais que ce devait être Victor. Je l'appelai *sotto voce* ; il tourna sur lui-même et leva les yeux vers moi. Il avait le visage blême, déformé par la peur. « Elizabeth ! répondit-il d'une voix chevrotante. Si tu tiens à la vie, ferme les fenêtres ! Verrouille les portes ! Tu cours le plus grand des dangers ! » Puis, reculant promptement, il disparut dans la nuit. Le lendemain, il refusa de quitter sa chambre.

Enfin, alors même que je pensais ne plus pouvoir supporter sa souffrance, les nerfs de Victor finirent par céder. Comme il l'avait fait naguère, il vint me trouver au cœur de la nuit. Il frappa à ma porte et, quand je m'éveillai et demandai qui était là, il chuchota d'une voix enrouée : « Je t'en supplie, aide-moi ! » Je reconnus sa voix et ouvris la porte sur-le-champ ; Victor s'effondra presque dans ma chambre. Il tomba à genoux à mes pieds et se mit à gémir entre des sanglots déchirants. Il était si honteux qu'il refusait de lever les yeux pour me regarder ; il gardait les mains étroitement serrées contre sa poitrine, se refusant à les tendre vers moi. Même quand je me penchai pour l'aider à se relever, il s'éloigna précipitamment. « Je ne me fie pas suffisamment à moi-même pour te toucher. Laisse-moi seulement rester ici près de toi. Je ne puis demeurer seul !

– Je t'en prie, lui dis-je. Assieds-toi ici à mon chevet. »

Je me souvins de la dernière fois où nous avions été ensemble dans cette chambre à coucher, dans ce lit. C'était la nuit où Victor avait marché dans son sommeil et était venu me parler de la cockatrice, premier signe funeste de l'échec du Grand Œuvre. Encore enfants à l'époque, nous avions néanmoins passé la nuit serrés l'un contre l'autre. À présent, malgré sa résistance, je réussis à le tirer maladroitement à mon côté, où je cherchai à le réconforter de mon mieux. Les poings sur les tempes et le corps rigide, il me parla de ses rêves tourmentés et de ses terreurs nerveuses, mais ses aveux étaient d'un vague déroutant ; pas une fois il n'indiqua quelle était la cause de ces mauvais pressentiments. Et mon questionnement plein de tact ne parvint pas à percer le bouclier de mystère derrière lequel il se réfugiait.

« Je crains de tomber en miettes, m'avoua-t-il. Ici, au-dedans, j'ai l'impression d'être deux personnes qui se disputent la suprématie. Souvent, *mes* pensées ne sont pas mes pensées, mais celles d'un autre, d'un être sombre et sauvage qui est né de moi la nuit. Quand je marche dans les couloirs, je crois voir cet autre qui est tapi à chaque tournant ; c'est moi... et ce n'est pas moi. Parfois, j'ai l'impression que moi, Victor, je me dissous dans un royaume gris, terne, un tombeau vivant ; et que l'Autre, le ténébreux, prend ma place ici en ce monde. Ce matin, j'ai cru le voir se faufiler en moi à l'instant où je m'éveillais. Il s'est coulé dans ma bouche telle une vapeur ; il est en moi à présent. Je n'ose dormir, de peur qu'il ne sorte et n'aille de par le monde. Ma sœur, je n'ai commis aucun tort ! Peu importe le Mal que l'Autre fait... l'on ne saurait m'en faire reproche. »

C'était là des paroles qui tourbillonnaient. Elles ne m'apportaient nulle compréhension. Je ne pouvais que m'asseoir auprès du malheureux et le prendre en pitié. Enfin, il m'implora avec une humilité que je n'aurais jamais espéré rencontrer chez mon Victor. « Je crains pour ma santé mentale, ma chère sœur, me dit-il enfin. Pour ton bien et celui de notre père, je ne veux pas infliger le fardeau de la démence à cette maison où j'ai déjà causé tant de souffrance. Voudras-tu m'aider ?

– Mais comment le puis-je, Victor, si je ne sais pas pourquoi tu souffres comme tu le fais ? Quel soulagement puis-je t'apporter ?

– Il me faut des soins plus compétents que ceux que toi ou n'importe quel médecin pourrait me donner, à une exception près. L'homme qui peut m'offrir ce soin réside à moins d'une semaine de voyage de Genève. Je désire le consulter.

– Et quel est cet homme ? demandai-je.

– Il s'appelle le docteur Mesmer. »

C'était une réponse que je n'aurais pu prévoir.

« Tu accepterais de te placer entre les mains d'un homme qui est considéré comme un charlatan ?

– Je suis convaincu qu'il ne l'est pas ! Tu liras ses articles toi-même. Le monde craint les hommes d'une pareille audace et les traite de fous ou d'imposteurs. Mesmer n'est ni l'un ni l'autre. Il a introduit "l'esprit malade" à l'intérieur du domaine de la médecine ; il le traite comme on peut traiter un organe physique, plutôt qu'une entité spectrale. Je suis prêt à me placer entre ses mains. Mais je suis trop faible dans mon état actuel pour voyager par moi-même. » Il ajouta avec une note honteuse. « Et je redoute de voyager seul. Quelqu'un doit veiller pendant que je dors. »

Sans hésiter, je promis de lui apporter mon aide. Sur ce, Victor, me remerciant abondamment, pleura de gratitude dans mon giron. Sous son toucher, si proche et passionné, toute ma résistance s'évanouit. S'il avait tourné le visage vers moi, je l'aurais aussitôt couvert de baisers fous.

Il m'incomba de préparer notre voyage. Cela commença par le pas le plus difficile à franchir : je dus persuader notre père de souscrire à notre projet. Comme Victor l'avait prédit, il fit montre d'une hostilité non déguisée. « Mesmer ? Mais l'homme est un charlatan, objecta-t-il aussitôt. Le docteur Franklin a démontré que son prétendu magnétisme animal n'était qu'une supercherie. »

Je m'étais préparée soigneusement à cette réaction. Victor m'avait procuré les articles mêmes que mon père invoquait maintenant contre Mesmer et je les avais étudiés de près. « Vous avez raison, père ; le docteur

Franklin a remis en question la doctrine de Mesmer. Il l'a fait parce qu'elle manquait de preuves matérielles. À cet égard, je comprends votre scepticisme. Mais je vous rappelle, monsieur, que le docteur Franklin a également émis l'hypothèse que le mesmérisme pourrait bien avoir des effets curatifs en activant les forces de suggestion. Peut-être y a-t-il là un nouveau principe de la médecine ? Car si une maladie est mentale, comme nous convenons qu'elle l'est dans le cas de Victor, le remède ne sera-t-il pas forcément mental ? Quand nous avons affaire au dérangement de l'esprit, l'application des méthodes de Mesmer peut donner de bons résultats, même si l'on se fourvoie sur la cause. Cela vaut sûrement la peine d'être tenté. »

Notre père réfléchit mûrement à ma proposition et finit par céder à contrecœur. Mettant à notre disposition son meilleur carrosse et ses cochers pour notre voyage, il nous souhaita bonne chance, bien qu'avec les doutes les plus sérieux. Notre destination était le hameau de Frauenfeld près du lac de Constance, où le docteur Mesmer avait à présent élu domicile. Alors que tout alentour indiquait que le printemps avait dégelé les routes conduisant au nord vers Zurich, nous nous préparâmes à partir dans la semaine.

NOTE DE L'ÉDITEUR

Estimations scientifiques de la théorie du magnétisme animal du docteur Mesmer

Dans la section qui suit, nous avons un rare récit de première main du travail du docteur Franz Anton Mesmer tel qu'une observatrice – qui était en outre une patiente sachant s'exprimer – en avait fait l'expérience. Le mémoire d'Elizabeth Frankenstein sert ainsi à jeter une lumière considérable sur une des questions les plus déroutantes de la science médicale de notre temps.

À partir de la fin des années 1770, où il annonça pour la première fois sa découverte du magnétisme animal, le docteur Mesmer ne cessa de développer le champ d'application de son système qui fut d'abord une méthode de diagnostic médical avant de se transformer en une vision cosmique. Il y avait de grandes ondes magnétiques, enseignait le docteur, qui roulaient à travers l'univers comme les vagues roulent à travers la mer. Ces émanations, prétendait-il, irriguent toute chose y compris le corps humain et sont le souffle même de l'être. Si l'on fait obstruction à leur libre circulation, le corps devient malade. Mais par un habile usage thérapeutique du magnétisme, le fluide peut être libéré et le patient recouvre la santé. Tout, y compris la vie végétale et les minéraux, est imprégné de ce magnétisme. Chargés au moyen d'une bouteille de Leyde, des arbres fragiles peuvent être incités à fleurir et les sources défaillantes de la terre à bouillonner.

Ces hypothèses, qui faisaient fureur dans le climat scientifique particulièrement éclectique et souvent furieusement spéculatif de la fin du XVIIIe siècle, ont été totalement réduites à néant. Mais ce fut en médecin plutôt qu'en spécialiste de la science naturelle que le docteur Mesmer parvint au sommet de la notoriété. Dans un cas après l'autre, il fit preuve d'une capacité étrange à guérir ceux qui avaient été abandonnés par d'autres comme autant de cas désespérés. Dans un cas célèbre, qui fit retentir son nom à travers l'Europe, il rendit même la vue à une aveugle. Il fut toutefois établi par la suite que l'aveugle souffrait seulement d'une cécité hystérique et que celle-ci n'était pas due à une lésion corporelle. Discrédité et ridiculisé, le docteur fut contraint de quitter Vienne.

Les sceptiques de tous bords, en particulier les membres de la profession médicale, furent prompts à dénoncer Mesmer comme charlatan. Cela ne fit que grandir sa réputation, ce qui enflamma d'autant plus ses ennemis.

En France, au plus fort de l'engouement pour Mesmer, une commission royale fut nommée pour enquêter sur ses prétentions ; elle était présidée par le docteur Benjamin Franklin, alors ambassadeur de la jeune République américaine. La commission porta un coup fatal à Mesmer et à ses théories. Elle conclut que des guérisons avaient bien eu lieu, non par un véritable phénomène physique mais simplement par la force de suggestion. Du jour au lendemain, Mesmer tomba en discrédit à Paris, comme cela était arrivé à Vienne une vingtaine d'années plus tôt. Peu après l'exécution du roi Louis, qui avait été son premier bienfaiteur, il décida sagement de rentrer dans sa patrie, en Suisse, où une foule de gens se pressèrent dans sa clinique pour se faire soigner et être témoins des merveilles du magnétisme animal. Il continua d'exercer en tant qu'homme de l'art jusqu'à sa mort en 1815, à quatre-vingt-un ans.

L'histoire ne fut pas tendre avec le docteur Mesmer ; à vrai dire, elle a confirmé son ignominie. Comme tant de fluides mystérieux et d'effluves surnaturels qui étaient des conjectures de son époque, le magnétisme animal fut jeté aux oubliettes. Même dans l'exercice de la médecine, l'hypothèse atomique écarte aujourd'hui toute chose située en dehors de ce domaine. Malgré cela, il en est qui refusent de renoncer à la possibilité que le mesmérisme puisse être de quelque intérêt pour le traitement de la neurasthénie et de diverses formes de grande faiblesse nerveuse. Le témoignage d'Elizabeth Frankenstein sera d'un intérêt particulier pour ceux qui souhaitent poursuivre cette ligne de recherche. Par exemple, elle garantit clairement que l'état hypnotique est réel ; elle rend compte de la façon dont il fut provoqué et influa sur son comportement. Elle explique clairement que, dès qu'elle fut magnétisée, elle se révéla capable de suivre les instructions de Mesmer même quand cela impliquait une interruption provisoire de la sensation physique.

Cela nous amène à nous demander quelles capacités mentales restent encore inexplorées en l'homme ? Quel génie et quelle horreur nous trouverons dissimulés dans ces obscures régions de notre nature que Mesmer fut le premier à explorer ? Espérons, alors que ce siècle le plus rationaliste de tous s'ouvre devant nous, que cette province intérieure insaisissable de la réalité sera enfin libérée des nécromanciens et des sorciers qui ont été les gardiens traditionnels de l'esprit pour parvenir jusques aux mains de praticiens compétents.

Notre visite chez le docteur Mesmer

Jamais deux voyageurs ne se conduisirent avec autant de circonspection l'un envers l'autre que Victor et moi sur la route de Frauenfeld. Quiconque eût saisi des bribes de la conversation qui nous occupa dans notre voiture aurait pu nous prendre pour deux étrangers qui venaient de faire connaissance. Quand nous parlions, nous évitions soigneusement toute discussion personnelle. Nous nous contentions de nous entretenir de diverses doctrines philosophiques, parmi lesquelles la nature du principe de vie et s'il y avait quelque chance que celui-ci fût découvert et communiqué. Par-dessus tout, nous débattions du nouvel univers étrange du magnétisme animal du docteur Mesmer, sur lequel je savais affreusement peu de choses. À ma grande surprise, Victor était aussi versé dans ce domaine qu'il l'avait été dans la science électrique. À vrai dire, c'était pourquoi il considérait les travaux de Mesmer comme une annexe à la même étude.

« Et si toutes les formes d'électricité et de magnétisme étaient fondamentalement les mêmes ? demanda-t-il en se laissant entraîner par son sujet avec une ardeur intellectuelle que je me réjouis de lui voir. Les deux forces ne possèdent-elles pas le pouvoir d'attraction et de répulsion ; et toutes deux ne peuvent-elles pas, comme l'a montré Mesmer, se propager par des corps intermédiaires ? La théorie de M. Coulomb apporte la preuve que la loi du carré inverse peut s'appliquer aux deux. Priestley et Cavendish s'accordent pour croire que cette possibilité vaut qu'on l'étudie. Car il faut noter que Mesmer a seulement émis l'hypothèse que la force magnétique agit sur la constitution nerveuse de même que sur la nature inerte. Pourquoi ne pourrait-elle, dans ce cas, servir à guérir l'esprit ? »

Et, sortant un crayon et un carnet, il se mit en devoir de développer la loi de Coulomb dans toute sa complexité mathématique, un sujet qui nous absorba pendant des heures. Bien que je ne trouvasse pas un grand intérêt dans ces calculs, j'accueillis avec soulagement l'occasion qu'ils offraient à Victor de concentrer son attention sur un sujet neutre qui ne concernait pas nos rapports difficiles. J'écoutai attentivement tout ce qu'il dit sur le système du magnétisme animal, mais gardai ma propre opinion pour moi. J'avais entendu des récits tellement fantasques sur le docteur Mesmer, que d'aucuns surnommaient ironiquement « le prince des vapeurs ». D'autres le considéraient comme un esprit dépravé car, disait-on, il remplissait ses chambres de suppliantes nues qu'il pouvait persuader de se conduire de façon inconvenante. Les femmes surtout étaient averties de songer à leur vertu quand elles se rendaient dans sa clinique.

Je pris soin de ne pas révéler mes fortes réserves, craignant de diminuer les grandes espérances de Victor ; car alors même que nous roulions, son besoin de soins se faisait de plus en plus pressant. Parfois, somnolant dans le carrosse durant le trajet, il commençait à s'agiter et marmonnait désespérément tout bas. La nuit, quand nous nous arrêtions, il me faisait promettre que je veillerais sur son sommeil. Aussi nous nous présentâmes comme mari et femme afin de pouvoir partager la même chambre. Mais ma propre résistance était mise lourdement à contribution ; cela voulait dire que je devais veiller sur Victor tant que je pouvais tenir mes yeux ouverts. « Il ne sortira pas si tu montes la garde », disait Victor au sujet de l'Autre dont il était sûr qu'il était tapi au-dedans de lui. C'était à cet Autre imaginaire qu'il parlait dans son sommeil, se tournant et se retournant sans cesse dans son lit, l'appelant « monstre »,

« misérable » et « diable ». Dans un relais sur le trajet, comme nous étions descendus dans une auberge aux abords de Lucerne, Victor s'éveilla dans la nuit si plein d'angoisse qu'il se précipita hors de sa chambre dans le corridor en hurlant et en réveillant toute la maisonnée. Quand notre carrosse arriva au manoir du docteur Mesmer, j'étais aussi désireuse que Victor de croire que l'homme qui y demeurait pouvait faire des miracles.

« Bienvenue ! Soyez le bienvenu, docteur Frankenstein ! Votre présence nous honore. » Ainsi fûmes-nous accueillis à l'entrée par le docteur Aabye, qui se présenta comme le premier assistant du docteur Mesmer ; c'était l'homme le plus grand que j'eusse jamais rencontré. Il dominait Victor de très haut et me donnait l'impression d'être une naine. Sa grande mâchoire proéminente, de la taille d'un melon, représentait plus de la moitié de la circonférence de son crâne d'une dimension anormale. Son accent révélait qu'il était danois ; sa voix possédait une onctuosité particulière, comme si chaque mot avait été graissé pour s'introduire de façon persuasive dans votre esprit. En gloussant, il se présenta à nous dans le vestibule comme un des « anges » du docteur Mesmer. « C'est le nom que les patients attribuent aux assistants médicaux, croyant que nos pouvoirs de guérison sont surnaturels. Mais, bien sûr, ils ne le sont pas. Ils sont la quintessence de la science comme vous, docteur Frankenstein, seriez le premier à le reconnaître. »

Victor avait écrit à l'avance pour convenir d'un entretien avec le docteur Mesmer. Le docteur Aabye avait été envoyé pour nous accueillir à l'instant même de notre arrivée et pour nous conduire dans les chambres qui avaient été préparées à notre intention. Victor fut invité à se reposer avant de se présenter pour sa première *séance** avec le docteur Mesmer. Ce soir-là, nous devions dîner en *tête à tête** avec le docteur et son équipe dans ses appartements privés.

« Un jour, nous apprendrons la grande leçon des sciences curatives, proclama le docteur Mesmer. À savoir, l'esprit guérit tout. “*Mens sana in corpore sano*”, a dit le docte Juvénal. Mais ici nous inversons cette maxime. Ici nous cherchons *corpus sanum in mente sana*. Le corps sain doit se trouver à *l'intérieur* de l'esprit sain. Vous suivez mon propos, docteur Frankenstein ? Nous cherchons à mettre l'esprit entièrement sous contrôle scientifique. Mais bien sûr, nous n'avons pas affaire ici qu'à la santé humaine ; le magnétisme animal est une manifestation de la force universelle qui tient le grand cosmos en existence. »

Le docteur Mesmer était un homme corpulent avec de grosses bajoues et un petit nez plat. Il était alors dans sa soixantième année, mais toujours alerte et plein d'une grande vivacité. De toute part, ses « anges » étaient à son service, des jeunes gens empressés qui le traitaient en véritable expert, suspendus à ses lèvres. Le docteur Aabye était son assistant principal ; les autres embrassaient la totalité du continent par leurs nationalités allant de l'Espagne à la Grèce, et chacun semblait avoir une conversation plus brillante que le précédent. L'heure du dîner se passa en discussions grisantes sur les théories électriques et magnétiques, dans lesquelles Victor trouva une distraction salutaire. Mais avant que la soirée s'achevât, il tint à souligner le but principal de notre visite.

« Combien je souhaiterais avoir la liberté d'apprécier vos recherches sur le plan purement théorique, docteur, dit Victor. Mais comme vous l'a appris ma missive, je suis ici pour être votre patient, et jamais patient n'a eu plus que moi besoin d'un médecin.

– Vous mènerez vos recherches sur votre propre expérience, monsieur, répondit Mesmer. De quel meilleur matériau peut-on disposer ? »

Cette nuit-là, dans ma chambre, je passai en revue les étagères de livres et tombai sur une des premières œuvres du docteur Mesmer. En feuilletant l'ouvrage, je trouvai de longs passages concernant sa vie, dans lesquels il relatait l'ivresse qu'il avait éprouvée dans la poursuite des sciences naturelles. En présence de la nature, écrivait-il, « une passion fiévreuse submergeait mes sens » ; ensuite il s'exprimait en poète sur les beautés et les merveilles de l'univers. Je réalisai que ce vieil homme ratatiné, que beaucoup considéraient comme un charlatan, avait passé sa vie pénétré d'une vision de l'avenir. Le magnétisme animal, avait-il nommé cette vision ; encore un système transcendant à placer à côté d'une multitude d'autres que les hommes avaient inventés depuis l'époque de Newton. Nous vivions une ère de systèmes : le médium éthéré, les particules élastiques, les essences et les fluides subtils roulant et bondissant à travers le néant infini, le tout destiné à révéler la Grande Cause dont la maîtrise ferait de l'homme l'égal de Dieu. Le docteur Mesmer avait vécu sa vie en cherchant la clé qui révélerait le secret des secrets, et il l'avait trouvée, du moins le croyait-il. Mais combien cette quête peut rendre l'homme brutal, me dis-je. Combien l'amour de la vérité peut le pervertir, surtout quand il croit qu'elle est presque à sa portée. Que rien ne vienne alors lui barrer la route ! Il arracherait les portes du ciel pour ravir ce secret.

Il trahirait sa bien-aimée.

Je poursuivis ma lecture. J'appris le pénible sentiment d'éloignement du docteur vis-à-vis des autres savants. Beaucoup raillaient cruellement ses précieuses recherches, car il n'y a rien dans la faculté de la Raison scientifique qui nécessite de la bonté. J'arrivai ensuite à des passages émouvants dans lesquels il avouait que ce n'était que quand il errait dans la solitude de la Nature qu'il éprouvait quelque réconfort. « Ô Nature, disais-je dans mes transports, que me veux-tu ? Et je m'imaginais l'embrassant tendrement, lui demandant, patiemment, de céder à mes désirs. Malheureusement, seuls les arbres pouvaient témoigner de la sincérité de ma supplique, car je devais assurément avoir l'air d'un dément. »

Elle, elle, elle. C'était, lui aussi, un homme pour lequel la Nature nourricière était une femme, une amante, une mère, et cependant celle-ci devrait se soumettre à ses ambitions. En effet, ils la courtisent, mais c'est pour mieux La conquérir.

Le lendemain, Victor et moi nous préparâmes à notre première *séance** chez Mesmer ; elle était prévue pour les premières heures de l'après-midi. Le docteur Aabye devait de nouveau nous servir de chaperon ; mais, cette fois, quand il vint nous retrouver dans le vestibule, il était vêtu d'une longue robe de soie sous laquelle, à en juger par ce qu'on pouvait entrevoir à chacun des pas qu'il effectuait, il semblait ne rien porter du tout. Comme nous faisions un bref tour du propriétaire, il se mit en devoir de nous éclairer sur les méthodes du docteur.

« Le docteur Mesmer rassemble ses patients par groupes allant jusqu'à vingt personnes ; les effets de la magnétisation sont augmentés par le nombre de participants. Pendant qu'ils sont sous traitement, les patients prennent une chambre dans les auberges des environs, revenant à la clinique quotidiennement pendant deux semaines, hormis le vendredi. Ce jour-là, les indigents de Constance ont la permission de venir se faire soigner à titre charitable. Les groupes sont soigneusement équilibrés entre néophytes et plus expérimentés ; nous recherchons aussi un mélange harmonieux entre ceux qui sont hautement sensibles et ceux qui se sont révélés résistants. L'objectif de la *séance** est de déclencher un état de convulsion. Si celui-ci intervient pendant que vous êtes présent, vous ne devrez pas vous laisser impressionner par ce que vous verrez. C'est un signe de santé. Ceux qui tombent dans un état convulsif sont admis dans la chambre de crise, où le docteur Mesmer leur accorde son attention personnelle. »

Après un tour du jardin, nous retournâmes dans la villa, sous la conduite du docteur Aabye. À l'extrémité du hall central se trouvaient deux grandes portes ; il ouvrit celles-ci sur une salle dont les persiennes et les rideaux étaient hermétiquement tirés contre le soleil ; seules quelques bougies brûlaient dans les appliques contre les murs, offrant à peine assez de lumière pour trouver son chemin. Quand la porte se referma derrière nous, l'œil eut besoin d'un moment pour s'accoutumer à l'obscurité. Mais avant même que mes yeux eussent distingué davantage que des ombres, je sus que ce lieu me déplaisait. Son atmosphère était répugnante d'une manière qui n'était pas entièrement physique – bien qu'à cet égard, l'air de la pièce laissât une moiteur malsaine sur ma peau. Il était également lourd de l'odeur d'essence de rose ; le tapis et les lourds rideaux étaient saturés de ce parfum, qui avait un effet plus écœurant qu'agréable, comme une fragrance qu'on utilise afin de masquer une odeur nauséabonde, dans le cas présent, une mixture fétide de cire de bougie brûlée, de moisissure et de corps en sueur. La pièce eût nécessité d'être bien aérée ; je mourais d'envie de me précipiter sur les fenêtres pour laisser entrer le soleil, ou, sinon, m'excuser et retourner dehors à l'air libre. Mais avant même que mes yeux se fussent accoutumés à la pénombre, je sentis qu'on me prenait le bras. Un jeune homme se tenait à mes côtés ; il me sourit d'un air aimable comme pour m'inviter à avancer. Quand ma vue se clarifia, mon regard remonta le long de son bras, qui était nu, jusqu'à ses épaules et sa poitrine également nues... jusqu'à ce que je me rendisse compte qu'il était entièrement dévêtu. Je me retournai pour souligner ce fait remarquable à Victor quand je m'aperçus qu'il était escorté de même par une jeune femme avenante qui était tout aussi dénudée que l'homme venu m'aider. À ce moment, comme je regardais alentour dans la pièce enténébrée, je remarquai la présence d'autres personnes, hommes et femmes, dévêtues. Elles étaient rassemblées autour d'un grand baquet fumant qui occupait le centre de la salle. Certaines étaient déjà plongées dans l'eau qu'elle contenait ; d'autres trempaient leurs membres par-dessus le rebord, faisant gicler l'eau par terre. À côté du baquet, le jeune homme s'arrêta et commença à défaire ma robe.

« Non, non ! Je ne désire nullement participer, l'informai-je en m'écartant de sa main. Je suis ici seulement pour observer. »

Le jeune homme, dont je m'aperçus alors qu'il était d'une exquise beauté, regarda le docteur Aabye avec perplexité. Ayant entendu ma protestation, celui-ci vint à mon côté.

« Ah, cela n'est pas possible, ma chère enfant, dit-il avec un sourire sirupeux. Chaque corps, dans cette pièce, exerce une force magnétique. Tout doit être inclus ; sinon les effluves se dispersent.

– Mais pourquoi dois-je me déshabiller ? » m'enquis-je.

Le jeune homme répondit :

« Vous ne voudrez pas porter vos vêtements dans le bain.

– Il est dans votre intention de m'asseoir dans le bain ? » demandai-je non sans étonnement.

Je vis que les autres prenaient place, un par un, dans le baquet, dont l'eau s'arrêtait juste sous les seins des femmes. Une corde étaient tendue entre eux par d'autres assistants et chacun se l'enroulait sans serrer autour du torse. Entre-temps Victor avait été complètement dévêtu par son assistante et il la laissait bien volontiers lui caresser la poitrine avec des gestes longs et lents.

Je fis appel au docteur Aabye.

« Voulez-vous dire que si je veux rester, je dois me joindre aux autres ? Mais je ne suis pas malade.

– Dans les matières de l'esprit, l'on ne connaît pas toujours son état véritable, m'informa-t-il poliment. Les choses peuvent être ensevelies là... » Quand il vit que je m'apprêtais à contredire sa remarque, il poursuivit :

« Quoi qu'il en soit, le baquet ne peut que vous faire du bien ; même si vous n'êtes pas malade, il rafraîchit et revitalise. Si vous vous joignez à nous, vous vous sentirez plus équilibrée sur le plan magnétique en repartant. »

Je vis les yeux de Victor qui me suppliaient de rester ; à contrecœur, je cédai, mais insistai pour me dévêtir moi-même. Remarquant qu'au moins quelques femmes portaient une robe avant d'entrer dans le baquet, je demandai si je pouvais en avoir une pour me couvrir. Le jeune homme m'en apporta une et je l'enfilai à la hâte dès que mes derniers habits furent tombés autour de mes chevilles. Je permis au jeune homme de les plier et de les mettre à l'écart.

À présent, mes yeux étaient capables de relever des détails dans la salle. C'était une vaste pièce avec un plafond de plâtre ornementé ; aucun doute, elle avait été jadis une salle de bal. Là où il n'y avait pas de glaces en pied, les murs étaient peints de signes du zodiaque ou de symboles maçonniques. Ceux des principaux assistants qui étaient vêtus portaient une robe de soie tels les prêtres d'un ancien mystère, et chacun tenait un verre et une baguette de fer. L'atmosphère dans la pièce était presque théâtrale, comme si un spectacle était sur le point de commencer. Mais pour quel public ? Peut-être les animaux empaillés dont les têtes planaient au-dessus de nous et semblaient nous observer de leurs yeux éteints.

Le docteur Aabye, sa robe gonflée s'écartant autour de lui et révélant ses membres musclés, s'avança pour prendre place auprès de moi sur un petit tabouret.

« Si vous permettez », dit-il en ouvrant le devant de ma robe et en glissant les mains à l'intérieur pour les presser sur mes seins.

Je sursautai.

« Pourquoi faites-vous cela ? m'enquis-je.

– Comme vous l'avez vu avec le docteur Frankenstein, il est nécessaire de stimuler le fluide magnétique à l'intérieur du physique. Cette région du corps est appelée le "pôle poitrine" Elle entoure le cœur ; c'est le centre magnétique le plus puissant de l'organisme. Mon propos est de manipuler la zone afin qu'elle irradie le maximum d'énergie dans le baquet. » Voyant ma réticence, il expliqua encore. « Ma chère demoiselle, laissez-moi faire ce que je puis pour élucider nos méthodes. Le docteur Mesmer a découvert qu'il existe une affinité naturelle entre l'impulsion sexuelle et l'attraction magnétique ; la première est peut-être la principale manifestation organique de la dernière. Pour cette raison, nous cherchons, très franchement, à produire un état accru de l'excitation dans le baquet. Nous prodiguons des soins à nos patients par couples mixtes, un homme vis-à-vis d'une femme, et les encourageons à éprouver librement cette sensation. Je vous assure que tout cela est fait au nom de la science et de la médecine sérieuse. »

Il sourit et proposa de reprendre. Pendant plusieurs minutes, il me frictionna la poitrine. Sa seule main était assez large pour me couvrir d'un sein à l'autre, mais au moins son toucher était doux et plus que doux : apaisant. Au bout d'un moment, je me sentis en effet irradier une extraordinaire chaleur, dont la venue ne me fit pas particulièrement plaisir.

« Vous pouvez en éprouver l'effet, observa-t-il. Vous réagirez fort bien au traitement, j'en ai la certitude. »

En dépit de l'optimisme qu'il affichait, mes sentiments étaient tout à fait à l'opposé. Je sentais la corruption dans la pièce, une décadence morale qui ne pouvait avoir d'effet curatif. Mon regard survola les autres avec lesquels je me trouvais à partager cette étrange cure. Les hommes (hormis Victor) avaient un physique décrépit : marqués par la petite vérole et ridés, le corps obèse ou voûté. De temps à autre, ils toussaient ou soufflaient comme une forge ; un vieil homme tremblant, qui paraissait au mieux à demi-conscient, avait des flatulences audibles. En revanche, les femmes, sur lesquelles les hommes jetaient des regards furtifs, lascifs, étaient toutes beaucoup plus jeunes et fort jolies ; elles ne paraissaient pas le moins du monde malades, bien qu'il y eût deux dames qui semblaient distraites au point d'avoir les idées embrouillées. Elles étaient assises ensemble dans le baquet, se caressant mutuellement les épaules et la poitrine en psalmodiant une vague mélodie sans suite. Elles devaient avoir, me sembla-t-il, l'esprit dérangé. Une autre femme, juchée au bord du bain, autorisait un assistant à la masser d'une façon qui ne semblait pas du tout thérapeutique ; en fait, elle s'obstinait à glousser d'une façon inconvenante. Je commençais à craindre que le pire que j'avais entendu sur le mesmérisme ne fût véridique.

C'est alors que la musique commença.

Brusquement, la maison résonna des sons les plus immatériels qu'il m'eût été donné d'entendre, une harmonie vibrante, suave, qui pénétrait au tréfonds de l'âme et du corps telles des flèches sonores. Par moments, elle allait chercher des notes si aiguës qu'elle avait presque le timbre d'une voix de soprano humaine sur le point de parler, mais alors elle s'élançait vers des hauteurs au-delà de celles qu'un oiseau pouvait atteindre. Et la mélodie ! Elle était céleste. Était-ce la musique des sphères, me demandai-je.

« C'est l'harmonica de verre, m'expliqua le docteur Aabye comme s'il pouvait lire dans mes pensées. Le docteur Mesmer en a perfectionné l'usage à des fins médicinales. N'est-ce pas délicieux à entendre ? Cette composition a été écrite par le jeune Amadeus Mozart. Elle est jouée dans notre sanctuaire chaque après-midi. Parfois le docteur l'interprète lui-même. Prenez-la en vous tel un nectar. Laissez-la vous transporter loin, loin, loin. »

Les sons aériens de l'harmonica avaient sur moi un effet remarquable, comme sur chacun dans la salle. Mon esprit s'élança avec le sentiment de vastes espaces obscurs, comme si je partais à la dérive dans l'infini du cosmos. Je me sentis soudain complètement détendue et libre de toute contingence, et quand on m'invita à prendre ma place dans le baquet, je me soumis à cette demande sans hésiter le moins du monde. Je voulais seulement qu'on me laissât savourer en paix la musique, qui était à présent aussi voluptueusement proche de moi qu'une main caressant mon corps de l'intérieur. On me donna l'extrémité d'une corde et l'on me montra comment la passer autour de mon torse. Aussitôt je sentis une sensation de fourmillement me parcourir le corps, un feu liquide délicieux. Un des assistants s'approcha et plaça les deux baguettes qu'il tenait près de moi dans l'eau de chaque côté de mon buste. Je sentis un courant puissant circuler entre mes épaules et à travers ma poitrine, me picotant le bout des seins. De tous côtés, les gens commencèrent à se tordre et à gémir... mais de plaisir plus que de douleur. Je m'aperçus que, moi aussi, je gémissais ; je sentis mon corps devenir d'une chaleur intolérable ; je fus prise d'une suée profuse et me mis à trembler. L'assistant remit en place les baguettes, poussant avec force la baguette de verre dans mon dos et la baguette de fer serrée entre mes cuisses. L'impulsion picotante s'accrut, passant à présent à la base de ma colonne, sous moi et autour, irradiant jusqu'à l'épigastre. J'avais la respiration bruyante comme si j'avais couru sur une longue distance, haletant sous l'effet de la sensation qui m'engloutissait. Sur ma gauche, une des femmes émit un gémissement qui s'amplifia jusqu'à devenir un hurlement frénétique. Elle commença à battre l'eau. Elle fut rejointe dans sa transe par l'homme qui se trouvait derrière moi. Enfin, moi aussi, je me mis à trembler violemment tandis que le picotement pénétrait profondément dans mon corps. Des images affluèrent à mon esprit, des souvenirs de Victor et moi enlacés dans une étreinte passionnée. Je sentis mon amant se presser en moi et rougis de cette sensation, sachant fort bien ce qu'il en était... et ce n'était rien que je souhaitais vivre dans un lieu aussi public. Cherchant à fuir, je me levai de l'eau et essayai de me frayer un chemin hors du baquet ; mais j'avais perdu le sens de l'équilibre. Je vacillai en avant... et me retrouvai dans les bras du jeune homme qui m'avait aidée à me dévêtir. Nos chairs s'accolèrent quand je tombai contre lui ; il m'étreignit étroitement pendant que je m'accrochais à lui, secouée de sanglots. Puis mes lèvres se trouvèrent sur sa bouche...

J'étais ailleurs : une pièce plus petite mais encore plus sombre que celle où le baquet était disposé. J'étais assise dans un fauteuil. Quelqu'un – je levai les yeux et vis que c'était le docteur Aabye – me maintenait pour m'empêcher de tomber. Ma robe flottait librement sur mes épaules. Dessous, j'étais encore humide de l'eau du bain. La musique avait disparu, bien qu'il me semblât entendre de lointains échos flotter près du plafond J'avais le souffle court, irrégulier, comme après avoir pleuré longtemps et fort. Quelqu'un s'approcha, une bougie à la main ; c'était le docteur Mesmer. Il posa la bougie sur une table à proximité et s'assit en face de moi.

« Allons, mon enfant... calmez-vous, l'entendis-je me dire d'une voix douce comme le velours et venue de loin. Respirez à fond. Vous vous sentez fatiguée. Laissez-vous aller à la fatigue. Je suis ici pour vous aider à vous reposer. »

Il approcha son fauteuil. Mes genoux étaient à présent étroitement renfermés entre les siens. Il leva la main, sur laquelle il portait un gant blanc qui luisait dans l'ombre. Je regardai tandis que le gant lumineux montait et descendait lentement, passant plusieurs fois devant mon visage.

« Si vous sentez que vous voulez dormir, mon enfant, c'est parfaitement acceptable. Avez-vous envie de dormir ?

– Oui », répondis-je d'une voix lointaine que je reconnus comme étant la mienne. Une paix profonde me gagna, pas le sommeil mais quelque chose de semblable qui me rendait attentive.

« Vous devez vous sentir libre de me dire ce qu'il y a dans vos pensées », dit-il.

La voix distante répondit pour moi, ma propre voix mais qui n'obéissait plus à ma volonté.

« Honte, honte, honte !

– Pourquoi avez-vous honte, ma chère enfant ? Parce que vous avez transgressé ici ? »

Ses mains sous ma robe s'appliquèrent sur mon ventre, puis se déplacèrent plus bas ; il me frotta doucement du bout des doigts.

« Non ! répondit l'étrange voix. Ici ! » déclara-t-elle. Et involontairement, mon bras droit se leva au-dessus de ma tête, le poing fermé : un geste farouche et violent.

« Que veut dire cela, mon enfant ?

– Voilà comment ! » criai-je. Ma main s'abattit brutalement contre ma cuisse, une fois, deux fois, encore, frappant assez fort pour la meurtrir.

Le docteur Mesmer interposa sa main pour m'en empêcher.

« Vous allez vous blesser, mon enfant. Que faites-vous ?

– Tuer ! J'ai tué ! J'ai tué Victor.

– Mais Victor est ici avec vous. Vous êtes venus me voir ensemble.

– Non ! Victor gît là où je l'ai tué... dans la forêt. J'ai planté en lui le couteau noir. Je l'ai tué pour qu'il ne puisse plus abuser des femmes. » Et brusquement apparut une scène devant mes yeux, aussi vivante que si je la regardais sur la scène d'un théâtre. J'étais dans la forêt par une nuit noire. Là, presque à portée de ma main, se trouvait un soldat italien ivre sur la fille qui poussait des cris perçants et il se ruait en elle tel un taureau furieux. Je me faufilai derrière lui ; mais quand j'abaissai les yeux, par-dessus son épaule, je vis que le visage de la jeune fille était le mien ! Et elle, qui levait les yeux sur moi, appelait à l'aide. J'étais à la fois sous lui et derrière lui. Ensuite, je le frappai avec mon couteau... pas une fois, mais plusieurs et jusqu'à ce qu'il fût étendu, immobile, et roulât à côté du corps de la fille pour s'allonger à côté d'elle sur le dos. Le visage, à présent redressé, était celui de Victor. « Je l'ai tué et je le tuerais encore ! m'entendis-je crier. Il faudrait tuer tous les violeurs ! Les femmes qu'ils ont humiliées devraient en avoir le droit.

– C'est votre imagination, ma chère petite, dit le docteur Mesmer. Je vous le dis, Victor vit. Il est ici dans cette maison.

– Non, je l'ai tué. Je l'ai tué parce que je le hais ! Il m'a arraché le cœur ! » Je me sentais trembler dans le fauteuil ; si le docteur Aabye n'avait pas été là pour me retenir, j'aurais chu sur le sol.

« Vous n'êtes pas une meurtrière, mon enfant, dit le docteur Mesmer. Mais il y a trop longtemps que vous êtes abusée par cette erreur funeste. Il est temps qu'elle parte, car elle pèse cruellement sur vos esprits. Êtes-vous disposée à laisser ce chagrin vous quitter ?

– Oui, oh, oui ! répondis-je de tout mon cœur.

– Alors qu'il se laisse voir pleinement et qu'il parte. »

À ces mots, les larmes jaillirent de mes yeux et mon corps fut secoué de sanglots. Je fus surprise de voir combien de souffrance était contenue en moi. J'avais pris une vie et, à présent, je voyais que j'avais tué non pour sauver cette jeune fille, mais pour punir Victor. Combien cette vérité avait dû être enfouie profondément en moi, ainsi que le remords qui en était né ! Les pleurs continuèrent pendant ce qui parut être de longues minutes. Puis j'entendis la voix apaisante du docteur Mesmer demander :

« N'est-ce pas suffisant, mon enfant ?

– Oui.

– Alors, le moment est venu de vous reposer. Vous pouvez vous autoriser à prendre du repos. Quand je vous toucherai ici, vous vous réveillerez. Ce chagrin et tout ce qui s'y rattache seront partis. Me croyez-vous quand je vous dis cela ?

– Oui.

– Alors soyez en paix. » Il avança sa main gantée et la passa plusieurs fois lentement devant mes yeux. « Dormez maintenant en attendant que je revienne vers vous », dit-il.

Ensuite, je ne me souviens plus de rien.

Quand je revins à moi, je sentis des doigts effleurer mon front. Le docteur Mesmer était auprès de moi. J'étais allongée sur une méridienne dans une autre pièce, recouverte d'un simple drap. « Vous pouvez vous éveiller à présent, ma chère », dit-il. Je croyais n'avoir somnolé que peu de temps ; mais par-delà la croisée, je vis que le ciel s'obscurcissait. J'avais dû rester allongée pendant des heures dans un sommeil plus profond que ce que j'avais jamais connu. Un des assistants s'avança pour poser un peignoir sur mes épaules nues et me guider vers la porte. Comme je traversais la chambre à ses côtés, je vis d'autres patientes allongées sur des lits de repos, aussi profondément endormies que je l'avais été.

Bien que j'eusse dormi des heures, mon corps aspirait à davantage de repos, comme si j'avais traversé une terrible épreuve physique. Quand nous fûmes de retour dans ma chambre, l'assistant m'aida à me glisser entre les draps et éteignit la chandelle. J'eus un sommeil sans rêves et à mon réveil, découvris que j'avais recouvré tous mes esprits ; je reconnaissais que j'avais assassiné et que j'avais trouvé plaisir à le faire. Une femme peut aussi manier le couteau, tuer et éprouver de la joie à tuer. Je ne savais pas qu'il y avait en moi une telle soif de vengeance jusqu'à ce que la colère la fît sortir ; une telle cruauté ; ni un pareil goût du sang. Je m'étais découverte à travers la colère. *Non !* Pas à travers la colère, mais à travers l'acte que la colère avait inspiré. *Agir !* Voilà ce qu'une femme doit faire pour se connaître.

Ainsi, c'est moi, le plus critique des visiteurs du docteur Mesmer et la seule personne qui n'était pas venue en tant que patiente, qui me révélai la plus réceptive à son traitement. Dans les jours qui suivirent, il y eut dans mon cœur une légèreté que je n'avais pas éprouvée depuis l'enfance ; à présent que j'avais revendiqué mon geste, j'avais le sommeil plus profond, plus réparateur que jamais. Je passais mes jours à me promener dans le jardin qui entourait la villa, savourant la beauté du spectacle.

Mais Victor, qui m'avait conduite chez le docteur Mesmer, se révéla être un patient plus rétif. Sa cure exigea de nombreux jours supplémentaires, durant lesquels il se rendit quotidiennement au baquet. La magnétisation ne réussit pas à agir vite chez lui ; il ne parvint jamais au stade convulsif. Cependant, il subit plusieurs séances d'hypnose avec le docteur Mesmer, qui parurent calmer son esprit et le libérer des cauchemars dont il souffrait. Au bout d'une quinzaine de jours, si fragile qu'il fût encore à mon sens, il prétendit qu'il se sentait suffisamment robuste pour rentrer à Genève.

Sur le chemin du retour, je brûlais d'envie de vider mon cœur à Victor, de lui parler de l'enfant que j'avais perdu. Si seulement j'avais pu le lui dire, ma guérison aurait été complète. J'étais encore plus désireuse de savoir quelle maladie de l'âme il avait apportée avec lui à Frauenfeld et si le traitement avait réussi. Mais aucun de nous ne parvint à parler de ces sujets. À un moment donné, Victor demanda avec la plus grande timidité :

« As-tu éprouvé du plaisir dans le baquet ?

– Pas du plaisir, répondis-je. Je pourrais parler de soulagement. Et toi ?

– Pas de plaisir ni de soulagement. Mais je crois que j'y ai trouvé une certaine dose de paix. Je suis venu demander au docteur Mesmer de m'aider à oublier ; il m'a montré comment cela peut être accompli. Quand j'évoque le souvenir de sa voix et le passage de ses mains devant mes yeux, je peux cacher les pensées qui me tourmentent... comme si je les avais placées dans une chambre secrète sous les verrous. Et là, je puis dormir. »

Il refusa de s'engager plus avant en la matière. Quelle que fût la connaissance de soi que nous eussent apportée les étranges méthodes de Mesmer, elles ne nous avaient pas donné la liberté de partager celle-ci. Au contraire, notre conversation roula de nouveau sur des questions de philosophie. Ainsi, nous consacrâmes les heures sur les routes épuisantes, bringuebalantes, de notre voyage de retour à débattre de la dernière œuvre du professeur Kant sur la raison pratique, que nous avions lue avec une égale ferveur. Était-ce là, me demandai-je, le véritable propos de la conversation érudite : divertir l'attention de tout ce que nous préférons taire ? Durant tout le temps où nous établîmes d'adroites distinctions entre le monde phénoménal et le monde nouménal chez le docteur Kant, mes pensées étaient hantées par la leçon que j'avais apprise à Frauenfeld. Elle tournait en dérision toute logique, toute métaphysique. Entre les mains du docteur Mesmer, j'avais trouvé le courage d'évoquer le passé douloureux que j'avais enfoui dans un oubli réconfortant, et de le considérer sans fléchir ; Victor, au contraire, avait trouvé un moyen de submerger ses souvenirs troublants. Mais où résidaient ces souvenirs quand ils étaient « hors de son esprit » ? Quelle était cette « chambre secrète » dont Victor avait parlé ? C'était comme s'il y avait un esprit dans l'esprit ; un second esprit obscur, obscur comme la face cachée de la lune, où l'on conservait tout ce qui était le plus important de notre vie : les peurs, la honte, l'horreur. S'il en était ainsi, que cela présageait-il du pouvoir de la Raison auquel notre siècle croyait si farouchement ? Cela expliquait-il pourquoi tant de choses avaient mal tourné parmi les plus hauts desseins des hommes ?

Je ne pus m'empêcher de réfléchir : la commission française qui avait jadis statué sur le docteur Mesmer et l'avait condamné comme un imposteur comptait nombre de notables parmi ses membres. Ceux-ci comprenaient le grand chimiste Lavoisier, de même qu'un certain docteur Joseph Guillotin. Alors même que nous retournions à Genève, la machine qui avait rendu célèbre le docteur Guillotin dans le monde était activement à l'œuvre place de la Concorde, séparant le brillant cerveau de Lavoisier de son corps et massacrant la fine fleur des Lumières. Le docteur Mesmer lui-même, s'il n'avait fui la Terreur, aurait pu être victime de son couperet implacable. Était-il possible que, dans sa quête du magnétisme animal, ce docteur de l'esprit fût tombé sur une découverte infiniment plus grande : la bête tapie sous les rêves de la Raison ?

NOTE DE L'ÉDITEUR

Rumeurs de licence sexuelle dans le culte de Mesmer : Examen des preuves fournies par les mémoires d'Elizabeth Frankenstein

Dès les premiers temps, le mesmérisme a été hanté par des rumeurs d'inconduite sexuelle. Cela fit partie des raisons pour lesquelles le docteur Mesmer fut contraint de quitter Vienne dans la disgrâce en 1778 ; plus tard, à Paris, des récits semblablement scandaleux d'excès libertins circulèrent. Ceux-ci concernaient principalement les femmes qui venaient chez Mesmer pour un traitement. Il était curieux qu'à quelques exceptions près, toutes les femmes qu'il acceptait pour patientes fussent jeunes et nubiles ; rien dans ses écrits n'expliquait le fondement théorique de ce choix, un fait qui ne pouvait que susciter le soupçon. Nombre de ces femmes insinuèrent plus tard que, pendant qu'elles étaient en état d'hypnose, des libertés avaient été prises avec leur personne, jusques et y compris le viol physique intégral. Et en effet, tout dans la séance mesmérienne type comportait de semblables possibilités. Les femmes étaient invitées (bien que ce ne fût pas exigé) à se dévêtir en présence des deux sexes ; elles étaient sujettes à l'étrange influence débilitante de l'harmonica de verre ; il leur était demandé de se soumettre à certains préparatifs, qui comprenaient la stimulation de zones érotiquement sensibles soit par Mesmer lui-même soit par ses assistants mâles, de jeunes et beaux « valets ». Le « pôle poitrine », notamment, était censé exiger une manipulation prolongée afin d'augmenter prétendument la réceptivité à la magnétisation. Pour le processus de magnétisation lui-même, nous devons remercier Elizabeth Frankenstein de la franchise avec laquelle elle décrit la nature de l'expérience qu'elle a vécue. Beaucoup des très jeunes femmes qui eurent recours à Mesmer pour être soignées étaient soit incapables de reconnaître ces doux tourments pour ce qu'ils étaient soit, compte tenu de leur pudeur naturelle, trop timides pour donner ensuite le détail de leur expérience. Mais comme il apparaît évident d'après ces mémoires, l'opération parvenait à son point culminant avec une libération orgasmique d'une espèce particulièrement vigoureuse. Même une femme aussi maîtresse d'elle-même qu'Elizabeth Frankenstein succomba à cette convulsion érotique et finit pratiquement par se jeter sur l'assistant le plus proche. Aussi il ne devrait guère être surprenant que des jeunes filles plus naïves, sous l'influence de praticiens ayant de moindres principes, se soient livrées en ces circonstances à des avances séductrices. En outre, les femmes soumises aux séances privées qui suivaient dans la « chambre de crise » – et dont l'observation ne fut jamais autorisée à aucun enquêteur par Mesmer – étaient sujettes à la stimulation manuelle de la région hypocondriaque, plus spécifiquement les ovaires et la zone vaginale. Là encore, l'opération s'achevait fréquemment par l'expérience de l'orgasme sexuel.

Que des pratiques lascives aient eu lieu, nous n'avons nulle raison d'en douter. Mais cela laisse ouverte la question de la fin poursuivie par ces procédés. Le magnétiseur avait-il simplement pour dessein une honteuse entreprise de séduction ? Ou sa technique avait-elle des visées plus profondes ? Dans son enquête de 1784, la commission Franklin témoigna d'un grand scepticisme à l'endroit de Mesmer dans ses conclusions. Elle remit en question son caractère moral et prévint clairement les femmes contre la fréquentation du mouvement du magnétisme animal. Cependant, la commission était influencée au premier chef par le fait qu'elle ne pouvait trouver de preuve empirique pour le magnétisme animal ; ce qui conduisit à la conclusion accablante que l'œuvre de Mesmer était probablement une mystification et, de ce fait, devait être à la poursuite d'un vil motif. Partant du principe médical bien établi que la femme possède un système nerveux plus labile que celui de l'homme, que son imagination est plus vive et plus excitable, qu'elle est infiniment plus sensible au toucher et qu'elle a un tempérament plus instable, la commission conclut que le principal objectif de Mesmer était d'abuser de la vertu féminine sous le couvert de soins médicaux.

Mais le récit d'Elizabeth Frankenstein nous permet d'envisager une autre interprétation plus charitable, interprétation à laquelle, vivant en ce siècle plus libéral, nous pouvons réfléchir sérieusement. Dans son cas, nous voyons que l'impulsion orgasmique a produit un résultat émotionnel incontestablement salutaire ; la femme fut apte à reconstituer le contenu d'un épisode hallucinatoire douloureux. Le souvenir fut catapulté, pour ainsi dire, par-delà les inhibitions qui sont innées à la nature féminine. Cela permit à Mesmer d'identifier l'acte meurtrier qu'Elizabeth Frankenstein avoua dans son état hypnotique comme un fantasme inextricablement lié à son histoire sexuelle malheureuse. Est-il alors concevable que Mesmer, bien que fortuitement, soit tombé sur une découverte importante concernant la psychologie féminine ? À savoir qu'il existe chez la femme, selon les termes Elizabeth, « un esprit dans l'esprit » ? L'on ne peut qu'être incité à demander : la femelle de l'espèce, dotée d'une pudeur innée dont l'homme est exempt, est-elle capable de se libérer de certains désordres liés à la sexualité uniquement par le recours ou simplement la possibilité d'une libération érotique puissante, voire hystérique ? Dans ces cas-là, le sentiment de honte, qui empêcherait ordinairement la femme respectable de se déshonorer, serait provisoirement en suspens, encore que sous une attention professionnelle vigilante, bien sûr.

Si déplaisantes que fussent ces pratiques au regard du profane, le médecin ne peut que considérer avec le plus grand intérêt toute procédure qui permet de faire entrer une infirmité de l'état affectif dans le domaine du traitement thérapeutique. Il est difficile d'imaginer une technique similaire applicable aux hommes, chez lesquels les impulsions libidineuses sont censées rencontrer une franche approbation. Néanmoins, Mesmer n'eût-il fait qu'ouvrir la *terra incognita* de la sexualité féminine à l'investigation rationnelle, l'on devrait lui reconnaître une importante contribution à l'histoire médicale.

Le brusque départ de Victor

Au cours de l'été qui suivit sa convalescence, Victor reprit son habitude de vagabonder dans la montagne. À mesure qu'il recouvrait sa vigueur, il s'aventurait plus loin du château, dormant souvent à la belle étoile pendant plusieurs nuits d'affilée. Au début, je craignis qu'il n'abusât de ses forces mais mon esprit s'apaisa quand j'observai l'effet fortifiant que ces séjours avaient sur lui. Les couleurs et la vitalité lui revenaient avec les randonnées qu'il entreprenait jusqu'aux escarpements du mont Salève et plus profondément dans les ravins de l'Arve, où il lui arrivait parfois de rester deux semaines. Il trouvait beaucoup de choses réconfortantes dans ces lieux familiers, des visions nostalgiques qu'il associait à la gaieté insouciante de l'enfance. Les vents eux-mêmes, disait-il, chuchotait à son oreille avec des accents maternels. Il explorait à nouveau les châteaux en ruine et les monastères laissés à l'abandon, des lieux hantés et poignants qui baignaient toujours ses pensées de fantaisies romantiques. Je me trouvai bien, moi aussi, de l'amélioration de son moral. L'exubérance qu'il rapportait avec lui me rappelait ces jours meilleurs où j'avais commencé à aimer la passion intellectuelle qui brûlait en lui.

Le spectacle de l'effroyable et du majestueux dans la Nature avait toujours eu pour effet de rendre solennel l'esprit de Victor et de l'amener à oublier les soucis passagers de la vie et à présent plus que jamais, même si l'explication qu'il me proposait pour sa sérénité nouvellement reconquise m'échappait totalement. « Quand je suis là, marchant sur le sommet du monde, les cieux

eux-mêmes me parlent de l'Omnipotence, dit-il. Et je cesse d'avoir peur. Pourquoi tremblerais-je devant un être, aussi monstrueux et inhumain soit-il, quand je m'aperçois à quel point son pouvoir ne saurait se comparer à celui qui régit les éléments ? »

Prenant un cheval et partant aussi loin que les passes escarpées conduisant vers Chamonix, il se plaisait surtout à rechercher l'hospitalité des bergers dont les cabanons en bois fraîchement taillé se dressent à chaque tournant du chemin, accrochés de façon précaire au flanc glacial des montagnes. « Ces gens simples, dit-il, pourraient presque être une race différente. Il ne leur faut ni compagnie ni commerce, et moins encore les ovations de notre espèce corrompue. Combien je les envie et les admire ! »

Si frustes fussent-ils, les montagnards ne manquaient jamais d'offrir le vivre et le coucher aux étrangers, car souvent ces voyageurs leur apportaient les seules nouvelles à leur parvenir du monde civilisé. Certains n'avaient jamais entendu parler des guerres et révolutions qui bouleversaient le continent, du sang qui coulait à flots dans les rues de Paris, les grandes questions de Justice et de Liberté qui agitaient nos pensées signifiaient moins pour eux que la récupération d'un agneau qui s'était écarté du troupeau. Une pareille candeur avait un effet tonique sur Victor. Malgré l'inquiétude qui me rongeait quand il s'absentait pendant un certain temps, j'étais toujours là pour l'accueillir à son retour de ces excursions. C'était bon de voir à nouveau la vie palpiter en lui, tel un torrent qui avait fondu avec la venue du printemps. Et enfin vint le moment que j'attendais avec tant d'impatience, le moment où Victor m'ouvrit son cœur et me parla de son amour, timidement au début, comme s'il craignait que je ne m'en offusquât, mais ensuite avec plus d'audace quand il devint apparent que je buvais ses paroles. Sur ce, il proposa que nous célébrions notre mariage durant l'été. Et, bien entendu, j'acceptai.

Pendant les jours qui suivirent, l'air autour de moi semblait chanter tandis que j'exécutais les tâches ménagères. Ce n'était pas seulement mon bonheur qui me soutenait le moral, mais la proposition de mariage de Victor m'avait enfin permis de lui faire savoir que je lui avais totalement pardonné. Je souhaitais qu'il sût que l'achèvement brutal de notre relation de jeunesse se trouvait à présent loin de mes pensées. Je me réjouissais de voir l'ombre de la culpabilité faiblir dans son regard. Nous savions que le mariage que nous envisagions à présent nous apporterait le bonheur transcendant que nous avions recherché jadis ; ce ne serait pas l'union que notre mère avait voulue pour nous : un événement qui serait célébré parmi les chœurs célestes. Mais ce serait un mariage entre deux cœurs humains, durable et propre à l'épanouissement de chacun. Et ce serait suffisant.

Je souhaitais que Francine fût la première en dehors de notre famille à connaître notre bonheur ; je lui adressai un message pour lui demander de venir dès qu'elle le pourrait. Il ne lui parvint que lorsqu'elle fut rentrée de voyage avec Charles après la tournée de celui-ci. Mais entre l'expédition d'une lettre et sa réception, le monde peut être totalement bouleversé ; et il en fut ainsi dans le cas présent. Avant qu'elle eût pris ses dispositions pour me rendre visite, je n'avais rien à lui annoncer qu'un cœur brisé. Il n'y aurait aucun mariage. Le coup m'arriva comme un geste aveugle de la Nature, un coup de tonnerre ou un coup de vent qui détruit sans donner d'explication.

Victor était parti faire une randonnée qui le conduisit à Montanvert ; il était absent depuis près de trois semaines, assez longtemps, en vérité, pour que je fusse gagnée par l'inquiétude. Je ne pouvais imaginer que son retour apporterait autre chose que de la joie ; au contraire, il n'apporta que désarroi et souffrance. Car lorsque Victor rentra, il se trouvait au dernier degré de la détresse. Je ne voyais nulle trace de blessure sur lui, mais, à en juger par son expression, il devait avoir souffert quelque calamité. Il avait le visage défait, l'aspect fiévreux, le comportement égaré. Mettant pied à terre devant la porte d'entrée, il refusa de parler à quiconque et, sans un regard ni à droite ni à gauche, se précipita sans cérémonie dans sa chambre, dans laquelle il s'enferma à double tour jusqu'au lendemain. Quand il ressortit, je vis qu'il avait pleuré, mais sa conduite était davantage celle de la colère que du chagrin. Avait-il rencontré quelque bête sauvage ou une avalanche ? lui demandai-je.

« C'est cela, une avalanche, répondit-il avec un ricanement forcené. Elle m'a véritablement emporté dans la montagne. Ne le vois-tu pas ? J'ai été broyé. »

Mais, à l'évidence, il n'était nullement blessé. Je cherchai encore et encore à le faire parler, mais ma sollicitude ne fit qu'attiser sa fureur. Pendant deux autres jours, il ne fit guère qu'arpenter le domaine de fort méchante humeur, cherchant à fuir toute conversation. Finalement, au petit déjeuner, le troisième jour de son retour, il fit cette déclaration brutale : « Il faut que je m'en aille. » Il nous jeta ces mots comme s'il s'attendait à une protestation. « Je ne puis dire pour combien de temps, ni où je compte aller. Mais je dois partir. C'est une question de la plus haute urgence. » Puis voyant l'expression d'effarement sur le visage de notre père et le mien, il se laissa fléchir. « Je vous en prie, ne me posez aucune question ! » Et pris d'une crise de larmes, il quitta la pièce précipitamment.

Le lendemain matin, il entreprit à la hâte ses préparatifs et envoya une des servantes lui réserver une place dans la diligence suisse en partance pour Franfort. Je l'implorai de me dire au moins combien de temps il serait absent. « Tout l'automne, répondit-il. Probablement davantage. Une année entière. » S'étant rendu compte de mon étonnement, il se tourna vers moi avec un air de défi. « Tu dois me faire confiance quand je te dis que je suis contraint d'entreprendre ce voyage. » Allait-il véritablement me quitter ainsi, sans un mot d'excuse ni de regret pour le report de notre mariage ? Ou était-ce là une façon de le reporter ? Peut-être me fuyait-il ? Même si tel n'était pas le cas, son état d'esprit était si profondément agité que je désespérais de le voir de retour sain et sauf.

À nouveau il réclama ma confiance ; mais comment pouvais-je me fier à un homme dont la raison semblait au bord de la désintégration ? Pendant des jours, il n'avait ni mangé ni pris de repos ; la nuit, sous sa porte, je voyais la lueur jaune tremblotante de la bougie qui brûlait dans sa chambre jusque bien après minuit. Quand je m'attardais dans l'obscure galerie devant sa porte, je l'entendais marcher et, parfois, gémir. Ce n'était pas un gémissement de douleur mais celui du plus profond désespoir. Plus d'une fois, je tapai timidement à sa porte pour lui demander s'il n'était pas bien, mais me fit rabrouer avec rudesse. Quand ses préparatifs de départ furent achevés, il était aussi décharné qu'un naufragé qui a été abandonné sur une île déserte. Une fois encore, nous l'implorâmes, mon père et moi, de reporter son départ jusqu'à ce qu'il eût recouvré ses forces pour le voyage, mais il refusa d'entendre raison. Ce n'est que lorsque notre père le pressa de toute son autorité paternelle que nous eûmes un début d'explication qu'il nous offrit en quelques piètres mots. « J'ai rencontré quelqu'un... un homme... à Chamonix, une vieille connaissance. C'était tout à fait par hasard. Je lui suis redevable, une dette de longue date. J'ai accepté de voyager avec lui et de lui rendre service. Je ne puis vous en dire davantage. »

J'étais sûre que ce n'était guère plus qu'une improvisation ; en fait, j'éprouvai un moment de gêne devant la transparence de son invention. Mais le baron, prenant son fils au mot, offrit aussitôt de libérer Victor de toute dette qu'il aurait pu engager, quelle qu'en fût le montant. Victor l'écarta d'un geste. « « Ce n'est pas ce genre de dette, père. L'homme requiert mon aide... en tant que savant et médecin. Il y a quelqu'un qui requiert mes soins particuliers ; il ne peut s'adresser à nul autre. Il va me conduire auprès de cette personne. Je ferai tout mon possible et reviendrai.

– Mais où seras-tu ? » m'enquis-je.

À contrecœur, il révéla sa destination.

« Je me rends en Angleterre, me dit-il. Je ne puis dire où précisément ; probablement dans les îles du septentrion. Il y a des recherches que je dois y mener dans le cadre de mon voyage. Je m'efforcerai d'écrire.

– Mais c'est là une chose parfaitement déraisonnable de la part de cet homme ! protesta le baron avec étonnement. Assurément, tu peux trouver quelqu'un en Angleterre qui pourra lui porter assistance. Pourquoi faut-il que ce soit toi ?

– Croyez-moi, mon père, je me suis querellé avec cet homme pendant des jours, j'ai fait tout ce qui était en mon pouvoir ! Mais il n'a pas permis que nous levions le camp tant que je ne lui eus pas donné ma parole. Je suis particulièrement compétent dans l'exercice médical qu'il sollicite. »

Le lendemain, il partit aux premières lueurs du jour, me quittant après des adieux aussi brefs que s'il s'absentait pour quelques heures seulement. Pas une fois il ne me dit que notre mariage était annulé.

Pour la deuxième fois, Victor me quittait sans l'assurance d'un retour. Il y a sept ans ce mois-ci, il s'en allait pour Ingolstadt, afin d'y passer les quatre années suivantes, ne nous rendant que les visites les plus brèves et les plus formelles. Je fus frappée à l'idée que le tumulte émotionnel que je voyais bouillonner en lui au moment de son départ était exactement l'état dans lequel il se trouvait à son retour de l'université : le même mélange d'apitoiement sur soi et de désespérance, mais à présent s'ajoutait à celui-ci quelque chose de furtif qui est propre au crime. Je ne pus m'empêcher de penser que ces deux moments dans la vie de Victor étaient liés d'une certaine manière. Mais il m'était absolument impossible d'imaginer pour quelle raison il se trouvait à présent en route pour le nord de l'Angleterre. Je savais seulement que je me sentais cruellement abandonnée.

Sans la présence de Francine, j'aurais sûrement sombré dans la folie pendant le long hiver désolé qui suivit le départ de Victor. À nouveau, la meilleure des amies fut mandée pour me sauver d'un désespoir allant jusqu'à vouloir m'infliger la mort. La tâche n'était point facile pour elle, car l'hiver se révéla particulièrement rigoureux cette année-là et souvent, les routes conduisant de Genève à Belrive étaient enneigées au point d'être impraticables. Quand la mélancolie de l'isolement de la saison pesa lourdement sur moi, ma chère Céleste fit ce qu'elle put pour me réconforter ; mais la pauvre femme était affligée elle-même par la gravelle et je n'avais pas le cœur de l'éprouver trop grandement. Laissée à mes propres ressources, je repris mon journal, dans lequel je n'avais rien écrit depuis mon séjour dans la profondeur des bois il y avait bien des lustres de cela, et passai ainsi la saison solitaire en conversant, en quelque sorte, avec mes propres terreurs.

NOTE DE L'ÉDITEUR

Relations de Victor Frankenstein avec le démon à la lumière des mémoires d'Elizabeth Frankenstein

Les lecteurs de mon récit original se souviendront que Victor Frankenstein fut pour la première fois abordé par le démon et s'entretint avec lui au cours de ses longues randonnées dans les Alpes qui suivirent son retour d'Ingolstadt. Dans cette narration telle qu'elle me fut dictée, Frankenstein condensa le récit du monstre en une chronique interminable, continue, qui était, en fait, l'histoire de la vie brève et mouvementée du monstre. Il était difficile pour moi de croire à l'époque qu'autant de choses sur l'histoire de cette créature eussent été transmises au cours d'une seule rencontre. Les mémoires d'Elizabeth Frankenstein impliquent clairement que Victor et son immonde création passèrent ensemble une période beaucoup plus longue, campant sans doute durant plusieurs jours dans de lointaines étendues de glaciers désolés aux environs de Montanvert.

Je rappellerai au lecteur que lors de ce rendez-vous fatidique, le démon eut l'audace d'exiger que Frankenstein lui créât une compagne. Si, comme je le suspecte à présent, le docteur et le monstre passèrent ensemble une période beaucoup plus longue à cette occasion, il devient d'autant plus crédible que la créature fut apte à exercer une influence sur Victor et ainsi, à lui arracher malgré lui son consentement pour son projet dément. Le récit d'Elizabeth Frankenstein nous transmet l'horreur morale que Victor conçut à la perspective de créer une deuxième monstruosité ; il nous procure également une chronologie fidèle pour le voyage de Victor dans les îles écossaises, question qui reste tout à fait confuse dans la narration originale. On peut solidement établir que son absence du domaine familial dura une période de dix mois, d'octobre 1796 à juillet de l'année suivante.

À son crédit, Frankenstein faillit finalement à la promesse que le démon lui avait extorquée et, au lieu de lâcher le monstre femelle dans le monde pour sans doute multiplier l'espèce, détruisit la chose contre nature avant de l'avoir amenée à la vie. Par ce geste, qui a peut-être épargné à l'humanité la sinistre perspective de partager le monde avec une nouvelle engeance monstrueuse, le destin d'Elizabeth Frankenstein fut tragiquement scellé.

Quatrième partie

Je rencontre un mystérieux visiteur

Le... mars 179...

Ce matin commence le cinquième mois depuis le départ de Victor, et le troisième depuis que j'ai reçu ma dernière lettre de lui. Je suis folle d'inquiétude. Avant que le temps se gâte et empêche toute relation de voisinage, Francine était sans cesse à mon côté. À présent, durant ce qui est le pire des hivers, je me trouve privée de toute compagnie.

J'ai réglé rigoureusement mes journées afin de passer le temps. Le matin, je suis la première levée dans la maison, souvent avant l'aube. Je fais un feu dans ma cheminée et m'occupe à tresser la paille comme ma mère le faisait pour commencer chaque jour. Je trouve cela apaisant pour l'esprit. Aussitôt que j'entends bouger sous notre toit, je descends pour aider à faire le pain et les gâteaux et préparer le petit déjeuner de mon père. Nous prenons notre repas ensemble, parlant du temps, de l'état du domaine, des charges ménagères. Nous conspirons en silence pour ne rien dire du seul sujet qui occupe nos pensées ; nous prétendons que Victor n'est guère plus éloigné que dans la pièce voisine. Il est plus facile pour père que pour moi de faire semblant ; depuis sa dernière attaque, il semble avoir un peu perdu la notion du temps. Il y a des jours où je pense qu'il ne sait plus précisément depuis combien de temps Victor est parti. Je lui envie la grâce d'une mémoire défaillante.

Dans le cours de la matinée, je lis. Rien d'astreignant, rien qui pèsera plus lourd sur mon esprit qu'un brin de duvet. J'ai fini *Les Mystères d'Udolphe,* d'Ann Radcliffe[12], une lecture frivole ; je ne les trouve aucunement effrayants. L'horreur, ai-je appris, n'a guère à voir avec les châteaux hantés et les cimetières. La véritable horreur est composée d'intentions humaines : elle naît d'une âme dépravée. Les *Rêveries* de Rousseau permettent de passer agréablement le temps quand on n'a rien d'autre sous la main ; c'était une des lectures favorites de ma mère.

Dans l'après-midi, si le temps le permet, je travaille au jardin, afin de le préparer à la venue du printemps. Cherchant à calmer mon esprit tempétueux, je me suis assigné une tâche. Je vais transplanter les fraisiers sur le monticule ensoleillé du côté nord de la vigne. Félix, le jardinier, me prévient qu'ils risquent de ne pas mieux réussir là-bas qu'ils ne l'ont fait l'an passé. En vérité, les fraises n'ont jamais prospéré de tout le temps que j'ai vécu ici, bien que les plants eussent été constamment transplantés d'un point à l'autre de la propriété. Néanmoins, je m'attelle à la tâche. C'est un difficile labeur ; je dois déplacer les plants à la brouette vers un endroit assez éloigné. Les jardiniers, épouvantés de voir la maîtresse de maison employée de façon aussi malséante, m'offrent sans cesse leur aide, mais je leur fais savoir que je désire faire seule l'ouvrage. Je suis sûre que ce que je fais leur paraît tout à fait saugrenu, car mes efforts sont probablement destinés à rester vains. Cependant, cela passe le temps... cela passe le temps. Quand je suis fatiguée, je grimpe au sommet du tertre pour me reposer sous le grand saule qui se tient là et je m'autorise une sieste. De là, je vois les monticules rocheux dans la vallée magique et le torrent tapissé de mousse qui dévale les pentes jusqu'au lac ; et par-delà, les jeunes paysannes qui étalent le fumier pour préparer les champs. Mais surtout, je reste à proximité de la route qui serpente en direction du quai, la route que Victor

---

12. Trad. V. de Chastenay et M. Lévy, Folio, 2001. *(N.d.T.)*

empruntera vraisemblablement pour son retour. À deux reprises déjà, je me suis assoupie et j'ai rêvé que je m'éveillais pour trouver mon bien-aimé penché sur moi, me souriant. J'essaie de rester dehors jusqu'à ce que tombe la fraîcheur du soir et que les brumes montent des coteaux désolés. Alou n'est jamais loin dans la journée. Elle veille sur moi pendant que je dors. Elle se juche sur la brouette quand je reviens des champs et y reste, comme si elle montait la garde, et dans le hêtre sous ma fenêtre, la nuit.

Le soir après le dîner, je lis pour mon père. Il préfère les sujets politiques, bien que cela ait souvent un effet pénible sur son esprit. Depuis les émeutes à Genève, il a de sérieux doutes quant à la cause révolutionnaire. Je lui lis la remarquable narration des événements en France faite par miss Wollstonecraft[13], sans lui dire qui en est l'auteur. Il est dûment impressionné par la perspicacité de son récit. Quand je lui précise que c'est l'œuvre d'une femme, il se déclare surpris. Mais quand je passe à la lecture de son nouveau pamphlet sur la défense des droits des femmes, je m'aperçois bientôt qu'il n'approuve pas. Il a entendu parler des exploits de miss Wollstonecraft ; il se plaint avec une certaine fièvre que « cette dévergondée désire être l'égale des hommes, mais seulement dans leurs habitudes les plus dégradées ». Pauvre père ! Lui qui se considère comme un libre-penseur regimbe devant les idées d'une femme émancipée. Qu'il serait surpris – lui et tous les penseurs masculins de notre temps – d'apprendre que la célèbre miss Wollstonecraft n'est autre que la voix de ces « femmes rusées » qui vivent depuis des siècles en marge de leur monde, se rassemblant la nuit dans les bois et les prés

13. Mary Wollstonecraft, écrivain anglais et féministe, auteur de *An Historical and Moral View of the French Revolution* (1794). Femme du philosophe William Godwin, un des pionniers du mouvement anarchiste, et mère de Mary Shelley. *(N.d.T.)*

pour échanger leur savoir, panser leurs plaies et vénérer leurs divinités. Comme j'aimerais lui raconter cette histoire remarquable, qui est celle des cuisinières et des servantes qui le servent sous son toit, et des femmes qui travaillent dans ses vignes. L'histoire aussi de sa femme bien-aimée, et la mienne telle qu'en moi-même. Mais comme il serait embarrassé de l'entendre... de même que le seraient son cher Voltaire, et le citoyen Robespierre ; car la rébellion des femmes est un séisme cent fois plus fort que la Révolution française. Si les « sorcières » pouvaient en faire à leur tête, elles renverseraient plus que les gouvernements. Elles renverseraient tout l'univers si bien réglé dont ces messieurs des Lumières sont si épris ; peut-être, pire que tout, elles mettraient le lit conjugal sens dessus dessous.

Mais on ne peut ainsi accabler un vieil homme malade qui est déjà troublé par l'effondrement de son rêve révolutionnaire ; aussi, je préfère calmer son humeur en prenant *Les Ruines ou Méditations sur les Révolutions des empires*, de Volney, récemment livré de la ville par M. de Lisle, le libraire. Père croit que cet ouvrage mérite amplement sa notoriété ; l'esprit sceptique de l'auteur le réconforte comme la musique la plus douce. « Cela sonnera sûrement le glas de la superstition, affirme-t-il en battant des mains avec enthousiasme. Pas un seul calotin ou tartufe ne survivra à une attaque aussi cinglante de la Raison ! » Je lis jusqu'à ce qu'il s'assoupisse et les servantes l'emmènent.

Je suis rarement au lit avant minuit et même alors, il m'est impossible de trouver le sommeil sans laudanum. Je crains de prendre une dose trop forte, mais je dois étouffer mes angoisses. Je me réveille le matin, la tête dans les nuages.

Je reçois une lettre de Francine. Elle est en voyage avec Charles, qui a été envoyé pour une mission importante auprès des assemblées huguenotes de France nouvellement libérées. Je prie pour son retour !

Le... avril 179...

La nuit dernière, j'ai mal dormi, réveillée deux fois par les jappements frénétiques de renards dans les bois. Je me suis levée à la lueur de la bougie. De nouveau, un matin gris doux avec des vapeurs montantes. Puis une brève ondée, tiède. J'ai vu mon premier rouge-gorge au petit déjeuner, un jeune effronté lancé à la poursuite d'un papillon écarlate.

Au bout de trois semaines, les plants de fraisiers ne sont pas même transportés à moitié ; je fais ce que je peux pour conserver de mon intérêt à cette entreprise, mais mon cœur est trop anxieux pour me laisser en paix. J'apporte fréquemment des livres et passe l'après-midi à lire. Les mémoires du comte Gramont, les lettres de Suisse de Goethe. Je lis pour passer le temps ; mon esprit ne retient rien. Je bénis le sommeil quand il s'empare de moi.

Aujourd'hui, comme je lisais la comtesse de Genlis, je lève les yeux de la page et aperçois une silhouette qui marche lourdement sur la route et pénètre sur le domaine. C'est un voyageur, un lourd baluchon sur l'épaule. *Victor !* m'écrié-je en moi-même, et je bondis sur mes pieds pour mieux voir. Mais non... l'homme s'arrête au loin. Il s'arrête et reste là, le couvre-chef enfoncé sur le front et se protégeant les yeux de la main. Lentement, son regard fait le tour du parc. Il paraît regarder dans ma direction, demeure un long moment immobile, puis s'enfonce dans les bois. Dans les branches au-dessus de moi, Alou claque du bec, nerveuse. Je remarque qu'elle observe avec une concentration particulière.

Pourquoi prendre la peine de relever cet incident ?

Le... avril 179...

Je me sens mal, je reste longtemps couchée. Je somnole et m'éveille à nouveau par un jour morose qui promet la pluie.

Je suis décidée à en finir avec les plants de fraisiers avant que le mois s'achève. Félix me dit qu'ils doivent être en terre avant la nouvelle lune. En milieu d'après-midi, j'ai travaillé avec ardeur et je m'effondre, épuisée, sous le saule, sans même ouvrir le panier à provisions. Malgré le pénible labeur, je n'ai pas d'appétit. Le sommeil me terrasse, mais je m'éveille bientôt en sentant un regard sur moi. Les yeux de Victor, j'en suis certaine. Il est ici ! Mais il n'y a personne à proximité. Je regarde alentour... et j'aperçois un homme qui se tient au loin, au pied de l'échalier. Je suis sûre que c'est la même silhouette que j'ai vue la veille, qui se protège à nouveau les yeux du soleil pour m'observer. Je vois maintenant qu'il est d'une taille remarquable ; il a une tête de plus que Victor, me paraît-il. Malgré la distance, je note qu'il est dépenaillé. Un vagabond, sans doute. Je me sens mal à l'aise et décide de rentrer au château. L'homme ne s'approche pas mais se tient, une jambe perchée sur la barrière, et m'observe tandis que je ramasse mes outils de jardinage et reprends le chemin de la maison.

Cette nuit-là, je m'éveille en entendant la voix de Victor à côté de moi dans le lit, qui m'appelle au secours. Après cela, je ne puis me rendormir. Une nuit humide, sous la clarté de la lune ; le froid pénètre sous ma couverture et me fait frissonner. Je reste debout à contempler la foudre à l'œuvre sur les montagnes à l'ouest.

Le... avril 179...

Aujourd'hui encore, il est là, aussi immobile qu'une statue à côté de l'échalier. Il demeure de longues minutes à observer, puis se détourne et s'en va. J'ai pensé à m'approcher de lui... Inexplicablement, mon intuition me dit qu'il vient de la part de Victor.

À chaque fois qu'il vient, Alou le fixe de ses yeux et ne bouge plus jusqu'à son départ.

Le... avril 179...

Aujourd'hui encore...

Le... avril 179...

Aujourd'hui encore. S'il n'est pas là quand j'arrive, je m'aperçois que j'attends sa venue. Il ne s'approche pas au-delà de la clôture. Il s'y tient, immobile, pendant un quart d'heure. Je sais que c'est moi qu'il observe. Je me sens frissonner sous son regard.

S'il est encore là demain, je l'approcherai. Cette pensée m'échauffe comme si j'envisageais une aventure.

Le... avril 179...

Une matinée froide, venteuse. Des nuages épais, un vent aigre, le tonnerre dans le lointain.

Je me hâte de rejoindre mon travail, sachant que je ne ferai rien que guetter sa venue. Je le laisse à son poste d'observation habituel pendant plusieurs minutes ; puis je traverse le pré dans sa direction. J'avance d'un pas rapide pour me donner de l'assurance. Alou, toujours si curieuse, ne me suit pas et reste prudemment derrière, perchée dans le saule. L'homme s'éloigne à mon approche. Je l'interpelle : « Monsieur ! Cherchez-vous quelqu'un ? »

À ces mots, il s'arrête, le dos tourné vers moi. Je vois qu'il a un physique aux dimensions colossales, aussi large et musclé qu'un taureau entre les épaules, de loin l'homme le plus grand que j'aie jamais rencontré. Il se tourne à demi, m'observe prudemment du coin de l'œil, à la façon dont un méchant cabot jaugerait mon approche. Je ne puis voir clairement son visage ; il garde une main posée sur sa joue pour éviter mon regard. Après plusieurs pas, je m'arrête et le hèle à nouveau : « Monsieur ! Qui cherchez-vous ? »

Il ne parle pas ; je suis sûre qu'il ne dit rien... mais, dans ma tête, aussi sûrement que s'il l'avait fait, j'entends ce mot : Victor. Je suis convaincue – je ne saurais dire pourquoi – que cet homme m'apporte des nouvelles de Victor et cela me pousse à m'approcher malgré mon appréhension. « Venez-vous de la part de Victor ? » l'apostrophé-je. Je suis enfin placée de sorte que je puis distinguer une partie de ses traits. Je vois que la main qu'il tient sur sa joue est un enchevêtrement de cicatrices et, comme le reste de sa personne, terriblement difforme. Puis, juste pendant un instant, j'entrevois le visage derrière la main protectrice... Je suis figée sur place et ne puis aller plus loin. « Je vous en prie ! Pouvez-vous me parler de Victor ? »

Il s'adresse à moi par-dessus son épaule, d'une voix dont je puis à peine dire qu'elle est celle d'un homme, un grincement sourd qui étouffe ses paroles. Cela me donne un prétexte pour m'approcher davantage.

« Je ne vous entends pas, répété-je d'une voix forte. Êtes-vous un ami de Victor ?

– Je suis une de ses connaissances.

– Pouvez-vous me donner de ses nouvelles ?

– Rien. Je ne sais rien. »

Alors même que je parle en scrutant l'étranger aussi minutieusement que la distance entre nous me le permet, je sens une onde de révulsion maladive gagner mes entrailles. J'aperçois ses traits pendant quelques instants seulement avant qu'il lève à nouveau la main pour se couvrir, mais ce seul regard suffit à secouer mes sens. Je ne puis dire si c'est un visage que je vois ou le squelette décharné qui devrait se trouver dessous. La peau jaunie est si tendue qu'elle recouvre à peine le jeu des muscles et des artères en dessous. Je ne puis imaginer dans quel monde, si ce n'est celui des morts, je pourrais contempler un visage aussi cadavérique ; cependant ici, devant moi, se tient un être vivant avec une semblable figure. Je voudrais qu'Alou soit auprès de moi, mais elle ne m'a pas suivie. Seule, ma curiosité pressante d'apprendre ce que cet homme sait sur Victor me garde enracinée sur place, disposée à supporter cette vision.

« Je vous en prie ! dis-je comme il tourne les talons pour s'éloigner. Ne partez pas, je vous en supplie.

– Vous ne voudrez pas que je vienne plus près, répond-il, le visage complètement détourné à présent. J'ai été blessé. Je suis gravement défiguré, comme vous l'avez vu. »

Blessé ! Évidemment. Brûlé, sans doute, la chair carbonisée. Pourquoi me suis-je montrée aussi cruelle et stupide ? Je suis presque émue au point de lui présenter mes excuses. « Monsieur, pourriez-vous rester, je vous prie, ne serait-ce qu'un instant ? Comment avez-vous connu Victor ? »

Il ne répond pas. Ce serait un geste de bonté de ma part de laisser partir ce pauvre hère, mais à chacun des mots que nous échangeons, je réussis à me rapprocher de quelques centimètres, en espérant qu'il ne sera pas effarouché par ma progression. Je vois que ses vêtements sont élimés et crasseux, ses bottes décousues aux coutures. Il connaît visiblement une mauvaise passe.

« Logez-vous dans les environs ? demandé-je.

– Je ne fais que passer. Je préfère bivouaquer dans les bois. »

Je lui aurais volontiers offert l'hospitalité du château, mais comment expliquer que j'introduise un pareil personnage sous notre toit ? Je m'assois sur l'échalier. Va-t-il s'asseoir à mon côté et converser ? Non, il s'écarte de plusieurs pas et attend, se tenant tantôt sur un pied, tantôt sur l'autre.

« Vous m'avez observée, dis-je. Puis-je vous demander pourquoi ?

– J'espérais apercevoir Victor, répond-il de derrière sa main. Je ne souhaitais pas vous déranger. Comme vous pouvez l'imaginer, j'ai appris à ne pas accoster des étrangers. La difformité est toujours considérée avec méfiance. Pouvez-vous me dire quand vous avez eu pour la dernière fois des nouvelles de Victor ?

– Il y a eu une lettre au début de l'année. Elle était datée de décembre.

– D'où venait-elle ?

– D'Angleterre.

– Savez-vous pourquoi il s'est rendu à l'étranger ?

– Pour une affaire urgente. Pour aider un ami.

– Un ami ? A-t-il dit qui était cet ami ?

– Non. Il est parti à la hâte sans donner d'explication. »

Je sens sa gêne tandis qu'il traîne les pieds dans la poussière. Malgré sa taille et sa puissance, sa laideur le rend manifestement farouche.

« Je ne puis rester, dit-il enfin.

– Mais reviendrez-vous ? Demain ? Je vous en prie...

– Peut-être », répond-il, et il se retire.

Je le suis des yeux tandis qu'il repart sur la route. À quelque deux cents mètres, il quitte le chemin pour s'enfoncer dans les bois et disparaît à ma vue.

Le... mai 179...

Je suis dans les prés plus tôt qu'à l'ordinaire et je prie le ciel pour que l'étranger revienne. Midi a depuis longtemps sonné quand je le vois s'approcher. À nouveau, il s'arrête près de l'échalier. Je me dirige vers lui en faisant de mon mieux pour paraître en confiance. Cette fois, Alou survole le champ pour se jucher dans un arbre au-dessus de lui. Je vois que, par bonheur, il a tiré un mouchoir sur ses joues. Malgré cela, je ne puis m'empêcher de tressaillir quand j'entrevois les yeux qui apparaissent entre le bord de son chapeau et le bout d'étoffe. Les cavités brunâtres sous son front massif sont envahies d'ombre ; dans ces orbites caverneuses, les yeux ternes qui regardent – sous des paupières si lourdes qu'il doit basculer la tête en arrière pour me fixer – n'ont aucune trace d'humanité. Au contraire, ce sont des yeux de bête, avec un regard vide et une curiosité de prédateur.

« Je vous remercie d'être venu, dis-je, et je rassemble tout mon courage pour faire un pas en avant et lui tendre la main. Je m'appelle Elizabeth Lavenza. »

Il tressaille et recule de plusieurs pas.

« Je vous en prie, ne venez pas si près ! demande-t-il. Je ne suis pas accoutumé à cela. Vous êtes trop bonne d'être aussi indulgente, mais il y a bien longtemps que je n'ai touché la main d'une femme.

– Alors, pouvons-nous faire quelques pas ensemble ? » lui proposé-je.

En marchant, je n'aurai pas besoin de le regarder en face.

Il accepte et prend place à mon côté. Nous nous éloignons sans but particulier, cette étrange, inquiétante silhouette me dominant tel un père marchant au côté d'un enfant. Il avance d'une démarche pesante, ses talons traînant lourdement à chaque pas qu'il plaque sur le sol. Malgré sa force, il paraît branlant comme s'il devait lutter pour conserver l'équilibre. À présent, comme je suis plus près de lui, je décèle une odeur fétide, une odeur de décomposition. Je m'efforce de ne pas montrer le dégoût que cela m'inspire.

« Venez-vous de loin ? » demandé-je.

Lui : – Oui.

Moi : – D'où ?

Lui : – Du nord.

Moi : – Connaissez-vous Victor depuis longtemps ?

Lu : – Nous étions ensemble à Ingolstadt.

Moi : – Vous étiez à l'université avec Victor ?

Lui : – Pas en cours. Je l'assistais dans son travail.

Moi : – De quel travail s'agissait-il ?

Il ne répond pas.

Moi : – Pourquoi voulez-vous voir Victor ?

Lui : – Il a une dette envers moi.

Moi : – Mais il sera aisé de vous donner satisfaction. Je suis certaine que le père de Victor ne manquera pas d'arranger cela avec vous.

Il fait plusieurs pas en silence.

Moi : – Cela serait-il à votre convenance ?

Lui : – Seul Victor peut payer.

Je le presse sur la nature de la dette, mais il refuse d'en dire plus. Enfin, tournant si brusquement sur ses talons qu'il en perd presque son fragile équilibre, il rebrousse chemin à grands pas, comme s'il préférait me laisser derrière. Je vois que cela l'irrite d'être interrogé. Je me hâte de le suivre. « Je me suis présentée, monsieur. Puis-je connaître votre nom ? »

Sa réponse met un long moment à venir. « Adam est le nom que je me donne.

– Adam... »

J'attends un nom patronymique, mais en vain.

Quand nous atteignons l'échalier, il poursuit son chemin, se hâtant en direction des bois par-delà notre domaine.

« Adam ! le hélé-je. Adam, reviendrez-vous demain ? »

Il continue sa route sans répondre.

Cette nuit-là nous apporte un orage venu de l'ouest. Le ciel est animé d'un feu dansant. Je ne puis dormir. Je prends une deuxième dose de laudanum et sombre dans un sommeil agité. Pour la première fois depuis des années, le cauchemar de ma naissance revient, plus vivement que jamais. À nouveau, je vois ma pauvre mère expirer au milieu des tourments ; à nouveau, je me débats pour me libérer de son corps qui m'emprisonne.

Je m'éveille, m'étranglant de peur. « *Ô Dieu, qui est là ?* » crié-je. Car ici à mon chevet, *ici même !* je vois l'étranger penché sur moi, sa face obscurcie par les ténèbres. Dans sa main, il tient l'instrument en forme de pince. Il se penche vers moi... Ma voix se fige dans ma gorge ; je ne puis appeler à l'aide. Mais... ce n'est pas le monde éveillé ; c'est un rêve dans le rêve. Il s'envole telle une image tracée sur le verre. Et brusquement, je m'éveille, le corps trempé de sueur par la terreur.

L'orage a dépassé les Voirons et file au levant vers les lointains. Ma chambre est vide. Cette nuit-là, je ne dors plus.

Mes conversations avec le visiteur

Ainsi commencèrent des relations plus surprenantes que tout ce que j'avais imaginé. L'étranger appelé Adam venait presque chaque jour me retrouver à l'endroit où je travaillais au-dehors, restant toujours masqué, jamais d'humeur causante. Il ne parlait que pour répondre à mes questions encore que ses réponses fussent aussi laconiques que si le langage lui était rationné. Si je lui posais une question, il ne prenait pas la peine de répondre mais continuait à marcher à mon côté en silence comme un sauvage qui n'a jamais appris que la conversation est un commerce normal entre les personnes. Néanmoins, je persévérais dans ma volonté de le revoir, car quand nous étions ensemble, la présence de Victor m'enveloppait indubitablement.

Les premières fois où nous nous rencontrâmes, la réticence obstinée de l'homme me troubla davantage que son aspect répugnant. Le discours lui venait de façon hésitante, comme s'il lui était douloureux de former les mots qu'il prononçait, au point que, parfois, ce fut à contrecœur que je lui en infligeai l'épreuve. Cependant, il était également évident que, loin d'être un sot, il était un homme capable de s'exprimer clairement. En vérité, son vocabulaire était celui d'une personne instruite, et ponctué de références littéraires : une fois, ce fut Plutarque, une autre fois Cicéron, une autre fois encore *Werther*. Mais souvent les mots dont il avait besoin refusaient de prendre du service à sa demande. Peut-être y avait-il une mauvaise connexion entre son esprit et sa langue par suite de ce qu'il appelait sa blessure. Parfois, ce défaut d'élocution le laissait vivement irrité, non pas contre moi mais contre lui-même. Il se fâchait et devenait hargneux tandis qu'il peinait à articuler ce qu'il voulait dire, grimaçant sous l'effort. Si curieux que cela paraisse, je découvris qu'en ces occasions, je trouvais invariablement dans mes pensées le mot qu'il cherchait et m'appliquais à le lui procurer. Mais à de pareils moments, il ne me prêtait aucune attention tant qu'il n'avait pas réussi à former lui-même la phrase qu'il avait en tête.

Ce fut une semblable occasion qui me procura finalement une plus grande compréhension de mon mystérieux compagnon. Je lui avais posé une question banale concernant sa famille, rien qui me parût important, de simples propos pour passer le temps. Je lui demandai si sa famille vivait dans la contrée.

« Comme vous, j'ai été privé d'une mère toute ma vie, dit-il d'une voix maussade.

– Comment savez-vous que je suis orpheline ? demandai-je avec surprise.

– Ces choses se devinent. Ça crée un lien. »

Si abasourdie que je fusse par cette réflexion, j'étais enchantée de trouver quelque chose que nous pouvions partager. « Vous avez raison. Ma mère est morte en me mettant au monde. Et votre père ? » demandai-je, comme je ne pouvais manquer de le faire.

Là, il se mit à grogner tout bas pendant un long moment. « Je le connais à peine. J'ai été... j'ai été... » Et il s'interrompit, bloqué en pleine phrase, perdu dans le maquis de ses pensées. J'aurais aussi bien pu ne pas exister, car il semblait n'avoir aucune notion de ma présence et n'entendit plus rien de ce que je dis. Je sentais la colère qui naissait en lui tandis qu'il s'efforçait d'achever son propos ; il paraissait être en guerre contre lui-même. Pour finir, il s'arrêta brutalement et, poussant un grondement exaspéré, il se mit à se frapper le front comme pour forcer son cerveau à libérer le mot qu'il voulait. Je le suppliai de ne pas se tourmenter, mais il ne m'écouta pas. Brusquement, sans explication, il quitta la route et gravit le talus couvert de broussailles, me laissant sur place. Je l'appelai, mais il ne sembla rien entendre. En un instant, il avait disparu dans la pinède. Reviendrait-il ? Je n'en avais aucune idée.

Comme je restais figée sur place, un mot retentit dans mon esprit. *Abandonné !* Je savais qu'il avait voulu dire « abandonné ».

Comment devrais-je considérer une telle conduite si ce n'est comme un affront ? Si éduqué qu'il parût, l'homme n'avait manifestement rien appris des bonnes manières les plus élémentaires. Et pourtant, mon dépit céda vite la place à la pitié. J'étais convaincue que ces manières de rustre devaient être le fruit de sa blessure. Loin de prendre ombrage de son manque de courtoisie, je craignais qu'il ne revînt pas. Mais il revint, le jour suivant, sans présenter d'excuses pour son départ grossier. Son premier mot fut « abandonné », le mot qu'il n'avait pas réussi à articuler la veille. Il le cracha presque :

« Je fus abandonné par mon père dès que je vins au monde.

– Ainsi, nous sommes tous les deux doublement orphelins, dis-je, reprenant de mon mieux le fil interrompu de notre conversation. Moi non plus, je ne connaissais rien de mon père. Il m'a donnée à une gitane pour qu'elle m'élève. Je n'ai rencontré mon père qu'une seule fois. Il était à cheval pour partir à la guerre et il n'est jamais revenu.

– J'ai appris depuis lors où se trouve mon père.

– Alors la fortune vous a souri.

– Aucunement. Il me renie.

– J'en suis navrée.

– Ce n'est pas la peine. Il n'y avait pas d'amour entre nous. L'homme est un... »

Un monstre.

À ses côtés, ses mains estropiées s'ouvrirent et se fermèrent avec une rage qui affleurait à tout moment. Il m'effrayait quand il était perdu ainsi dans sa fureur ; pourrait-il, tel un animal forcené, frapper aveuglément ?

« Une chose aussi simple, dis-je pour essayer de le calmer. Qu'un enfant connaisse l'amour de son père. Aucun de nous deux n'a connu ce bienfait si courant.

– Cela vaut mieux. Cela vous rend fort. Je préfère être mon propre maître, sans avoir besoin de l'amour des autres.

– Néanmoins, je considère avoir eu de la chance. J'ai trouvé d'autres gens qui m'aiment et s'occupent de moi.

– Parce que vous êtes si belle ! Je vous envie. Voyez quelle est mon apparence. Il n'y a eu personne pour prendre soin de moi.

– Mais cela est injuste. Votre apparence n'est pas de votre fait. Elle ne dit rien de votre caractère.

– En êtes-vous bien sûre ?

– Certainement. Il y a la beauté intérieure.

– Allons ! Elle ne peut survivre quand la laideur est aussi anormale. Les gens se détournent ; la beauté passe inaperçue ; elle meurt. Alors il n'y a plus que la laideur, pour toute la vie. Elle vous ronge jusqu'à la moelle. Nous devenons la chose que les autres redoutent et détestent en nous.

– Personne n'est laid à ce point. *Vous* n'êtes pas si laid.

– Je fus fait si hideux que je n'aurais pas dû avoir le droit de vivre. Il n'était pas dans l'intention de mon créateur que je vive. Je suis une... »

Erreur.

« ... erreur.

– Dieu ne commet pas d'erreur.

– *Mon* Dieu à moi a commis une erreur ! Il a créé une chose qui flétrit le regard et fait de tous les hommes mes ennemis. »

Je m'arrêtai sur la route. Il se faisait tard et une brise fraîche avait commencé à descendre des cimes enneigées. Nous nous tenions à présent sous le vestige d'un vieux frêne qui avait été fendu d'une façon bizarre par un éclair : des branches fourchues verticales sortaient de la cime noircie et maussade telles les cornes du diable pour effrayer les âmes coupables. Présentement juchée dans les grosses branches, Alou attendait comme elle l'avait fait dans le passé. Nous avions parcouru ce chemin de nombreuses fois ; l'arbre calciné était devenu la limite tacite de nos promenades – jusque-là, pas complètement hors de la vue du portail nord de la propriété enfoui dans la verdure, et nous retournions. Invariablement, Adam avait tenu son mouchoir sur son visage ; il le portait maintenant. « *Montrez-moi !* l'intimai-je en me plaçant devant lui, le visage renversé en arrière pour plonger mon regard dans le sien qui me dominait de toute sa hauteur. Retirez cette étoffe. Mon regard ne sera pas flétri.

– Il le sera... à moins que vous ne soyez plus qu'humaine.

– Nenni ! Je crois que je serais moins qu'humaine si j'étais assez cruelle pour laisser une chose aussi minime me détourner de vous. N'avez-vous jamais rencontré quiconque qui eût un cœur humain ?

– Si, il y eut jadis un homme qui accepta d'être mon ami.

– Tenez, vous voyez !

– C'était un aveugle. Un aveugle m'a regardé en face et m'a appelé son ami.

– Mais je ne suis pas aveugle. Allons, Adam ! Retirez ce mouchoir. Vous pouvez en éprouver la nécessité, mais pas moi. »

Il secoua la tête d'une manière on ne peut plus pitoyable. Mais il n'opposa aucune résistance quand je levai les mains pour écarter le tissu.

Je m'étais armée de courage pour ce moment de peur de perdre connaissance ; j'étais décidée à ne pas reculer, car je savais qu'il étudiait ma réaction de près. Aussi, quand l'étoffe s'écarta, ce fut lui qui recula sous l'effet de l'appréhension, pas moi ; ses yeux aux lourdes paupières tressaillirent comme ceux d'un chat quand il craint d'être frappé. Le visage derrière l'étoffe était l'horreur contre nature que je redoutais de voir. Bien qu'il fût raisonnablement proportionné, il n'était guère plus qu'une tête de mort, les joues creuses, la bouche un orifice dépourvu de lèvres qui béait comme celle d'un poisson à l'agonie pour révéler les dents jaunissantes à l'intérieur. Comme si ses cheveux avaient été arrachés par poignées, les plaies suintantes laissaient voir le chaume noir qui couvrait irrégulièrement son crâne massif. Le fait que son nez fût petit et joliment formé ne faisait que rendre plus abominable encore le reste de ses traits. Mais le plus curieux de tout, je voyais maintenant que partout – sur son front, au travers des joues et de la gorge – sa peau tendue était sillonnée d'un lacis de lignes fines : chacune était une cicatrice d'une délicate précision, comme si tout son visage avait été laborieusement formé à partir de chairs de différentes couleurs et textures cousues ensemble.

Si ce que je voyais ne m'inspirait pas de l'horreur, peut-être était-ce à cause d'une furieuse curiosité qui avait pris la place de la révulsion. Ce visage... je *connaissais* ce visage. Je ne pouvais dire comment je le connaissais, car je n'avais assurément pas rencontré Adam auparavant. Et cependant... Je mis fin à mon étonnement, de peur qu'il ne crût que j'étais frappée de mutisme. « Ciel ! m'exclamai-je enfin. À quel événement funeste devez-vous pareille infortune ? »

Quand il répondit, sa voix était presque tendre : « Ma pauvre Elizabeth ! Vous en avez vu suffisamment, à mon sens. Si vous ne souhaitez pas en voir plus, ne m'attendez pas demain. »

Et il se tourna pour partir.

Oh, je vous en prie... je vous en prie !

« Je serai là, Adam », lui criai-je.

Ce que le visiteur me raconta de son histoire

Le... juin 179...

Nous nous rencontrons dans une cabane de berger à l'abandon qui se trouve aux confins de l'alpage de notre domaine. J'ai donné la permission à Adam d'y demeurer plutôt que dans les bois. À chaque fois que je vais le voir, je lui apporte des provisions. Ses habitudes alimentaires sont barbares ; il saisit tout dans ses mains, laisse tomber des morceaux partout. Il ne mange pas de produit carné, pas même de poisson séché. Du fromage, des raisins, du vin, il en prend, mais seulement en petites quantités. Il remercie de mauvaise grâce pour ces faveurs et dévore comme quelqu'un qui ne prend aucun plaisir à ce que j'apporte. La nourriture qu'il récolte lui-même est à peine meilleure que ce que mangent les animaux et fort semblable à ce que je mangeais moi-même dans la forêt : des noisettes, des baies, voire des plantes sauvages. Je propose de lui faire apporter du mobilier : un lit de camp, une lanterne, des chaises et une table, mais il refuse mes dons. Dans un coin, il a empilé de la paille pour se confectionner sa couche ; il ne veut pas davantage. Il n'accepte pas non plus les vêtements de rechange que je lui propose, quelques vieilles hardes ayant appartenu à Victor ; il reste aussi négligé et sale que lorsque je l'ai rencontré pour la première fois. On croirait une bête sauvage sortant de la forêt pour se nicher dans cet abri en ruine durant une brève période. Alou se comporte étrangement envers lui. Pendant un long moment, elle a gardé ses distances, penchant la tête et le regardant fixement comme si elle était absorbée dans une profonde contemplation. De son côté, Adam ne lui accordait aucune attention, même quand elle battait des ailes à proximité pour se percher au-dessus de sa tête. Puis un jour, il tendit la main pour lui offrir une noisette. Prudemment, elle se rapprocha en sautillant et la prit, l'autorisant à passer un doigt sur sa gorge. Après quoi, elle se posa auprès de lui et le fixa d'un œil acéré en gloussant tout bas.

Je ne suis jamais assurée qu'il sera là quand je viens. S'il l'est, nous pouvons passer une heure ensemble sans échanger une parole. Cependant, je ne repars jamais sans avoir l'impression que je connais de mieux en mieux cet être étrange. Sa laideur même m'est devenue familière et ne m'oblige plus à détourner les yeux. Maintenant, il s'assoit avec moi sans masque et nu-tête, sachant que je ne m'offusquerai pas de son apparence. Qu'il est curieux que la frayeur soit si souvent causée par l'inattendu ! Je lui assure que son aspect a perdu en grande partie le pouvoir de me troubler, mais il continue de s'excuser que je doive supporter sa vue.

Enfin, ne serait-ce que pour mettre fin à son embarras, je trouve l'audace d'affronter l'obstacle de front. Nous sommes assis par terre dans le cabanon avec une modeste collation disposée entre nous, rompant le pain comme des amis de longue date.

« Ne me direz-vous jamais comment il se fait que vous soyez si difforme ?

– Désirez-vous vraiment le savoir ?

– Sans aucun doute. »

Il soupèse un long moment ma question.

« J'ai dit que c'était dû à un accident. Je vais vous entretenir de cet "accident". Il a eu lieu tandis que Victor et moi travaillions ensemble à Ingolstadt. Ne vous a-t-il jamais parlé de ses recherches ?

– Une fois seulement. Il y a eu une réunion dans notre maison ; il nous a brièvement présenté ses travaux.

– Que vous a-t-il dit ? »

Bien que l'expression d'Adam demeurât aussi impassible qu'à l'ordinaire, je comprends aussitôt qu'il est vivement intéressé par mes propos.

« Il nous a montré certains spécimens anatomiques qu'il avait conservés.

– Et quoi d'autre ?

– Comment on pouvait les faire paraître vivants.

– Et il n'était pas honteux de faire cela ? »

Il prononce ces mots en grondant bel et bien.

« Au contraire. Il tenait cela pour un exploit.

– Et ceux qui le regardaient faire ? N'étaient-ils pas révulsés par cette démonstration ?

– Eux aussi ont considéré cela comme une sorte de victoire. »

Le grognement qui émane de lui me fait sursauter ; je recule, craignant qu'il ne perde son sang-froid. « De quel droit ? De quel droit ? » crie-t-il en se frappant les tempes.

Ils ne méritent pas de vivre !

« De grâce, je souhaiterais savoir pourquoi vous êtes aussi troublé par cela.

– Dans ce cas, écoutez mon récit et vous le saurez. Notre collaboration fut d'une étrange sorte. Victor fut celui qui prit l'initiative de nos travaux ; mais sans moi, ils n'auraient jamais abouti ; il n'aurait jamais appris ce qu'il a appris. Car, voyez-vous, à un moment donné, ses recherches allèrent au-delà de la simple curiosité. Elles présentèrent un grand risque pour le corps et pour l'"âme", comme vous l'appelez. Victor eût été bien avisé de s'en tenir là, mais il fut incapable de le faire. Il était poussé à explorer les forces que la Providence dans sa sagesse n'avait confiées à aucun être humain. Je parle du pouvoir sur la vie et la mort. Eût-il limité ses recherches aux animaux inférieurs, les bêtes d'une sensibilité inférieure qui ne pouvaient souffrir qu'en silence, sans jamais demander que soit justifié ce qu'on leur faisait, le mal aurait été suffisant. Mais à la fin, je devins *moi-même* l'objet de sa curiosité ; son... »

Il s'interrompt et tombe dans un long silence morose. Je sais quel mot il cherche. *Spécimen.* À la fin, il reprend, sachant que je comprends.

« J'ai payé seul le terrible prix de son erreur de jugement, de son arrogante méprise. C'est Victor qui est responsable de l'apparence hideuse du pauvre hère qui se tient devant vous. L'"accident"dont je parle n'est rien de moins que ma vie, tout ce que je suis devenu, tout ce que je souffre. Vous comprendrez pourquoi je lui réclame des comptes.

– Mais comment cela est-il arrivé ?

– J'ai déjà dit que Victor et moi travaillions ensemble. Mais une grande partie de ce qu'il fit intervint alors que j'étais fort heureusement inanimé. S'il m'avait laissé dans cet état, cela eût mieux valu pour nous deux. S'il avait simplement usé de moi, puis m'avait permis de périr sans me faire ressortir de l'état d'inconscience dans lequel j'étais plongé, c'eût été un soulagement pour moi ; et sa conscience serait sereine. Mais il décida de me réveiller. »

Ses lèvres s'immobilisèrent, mais j'entendis sa voix dans ma tête.

T'avais-je requis dans mon argile, ô Créateur,
De me mouler en homme ? T'ai-je sollicité
De me faire surgir des ténèbres ?...[14]

Il me demande : *Connaissez-vous ces vers ?* Bien sûr. Et j'ajoute, répondant à la question qu'il n'a pas posée :

« Ils sont de Milton. Ce sont les paroles d'Adam à Dieu.

– Oui, le premier Adam. Et moi, je suis le second Adam, créé par une espèce de dieu inférieur, pris entre deux natures – homme et... chose. Vous dites que vous "connaissez" ces vers, mais comment pourriez-vous connaître

---

14. *Paradis Perdu*, de John Milton, Livre X, vers 743-746. Traduction P. Messiaen, Aubier-Montaigne, 1965. *(N.d.T.)*

leur signification vivante ? Pas même le poète n'aurait pu deviner la terreur de la conscience émergente. Que cet obscur élément de la Nature, jadis poussière élémentaire, puisse se soulever soudain pour se connaître lui-même, parler, questionner et avoir des aspirations ! J'étais votre espèce réincarnée, ma chère amie, arraché malgré moi aux ténèbres, ne sachant rien de ce que j'avais pu être avant, là-bas, dans le temps d'avant le temps. Je m'éveillai pour découvrir que j'étais la création imparfaite d'un démiurge cruel, une sorte de farce vivante. J'étais l'anarchie de la matière à demi formée brutalement propulsée au milieu de la vie. Mais je n'avais pas de mère auprès de moi pour adoucir ma dure entrée dans le monde, pas même, comme dans votre cas, une matrone attentive à prendre la place de votre mère défunte. Je m'éveillai pour me trouver irrévocablement seul. Tout autour de moi régnait un tohu-bohu d'ombre et de bruit. Et dans son milieu tonitruant, mon esprit, bien qu'il eût conscience de chaque sensation, était une *tabula rasa* ; je ne pouvais nommer nulle chose. Ma propre main devant ma face était un objet étranger et sans nom. Était-ce une partie de moi ou une autre créature ? À quoi servait-elle ? La chambre où je me tenais, que je ne pouvais pas même reconnaître comme une "chambre", était une caverne béante, lugubre, pleine de formes inhabituelles. Déambulant parmi elles, je me heurtai d'un côté et de l'autre contre les meubles qui m'entouraient. J'allai à tâtons, je tombai ; des bords acérés meurtrirent et lacérèrent mon corps. Seules les impulsions animales les plus brutes s'agitaient dans les régions subaquatiques de ma conscience. J'éprouvais de la douleur, dans chaque membre et articulation, une douleur atroce qui me conduisait de-ci de-là. Chaque centimètre de ma chair flamboyait comme une plaie ouverte ; ma tête brûlait de fièvre... cependant, j'étais gelé jusqu'aux os. Mon corps tremblait, comme dévoré par les fièvres. Par à peine plus qu'un réflexe musculaire primitif, je cherchai un moyen de couvrir ma peau frissonnante et trouvant un chiffon en loques à portée de ma main, l'enveloppai autour de moi. Cela ne suffit pas à me réchauffer ; glacé davantage sous l'effet du choc de ma condition abyssale que du froid, je ne pus m'empêcher de claquer des dents.

« Il n'est nul moyen pour vous d'imaginer même de loin mon état ; je puis à peine m'en souvenir moi-même, hormis le chaos de sensations déchaînées. Le fait même que je puisse à présent prononcer ces mots place une opportune barrière d'expression entre moi et ce premier déferlement de conscience, quand rien n'avait encore de sens pour moi.

« La lumière et les ténèbres sont les seuls mots que la bête au tréfonds de notre cerveau comprend. Les ténèbres sont le danger, la lumière est un appel. “Viens !” La lumière est chaleur et sécurité. Par conséquent, je me mis en route vers la seule lumière que je pouvais voir dans cette chambre obscure. Au bout d'un couloir, j'aperçus un portail inondé par la lumière du jour ; je me précipitai dessus pour me rendre compte qu'il ouvrait sur l'éblouissante clarté du monde. Pourquoi je décidai d'aller de l'avant dans ce brouhaha étourdissant, je ne saurais le dire. Je chancelais, pris de vertige et, ne sachant dans quelle direction courir, je courus néanmoins jusqu'à l'épuisement de mes forces. Après quoi... Je ne me souviens guère de ce qui s'est produit ; ma mémoire n'avait pas les mots pour consigner ce que j'avais vécu. Je ne puis dire si j'ai erré pendant un jour ou des mois. Le temps lui-même n'avait aucun sens pour moi. Un rocher compte-t-il le temps, ou une vague de la mer ? Que savent les morts du temps qui passe ? »

Je lui prête la plus grande attention, suspendue à ses lèvres, mais je comprends peu de choses de ce qu'il me dit.

« Et vous tenez Victor responsable de l'amnésie qui vous frappe ?

– L'amnésie ! De quoi étais-je censé me souvenir ?

– Je veux parler de votre vie antérieure, avant votre rencontre avec Victor.

– *Avant*... Vous ne sauriez mesurer l'horreur que ce mot comporte pour moi. *Avant n'est rien*. Les ténèbres, le néant, les abysses.

– Vous ne pouvez vous rappeler votre identité, votre famille... ?

– Il n'y a rien à se rappeler ! Je suis quelque chose de l'autre côté de la mort, coupé, abandonné par la mémoire. Comment pourrai-je vous faire comprendre ? » Il se tait.

Adam... qui êtes-vous ? Les mots sont dans mes pensées. Je ne les prononce pas à haute voix.

« Vous voudriez savoir qui je suis ? demande-t-il.

– Oui. »

Il se frotte énergiquement le front. « Bientôt, alors », marmonne-t-il.

Le... juin 179...

Il y a des jours où même la cabane du berger lui est comme une prison ; il devient agité, impatient d'être en plein air comme s'il craignait d'être attaqué. Nous nous enfonçons ensemble dans les bois, bien qu'en choisissant toujours des sentiers rarement empruntés ; Adam a appris à se cacher du regard des autres. Si des voyageurs s'approchent ou si nous tombons sur des pâtres conduisant leurs troupeaux, nous nous dissimulons derrière un rocher ou un arbre jusqu'à ce qu'ils partent et que le chemin soit de nouveau désert.

Il connaît de nombreux endroits secrets où nous passons inaperçus des journées entières ; dans son esprit, quand il m'y conduit, c'est lui qui m'offre l'hospitalité. Il m'apporte des fruits et des noisettes et l'eau claire de la source. Il m'a demandé si je viendrais avec lui à quelques jours de marche en un lieu qu'il considère comme son véritable foyer – parmi les grottes aux environs de Montanvert. Oserai-je aller avec lui ?

Le... juin 179...

Parfois, quand je suis avec lui, je me sens à nouveau proche du cœur de la Nature comme je l'étais dans la forêt. Sa présence ne dérange pas l'élévation de mes pensées, car elle ne semble pas être une présence humaine. Je suis sûre qu'il s'entretient secrètement avec Alou ; je les ai vus profondément concentrés l'un et l'autre, l'oiselle penchant la tête comme elle le fait quand elle entend un bruit nouveau. J'ai vu Adam fixer intensément un bouquetin perché au-dessus de nous sur les rochers et la bête soutenir son regard avec attention. Est-ce ce qui m'attire inexorablement vers lui, qu'il semble être à demi animal ? Est-ce son extraordinaire innocence que j'admire ? Assurément, il y a plus de la Nature vierge en cet homme que je n'en ai trouvé en aucun être parlant que j'aie rencontré. Et cependant, à d'autres moments, je crains qu'il ne se déchaîne et de ne plus pouvoir le maîtriser. Maintes fois, je dois me remémorer le moment où j'ai plongé mon regard dans celui du lynx, sans savoir comment celui-ci réagirait.

Ce matin, nous nous retrouvons de bonne heure et partons pour la journée ; il me conduit à une mine de cristal d'où le mont Buet est visible dans le lointain. Pendant quelque temps, nous restons assis en silence à admirer la pointe qui projette des éclairs jaunes dans la couronne de nuages qui coiffe le sommet. Longtemps, nous nous taisons, mais je sais que des pensées s'élaborent dans son esprit. Je remarque pour moi-même combien, par chacun de ses aspects, il me rappelle ce paysage fracassé, où il semble être dans son élément. Lui aussi est vaste et informe, comme s'il s'était composé fortuitement à partir de parties hétéroclites. Je sens parfois qu'il se bat intérieurement pour empêcher son corps de se désintégrer. Souvent, l'avalanche laisse derrière elle de semblables ruines titanesques, emportant sur son passage une masse de scories et de roche glaciaire qui demeurera pendant des siècles avant que les éléments la polissent et la recouvrent de terre et de végétation.

« Vous m'avez demandé qui je suis, déclare-t-il enfin. Je ne puis trouver les mots. Mais il est d'autres façons de parler. » Plongeant la main dans sa veste, il en tire un sachet en toile souillée. « Vous souvenez-vous que, quand je vous ai parlé de la chambre dans laquelle je me suis éveillé à la lumière, j'ai évoqué une guenille que j'avais ramassée pour m'en couvrir. Un geste fortuit, qui se révéla ne pas être sans importance ; cela devint la clé qui gardait le secret de mon existence. La guenille était un sarrau. Tenez, le voilà. À quelques jours de là, je découvris des choses dans une des poches. Elles furent d'abord aussi dépourvues de sens pour moi que le reste de ce monde plein de folie et de confusion ; mais cédant à quelque élan instinctif, je ne m'en séparai point. Et, avec le temps, elles me parlèrent. »

Ouvrant le misérable haillon, il en sort une paire de gants de fil déchirés ; autrefois blancs, ils portent à présent toutes sortes de taches. Je remarque comme il manipule avec délicatesse ces objets qui ne sont guère à mes yeux que des nippes. Je note qu'autre chose est enveloppé dans la blouse. Pendant un bref instant de panique, mes yeux me jouent un tour. Je tressaille, croyant voir devant moi un forceps. Adam remarque ma réaction. « Vous avez raison. Comme vous avez été marquée à votre naissance, je le fus aussi. C'est la griffe qui a laissé sa marque sur moi. Vous reconnaissez cela, Elizabeth ? »

L'objet ne ressemble nullement à ce que je croyais avoir vu. C'est un petit couteau. Je ne connais son nom que parce que je l'ai appris de Victor. « C'est un scalpel de chirurgie, je crois. »

Il pose la lame par terre entre nous.

« Et savez-vous à quoi cela sert ?

– À guérir le corps.

– Dites plutôt à le *torturer !* s'écrie-t-il brusquement. C'est un instrument d'infamie. Tenez, laissez-moi vous raconter mon histoire comme nulles paroles ne sauraient le faire. » Il tend la main pour prendre la mienne. J'abaisse mon regard sur sa paume. Deux fois la taille de la mienne, elle est un lacis de points et de coutures cicatrisées. Lors de notre première rencontre, je serais rentrée sous terre si ce grotesque simulacre de main s'était tendu vers moi. Maintenant, je le considère avec pitié. Bien que cet organe soit disproportionné, nul ne peut douter de la force qui y réside ; puis-je être assurée qu'il ne va pas me broyer ? Je pose ma petite main dans la sienne ; il referme doucement sa poigne sur mes doigts ; et pour la première fois, nous nous touchons.

Elizabeth... gracieuse Elizabeth !

Je sens avec étonnement le sang m'envahir jusqu'à la racine de mes cheveux. Non pas de peur. Le contact est curieusement stimulant : audacieux, dangereux et intime... comme la patte d'un lion. Je me suis remise entre les mains d'une force impénétrable et j'attends de voir ce qui va s'ensuivre.

Il presse ma main à plat contre la lame et la sienne par-dessus. Comme il fait cela, je relève une petite marque à demi effacée au dos de sa main droite. Je l'ai déjà remarquée, mais ne l'ai pas regardée de près. Maintenant, je le fais et mon cœur se fige. C'est un dessin : le tatouage d'une ancre de bateau et dessous, une bannière qui porte le nom : « Marie Rose ». Je lève les yeux pour l'interroger sur ce dessin ; mais avant que j'aie pu rassembler mes pensées, une vibration pareille à une cloche résonne à mon oreille, si proche qu'elle me donne le vertige. Ce n'est pas un son, mais une pression de l'air qui tremble autour de moi. Ma vision se brouille comme si j'étais ivre. La pièce tourbillonne ; les murs disparaissent ; je suis dans un autre lieu, sombre, humide et immonde. Ma main s'appuie sur un mur suintant de pierre brute. L'atmosphère est presque trop empuantie pour qu'on puisse respirer. Au centre de l'espace ombreux, je vois des bougies suspendues au plafond dans un anneau de fer ; elles distillent un halo jaune. À l'intérieur se tient un homme qui me tourne le dos. Il est profondément absorbé dans quelque action. Je ne puis me retenir de l'approcher ; sans effort de ma part, je glisse en avant sur le dallage de pierre. Quand je suis suffisamment proche pour voir, j'ai envie de crier ! Là, sur la table repose une hideuse illusion d'homme étendu ; il est aussi nu et tranquille qu'un cadavre, la chair de la couleur livide du tombeau. Son corps n'est complet qu'à moitié. Une épaule ne comporte pas de bras au-dessous ; une jambe s'arrête au genou. Le visage est un amas de tissus pourrissants repoussés afin de révéler l'os blanchi du crâne. L'homme qui s'acharnait sur ce cadavre était occupé à tendre un morceau de peau sur les muscles de la mâchoire et de la gorge. Soigneusement, très soigneusement, il façonne la chair sur le crâne, la coupe ici et là, tire sur la musculature, polit l'os. Il œuvre avec délicatesse, tel un sculpteur du corps ; mais c'est grotesque à voir. « Halte ! » ai-je envie de crier. Mais je n'ai pas de voix. Je me détourne pour ôter à ma vue cette vision de cauchemar. Une deuxième table me bloque ; je vois dessus... Dieu du ciel ! Qu'est-ce ? Un amas de vestiges d'animaux, des bêtes qui ont été découpées en morceaux... et des parties dont je vois qu'elles ne proviennent pas d'animaux. Suis-je dans la maison d'un tueur fou ? me demandé-je. Je dois fuir. Je me précipite vers la porte, mais la trouve fermée. En me retournant, je vois que l'homme qui travaille sur la table s'est arrêté. Il lève les yeux comme s'il avait entendu un bruit dans la pièce ; je détourne les yeux. Je ne veux pas voir son visage...

Regarde ! Tu dois regarder !

En luttant pour ne pas regarder, je recouvre mes esprits alors que je m'appuie, faible et frissonnante, contre la poitrine d'Adam. Mes mains sont agrippées à sa veste comme si je risquais de tomber d'une grande hauteur si je le lâchais. Il cherche à me réconforter, mais son toucher m'est odieux. L'odeur de décomposition qui s'attache à sa personne est plus que je n'en puis supporter. Je recule. Malgré moi, la nausée me serre la gorge.

« C'est ainsi que j'ai appris mes origines, m'explique Adam. Les choses me parlent. La lame, le vêtement me parlent. Les gants m'ont révélé leur histoire. Ils m'ont dit qui les avait utilisés. Je les mets et mes mains deviennent ces mains-là. Avant d'avoir le don du langage, ces images remplissaient mon entendement.

– Au nom du ciel... mais qui êtes-vous donc !

– Demandez plutôt *ce que* je suis.

– Alors *qu*'êtes-vous ? »

Vous l'avez vu.

« Mais je ne sais pas ce que j'ai vu.

– Je suis...

– Quoi ? »

... *Une chose fabriquée.*

Je regarde sans comprendre.

« Fabriquée ? »

... *pas né.*

« Mais cela n'est pas possible. »

Je tends la main à contrecœur pour m'emparer de la sienne ; je la retourne pour en examiner le dessus. Je vois que mon souvenir est fidèle. Il y a bien un tatouage avec une ancre de bateau.

« Cette marque... d'où la tenez-vous ? demandé-je.

– Je n'ai nulle réminiscence.

– Peut-être avez-vous été un marin autrefois ?

– Jamais. Le dessin ne m'appartient pas.

– Alors à qui ?

– Vous ne voulez pas comprendre ? gronde-t-il avec impatience. La *main* n'est pas la mienne. *Rien* n'est à moi. Il est des fois où chacun de mes muscles et de mes tendons me crie avec la voix d'autres êtres, les morts qui revivent en moi. Cette main, cette épaule, ce doigt... ce cerveau. Comme si je traversais un cimetière et que, de chaque tombe, je puisse entendre les voix étouffées prononcer leurs noms. Vous imaginez-vous ce que ce fut pour moi d'apprendre ce que j'étais ? Une chose ? Une fabrication humaine ?

– En vérité, je ne puis le comprendre.

– Vous l'avez *vu* ! Ne faites pas semblant de ne pas l'avoir vu.

– J'ai vu Victor... je crois.

– Et moi ! Vous m'avez vu tel que Victor m'a fait. »

J'ai appris que ses yeux, comme ceux d'un animal, sont dépourvus d'expression humaine. Ils ne peuvent que fixer d'un regard vide. Et, comme pour les bêtes, on ressent la plus grande pitié, sachant que leurs sentiments doivent rester emprisonnés. S'il souffre, on doit ressentir la souffrance avec lui ; elle n'apparaîtra pas au-dehors. S'il éprouve de la tristesse, on doit ressentir sa tristesse ; il n'y aura pas de larmes. Ce que j'éprouve maintenant en sa présence est un tourment insoutenable.

« Arrêtez ! m'écrié-je. Je vous en prie, cessez cela ! » En m'entendant, Alou, qui attend à l'entrée de la grotte, s'envole et pousse des cris de détresse. Les yeux brûlants de larmes, j'essaie de la suivre là où elle me conduit, hors de la grotte et en bas du sentier. Je tombe presque tête la première dans le précipice, mais Adam me sauve la vie. Il me tient d'une main ferme et me mène lentement par le chemin que nous avons pris pour monter. Sur le long trajet du retour, nous nous taisons. Il est minuit passé quand nous rentrons au domaine. Il s'arrête à l'entrée sud, me faisant signe de poursuivre ma route. Je me retourne et lui souhaite bonne nuit ; il ne parle pas, mais sa voix me suit. Elle est dans mes pensées. Elle est toujours dans mes pensées quand j'arrive saine et sauve au château. Il est dans mes pensées cette nuit-là tandis que je me débats pour écarter le sommeil, de peur de rêver. Encore et encore, la question revient : *Pouvez-vous réellement l'aimer ?*

Le... juin 179...

« Pouvez-vous réellement l'aimer ?

– Je suis sa promise.

– Le devez-vous ?

– Nous sommes destinés l'un à l'autre depuis l'enfance.

– Il vous a blessée.

– Comment savez-vous cela ?

– Nous en portons tous deux les cicatrices.

– Je lui ai pardonné.

– Pas moi !

– Je vous en supplie...

– Inutile... » *Je ne suis pas de votre espèce.*

« Ne pouvez-vous apprendre la miséricorde ?

– J'ai lu vos livres, les principes élevés et les nobles sentiments. Une grande partie de ce que j'y trouve, je le vois comme un visiteur d'un autre monde qui ne connaît rien de vos besoins, de vos passions. Mon esprit est comme une machine stupide qui ne peut qu'imiter votre état mental ; malgré tous les livres que j'ai lus, j'en sais moins qu'un enfant de paysan qui comprend ce que veut dire rire et pleurer. Je n'ai jamais ri ni ne puis verser de larmes. Mais il y a des choses que la grande Nature elle-même nous enseigne, une vérité primitive qui est la même partout pour tous les êtres. “Œil pour œil, dent pour dent.” *Cela*, je le comprends. Telle est la justice de la bête. N'attendez pas de moi, je vous en avertis, que j'aie davantage d'entendement qu'une bête. “Une vie pour une vie.” Tel le fléau de la balance. »

Il prononce ces paroles, les yeux fixés sur moi. Froid. Féroce. Un air que je ne lui ai encore jamais vu, le regard détaché d'un animal en chasse qui épie sa proie.

Le... juin 179...

Une expérience curieuse et confondante. Nous sommes assis sur une saillie moussue ; tout en bas, l'Arve traverse en rugissant l'étroit défilé. La vue donne sur la Dent du Midi ; là, un océan de nuages sombres, courroucés, se sont amassés contre le flanc de la montagne et, à l'intérieur, la foudre se déchaîne, découpant d'innombrables chemins en zigzags entre le ciel et le sommet. Adam étend les mains vers la scène lointaine comme s'il pouvait atteindre les nuages. Un moment plus tard, je vois au bout de ses doigts un pâle feu bleuté. Une flamme fantomatique s'étale pour envelopper ses mains et ses bras et, finalement, se rassemble autour de sa gorge et de ses épaules, et nimbe le haut de son corps. Je regarde son visage, toujours d'une froideur imperturbable ; il a une expression que je ne puis décrire que comme une extase silencieuse.

Après un long moment, il se tourne vers moi, le visage rayonnant dans la lumière bleue. « C'est mon sang », dit-il.

Le... juin 179...

« Il y a une femme qui trouble vos pensées. Je puis vous dire que c'est inutile.

– Quelle femme ?

– Vous vous souciez que Victor en aime une autre. Vous pensez que c'est, peut-être, ce qui le garde éloigné si longtemps.

– Comment pouvez-vous connaître mes pensées.

– N'est-il pas vrai ?

– Si.

– Vous n'avez rien à craindre de la sorte. Cette femme n'existe pas.

– Vous en êtes certain ?

– Il y a une... femme. Mais elle n'a droit à aucune partie de son amour. Plutôt le contraire.

– De quoi s'agit-il, alors ?

– J'ai dit que vous n'aviez pas à craindre qu'il en aime une autre. Quel que soit l'amour que cet homme est capable de donner, il vous appartient.

– Alors qui est l'autre femme dont vous parlez ?

– Ne me demandez rien de plus. Croyez seulement ce que je vous dis. »

Et je le crois. J'en suis venue à accepter les pouvoirs mystérieux d'Adam. Nos pensées n'ont aucun secret l'un pour l'autre. Au début, je me suis sentie mise à nu devant lui, mes réflexions les plus fugaces se trouvant dévoilées à son esprit. Mais son tempérament est d'une curiosité si froide, si impassible, que j'en viens à endurer son regard insistant comme je le ferais de celui d'un chien ou d'un cheval devant lequel je me tiendrais nue.

Le... juin 179...

Aujourd'hui, quand nous marchons près d'un des hauts glaciers, le froid me gagne. Adam retire la peau de chamois qu'il porte et la met sur mes épaules. « Je ne l'ai pas tué, me dit-il. J'ai trouvé la bête déjà morte et l'ai seulement dépouillée. »

Je ne réponds rien. Nous faisons quelques pas de plus. « Je ne pourrais jamais tuer une bête. Les bêtes sont innocentes ; elles sont sans tache. Seul l'homme est vil. Un homme, je pourrais le tuer. » Il me jette un regard oblique pendant que nous continuons à marcher. « Pourriez-vous tuer, Elizabeth ? Pourriez-vous haïr suffisamment pour tuer ? »

Il me pose cette question d'un air entendu, comme s'il connaissait la réponse.

« Je ne souhaite pas parler de cela.

– Pouvez-vous imaginer un désir de vengeance qui ne pourrait s'apaiser que dans le sang ? » Sa voix est devenue sombre, menaçante. Je détourne les yeux, mais je sens son regard posé sur moi. « Pouvez-vous vous imaginer tuer par vengeance quelqu'un que vous aimez ? »

Je m'obstine dans mon silence, mais je suis sûre qu'il connaît la réponse.

Le... juin 179...

Enfin, des nouvelles de Victor !

C'est à peine si je puis affermir ma main pour écrire ces mots tellement l'espoir et la crainte se disputent avec acharnement dans ma poitrine. Hier, un messager a apporté une lettre pour le baron. Elle provenait d'un certain Thomas Kerwin. Mr Kerwin écrit du village de Glenarm en Irlande, où il est magistrat. La ville se trouve sur la côte orientale, non loin de Belfast. Il signale que Victor se trouve devant lui en tant qu'accusé attendant de passer en jugement. Ayant fait naufrage près du village et s'étant attiré des ennuis avec la loi, Victor a été emprisonné pour un délit qui n'est pas précisé dans la lettre. À la suite de son arrestation, il a comparu devant Mr Kerwin pour être interrogé puis a été incarcéré dans la prison de la ville. Peu après le début de sa détention, Victor tomba grièvement malade, en vérité, trop malade pour comparaître en justice. Ayant découvert le nom du baron Frankenstein parmi les papiers de Victor, Mr Kerwin fut pénétré de l'idée que son prisonnier était davantage qu'un vulgaire mécréant ; en conséquence, il a pris sur lui de faire connaître au baron la situation extrême de son fils. Le bon juge insiste fortement pour que quelque membre de la famille soit diligenté pour épauler Victor lors de son futur procès, s'il recouvrait un jour suffisamment de forces pour affronter cette épreuve.

Le simple fait de savoir que Victor est toujours vivant est en soi un motif de réjouissance ; mais la pensée que plus de deux mois se sont écoulés depuis que la missive a été écrite suffit à calmer mes transports. Victor a-t-il survécu à sa maladie ? A-t-il comparu en jugement ? Et de quoi l'accuse-t-on, et quelle peine a été prononcée ? Nous ne saurons rien avant d'avoir envoyé quelqu'un pour le découvrir. J'ai supplié mon père pour qu'il m'autorise à partir. Mais sa résolution d'entreprendre le voyage demeure inébranlable. En dépit de sa faiblesse, il sent que lui seul peut exercer l'autorité que cette situation périlleuse et imprévisible exige. « Il peut se révéler nécessaire, déclare-t-il, que j'achète le village tout entier à ces sauvages d'Irlandais pour sauver la tête de Victor... s'il est encore de ce monde. Si besoin est, j'apporterai la force d'une garnison britannique à Belfast afin de peser dans cette affaire, car je ne suis pas sans influence même dans ce coin perdu. » Séance tenante, il commence à organiser son voyage, avant toutes choses faisant le nécessaire pour qu'un prodigieux stock d'or soit transporté à Liverpool pour son usage personnel. L'urgence de la situation lui remonte le moral ; il est ragaillardi par l'expédition qui l'attend, son premier long voyage depuis plus de trois ans.

Aujourd'hui, quand je retrouve Adam, je lui annonce la bonne nouvelle. Il n'est ni surpris ni content. Je crois presque qu'il savait à l'avance ce que j'avais à lui dire. « Je ne puis imaginer de quel crime Victor est accusé pour mériter un si long séjour en prison. »

Un meurtre.

« Un meurtre ! Grands Dieux, dans ce cas, est-il à craindre qu'il ne soit pendu ?

– Il vous reviendra. Pour ce crime-là, il n'est pas accusé à juste titre.

– Et sa maladie ?

– Il a déjà réchappé au pire. Il est en vie, n'ayez crainte. »

Je ne remets plus en cause de telles déclarations de sa part. J'accepte de croire que, par quelque don de clairvoyance, Adam sait tout ce qu'il affirme savoir et en particulier, quand cela concerne Victor, avec lequel il est uni par un lien spécial. Mais quand je réclame d'autres détails sur l'état de Victor, il tombe dans un silence maussade.

« Cela vous fait-il plaisir de savoir que vous allez le revoir bientôt ? demandé-je.

– Nous ne vous verrons pas, pas ici, répond-il.

– Alors que vous avez attendu si longtemps ?

– Je n'étais pas venu pour le voir.

– Alors pourquoi...

Vous !

« Pourquoi moi ? »

Gare ! Gare ! !

Le... juillet 179...

Voilà trois semaines que père est parti. Ce matin, j'ai reçu un bref message de lui. Il est daté de Calais. Il écrit qu'il a affrété la « malle » pour se faire transporter sur la côte irlandaise et qu'il prend la mer le lendemain. Cette missive a été envoyée il y a huit jours. Il se peut qu'il soit déjà arrivé à destination ; il sait peut-être si Victor est toujours en vie. Bien qu'Adam m'assure qu'il est vivant, j'aimerais le lire sous la plume de mon père.

Une atmosphère nouvelle, étrange, entoure mes rencontres avec Adam. Je sais que nos relations arrivent à un moment crucial. Je ne m'en réjouis pas. Je me sens en sécurité avec lui uniquement quand nous sommes seuls, quand je puis l'observer de près et lui ouvrir mon cœur. Bien que nous soyons ensemble chaque jour, nous nous parlons moins à présent... nous parlons moins avec nos lèvres. Nous avons moins besoin de la parole entre nous. Chaque fois que nous nous retrouvons, il se montre plus mécontent et d'une humeur plus maussade. Malgré cela, j'aspire à sa compagnie, car il a besoin de moi comme nul autre. Il y a quelque chose de la bête en lui, mais aussi quelque chose de l'enfant, une nature plus authentique, plus sensible à la douleur, plus disposée à la souffrance que toute autre personne de ma connaissance. C'est sûrement une chose curieuse à dire, mais j'ai l'impression d'être devenue une mère pour lui. J'ai rêvé qu'il était l'enfant que j'avais perdu, car enfin il me revient où j'ai vu ce visage auparavant. Je suis sûre que c'est le visage que j'ai vu étrangement préfiguré sur mon enfant à naître le jour où j'ai enterré sa minuscule dépouille dans les bois ; son visage est celui que mon imagination exaltée a prêté à l'enfant que j'ai conçu de Victor.

Aujourd'hui, nous sommes assis près de l'étang où Victor et moi venions nous baigner. Adam fait flotter des violettes sur les ondulations à la surface. Un geste si simple, mais assez pour passer le temps.

Je ne comprends pas les visions qu'il m'a montrées de sa vie. Je ne puis comprendre ce qu'il veut dire quand il dit qu'il est « une chose fabriquée ». Ce fait reste caché dans la grotte obscure de sa mémoire ; j'y ai pénétré une fois, mais jamais plus. Il m'a promis de ne plus me conduire en ce lieu à moins que je ne le lui demande.

« Pourquoi parlez-vous d'une “union”, demande-t-il. Quand vous parlez d'épouser Victor, pourquoi parlez-vous d'une “union” et jamais de “mariage” ?

– C'était le mot que notre mère utilisait. »

Mère ?

« La mère de Victor. Ma mère. Elle parlait toujours d'une union. Elle croyait que nous devions former une seule âme.

– Vous désirez cela ? Partager son âme ?

– Oui.

– Même s'il est... »

Maudit.

« Je ne crois pas ce que vous croyez.

– Mais si vous le faisiez, partageriez-vous sa malédiction avec lui ? »

Il connaît la pensée qui est dans mon esprit. C'est *oui.*

« Alors vous ne vous rappelez pas votre propre Livre saint. Cela n'a fait aucun bien à Ève de partager la malédiction de son mari. Elle ne l'a pas purifié du péché. Au contraire, c'est son péché à lui qui l'a corrompue.

– Cela dût-il être vrai, je le voudrais néanmoins.

– Vous le suivriez et seriez son réconfort... jusque dans la damnation ? »

Il a dans la voix un vrai soupçon d'inquiétude qui paraît plus pressant que sa haine pour Victor. Il a peur pour moi.

« Il y a un lien entre nous. Je crois qu'il a existé dès le premier instant de notre rencontre. Le rompre se ferait au péril ma vie. »

Au péril de ma vie.

« Et moi, qui ressemble plus véritablement à Adam que toute autre créature humaine depuis le commencement des temps, je n'ai nulle compagne pour partager mon exil. C'est peu demander. » Alors, s'enflammant. « Trouvez-vous cela répugnant que je rêve d'avoir une compagne ?

– Non... »

Mais il est vain de nier ce qu'il a déjà lu dans mes pensées.

« Je pense que si. Comment vous la représentez-vous ? Oui, il faudrait qu'elle soit une masse aussi repoussante que moi. Car quelle femme accepterait de partager ma vie si elle n'était aussi hideuse que moi-même ? Cela vous dégoûte ? Demandez à quoi ressemble votre propre espèce aux yeux de votre Dieu ? Et cependant, n'a-t-il pas accepté de vous créer homme et femme ensemble ? Mon créateur n'a pas eu cette bonté. J'ai été irrévocablement exclu de la compagnie de toute espèce vivante.

– Vous savez que vous avez en moi une amie. » Je prononce ces paroles pour calmer sa détresse, mais je me méprends. Courroucé par le dégoût qu'il perçoit dans mes pensées, il projette son visage près du mien.

« Envisagez à présent une autre perspective. S'il était en votre pouvoir de soulager ma solitude, le feriez-vous ? Vous ? Accepteriez-vous, gracieuse Elizabeth, d'être... »

... ma compagne ?

Pendant un long moment, son regard, si froid et si étrange, fouille le mien en quête de la réponse que je n'ai pas le courage de donner. « Dites ! Si la vie de Victor dépendait de ce sacrifice... »

Sur-le-champ, mon esprit est envahi d'une sensation de honte intense... pas la mienne, la sienne. Il détourne son visage, se lève de l'endroit où il était assis et sort d'un pas maladroit de la cabane, en grommelant sous l'effet de son tourment. Je ne le rappelle pas, mais reste assise, la mort dans l'âme, tandis que je le regarde traverser l'alpage en trébuchant aveuglément jusqu'à ce qu'il disparaisse à ma vue. Même alors, je suis certaine de pouvoir entendre ses hurlements dans le lointain.

Le... juillet 179...

« Demain sera jour d'allégresse pour vous. » Ce sont les premières paroles d'Adam quand nous nous retrouvons le lendemain matin.

« Pourquoi dites-vous cela ?

– Vous le saurez bien assez tôt. Avant midi demain. Il me reste peu de temps à passer avec vous. Il y a beaucoup de choses que je voudrais vous dire avant que nous nous séparions. »

Nous sommes à la mine de cristal. Une belle journée, claire. La mer de Glace en contrebas est une splendeur désolée. Au dessus, les *aiguilles** transpercent le ciel, captant le soleil en prismes qui rejaillissent en cascade. Nous observons le nuage poudreux d'une avalanche lointaine qui monte ; elle est trop loin pour que son fracas nous parvienne.

« Vous souvenez-vous de l'autre jour, me dit-il, quand vous avez affirmé que vous partageriez le sort de Victor, même si cela signifiait la damnation ? Pensiez-vous ce que vous disiez ?

– Oui.

– Alors prêtez-moi attention. » Il sort le tas crasseux de sa chemise, le déplie et prend un gant ensanglanté. Il pose celui-ci par terre entre nous ; puis il prend ma main. « Je vous ai promis de ne pas vous montrer les images que je porte en moi... à moins que vous n'y consentiez. Maintenant je désire que vous appreniez une dernière chose. Cela exigera du courage ; mais si nous nous séparons avant que vous en ayez été avertie, vous ne comprendrez jamais pourquoi je me suis mis à votre recherche. »

À contrecœur, je mets ma main dans la sienne. Pendant un moment, il la tient doucement. Puis, se penchant en avant, il pose ses lèvres sur mes doigts. Je ne puis m'empêcher de me rétracter intérieurement, mais je lutte contre toute manifestation de mes sentiments. Je le laisse presser ma main sur le gant. Une fois de plus, je vois le tatouage à demi effacé. Je lève les yeux et les fixe fermement sur les siens ; j'y lis un chagrin vaste comme l'abîme qui nous sépare des étoiles. Je m'arme de courage pour regarder dedans, bien que l'effort me donne le vertige. Il y a quelque chose que je veux dire... quelque chose qui doit être dit, mais les mots m'échappent. En revanche, j'entends sa voix qui fait écho à mes pensées. Il dit : *Pardonnez-moi.*

Puis mon esprit se fond dans le sien.

Quand je reviens à moi, il y a l'écho affaibli d'une voix qui appelle, appelle. Ma propre voix, qui se lamente sur ce que j'ai vu. Je recouvre mes esprits, bouleversée et en sueur, ma robe collée à mon corps frissonnant comme si je m'éveillais d'une fièvre. Je suis haletante, on croirait que j'ai couru. Je sais que j'ai couru. Mais je suis dans ma chambre, sur mon lit !

Un visage se dessine au-dessus de moi. Francine est à mon chevet, la mine grave, mais le sourire vaillant. Elle approche la main pour repousser les cheveux de mon front.

« On t'a trouvée sur la propriété, ma chère enfant. Tu errais dans la vigne nord, trop égarée pour parler. C'est Félix qui t'a découverte et ramenée à la maison. As-tu mal ?

– Étais-je seule ? Y avait-il quelqu'un avec moi ?

– Personne d'autre qu'Alou.

– Il n'y avait pas d'homme en vue ?

– Un homme ? Pourquoi poses-tu la question ? » Un voile d'inquiétude obscurcit son visage. « T'aurait-on attaquée ?

– Non, non !

– Ma chère Elizabeth, dis-moi ce qui s'est passé !

– Que faites-vous ici ?

– Nous sommes venus, Charles et moi, avec le baron. Nous avons de bonnes nouvelles pour toi. Victor est de retour. »

J'apprends les mésaventures de Victor

Dès que je me montrai suffisamment lucide pour saisir ses paroles, Francine me narra comment Victor et le baron étaient arrivés à Genève la veille. Les deux hommes étaient descendus de la *diligence** suisse si las qu'ils tenaient à peine sur leurs jambes. Mais l'état de Victor était le pire : il était si décharné qu'il n'eut pas la force de poursuivre la route ce jour-là, pas même jusqu'à Belrive. Aussi, mon père et lui prirent la route de Saint-Pierre, où Francine et Charles les logèrent pour la nuit. Là, ils attendirent que le cabriolet vînt les chercher le lendemain. Francine finit par un avertissement discret. « Tu trouveras Victor grandement changé, comme quelqu'un qui rentre de la guerre. Il a traversé une épreuve qu'il ne peut expliquer. Mais toi de même, je pense. »

Dans mon anxiété pour Victor, j'écartai d'un geste le souci qu'elle montrait à mon endroit. Que pouvais-je dire, de toute façon, pour justifier mon état désastreux ? Comment pouvais-je parler d'Adam et de ce qu'il m'avait montré ? Elle croirait que je raconte un cauchemar.

« Conduisez-moi auprès de Victor, dis-je en luttant pour me tirer moi-même du lit.

– Tu n'en as pas la force. »

Elle avait raison, mais j'y mis toute la puissance de ma volonté. Elle appela Charles, qui attendait dans le couloir, et tous deux me transportèrent presque hors de ma chambre.

Ce qu'elle m'avait dit de Victor était vrai. Son aspect pâle et fiévreux le faisait ressembler à un spectre tourmenté. Le baron et Céleste étaient à son côté, elle appliquant des compresses rafraîchissantes sur son front et le réconfortant de son mieux. Je ne pouvais être sûre que l'homme qui me regardait fixement tandis que j'approchais du lit me reconnaissait, tellement son regard semblait hagard. Ce ne fut que lorsque Victor prononça mon nom que je sus que son esprit était éveillé.

Si fragile et hébétée que je fusse, je m'acharnai à conserver ma clarté d'esprit. Je tombai sur lui et étreignis son corps émacié. Nos larmes parlaient pour nous ; il était inutile d'en dire plus. Je le gardai étroitement enlacé jusqu'à ce que le sommeil le gagnât et père me reconduisit à la porte. Quand nous eûmes quitté la chambre, il me dit ce qu'il savait des mésaventures de Victor.

Alors qu'il rentrait de sa mission dans les Highlands écossais, Victor avait été pris dans une tempête et poussé loin du rivage. Après avoir dérivé pendant plusieurs jours, il avait échoué sur une région sauvage de la côte irlandaise, à proximité d'un village de pêcheurs où, précisément la veille, le corps d'un homme étranglé avait été déposé sur la grève. Les villageois arriérés, méfiants à l'égard d'un étranger, surtout quelqu'un qui avait l'air aussi peu recommandable que Victor, l'escortèrent de force chez Mr Kerwin, le juge, devant lequel ils l'accusèrent ouvertement du meurtre. Dans l'état de faiblesse où il se trouvait, Victor ne put protester ; il tomba bientôt malade et resta allongé pendant des semaines dans une prison si insalubre qu'elle n'aurait pu servir d'écurie. C'est là que notre père le découvrit quand il arriva à Glenarm ; cela lui prit encore des semaines pour tirer Victor de l'appareil juridique archaïque dans lequel il était pris. Sans la fortune et la notabilité évidente du baron, Victor aurait pu rester à croupir dans cette méchante cellule ou être mené au gibet depuis longtemps.

Tandis que mon père me contait cette histoire, je pouvais voir une fatigue insurmontable le gagner. Une ombre passa sur ses yeux et sa voix se brouilla. Pour finir, il me supplia de l'aider à regagner sa chambre où il pourrait trouver quelque repos. Il ne s'agissait pas seulement de la fatigue du voyageur à son retour ; c'était la lassitude implacable de l'âge réclamant le peu d'énergie vitale qui lui restait. Après cette fâcheuse aventure, il n'avait plus de forces. Comme je le conduisais en haut de l'escalier, je savais comme lui que ce serait le dernier de ses hauts faits dans le vaste monde au-delà de Genève ; il avait usé ses forces en s'évertuant à ramener son fils chez lui sain et sauf. Mais ce n'était pas l'épuisement qui l'empêchait d'en dire davantage sur le long séjour de Victor ; à cet égard, il n'avait simplement rien à dire. Au cours de leur long trajet du retour, Victor avait évité de parler de l'expédition qui l'avait conduit en Écosse. Il parlait d'une « expérience », une expérience « périlleuse », qui avait finalement échoué, et il refusait d'en dire davantage.

Mon père se laissa tomber sur son lit et parut sombrer rapidement dans la torpeur. Mais quand j'eus fini de le recouvrir, il m'arrêta d'une main frêle. « Vous devez vous marier vite, chuchota-t-il d'une voix lasse mais pressante. Je crains qu'il n'ait formé un autre attachement. Ne le laisse pas se dérober. »

Pauvre père ! Sa supposition était à la fois juste et fausse. Juste en suspectant que mon amant avait formé un autre attachement ; juste aussi quand il pensait qu'il s'agissait d'une femme. Mais combien il se trompait en croyant que cette femme pouvait être l'objet de *l'amour* de Victor ! Adam m'avait dit vrai en m'affirmant que la femme – *sa* femme – pour laquelle je me tracassais ne risquait nullement de me supplanter dans le cœur de Victor. Au contraire, c'était un projet sans cœur conçu par une imagination enfiévrée. Je savais cela, car je l'avais vu de mes propres yeux. Adam me l'avait montré. C'était la vision qui brillait encore devant mes yeux quand je m'éveillai à l'endroit où il m'avait laissée, aux confins de notre propriété. C'était la vision qui m'avait poussée à errer furieusement et aveuglément de par le domaine avant que Félix me découvrît et me ramenât à la maison.

Ce n'est qu'après avoir mis mon père au lit et regagné ma chambre que je m'autorisai à revenir en esprit à cette ultime révélation, qui était le cadeau d'adieu d'Adam. Je me laissai tomber sur ma couche dans une telle lassitude que je pus à peine rassembler mes forces pour respirer. Cependant, quand je posai ma tête sur l'oreiller, je ne trouvai pas le sommeil et je n'aurais pu prétendre que je réfléchissais. Mon imagination vagabonde s'empara de moi de son propre chef et prit les rênes, dotant les images successives qui s'élevaient dans mon esprit d'une vivacité dépassant de loin les limites de la rêverie. Je voyais, les yeux fermés mais ma représentation mentale était d'une grande netteté, un lieu, une chambre sordide à peine plus grande qu'une masure abandonnée, les murs décrépis et un toit de chaume effondré dans les coins. Je vis les instruments d'un atelier improvisé à la hâte disséminés ici et là dans la pièce, le tout éclairé par une lampe à huile qui projetait alentour une lueur jaunâtre malsaine. Je vis un homme, un pâle étudiant d'arts impies – Victor, comme je ne le savais que trop – absorbé fiévreusement dans sa tâche. Je vis, ligoté devant lui sur une plate-forme en planches brutes, un corps humain ou plutôt son simulacre grossier. C'était une scène telle que je l'avais vue dans la première vision délirante qu'Adam avait instillée dans mon esprit. Mais il y avait une différence que je remarquai immédiatement. Cette fois, la forme délabrée qui était allongée sous la main de Victor était une *femme*. Étalée de la sorte, absolument nue, les membres écartés de façon obscène, son sexe ne laissait aucun doute. Peut-être parce que j'appartenais au même sexe, je tressaillis devant sa vulnérabilité – et m'assurai aussitôt que cette masse disproportionnée ne pouvait être un corps en vie. Non, ce devait être les restes pourrissants de quelque affreux désastre. Mais dans ce cas, pourquoi Victor était-il ainsi absorbé dans sa contemplation ? Se livrait-il à quelque horrible autopsie ? Ou à une dissection médicale ? Sa besogne avait quelque chose de démentiel. Il semblait déchirer la carcasse, maniant férocement le scalpel comme s'il cherchait à tuer ce qui était déjà mort. Combien ce spectacle était affreux ! Malgré mon désir de m'en détourner, la volonté plus forte d'Adam me retenait. J'étais tenue de voir ce qu'il avait vu et de le voir jusqu'au bout.

Ensuite, comme la lame de Victor fendait les entrailles du cadavre avec une férocité accrue, je vis – j'étais sûre de cela – la chose, la femme sur la table, se tordre et se convulser. Oui, il était impossible que je me méprisse sur ce que je voyais ; cette chose – elle – tirait sur les liens qui l'entravaient. Cela devait être, me dis-je, un horrible réflexe physiologique, une ultime crise de la chair moribonde. Mais dans la minute suivante, cette mince consolation me fut arrachée. Car, soudainement, la femme battit des paupières ! Elle fixa un regard effaré sur le plafond. Plus terrible encore, sa bouche s'ouvrit. Non pas morte, mais prenant conscience de son terrible sort, elle commença à gémir et à vagir dans le plus complet désarroi, puis elle poussa des cris aigus encore et encore, prise de la même panique qu'un animal que l'on torture. Victor, sans se laisser décourager, poursuivait sa tâche avec un acharnement maniaque, déchirant comme un forcené sa captive impuissante. Si j'avais pu retenir sa main, je l'aurais fait ; mais mon rôle se limitait uniquement à observer comme à travers une vitre. Il n'y avait aucun doute qu'il cherchât à détruire cette femme. Son couteau fouillait dans sa poitrine, cherchant à enlever le cœur. Sourd à ses cris de souffrance, il la déchiquetait sans s'en préoccuper. Et quand, finalement, il se rendit compte que, malgré ses efforts, il ne parvenait pas à la faire passer de vie à trépas, il leva la main pour empoigner ses cheveux et ramener brutalement sa tête vers lui. Pendant un moment figé dans le temps, ils se fixèrent dans les yeux ; elle, dans sa détresse, lui montra les dents et émit un sifflement de rage. Lui, la repoussant, porta la lame meurtrière à sa gorge et trancha une dernière fois. Même alors, quand le couteau de Victor eut fait son œuvre, Adam m'empêcha de détourner la tête ; je devais subir un dernier choc. Comme Victor laissait la tête sans vie retomber sur la table, un rai de lumière filtra à travers la fenêtre. Là, je vis un visage qui regardait à l'intérieur : celui d'Adam, convulsé d'horreur et d'effroi devant l'acte qu'il avait vu commettre. Écrasant les poings contre la vitre, il tendit les bras pour s'emparer de Victor ; mais, aussitôt, il se retira. Les yeux étincelants de haine, il prononça une dernière parole, puis se détourna et disparut dans la nuit.

S'il y avait eu le moindre doute dans mon esprit sur la raison pour laquelle Adam voulait que je voie cette scène, la question trouvait sa réponse dans cet instant. Tout était clair. Je connaissais désormais la mission qui l'avait guidé vers moi. J'avais rapporté de mon délire les mots qui me disaient ce que présageait le fléau de la balance.

Je serai avec vous pour votre nuit de noces.

Nous sommes mariés

NOTE DE L'ÉDITEUR
Concernant les dernières pages du journal d'Elizabeth Frankenstein

Les dernières pages de ce mémoire, toutes extraites de la fin du journal d'Elizabeth Frankenstein, sont d'un caractère si distinct et si extraordinaire qu'elles exigent un mot d'explication, voire d'excuse.

Comme le lecteur l'aura remarqué dans les parties précédentes, à un certain point, peu après avoir subi sa fausse couche, l'auteur de ce mémoire a donné des signes nets d'instabilité mentale. Cela, suivi du choc de sa rencontre avec le démon, était manifestement plus que sa délicate constitution n'en pouvait supporter. Tandis que j'écris ces mots, je m'aperçois que je suis le seul être humain aujourd'hui vivant à pouvoir se remémorer cet être monstrueux qu'il a vu de ses propres yeux ; personne d'autre ne peut connaître la terreur de se tenir en présence d'une chose aussi contre nature. Qu'une frêle jeune femme, déjà éprouvée par la turpitude morale et des troubles affectifs, se soit effondrée sous la tension nerveuse est, pour moi, entièrement crédible. Mais cela nous amène à nous demander combien de ce qu'elle rapporte sur la dernière partie de sa vie peut être tenu pour vrai. Moi-même ne puis en juger, car nous avons affaire ici aux épanchements d'un esprit qui se déchaîne. Les hallucinations qui s'emparaient de l'esprit d'Elizabeth juste avant son mariage sont sûrement les symptômes d'une démence précoce. Cependant, je compte avec la possibilité que la folie peut parfois prêter le don de double vue. Je ne vois pas comment expliquer, sinon, que le contenu de la révélation finale communiquée à Elizabeth par Adam corresponde très précisément à ce que Frankenstein m'a avoué dans sa narration. Son récit était moins détaillé ; mais qu'il ait créé une seconde créature, femelle, destinée à être la compagne du démon, et qu'il l'ait ultérieurement détruite... l'on peut considérer cela comme une certitude. Cependant, faut-il accorder foi au reste de son récit ?

Je me suis donné beaucoup de mal pour rendre cette partie du texte aussi lisible que possible ; le lecteur devrait savoir toutefois que cela a requis de ma part une somme considérable de travail critique. Plût au ciel que l'auteur m'eût épargné cette tâche en réduisant simplement son récit ! Si cette dernière partie avait manqué dans sa relation, quelques détails de l'histoire nous auraient sans doute échappé, mais nous serions capables d'achever notre lecture avec un jugement plus indulgent sur cette jeune femme. Car les pages qu'elle continua d'écrire témoignent d'une détérioration mentale grandissante, ce qui est dramatiquement mis en évidence par l'apparence même des mémoires. L'écriture devient précipitée et fantasque, parfois impossible à reconnaître comme étant de la main d'Elizabeth ; de curieux motifs, croquis et griffonnages occupent des pages entières, recouvrant souvent le texte écrit. Plusieurs pages ont été arrachées en totalité ou en partie, en général brutalement, en laissant un vestige déchiqueté. Quant au contenu, celui-ci présente des difficultés presque insurmontables. Partout, la langue tombe dans une négligence consternante, s'écartant du sujet ou s'interrompant au milieu du discours. Des phrases et des passages entiers sont indéchiffrables ; et finalement, il y a une profusion d'un véritable charabia, concocté à partir de références alchimiques et de la tradition biblique, qui défie l'analyse rationnelle.

En grande partie, de tristes tirades d'une âme affligée que j'ai épargnées au lecteur, réduisant la partie finale de ce mémoire à ces passages disséminés qui peuvent avoir au moins un minimum de cohérence. Malgré tout, les derniers paragraphes posent un dilemme. Je me sentais obligé de préserver les dernières paroles d'Elizabeth Frankenstein, écrites quelques instants avant sa mort, bien qu'elles ne reflétassent guère que la fin déchirante de son délabrement psychique. Ce n'est pas là l'image que je souhaitais laisser dans l'esprit du public ; mais j'ai consenti que ma responsabilité d'éditeur prît le pas sur toute autre considération.

Le... août 179...

Il y aura donc une noce. Parce que notre père le veut. Parce que je suis censée le vouloir. Parce que Victor ne peut plus la repousser. Parce que tout le monde l'attend. Parce que Adam l'a voulue. Mais nous n'aurons pas d'enfants !! Je ne livrerai pas de bébés à la griffe !

Je dors mal... en vérité, je passe des nuits blanches. Longtemps après minuit, je suis encore éveillée. Je crains que le sommeil ne fasse revenir la scène qu'Adam a imprimée dans ma mémoire. Mon esprit tourne en rond comme dans une cage...

Le... août 179...

Les conséquences des tourments de Victor se voient hideusement dans son apparence et dans sa conduite extravagante. Il se déplace dans la maison comme un animal pourchassé, l'air effrayé quand il tourne dans un coin du corridor ou entre dans une pièce. Dès l'heure de son réveil, il vacille entre des accès de peur paralysante et de morne abattement. La nuit ne lui apporte nul répit ; il se retourne dans ses draps, divaguant fréquemment en raison de cauchemars. Son hallucination de l'Autre ténébreux est revenue ; de nouveau, il souhaite qu'on le veille. Incapable de dormir moi-même, je suis à son chevet dès qu'il a besoin de nourriture ou de réconfort.

J'aimerais que nous soyons amants la nuit, volant des plaisirs défendus avant le mariage. Mais c'est tout ce que je puis faire pour imiter les gestes de la tendresse ; l'humeur dans laquelle je le prends dans mes bras est profondément compromise. Bien qu'il ne le sache pas, je partage le secret qui rend sa vie si misérable. Je connais le crime qu'il porte dans son âme et cela change tout entre nous. L'odeur de charnier l'imprègne.

Pouvez-vous véritablement l'aimer ? La question d'Adam ne quitte pas mes pensées. Jadis, il n'y aurait pas eu de doute que ma réponse eût été un oui sans réserve. Mais à présent, quand je pense à Victor, je ne puis effacer de mon esprit l'image qu'Adam m'a montrée. Et je ne puis l'écarter non plus comme une horrible fantaisie ; l'état misérable de Victor est la seule preuve dont j'aie besoin que ce terrible événement s'est réellement produit. Qu'est-ce qui saurait expliquer le remords qui le torture si ce n'est une pareille atrocité ? Je n'ai nulle autorité philosophique pour dire si la chose que Victor a tuée sous mes yeux était une âme vivante ou quelque produit d'une sous-humanité monstrueuse. Il suffit de savoir que cette créature était la compagne en laquelle Adam avait placé avec passion sa vie et ses espérances. Il avait l'intention de l'emmener – cette « chose fabriquée », comme lui-même – avec lui loin au-delà du voisinage de l'homme. J'avais entendu ses derniers cris pitoyables ; je l'avais vue lutter pour la vie jusqu'à ce que son corps mortel fût coupé en deux. Et cela, Victor l'avait accompli sous le regard d'Adam. Peut-être n'y a-t-il pas de loi humaine pour juger un tel acte, mais il y a une loi de la constitution biologique ; elle gouverne par révulsion spontanée. En vertu de cette loi, Victor est condamné dans mon cœur. Bien que je l'aime toujours, mon amour va à l'encontre de ce que je sais. Je l'aime sachant qu'il est un assassin et peut-être pire... l'ennemi de la Nature et du dieu de la Nature.

Et moi, qui suis plus véritablement proche d'Adam qu'aucune créature humaine depuis le commencement des temps..., je n'ai nulle compagne pour partager mon exil.

Chaque jour qui passe, mon père pousse à notre mariage avec plus d'impatience. Plus Victor hésite à donner son consentement, plus notre père est convaincu qu'il a formé quelque autre attachement. Si notre père connaissait mes propres réserves en la matière, il ne me presserait pas si durement ; mais je ne puis qu'invoquer mon inquiétude pour la santé de Victor. « Absurde ! réplique mon père. Rien ne saurait faire plus de bien à ce malheureux que le mariage et un long voyage avec sa jeune épouse. C'est presque une loque humaine. »

La santé défaillante de notre père prêtait à sa requête l'urgence de la dernière volonté d'un mourant. Je me résignai rapidement à considérer cette union comme inéluctable ; ma vie coule vers cette fin aussi sûrement que les torrents des montagnes coulent vers la mer. Quand Victor me fait tristement sa demande, je lui réponds oui tristement. Et la date de la noce est fixée au dernier jour d'août, à trois semaines d'ici.

Ève, devons-nous penser, est *née* femme d'Adam. Ou fut-elle mariée secrètement à Adam par Dieu ? Quelqu'un lui a-t-il seulement posé la question ?

Le... août 179...

Matinée très pluvieuse, puis chaleur moite toute la journée. Mal dormi. Une question m'a tourmentée toute la nuit : pourquoi la Nouvelle Jérusalem n'a-t-elle besoin ni du soleil ni de la lune ? Je n'aimerais pas vivre dans une contrée où il n'y a ni soleil ni lune. Dans la nuit, toute la maison étant endormie, j'allume la bougie et me faufile en bas dans la bibliothèque pour pouvoir lire ce passage. Il dit que la ville n'aurait besoin ni du soleil ni de la lune ; car la « gloire de Dieu l'éclaire ; et l'Agneau est son flambeau ».

Néanmoins, je préfère le soleil et la lune. Pourquoi nous enseigne-t-il que nous n'avons pas besoin d'eux ? Je ne crois pas en ces paroles. Je pense que cela nous livrerait au *sol niger* – le soleil noir.

Newton croyait que le Grand Œuvre était le chiffre prophétique cachant le message véritable des Écritures ; et si c'était le contraire ? Si les Écritures détenaient la clé du Grand Œuvre ? Comment savoir entre les deux choses, laquelle sert de métaphore à l'autre ?

Beaucoup de remue-ménage dans la maison. Je passe par les moments les plus étranges... Nous apparaissons, Victor et moi, telles des statues vivantes au centre d'une grande animation. Tout autour de nous, les gens font des préparatifs pour un événement dont nous sommes le centre d'attention ; nous recevons tous les jours des visiteurs qui viennent nous féliciter ; nos désirs sont sans cesse sollicités et exécutés. De tous côtés, on dresse des plans pour des festivités auxquelles chacun entend prendre part. Mais rien de cela ne nous touche, rien. Nous sommes des statues ; ce qui semble un bonheur certain et tangible aux autres, nous savons tous deux qu'il peut se dissiper en un rêve vaporeux, sans laisser d'autre trace qu'un profond regret.

La noce aura lieu au château ; elle sera célébrée par Charles. La fête qui suivra la cérémonie sera assurément le moment le plus heureux que cette triste maison ait connu en bien des années. Pour le bien de Victor, notre père désire que nous partions pour un long voyage. Père se meurt ; il souhaite que nous soyons au loin quand il mourra. Il souhaite notre bonheur, pas nos pleurs. Nous devons partir en début d'après-midi pour le quai, puis traverser en bateau le lac Léman et de là, vers une villa près du lac de Côme que père a jointe à mon héritage. Victor et moi passerons notre première nuit dans le lit conjugal à Évian, dans l'auberge de cette ville qui offre une vue splendide sur le Jura et le mont Blanc.

Mon sommeil devient chaque nuit plus troublé. En vérité, je ne dors pas, mais reste couchée dans une sorte de transe éveillée. Même le laudanum n'apaise plus mes esprits ; j'entends des bruits... un tonnerre étrange derrière les montagnes...

Le... août 179...

Mal dormi. Une journée froide, venteuse. De nouveau, la nuit dernière, des bruits. Pas des sons... une cacophonie aussi bruyante que le feu du canon ; mais on ne signale pas de batailles dans les environs. Le bruit me tire de mon lit, pour en trouver l'origine. Elle paraît être dans le ciel. Je regarde par la fenêtre, mais il n'y a rien, pas même le souffle du vent. Je demande au petit déjeuner si quelqu'un a entendu la même chose ; tous répondent que non.

Une odeur déplaisante dans l'air ce matin ; quelque chose comme une lampe à huile qui brûle, mais en plus piquant – plus fort au-dehors qu'au-dedans. Peut-être un feu parmi les camphriers...

Le... août 179...

Je me lève tard, fatiguée comme si j'avais marché du crépuscule à l'aube.

La nuit dernière, à nouveau, le sommeil ne m'accorde pas ses faveurs. Ma tête est dans un tourbillon incessant durant la nuit. *Si le temps était une rivière, ne nous trans-*

porterait-il pas vers l'avant plus volontiers qu'en arrière ? Je ne sais pas pourquoi cette phrase me tourne dans la tête.

À nouveau, je souffre beaucoup des bruits qui semblent descendre sur le toit en provenance du ciel... un grand fracas métallique pareil à celui de cent scies de charpentier, dont les dents grincent les unes contre les autres, mais un fracas terriblement amplifié. Si le métal pouvait hurler, ce serait sa voix. Une voix de fer. Je m'approche de la fenêtre pour regarder. Il n'y a pas d'étoiles. Elles ont été remplacées par des chiffres. Le ciel entier est couvert de chiffres rayonnants.

Si le temps était une rivière...

« Le Livre de la Nature est écrit en chiffres », dit mon père.

Mais les étoiles sont beaucoup plus belles.

J'entends les horloges du château carillonner deux fois, l'une d'abord, puis l'autre, et une autre plus loin. Je retourne me coucher et commence à pleurer, sachant que les étoiles ont été emportées.

Je dois essayer[15]......

Le... août 179...

Victor m'a redonné le portrait miniature que notre mère avait peint sur son lit de mort. « Je te peindrai dans toute ta force et ta fierté, m'avait-elle dit. Une femme qui est son propre maître. »

Je pense que ma mère était un prophète. Je crois qu'elle avait vu la mort du monde.

Je ne suis plus cette femme. Je ne suis plus Elizabeth. Je suis Lilith, la première qui souffrit entre les mains de l'Homme.

15. Une page a été déchirée ici. R. W.

Le... août 179...

Un matin morose. J'ai la migraine. Je me lève tardivement. J'ai vu de grands objets se mouvoir dans le ciel ; ils sont à l'origine des bruits. Pas des oiseaux, mais des choses mortes qui glissent dans les airs. Des objets immenses faits de métal. J'ai vu des dessins de montgolfières ; mais cela n'a rien à voir. C'est ce que j'ai vu[16]...

Quand je rappelle à mon esprit ce que j'ai vu la nuit dernière, ce n'est pas comme quand on se souvient d'un rêve. Je ne crois pas avoir rêvé, mais cela ne pouvait être réel. Mon esprit tourbillonne.

Francine vient me voir. Nous parlons de mon trousseau ; je vais porter le voile de mariée et la robe de ma mère. Cela ne m'intéresse guère. Francine me dit que j'ai les traits tirés ; elle s'inquiète pour moi. « Tu as pris la bonne décision, m'assure-t-elle. Tu rendras Victor heureux et il te rendra heureuse. » Je lui demande si Charles a déjà prononcé un sermon sur la grande voix qui retentit « comme une sonnerie de trompette ». De quelle « trompette » s'agissait-il ? Elle ne saurait dire. Je lui demande : comment saint Jean aurait-il appelé une horloge si celle-ci lui avait été révélée ? Comment aurait-il appelé le moteur atmosphérique ? Comment aurait-il appelé le télescope de monsieur Galilée ?

Le... août 179...

Depuis que j'ai rencontré Adam, mon esprit divague. Mais où va l'esprit quand il s'« égare » ? m'a demandé un jour Seraphina. Je ne puis me souvenir de ce qu'elle a répondu. Où est mon esprit maintenant ?

---

16. À cet endroit, l'auteur a recouvert la page d'un curieux dessin : des chiffres hétéroclites parmi lesquels flotte une multitude de croix aux formes bizarres répétées encore et encore. Il n'y a aucune indication sur ce que cela peut signifier. R.W.

Cette nuit, quand je me réveille, je vole tel un oiseau au-dessus du Jura. Je baisse les yeux et regarde la terre. Je peux voir sous la terre. Je vois un grand cercle de feu sous la terre. Je vois des hommes dans un anneau de feu, ils peinent sous la terre pareils à des trolls fébriles. Pas des mineurs, ce ne sont pas des mineurs. Ils ont d'autres moyens d'éclairage – ni lanternes, ni bougies. Ils ont mis le feu aux entrailles de la terre. Ils sont entourés de couleurs flamboyantes. J'entre dans un tunnel sous la terre. L'air crépite autour de moi. L'air est rempli d'électricité, il brûle contre ma peau. L'électricité a fui dans le monde ! Elle s'est propagée partout. Je demande ce que font ces hommes, qui travaillent à leur labeur à mille pieds sous terre. Une voix me dit : « Ils cherchent la Pierre. » Une autre me dit : « Ils connaissent le nom de toutes choses. » Une troisième me dit : « Ils mettent le monde en pièces. »

Je regarde autour de moi. Tout homme que je vois ressemble à Victor.

Ce n'est pas un rêve. Je ne rêve plus. Je ne dors pas. Je ne puis dormir[17].

Je porterai le voile de mariée de ma mère ; c'est décidé. Je me marierai, mais il n'y aura pas d'union. Victor a tué l'Un ; il ne peut y avoir que le Deux. Et entre le Deux, la querelle durera jusqu'à ce que le fort tue le doux.

Au milieu du trône se trouvaient quatre bêtes. Et la première ressemblait à Victor. Et la deuxième ressemblait à Victor. Et la troisième ressemblait à Victor. Et la quatrième ressemblait à Victor. Et la voix qui retentit « comme une sonnerie de trompette » dit : « La Pierre a été trouvée. Elle a pour nom Division à jamais et Mort éternelle[18]. »

---

17. La page suivante est à moitié déchirée. Elle contient un dessin. Ce qui reste de l'image est un enchevêtrement désordonné de lignes tracées au hasard. R. W.

18. Les trois pages suivantes sont couvertes d'une écriture grandement illisible. Les griffonnages comprennent des symboles alchimiques, quelques dessins pornographiques, des visages non identifiés

Le 29 août 1797

Sommeil troublé. Je reprends trois fois de ma potion. Cela n'arrange rien ; mon esprit lutte contre le sommeil. Il se passe quelque chose sous les montagnes. Je crois que les montagnes s'écroulent. J'ai vu une grande fissure béante à l'intérieur la nuit dernière et la lumière flamboyante était visible à travers et le fracas du monde mis en pièces de tous côtés. Il n'y avait aucun signe de cela ce matin. Les montagnes repoussent les envahisseurs. Les montagnes s'effondrent. Les envahisseurs ont creusé des tunnels sous les montagnes.

Demain, je dois me marier.

Matin du 30 août 1797

La pire des nuits, le ciel rempli des hurlements des métaux. Seraphina nous a dit comment les métaux souffrent dans le feu, comment ils hurlent ! La voix de fer proclame le supplice des métaux. Les métaux ne désirent pas servir. Un jour, ils se soulèveront contre nous.

Que font-ils, les hommes sous la terre ? Savent-ils ce qu'ils font ? Ils ont trouvé le secret de la *prima materia*. Ils s'activent jour et nuit sous la terre pour remodeler le monde comme ils le veulent. Ils ont envahi les entrailles de la terre. Ils n'ont besoin d'aucune femme. Les hommes fabriqueront leurs propres enfants. Leurs enfants seront des *choses fabriquées*. Adam est une chose fabriquée. Adam était le premier d'une nouvelle espèce mâle. Adam était...

---

et des formes d'animaux fantasmagoriques. La seule partie lisible est une liste des tribus d'Israël. Elle comporte plusieurs erreurs. Par exemple, elle compte une « tribu de Victor du Scalpel » et une « tribu d'Isaac de l'Or royal ». R. W.

« Je dis que nous n'aurons plus de mariage ! »

Mère, pardonne-leur car ils ne savent pas ce qu'ils font[19] *!*

La maison est pleine d'invités au mariage. Ils sont venus pour assister à notre union. Nos malles sont alignées en rang dans l'entrée, remplies, bouclées et sanglées. Je dois me montrer brave, je dois être gaie. Je porterai le voile vaporeux de ma mère. Ils attendent que la vierge apporte au marié sa pureté pour qu'il la souille. Je ne suis point vierge. Ma pureté m'a été ravie. Il n'y a nulle vierge à ce mariage. Il n'y a plus de vierges dans le monde.

Et le dragon se tenait devant la femme qui s'apprêtait à mettre au monde son enfant afin de dévorer celui-ci dès qu'il serait né.

Victor et moi n'aurons pas d'enfants ! J'insisterai là-dessus.

Victor périra et il n'aura pas d'enfants.

Je périrai sans enfants.

Adam périra, mais bien qu'il n'ait pas de compagne, il aura des enfants.

Des choses fabriquées, les enfants d'Adam.

Et ils hériteront du monde.

Et ils dévoreront la Terre.

Évian, le soir du 30 août 1797

Deux heures passées sur le lac. Le ciel est limpide, l'air est doux. Une journée divine ! Comme la nature paraît heureuse et sereine ! Mais tout au long du chemin, Victor regarde derrière nous, comme si nous étions poursuivis. Il ne voit rien, mais je sais ce qu'il craint. Inutile, inutile de regarder.

---

19. Page suivante illisible. À nouveau, des symboles alchimiques, dont, cette fois, une figure hermaphrodite légendée « Victor » et « Elizabeth ». Au-dessous, les mots : « Abomination de la Terre. » R.W.

Moi aussi, j'ai de bonnes raisons de regarder derrière moi. Loin au-dessus des voiles, je vois une petite tache noire sur le ciel clair. C'est Alou, qui vole en larges cercles, lentement. Je lui ai fait mes adieux ce matin et l'ai délivrée pour qu'elle se trouve une nouvelle maîtresse ; mais elle ne se laisse pas décourager et continue de veiller sur moi. Jusqu'où va-t-elle me suivre ? me demandé-je.

Le soir tombe doucement sur le monde ; pendant un bref moment, comme par un état de grâce passagère, nous est offerte une de ces scènes sublimes que ces fières montagnes nous réservent. Les Alpes sont au repos : une race de géants assoupis. Mais comme nous approchons d'Évian, où le lac s'élargit, le mauvais temps nous attend tel un ennemi en embuscade. Un ciel noir avec des nuages derrière les montagnes. Un éclair menaçant sillonne le ciel dans le lointain. Toute l'extrémité orientale du lac est dans la tempête.

Aussi vite que si un Prospero malfaisant avait balayé les flots de sa baguette pour amasser la tempête, celle-ci éclate. De derrière la Dent d'Oche, un torrent incommensurable gronde à travers l'espace ; la pluie se déchaîne contre la face des nuages tourmentés, qui avancent plus vifs que le vol du vautour. Le lac se soulève, le ciel devient d'une violence explosive, projetant des éclairs sur les sommets ; des flots tumultueux se soulèvent. D'en haut me parvient un faible cri aigu qui s'éloigne, emporté par le vent. Le dernier message d'Alou : un avertissement angoissé. Levant les yeux pendant un bref instant, je la vois se débattre vainement contre la bourrasque déchaînée, puis la perds dans un brouillard tourbillonnant. Adieu, donc, fidèle amie ! C'est ainsi que nous nous séparons, arrachées l'une à l'autre par les éléments en furie.

Nous débarquons à Évian et, aveuglés par la pluie, courons jusqu'à la voiture qui nous attend pour nous conduire à l'auberge qui se trouve sur les hauteurs. Nous arrivons mouillés jusqu'aux os, nos bagages trempés ; mais à peine avons-nous franchi la porte que Victor s'excuse, disant qu'il a quelque affaire avec le bateau. Il m'envoie me changer dans notre chambre, donnant pour instruction à l'aubergiste de m'enfermer à double tour dès que je serai en sécurité. La femme de l'aubergiste, une femme robuste, dotée d'une bonne nature, me conduit à notre chambre et dépose ma valise dans un coin. Elle s'approche du lit et retourne consciencieusement les couvertures, comme elle le ferait pour tout autre client. Avec un sourire entendu, elle tapote la courtepointe et me dit que c'est le plus beau lit nuptial qui se puisse trouver sur le lac. Quand elle a fini de dresser le feu, elle s'arrête devant la porte pour dire : « Comme cette nuit est spéciale pour vous, ma chère enfant ! Et le ciel fasse que ce soit la première d'une longue et heureuse vie conjugale ! » Puis, comme elle en a été instruite, elle referme la porte et tourne la clé dans la serrure.

Dès qu'elle est partie, je fouille dans mes bagages pour y trouver ce cahier, craignant que la pluie ne l'ait touché. Je le trouve sec et y attache la lettre que j'ai préparée. Tout est fini. Je suis prête.

Puis, l'un après l'autre, je me défais de mes vêtements fluides et les laisse tomber à mes pieds jusqu'à ce que je me tienne nue au centre de la pièce. Je fixe longuement le grand lit à baldaquin qui occupe la plus grande partie de la chambre. Je songe : *Ce soir, si j'étais toute autre jeune mariée, je serais censée m'allonger sur cette couche aussi nue que je me tiens à présent, enveloppée dans l'étreinte passionnée de mon mari, apprenant les délices sans foi ni loi de la chair. Ce soir, si j'étais toute autre femme, je me tiendrais ici sur le point de voir s'accomplir une vie de femme et de mère aimante. Mais cela ne sera pas pour moi. Je m'allongerai sur ce lit tel l'agneau du sacrifice attendant le coup expiatoire. Et je ne me lèverai plus pour voir la lumière du jour.*

Victor transporte un pistolet ; il cherche à me le cacher, mais je l'ai vu dans ses bagages. Victor est assailli par la peur ; il ne peut me le dissimuler. Je pense qu'en cet instant même, il fouille la maison et les alentours. Il connaît le danger que nous courons ; il croit qu'il peut me défendre. Il donnerait sa vie pour me défendre. Il ne peut me défendre.

La tête me tourne. Depuis ce matin, je me sens partir à la dérive.

La tempête déchaîne le tonnerre et le déluge sur nos têtes ; elle frappe sur le monde comme si la terre était un tambour. Je regarde par la fenêtre, contemple le feu zigzagant qui danse follement entre les nuages ; de temps à autre, un éclair illumine le sommet du mont Blanc aussi clairement qu'en plein midi. On croirait que le ciel va s'ouvrir et que le feu de l'Empyrée va surgir.

J'ai ce court instant, cette heure...

Je me sens portée à écrire.

Je laisse ces mots.

Ce ne sont pas mes mots.

Ce sont des...

Ce ne sont pas...

Je vois la mort du monde.

Je vois de grandes machines dans les entrailles de la terre.

Et je vois les montagnes s'effondrer.

Et je vois la foudre enchaînée et devenue l'esclave de l'homme.

Et je vois la grande Nature humiliée.

Et j'entends le ciel rugir d'une voix de fer.

Et je vois la terre produire un jardin mortel de vapeurs tourbillonnantes, des dizaines et des centaines de grosses fleurs de feu qui s'épanouissent.

Et j'entends l'électricité parler avec des millions de voix.

Et je vois des hommes bâtir des villes qui n'ont besoin ni du soleil ni de la lune.

Et je vois des hommes se détourner du beau visage de la terre pour chercher de nouveaux mondes dans le néant. Je les vois basculer dans le néant.

Et je vois le néant dévorer le cœur des hommes.

Et je sens le froid mortel du néant descendre sur la terre.

Et je vois les hommes tirer leurs folies de la matière captive.

Et je les vois fabriquer des créatures nées de leur propre imagination.

Et je vois les hommes se reproduire sans les femmes.

Et je vois des monstres se pencher vers leurs créateurs et se soulever contre eux.

Et j'entends le coup donné au carreau et je sais qui est là.

Et je m'entends accueillir l'invité en retard à mon mariage.

Et je m'entends lui demander la délivrance de l'oubli.

Et je me vois étendue sur cette couche
Je me vois allongée sur cette couche
Je me vois, offrande nue,
Je me vois la dernière femme sur terre
Je vois[20]...

---

20. Les pages restantes ont été arrachées. R.W.

ÉPILOGUE

Les lecteurs se souviendront que, d'après le récit original de Victor Frankenstein, Elizabeth a trouvé la mort à l'auberge d'Évian durant cette nuit de noces fatidique. Peu après que les paroles que je cite ci-dessus furent couchées, Elizabeth fut découverte morte dans sa chambre. Elle avait la gorge broyée. Le premier à la trouver fut Victor. Il avait été occupé à explorer l'auberge et ses dépendances, prenant les précautions qu'il pouvait pour se défendre lui-même ainsi que sa femme quand, comme il le rapporta, il entendit un cri provenant de la chambre d'Elizabeth. En ouvrant sa porte fermée à clé, il aperçut le meurtrier de sa femme qui regardait dans la chambre par la fenêtre ouverte et tira sur lui. L'aubergiste, sa famille et d'autres clients obéirent instantanément à Victor quand celui-ci leur commanda de fouiller les lieux en quête de l'assassin, mais ils ne trouvèrent aucune trace d'un intrus. En conséquence, quand les recherches prirent fin, Victor se trouva aussitôt suspecté d'avoir lui-même commis le meurtre, un événement qui continue de défrayer la chronique dans la région.

Durant l'été de 1821, je fus en mesure de retrouver la trace d'une fille de l'aubergiste qui avait accueilli les jeunes mariés à Évian et les avait hébergés par cette nuit d'orage. Âgée de douze ans à l'époque, elle gardait un souvenir épouvantable de ce qui s'était produit. Quand je l'interrogeai sur le démon qui avait coûté la vie à Elizabeth, la femme affirma solennellement qu'elle-même ainsi que ses parents avaient toujours considéré la créature comme une invention née de l'imagination de

Victor Frankenstein. Elle ne connaissait personne qui eût entendu crier la femme assassinée ; ceux qui avaient accouru vers la chambre avaient été ameutés par le coup de feu. Sa conviction intime était que Victor était le meurtrier, qu'il avait étranglé sa femme dans une crise de jalousie. Le fait que le corps d'Elizabeth eût été trouvé dévêtu dans une chambre à laquelle il avait seul accès signait un crime passionnel pur et simple.

Malheureusement, le point de vue de cette femme est demeuré l'opinion courante parmi ceux qui se souviennent du crime ; bien qu'il ne fût jamais arrêté ni jugé, Victor ne put prouver son innocence à cet égard. Même le baron Frankenstein, qui succomba à une attaque moins d'une semaine plus tard, a pu être poussé dans la tombe en croyant la même chose que les autres ; que les mains de son fils étaient tachées du sang d'Elizabeth. Le conte fantastique de Victor à propos d'un être monstrueux et meurtrier parcourant le monde ne reposait sur aucune preuve. C'est ce qui m'a finalement décidé à consigner tout ce que j'ai trouvé dans les mémoires d'Elizabeth pouvant contribuer à innocenter Victor Frankenstein. Puisque je suis seul au monde à pouvoir attester l'existence de la créature qui a pris la vie d'Elizabeth, j'espère que ces ultimes pages, si imparfaites soient-elles en raison de la folie grandissante de leur auteur, atténueront la suspicion qui continue d'entourer la personne de cet homme tragique. Quels que soient les crimes reprochés à juste titre à Victor Frankenstein, que le monde sache que ce n'est pas sa main qui a mis fin à la vie de sa fiancée.

Dans les jours qui suivirent la mort de son père, Victor tomba dans une fièvre délirante, et il lui fallut des semaines pour se remettre. Quand il fut enfin capable de quitter le lit, il résolut de se venger du misérable qui avait détruit sa vie. C'est ainsi que commença la poursuite qui devait le conduire durant les deux années à venir à travers les déserts et la toundra, de la Méditerranée à la mer Noire... et finalement jusqu'aux régions polaires. Là, au cours de l'automne de 1799, nos chemins se croisèrent dans l'océan de glace ; et là, il trouva enfin quelqu'un qui sût se montrer suffisamment patient et compatissant pour prendre note de son histoire. À peine eus-je accompli cette tâche que Victor Frankenstein, à bout de forces et affligé de nombreuses souffrances, s'éteignit dans mes bras. Le lendemain, juste comme la glace cédait et que notre bateau commençait à s'avancer vers le sud, le démon que Frankenstein avait poursuivi à travers le globe surgit dans ma cabine pour réclamer la dépouille mortelle de son créateur. Il me fit la promesse que la créature et son créateur se consumeraient sur un bûcher à l'extrémité la plus septentrionale du monde. Ma dernière vision de ce misérable fut le salut qu'il m'adressa depuis le radeau de glace qui les emportait dans les ténèbres et le lointain.

Combien d'années me séparent à présent de cet intermède extraordinaire que j'ai passé dans cette solitude prisonnière des glaces, écrivant consciencieusement ce que je prenais pour le récit d'un fou. Pourquoi l'ai-je fait, à ce jour, je ne puis le comprendre à moins que je n'aie été sommé d'accomplir cette mission par une puissance providentielle. Le lieu était étrange ; mais plus étrange encore les conditions symboliques dans lesquelles je résidais au cours de ces journées. Je partageais le monde des morts avec une âme damnée. Je ne m'en rendis pas compte à l'époque, mais cette zone arctique, inhospitalière, inhumaine et stérile incarnait le legs de Frankenstein plus totalement que tout autre lieu que l'imagination aurait pu concevoir. Elle représentait parfaitement cette région inférieure glacée des Enfers dans laquelle Dante relégua le plus grand ennemi de Dieu. Au regard du poète, pas même le péché le plus noir commis par luxure ou colère ne saurait égaler en horreur l'acte de malfaisance pour lequel Lucifer se trouvait condamné pour l'éternité. Jadis ange de lumière, Satan avait fait usage de son intelligence pour se dresser contre son Créateur. Le destin de Frankenstein, me suis-je souvent demandé, présageait-il un avenir dans lequel la froide et insensible Raison s'emparerait de la Nature généreuse pour la transformer en une semblable désolation ?

TABLE

Collection NéO
Dirigée par Hélène Oswald

Cette collection se propose de poursuivre le travail d'édition réalisé par Pierre Jean et Hélène Oswald au sein des Éditions NéO de 1978 à 1991 avec les collections « Le Miroir obscur » et « Fantastique/Science-fiction/Aventure », continué aux Éditions Les Belles Lettres, de 1997 à 2003, avec leurs collections « Le Cabinet noir/Poche » et « Le Grand Cabinet noir ».

Comme ses devancières, la collection NéO publiera des écrivains œuvrant dans tous les « mauvais genres » : roman noir, thriller, horreur, fantastique, science-fiction, avec une prédilection pour le genre « inclassable » et les auteurs hors normes.

Collection NÉO

Parus

Graham Masterton, *Le Complot Sweetman*
Traduit de l'anglais par François Truchaud

Un tueur en série sème la panique dans l'agglomération de Los Angeles en tuant au hasard dans leur voiture des personnes n'ayant apparemment aucun lien entre elles. Mais s'agit-il vraiment de hasard et d'un psychopathe ? Quel est le rôle exact dans cette affaire du sénateur Carl X. Chapman, prêt à tout pour devenir président des États-Unis ?

Un thriller percutant, original et inventif, qui traite de l'ambition, des compromissions et... des élections présidentielles aux Etats-Unis.

Michel de Pracontal, *La Femme sans nombril*

Londres 2222. Une mégapole de robots, dirigée par des artefacts. Venus d'une autre planète, quatre visiteurs cherchent une espèce introuvable : l'humanité. Pourquoi a-t-elle disparu d'une Terre qui ne porte aucun signe de destruction globale ? Ils finiront par découvrir l'incroyable vérité ; ou comment les États-Unis de l'après-guerre ont donné naissance à un monde sans chair. Mais cette catastrophe douce est-elle irréversible ? Le suspense dure jusqu'à la dernière ligne.

Un roman époustouflant, subtilement teinté d'érotisme, qui tient le lecteur en haleine de la première page à la stupéfiante révélation finale.

Theodore Roszak, *Le Diable et Daniel Silverman*
Traduit de l'anglais (États-Unis) par Édith Ochs

Daniel Silverman, un romancier vivant à San Fransisco dont les livres ne connaissent que des tirages confidentiels, accepte la curieuse invitation à faire une conférence dans un collège religieux d'une petite ville perdue du Minnesota, avec à la clé une jolie rémunération.

Lorsqu'il arrive à destination, il découvre que les membres du collège sont des fondamentalistes chrétiens qui semblent exercer un véritable pouvoir sur les habitants de la région. Quel intérêt ont-ils à inviter un écrivain juif athée et homosexuel comme lui ? Alors que le blizzard se déchaîne, prisonnier de la ville, il va vivre un véritable cauchemar...

Un roman aussi palpitant qu'effrayant. On y retrouve toute l'érudition de l'auteur de *La Conspiration des ténèbres* au service d'une intrigue diabolique.

Noirs Scalpels
anthologie présentée par Martin Winckler

Les médecins sont le plus souvent perçus comme des soignants, des guérisseurs, des magiciens bienveillants. Mais il arrive qu'ils soient associés au crime...

Les nouvelles de cette anthologie, d'une grande variété d'inspiration et d'écriture, qu'elles soient policières, fantastiques, historiques ou humoristiques, traitent de cette réalité ambivalente. Elles sont signées par des écrivains très divers, certains sont médecins, d'autres des spécialistes du domaine policier, fantastique ou de science-fiction. Entre autres : Christian Lehmann, Frédéric H. Fajardie, Ayerdhal, Pierre Bordage, François Rivière, Jérôme Leroy, Nicolas d'Estienne d'Orves, Chantal Pelletier, Olivier Delcroix, Michel de Pracontal, Daniel Walther, René Reouven, Chantal Montellier, Joëlle Wintrebert et... Martin Winckler.

Colin Wilson, *Black Room*
Traduit de l'anglais par François Truchaud

Au hasard d'une rencontre avec des amis, un musicien, Christopher Butler, accepte de participer, en Écosse, à un projet ultrasecret. Des scientifiques y expérimentent une installation appelée « Chambre noire », où des sujets volontaires sont plongés dans une obscurité complète et un silence absolu. Il s'agit de savoir combien de temps ils pourront supporter psychologiquement ces conditions d'isolement extrême.

Très vite, Butler comprend que cela revient à leur faire subir un lavage de cerveau et que ce projet intéresse divers services de renseignement, dont la CIA.

Un roman d'espionnage qui transcende le genre, où Colin Wilson poursuit sa quête philosophique sur la signification de la vie et l'élargissement de la conscience.

Graham Masterton, *Génie maléfique*
Traduit de l'anglais par François Truchaud

Micky Frazier, plongeur dans un restaurant, se porte au secours d'un homme âgé victime d'une tentative d'enlèvement. Celui-ci, un certain Dr Lügner, pour le remercier, lui fait parvenir une cassette contenant des instructions : Micky doit s'injecter une substance censée augmenter ses facultés intellectuelles. Effectivement Micky se met à dévorer des ouvrages scientifiques, à résoudre des équations complexes... Il est devenu un génie ! Mais une mystérieuse organisation, OGRE, continue de traquer le Dr Lügner et s'en prend à Micky...

Un thriller psychologique mené tambour battant, où l'action, souvent violente, est tempérée par le subtil mélange d'humour et d'érotisme caractéristique de Masterton.

Michel de Pracontal, *Risques majeurs*

Mathématicien raté, Iohann Moritz est gardien d'immeuble dans un HLM parisien. Lorsqu'il découvre qu'un locataire a décampé sans laisser d'adresse, il croit à une banale crise familiale. Mais quand il apprend que le disparu était un spécialiste de la radioprotection et que deux experts de la Sûreté nucléaire ont été mystérieusement assassinés, il se rend à l'évidence : quelque chose ne tourne pas rond dans le monde des centrales atomiques.

Propulsé au cœur d'un labyrinthe de faux-semblants et de vrais dangers, de complots et de mensonges d'État.

Moritz lutte contre un ennemi implacable. Qui est vraiment le locataire ? Savant loyal ou Docteur Folamour ? Moritz finit par découvrir l'incroyable vérité. Mais pourra-t-il éviter la catastrophe ? Encore faudrait-il qu'il sauve sa propre peau...

Charles Stross, *Jennifer Morgue*
Traduit de l'anglais par Édith Ochs

Bob Howard est employé par l'agence de renseignements la plus secrète du monde : la Laverie, située dans les sous-sols pouilleux d'une banlieue de Londres.

Cette fois, sa mission sera d'une importance dramatique. Un milliardaire américain de l'informatique, Ellis Billington, ayant réussi à s'emparer d'une arme secrète enfermée dans un sous-marin soviétique échoué au fond du Pacifique, Bob est chargé de s'introduire dans son yacht, mouillé dans la mer des Caraïbes, afin de le neutraliser.

Comme l'illustre agent 007, Bob dispose de quelques atouts et gadgets technologiques. Et, comme Bond, il doit résister aux charmes d'une redoutable créature, Ramona Random, une beauté fatale qui travaille pour la Chambre Noire, l'équivalent américain de la Laverie...

Un roman étourdissant, hommage à ceux de Ian Fleming, qui, à la manière d'*X-Files* ou des *Men in Black*, transcende les genres, mêlant allègrement espionnage, fantastique et nouvelles technologies, avec une touche d'érotisme d'autant plus torride qu'il est souvent aquatique.

À paraître

Louis Bayard, *Un œil bleu pâle*
Traduit de l'anglais (États-Unis) par Jean-Luc Piningre

Un vétéran de la police de New York, Landor, aujourd'hui à la retraite, personnage complexe, usé par ses années de service et des tragédies personnelles, répond à l'appel des autorités de l'Académie voisine de West Point lorsque la dépouille d'un élève officier retrouvé pendu est atrocement profanée.

Landor accepte de mener l'enquête et prend pour assistant un élève de West Point sombre et tourmenté nommé Edgar Poe.

C'est le début d'un terrible voyage au cœur des ténèbres pour les deux hommes qui, lancés sur la piste d'un tueur aussi terrifiant que machiavélique, devront affronter leurs propres démons, alors que l'Académie entière est prête à basculer dans la folie.

Tandis que les cadavres se multiplient, Landor et Poe pénètrent les arcanes mystérieuses de West Point, entre sociétés secrètes et sacrifices rituels, jusqu'à une conclusion aussi stupéfiante qu'imprévisible.

Un thriller gothique et érudit au suspens constant et au final étourdissant, dont l'intrigue prend racine dans la vie et l'œuvre d'Edgar Poe.

DANS LA COLLECTION « AILLEURS »
AU CHERCHE MIDI

DANS LE DOMAINE ANGLO-SAXON

JEFF ABBOTT
Panique
traduit de l'anglais (États-Unis)
par Fabrice Pointeau

STEVE BERRY
Le Troisième Secret
traduit de l'anglais
par Jean-Luc Piningre

ANTHONY BURGESS
Le docteur est malade
traduit de l'anglais
par Jean-Luc Piningre

Mister Raj
traduit de l'anglais
par Jean-Luc Piningre

JIM FERGUS
Mille femmes blanches
traduit de l'anglais (États-Unis)
par Jean-Luc Piningre
Prix du Premier Roman étranger

La Fille sauvage
traduit de l'anglais (États-Unis)
par Jean-Luc Piningre

TIBOR FISCHER
Ne lisez pas ce livre si vous êtes stupide
traduit de l'anglais
par Marc Amfreville

Voyage au bout de ma chambre
traduit de l'anglais
par Marc Amfreville

DAVID HEWSON
Une saison pour les morts
traduit de l'anglais
par Diniz Galhos

DONALD MARSTAD
Onze jours
traduit de l'anglais (États-Unis)
par Serge Halff

Code 10
traduit de l'anglais (États-Unis)
par Gilles Morris-Dumoulin

– 30°
traduit de l'anglais (États-Unis)
par Gilles Morris-Dumoulin

GUY DE LA VALDÈNE
Le Beau Revoir
traduit de l'anglais (États-Unis)
par Marie-Christine Loiseau

THOMAS MCGUANE
Intempéries
traduit de l'anglais (États-Unis)
par Nicolas Richard

RICHARD MONTANARI
Déviances
traduit de l'anglais (États-Unis)
par Fabrice Pointeau

HAROLD NEBENZAL
Berlin Café
traduit de l'anglais (États-Unis)
par Gilles Morris-Dumoulin

KATHERINE NEVILLE
Le Huit
traduit de l'anglais (États-Unis)
par Évelyne Jouve

Le Cercle magique
traduit de l'anglais (États-Unis)
par Gilles Morris-Dumoulin

Un risque calculé
traduit de l'anglais (États-Unis)
par Gilles Morris-Dumoulin

TOM ROBBINS
Féroces infirmes,
retour des pays chauds
traduit de l'anglais (États-Unis)
par Jean-Luc Piningre

Villa Incognito
traduit de l'anglais (États-Unis)
par Jean-Luc Piningre

THEODORE ROSZAK
La Conspiration des ténèbres
traduit de l'anglais (États-Unis)
par Édith Ochs

MARCUS SAKEY
Désaxé
traduit de l'anglais (États-Unis)
par Fabrice Pointeau

TOMI UNGERER
Acadie
traduit de l'anglais
par Édith Ochs

ROBERT JAMES WALLER
Une saison au Texas
traduit de l'anglais (États-Unis)
par Gilles Morris-Dumoulin

PETER WATSON
Un paysage de mensonges
traduit de l'anglais
par Gilles Morris-Dumoulin

RICHARD ZIMLER
Le Dernier Kabbaliste de Lisbonne
traduit de l'anglais (États-Unis)
par Erika Abrams

Les Sortilèges de Minuit
traduit de l'anglais (États-Unis)
par Gilles Morris-Dumoulin

DANS LE DOMAINE RUSSE

NIKOLAÏ CHADRINE
Le Temps des troubles
traduit du russe
par Bernard Kreise

NIKOLAÏ GOGOL
Les Âmes mortes
illustré par Marc CHAGALL
traduit du russe
par Anne Coldefy-Faucard

NIKOLAÏ KONONOV
Funérailles d'une sauterelle
traduit du russe
par Hélène Henry

DANS LE DOMAINE ESPAGNOL

ANTONIO BENÍTEZ ROJO
Femme en costume de bataille
traduit de l'espagnol (Cuba)
par Anne Proenza

DANS LE DOMAINE INDIEN

INDERJIT BADHWAR
La Chambre des parfums
traduit de l'anglais (Inde)
par Gilles Morris-Dumoulin
Prix du Premier Roman étranger

INDRAJIT HARZA
Max le maudit
traduit de l'anglais (Inde)
par Marc Amfreville

Le Jardin des délices terrestres
traduit de l'anglais (Inde)
par Marc Amfreville

SANJAY NIGAM
L'Homme greffé
traduit de l'anglais (Inde)
par Alain Porte

RAJ RAO
Boyfriend
traduit de l'anglais (Inde)
par Gilles Morris-Dumoulin

ARDASHIR VAKIL
Beach Boy
traduit de l'anglais (Inde)
par Natalie Levisalles

Composition et mise en pages par Azarba
cet ouvrage a été achevé d'imprimer en France
par la Société Nouvelle Firmin-Didot
Dépôt légal : février 2007
N° d'édition : 491 – N° d'impression : 83286
ISBN 978-2-7491-0491-1